· 완벽한 자율학습서 ·

완자

# 자율학습시
# 비상구
# 완자로 53

## 정치와 법

# Structure

01 | 핵심 내용 파악하기

이 단원에서 꼭 알아야 하는 핵심 개념을 확인하고, 친절하게 설명된 내용 정리로 정치와 법 교과 내용을 이해할 수 있습니다.

이 단원에서 학습해야 할 핵심 개념을 한눈에 파악할 수 있습니다

교과서에서 다루는 내용을 명확하게 정리하고, 어려운 개념이나 용어, 사례 등에는 친절한 설명을 덧붙였습니다.

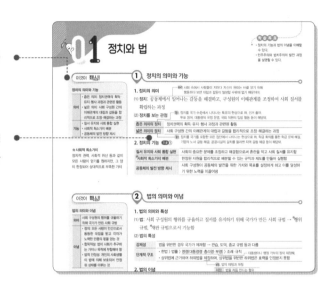

03 | 다양한 유형의 내신 문제 풀기

학교 시험에 자주 출제되는 유형의 문제들을 단계별로 풀어보면서 실력을 향상시킬 수 있습니다. 또한 시험에서 비중이 높아진 서술형 문제도 자신 있게 대비할 수 있습니다.

04 | 수능 문제로 1등급 정복하기

사고력과 변별력을 요구하는 수능 유형의 문제를 풀면서 실력을 향상시키고 난이도 있는 시험 문제에도 자신감을 얻을 수 있습니다.

교과서에서 강조하는 빈출·핵심 자료는 포인트를 확실하게
짚어 주는 자료 설명으로 구성하였습니다.

한눈에 보이는 정리 비법, 간단한 문제
로 확인하는 개념, 함께 알아 두어야 할
자료 등을 선생님이 강의하듯 꼼꼼하게
정리하였습니다.

학교 시험은 물론 수능에도 출제될 가
능성이 높은 중요 자료를 질문과 답변
형식으로 철저하게 분석하였습니다.

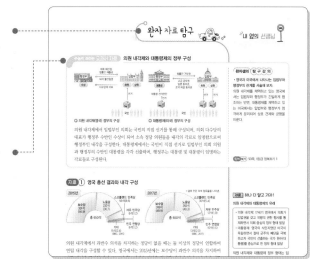

대단원의 핵심 내용을 한눈에 정리하고, 통합형 문제까지
풀어 보면서 대단원 학습을 최종 점검할 수 있습니다.

교과 내용에서 강조하는 논술 주제들을 별도 구성하고, 논
술 포인트, 자료 분석 등을 통해 입체적인 논술 답안을 제공
하였습니다.

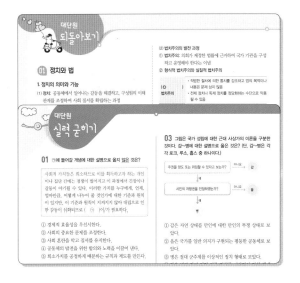

# Contents

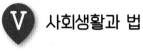
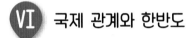

# 완자와 내 교과서 비교하기

# 민주주의와 헌법

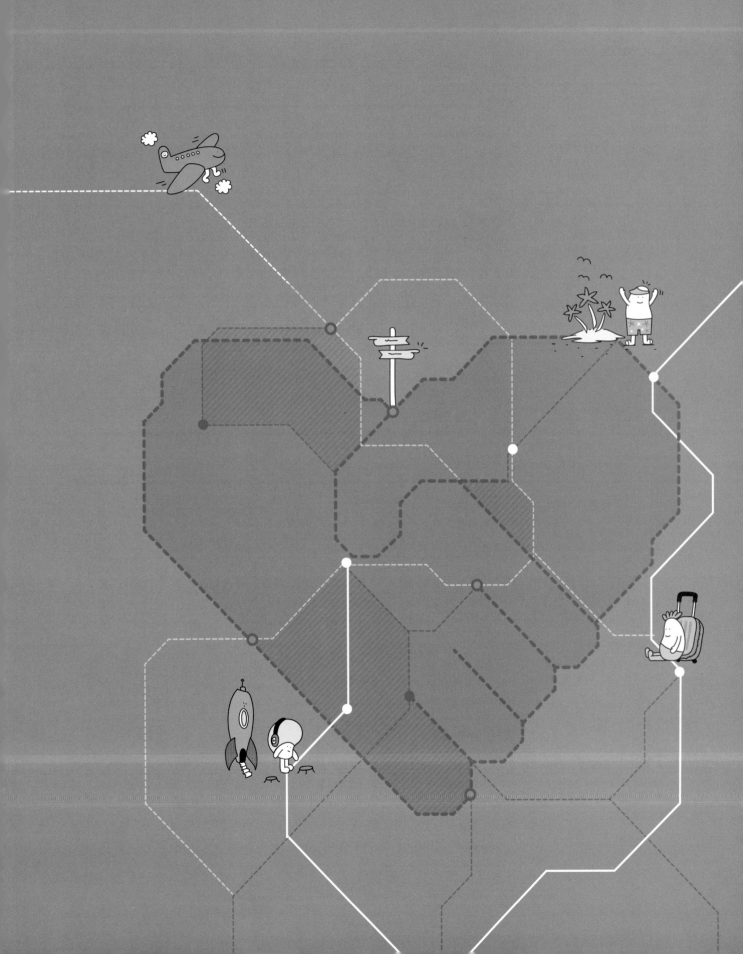

# 01 정치와 법

**학습목표**
- 정치의 기능과 법의 이념을 이해할 수 있다.
- 민주주의와 법치주의의 발전 과정을 설명할 수 있다.

## 이것이 핵심!

### 정치의 의미와 기능

| 의미 | • 좁은 의미: 정치권력의 획득·유지·행사 과정과 관련된 활동<br>• 넓은 의미: 사회 구성원 간의 이해관계의 대립과 갈등을 합리적으로 조정·해결하는 과정 |
|---|---|
| 기능 | • 질서 유지와 사회 통합 실현<br>• 사회적 희소가치 배분<br>• 공동체의 발전 방향 제시 |

**★ 사회적 희소가치**
정치적 권력, 사회적 위신 등과 같이 모든 사람이 얻기를 원하지만, 그 양이 한정되어 상대적으로 부족한 가치

## ① 정치의 의미와 기능

### 1. 정치의 의미

> 왜? 사회 속에서 사람들이 저마다 자신이 원하는 바를 얻기 위해 행동하다 보면 대립과 갈등이 발생할 수밖에 없기 때문이야.

(1) **정치**: 공동체에서 일어나는 갈등을 해결하고, 구성원의 이해관계를 조정하여 사회 질서를 확립하는 과정

(2) **정치를 보는 관점**
> 꼭! 정치를 국가 수준에서 나타나는 특유의 현상으로 봐. 선거 출마, 투표 참여, 대통령의 국정 운영, 국회 의원의 입법 활동 등이 해당돼.

| 좁은 의미의 정치 | 정치권력의 획득·유지·행사 과정과 관련된 활동 |
|---|---|
| 넓은 의미의 정치 | 사회 구성원 간의 이해관계의 대립과 갈등을 합리적으로 조정·해결하는 과정 |

> 꼭! 정치를 국가를 포함한 모든 집단에서 나타나는 현상으로 봐. 학급 회의를 통한 학급 문제 해결, 기업의 노사 갈등 해결, 공공시설의 설치를 둘러싼 지역 갈등 해결 등이 해당돼.

### 2. 정치의 기능 [자료①]

| 질서 유지와 사회 통합 실현 | 사회의 중요한 문제를 조정하고 해결함으로써 혼란을 막고 사회 질서를 유지함 |
|---|---|
| *사회적 희소가치 배분 | 한정된 자원을 합리적으로 배분할 수 있는 규칙과 제도를 만들어 실행함 |
| 공동체의 발전 방향 제시 | 사회 구성원이 공동체의 발전을 위한 가치와 목표를 설정하게 하고 이를 달성하기 위한 노력을 이끌어냄 |

## 이것이 핵심!

### 법의 의미와 이념

| 의미 | 사회 구성원의 행위를 규율하기 위해 국가가 만든 사회 규범 |
|---|---|
| 이념 | • 정의: 모든 사람이 인간으로서 동등한 대접을 받고 각자가 노력한 만큼의 몫을 얻는 것<br>• 합목적성: 법이 사회가 추구하는 가치나 목적에 부합해야 함<br>• 법적 안정성: 개인의 사회생활이 법에 의해 보호되어 안정된 상태를 이루는 것 |

**★ 행위 규범과 재판 규범**

| 행위 규범 | 사회 구성원들이 할 수 있는 행위와 해서는 안 되는 행위의 기준을 제시함 |
|---|---|
| 재판 규범 | 사회 구성원들이 법을 위반하였을 때 재판의 기준이 됨 |

**★ 법률 불소급의 원칙**
법률의 효력은 시행일로부터 발생하며 시행일 이전의 사건에 대해서는 소급하여 적용할 수 없다는 원칙

## ② 법의 의미와 이념

### 1. 법의 의미와 특성

(1) **법**: 사회 구성원의 행위를 규율하고 질서를 유지하기 위해 국가가 만든 사회 규범 → *행위 규범, *재판 규범으로서 기능함

(2) **법의 특성**

| 강제성 | 법을 위반한 경우 국가가 제재함 → 관습, 도덕, 종교 규범 등과 다름 |
|---|---|
| 단계적 구조 | • 헌법 〉 법률 〉 명령(대통령령·총리령·부령) 〉 조례·규칙 — 대통령이나 행정 각부의 장이 제정해.<br>• 상위법에 근거하여 하위법을 제정하며, 상위법을 위반한 하위법은 효력을 인정받지 못함 |

### 2. 법의 이념

| **VS** 법의 제정과 개정 | |
|---|---|
| 제정 | 법을 처음 만드는 행위 |
| 개정 | 있는 법을 변경하는 행위 |

(1) **정의**: 법이 추구하는 궁극적 이념

① **의미**: 모든 사람이 인간으로서 동등한 대접을 받고 각자가 노력한 만큼의 몫을 얻는 것 → 평균적 정의, 배분적 정의 [자료②]
> 예 사회 질서를 어지럽힌 사람에게는 벌을 주고, 다른 사람에게 손해를 끼친 사람에게는 배상하게 하는 것

② **오늘날의 정의**: 주로 평등을 의미함

| 절대적·형식적 평등 | 누구에게나 똑같이 대우해 주는 것<br>예 모든 유권자에게 동등하게 1표씩 주고, 그 1표의 가치도 같게 해야 한다는 것 |
|---|---|
| 상대적·실질적 평등 | 개인의 능력, 상황, 필요 등의 차이에 따라 '같은 것은 같게, 다른 것은 다르게' 대우하는 것<br>예 시각 장애 수험생에게 별도의 문제지 제공이나 시험 시간 연장 등을 해 주는 것 |

(2) **합목적성**: 법이 그 사회가 추구하는 가치나 목적에 부합해야 함 [자료③]

(3) **법적 안정성**: 개인의 사회생활이 법에 의해 보호되어 안정된 상태를 이루는 것 → 법의 내용이 명확히 규정되어야 하고, 실현 가능성이 있어야 하며, 법이 쉽게 폐지되거나 변경되지 않아야 하고, 국민의 법의식에 부합해야 함 예 *법률 불소급의 원칙, 시효 제도 등
> — 법적 안정성이 확보되어야 국민이 법의 권위를 믿고 법에 따라 안심하고 생활할 수 있어.
> 일정한 사실 상태가 오래 계속된 경우에 그 사실 상태를 그대로 존중하여 권리 관계로 인정하는 제도야.

## 완자 자료 탐구

### 내 옆의 선생님

**자료 1** 정치의 기능

'노점상 문제'는 생계를 위해 노점을 해야 하는 노점 상인, 불법 노점 때문에 피해를 보는 인근 상가 상인, 통행 불편을 호소하는 일반 시민의 의견 차이가 커서 해결이 쉽지 않았다. 이에 ○○시는 단속을 위주로 하던 기존의 노점상 관리 방식 대신 노점상과의 대화와 협의를 통해 '지자체와 노점상 간 공동 업무 협약'을 체결하고 노점상의 규격과 수량을 줄이는 데 합의하였다. 이로 인해 시민의 보행 여건도 좋아지고, 인근 상가 상인들의 불만도 사라졌다. — 「뉴데일리」, 2017. 1. 9.

정치는 개인과 집단 간에 발생하는 이해관계의 충돌을 해결하기 위해 사회적 희소가치를 합리적으로 배분하는 제도와 방법을 마련하고 사회 갈등과 대립을 조정한다. 이를 통해 사회 질서 유지, 사회 통합과 발전의 토대가 마련되고 사회 구성원의 삶의 질이 향상된다.

**자료 2** 평균적 정의와 배분적 정의

└─ 법을 준수하는 것

아리스토텔레스는 정의를 일반적 정의와 특수한 정의로 구분하였는데, 특수한 정의는 평등을 기준으로 평균적 정의와 배분적 정의로 구분하였다. 평균적 정의는 "모든 사람을 동등하게 대우해야 한다."라는 원리를, 배분적 정의는 "개인의 능력이나 공동체에 이바지한 정도에 따라 다르게 대우해야 한다."라는 원리를 담고 있다. 왜? 아리스토텔레스는 정의의 본질을 평등이라고 보았기 때문이야.

평균적 정의는 교환적·보상적·산술적 의미의 정의이다. 이는 차이를 고려하지 않고 누구나 똑같이 대우해 주는 절대적·형식적 평등을 통해 실현된다. 이와 달리 배분적 정의는 상대적·비례적·실질적 평등을 추구하는 정의이다. 이는 개인의 능력과 상황, 필요 등에 따른 차이를 반영하여 '같은 것은 같게, 다른 것은 다르게' 대우하는 것을 말한다.

꼭! 현대 법치 국가에서는 배분적 정의를 지향하지만, 선거권과 같이 평균적 정의가 여전히 중요한 의미를 갖는 영역도 있어.

**자료 3** 합목적성과 법적 안정성

(가) 갑은 급하게 돈이 필요하여 당장 취업을 해야 했다. 이러한 사정을 눈치 챈 근처의 공장 사장이 갑에게 일자리를 제안하였다. 그런데 계약 조건에 공장에서 자비로 숙식을 하며 하루에 16시간씩 일하고, 임금은 8시간 일하는 만큼만 받는다는 내용이 있었다. 갑은 다른 일자리를 구할 수도 없고, 너무 돈이 급해서 어쩔 수 없이 근로 계약을 체결하였다.

(나) 2015년 살인죄의 공소 시효를 폐지하는 내용이 담긴 「형사 소송법」 개정안이 국회에서 통과되었다. 이 법은 1999년 대구에서 발생한 한 어린이에 대한 황산 테러 사건을 계기로 발의되었다. 당시 범인이 잡히지 않은 상태에서 공소 시효 만료가 임박하자, 살인 사건에 대해서는 공소 시효를 폐지해야 한다는 여론이 거세져 법 개정안이 발의되었다.

법은 합목적성을 추구하므로 시대와 국가에 따라 법의 구체적인 내용이 달라진다. (가)와 같은 계약은 개인의 자유를 절대적으로 보장하던 자유방임주의 시대에서는 가능했지만, 개인의 자유와 공공복리의 조화를 중시하는 현대 복지 국가에서는 불공정한 계약으로 무효가 된다. (나)에서 공소 시효 제도는 시간이 많이 지남에 따라 생겨난 사실 상태를 존중하여 법적 안정성을 도모하는 것을 목적으로 한다. 그러나 법적 안정성을 지나치게 강조하면 정의가 훼손될 수 있으므로 법적 안정성은 정의의 틀 안에서 추구되어야 한다.

└─ 범죄 행위가 종료한 후 일정 기간이 지날 때까지 재판에 넘기지 않으면 국가의 소추권 및 형벌권을 소멸시키는 제도

---

**문제**로 확인할까?

정치를 바라보는 관점이 나머지와 다른 것은?

① 국가 특유의 현상이다.
② 정치권력을 획득하는 활동이다.
③ 정부의 정책 결정 과정과 집행 행위가 해당된다.
④ 일상생활 속에서 일어나는 갈등의 합리적 조정 과정이다.
⑤ 대표적인 사례로 대통령의 국정 운영, 국회 의원의 입법 활동이 있다.

⑦ 冒

**자료** 하나 더 알고 가자!

정의의 여신상에 담긴 의미

저울은 엄격하고 공정한 정의의 기준을 상징하고, 칼은 법을 어긴 자에게 처벌을 가한다는 의미를 담고 있다. 그리고 정의의 여신의 눈이 가려진 것은 편견 없는 공정한 판단을 의미한다.

**자료** 하나 더 알고 가자!

법의 이념을 강조한 명언들

| | |
|---|---|
| 정의 | • 세상이 망하더라도 정의는 세우라.<br>• 정의만이 통치의 기초이다. |
| 합목적성 | • 민중의 행복이 최고의 법률이다.<br>• 국민이 원하는 것이 법이다. |
| 법적 안정성 | 정의의 극치는 부정의의 극치이다. |

# 01 정치와 법

## 이것이 핵심!

### 민주주의의 발전 과정

| 고대 아테네 | • 직접 민주 정치<br>• 제한적 민주주의 |
|---|---|
| 근대 민주 정치 | • 시민 혁명을 통한 절대 왕정 타파 → 대의제 확립<br>• 사상적 배경: 천부 인권 사상, 계몽사상, 사회 계약설 |
| 현대 민주 정치 | • 참정권 확대 운동 전개 → 보통 선거 제도 확립<br>• 대의제의 일반화, 시민의 정치 참여 기회 확대 |

### 법치주의의 발전 과정

| 형식적 법치주의 | 적법한 절차에 의한 통치만 강조함 |
|---|---|
| 실질적 법치주의 | 법률의 형식뿐 아니라 목적과 내용도 정당해야 함 |

### ★ 절대 왕정
16~18세기 유럽의 왕권 중심적 중앙 집권 체제. 왕권은 신에게서 부여받은 것이라는 왕권신수설을 바탕으로 왕과 귀족들이 정치적 특권을 독점하고, 절대 권력을 행사하였다.

### ★ 근대 시민 혁명의 사상적 배경

| 천부 인권 사상 | 인권은 하늘로부터 부여된 것이므로 누구도 이를 침해할 수 없다는 사상 |
|---|---|
| 계몽사상 | 합리적인 이성에 따라 낡고 모순된 제도를 개혁해야 한다는 사상 |
| 사회 계약설 | 개인의 자연권을 보장하기 위해 사람들 간의 계약에 의해 국가가 형성되었다는 사상 |

### ★ 차티스트 운동
19세기 초 영국 노동자들이 벌인 참정권 확대 운동으로, 의원의 재산 자격 철폐, 21세 이상 모든 성인 남성의 선거권 보장 등을 요구하는 인민헌장을 발표하였다.

### ★ 직접 민주 정치 요소

| 국민 투표 | 국가의 중요 정책을 국민의 의사를 물어 결정하는 제도 |
|---|---|
| 국민 발안 | 국민이 직접 헌법 개정안이나 법률안을 제출할 수 있는 제도 |
| 국민 소환 | 선거로 선출된 대표를 임기 만료 전에 투표를 통해 파면하는 제도 |

---

## 3 민주주의와 법치주의

### 1. 민주주의의 발전 과정

**(1) 민주주의의 의미와 기원**

> 고대 그리스어의 '민중(demos)'과 '지배(kratos)'의 합성어로, 한 사람이나 소수에 의한 지배가 아닌 '다수의 민중에 의한 지배'를 의미하는 말이야.

① **민주주의(democracy)**: 국민의 뜻에 따라 국가의 의사를 결정해야 한다는 이념

② **민주주의의 기원**: 고대 아테네의 직접 민주 정치 → 시민이 직접 참여하여 의사를 결정함

> 꼭! 아테네의 시민은 자유민인 성인 남성에 한정되었고, 여자, 노예, 외국인은 정치에서 제외되었어.

**(2) 시민 혁명과 근대 민주 정치의 성립**

① **근대 민주 정치 형성**: 시민 혁명을 통해 *절대 왕정을 타파하는 과정에서 성립됨

② *근대 시민 혁명의 사상적 배경: 천부 인권 사상, 계몽사상, 사회 계약설 자료④

③ **대표적인 시민 혁명** 자료⑤

| 영국 명예혁명(1688) | 의회 주도로 국왕의 전제 정치에 저항 → 권리 장전, 의회제와 입헌주의 확립 |
|---|---|
| 미국 독립 혁명(1776) | 영국의 부당한 식민 지배에 대항한 독립 전쟁 → 독립 선언, 민주 공화정 수립 |
| 프랑스 혁명(1789) | 봉건적 신분 제도로 인한 불평등한 사회 구조에 대한 시민의 저항 → 인권 선언 |

④ **시민 혁명의 결과**: 민주주의와 대의제 발달, 법치주의 확립, 입헌주의 원리 확립

> 국가 기관이 헌법에 따라 구성되고 운영되어야 한다는 원리

⑤ **근대 민주 정치의 한계**: 노동자, 농민, 여성 등의 참정권 제한

> 국민이 선출한 대표자를 통해 간접적으로 정치에 참여하는 제도

**(3) 현대 민주 정치**

① **보통 선거제 확립**: *차티스트 운동 등 참정권 확대 운동을 통해 모든 구성원에게 선거권 부여

② **현대 민주 정치의 특징**

| 대중 민주주의 | • 인구가 많고 영토가 넓은 현대 국가에서 대의제가 일반화됨 → 대중이 정치의 주체가 됨<br>• 대의제의 위기: 시민의 의사가 정치에 정확히 반영되지 못함, 정치적 무관심 초래 |
|---|---|
| 시민의 정치 참여 기회 확대 | • *직접 민주 정치 요소 도입: 국민 투표, 국민 발안, 국민 소환 등<br>• 인터넷을 활용한 전자 민주주의 등을 통해 시민의 의견 수렴 |

### 2. 법치주의의 발전 과정

> 꼭! 의회가 제정한 법률에 따라 통치가 이루어지기 때문에 법률에 규정되지 않은 내용에 대해서는 국가가 강제력을 행사할 수 없어.

**(1) 법치주의**: 의회가 제정한 법률에 근거하여 국가 기관을 구성하고 운영해야 한다는 이념

**(2) 법치주의의 발전**: 영국에서 권리 청원(1628), 권리 장전(1689)을 통해 법의 지배가 확립됨 → 미국 독립 선언, 프랑스 인권 선언에 반영

> 법치주의는 17세기 영국의 코크(Coke, E.)가 "국왕도 신과 법 아래에 있다."라고 주장한 데서 비롯되었고, 코크의 주도하에 권리 청원이 작성되었어.

**(3) 형식적 법치주의와 실질적 법치주의** 교과서 자료

| 형식적 법치주의 | • 적법한 절차에 의한 통치 강조 → 법의 목적이나 내용은 문제 삼지 않음<br>• 문제점: 전제 정치나 독재 정치를 정당화하는 수단으로 악용될 수 있음 |
|---|---|
| 실질적 법치주의 | • 법률의 형식뿐만 아니라 그 목적과 내용도 정당해야 함<br>• 의의: 형식적 합법성과 함께 실질적 정당성 강조 → 국민의 자유와 권리 보장 |

> 꼭! 근대 시민 혁명 이후의 초기의 법치주의에서는 형식적 법치주의가 강조되었지만, 현대 민주 국가에서는 실질적 법치주의가 강조되고 있어.

### 3. 민주주의와 법치주의의 관계

**(1) 민주주의와 법치주의의 대립 관계**: 민주주의는 국민의 의사에 따라 이루어지므로 동적인 성격을 갖고, 법치주의는 법이라는 제도적 틀 안에서 사회 질서를 유지하려 하므로 정적인 성격을 가짐

> Q&? 국민의 의사는 시대와 상황에 따라 변화하기 때문에 민주주의는 국민의 의사를 입법에 반영하기 위해 새로운 정책 결정에 적극적인 편이야.

**(2) 민주주의와 법치주의의 조화**: 법치주의는 민주주의의 실현을 목적으로 하고, 민주주의는 법치주의의 틀 안에서 운영됨으로써 양측이 조화롭게 발전할 수 있음 → 상호 보완적 관계

> 민주주의와 법치주의가 상호 보완적으로 작용하도록 돕는 제도로는 위헌 법률 심판, 탄핵 심판, 국민 참여 재판 제도 등이 있어.

완자 자료 탐구

내 옆의 선생님

## 자료 ④ 사회 계약설

┌─ 사회 계약론자들은 사회 계약에 대한 자신들의
주장을 부각시키기 위해 계약되기 이전의 상태
를 '자연 상태'라는 가상의 상태로 표현했어.

생명, 자유, 재산권 ┐

- **홉스**: 자연 상태는 '만인에 대한 만인의 투쟁 상태'이다. 따라서 사람들은 생명과 안전을 보장받기 위해 리바이어던(주권자, 공권력, 국가)에게 자연권을 전부 양도하는 계약을 체결한다.
- **로크**: 자연 상태는 자유롭고 평등하지만, 매우 불확실하여 <u>자연권을 보장하기 어렵다.</u> 그래서 이성적인 인간은 이러한 불안 상태를 제거하기 위해 사회 계약을 체결하였다. 이때 인간은 국가에 자기의 자연권을 일부 위임하였으므로 <u>국가가 그 역할에 충실하지 않으면 언제든지 이를 회수할 수 있다.</u>
  └─ 저항권 사상
- **루소**: 개인은 자유롭고 평등한 삶을 온전히 보전하기 위해 계약을 맺고 국가를 형성한다. 그러나 그 과정에서 개인은 자신의 주권을 다른 누군가의 손에 넘기는 것이 아니라 모두가 참여하여 형성한 일반 의지에 따라 국가를 운영하고 국가를 통해 일반 의지를 실현한다.

└─ 이기적인 사욕을 버리고 공공의 선과 이익을 추구하려는 의지

사회 계약설은 절대 왕정의 왕권신수설을 부정하고, 국가의 권력이 개인의 자유로운 계약에 기인하며, 국가는 개인에 앞서 존재하는 것이 아니라 개인의 권리와 이익을 보장하기 위해 존재하는 일종의 수단적 장치임을 강조하여 시민 혁명의 사상적 토대를 제공하였다.

## 자료 ⑤ 민주주의와 법치주의 발전 과정의 주요 문서

**〈영국의 권리 장전(1689)〉** ─ 민주주의 요소
**제1조** 국왕이 의회의 동의 없이 왕권으로 법의 효력을 정지시키거나, 법의 집행을 정지할 수 있다는 주장은 위법이다. ─ 법치주의 요소
**제4조** 국왕이 의회의 승인 없이 국왕이 쓰기 위해 세금을 징수하는 것은 위법이다.
  └ 민주주의 요소   └ 법치주의 요소

**〈프랑스 인권 선언(1789)〉**
**제3조** 모든 주권의 근원은 국민에게 있다. 어떤 단체나 개인도 국민으로부터 유래하지 않은 권한을 행사할 수는 없다. ─ 민주주의 요소
**제4조** 자유는 타인을 침해하지 않는 한 동등하게 보장되며, 이에 대한 제한은 법에 의해서만 가능하다. └ 법치주의 요소

시민 혁명을 계기로 절대 왕정이 무너지고 입헌 군주제로 형식적 법치주의가 시작되었으며, 국민 주권에 기반을 둔 민주주의와 시민의 대표가 입법권을 행사하는 대의제가 발달하였다.

## [수능이 보이는 교과서 자료] 히틀러의 수권법

**제1조** 라이히 법률은 라이히 헌법이 규정하고 있는 절차에 의하는 외에, 라이히 정부에 의해서도 의결될 수 있다.
  정부가 입법권을 행사하면 국민 주권을 부정하고
  독재 정치가 이루어질 우려가 있어.
**제2조** 라이히 정부가 의결하는 법률에는 라이히 헌법과는 다른 규정을 둘 수 있다.
**제4조** 독일과 외국과의 조약도 …… 입법에 영향을 미치는 기관들과의 합의를 필요로 하지 않는다.

히틀러는 1933년에 <u>수권법</u>을 공포하였는데, 이 법에 따라 행정부가 국민의 기본권을 침해하는 법률을 제정·집행함으로써 광범위한 인권 탄압이 이루어졌다. 이것은 법이 독재를 정당화해 주는 수단으로 작용한 형식적 법치주의의 악용 사례에 해당한다. 이에 대한 반성으로 현대 민주 국가에서는 실질적 법치주의가 등장하게 되었다.

┌ 행정부에 광범위하고 포괄적인 법률을 제정할 수 있는 권한을 위임하는 법률로,
정식 명칭은 「국민 및 국가의 위기 극복에 관한 법률」이야.

---

**[정리] 비법을 알려줄게!**

**사회 계약설**

| | |
|---|---|
| **홉스** | • 자연 상태: 만인에 대한 만인의 투쟁 상태<br>• 자연권: 통치자에게 전부 양도<br>• 정치 체제: 절대 군주제 옹호 |
| **로크** | • 자연 상태: 자연법이 지배하는 상태이나 권리 보장이 불확실함<br>• 자연권: 통치자에게 일부 위임<br>• 정치 체제: 입헌 군주제(저항권 인정) |
| **루소** | • 자연 상태: 자유롭고 평화롭지만, 개인의 삶을 온전하게 보장하기 어려운 상태<br>• 자연권: 양도 불가 → 일반 의지에 의한 정치 공동체 구성<br>• 정치 체제: 민주 공화정 |

**[문제]로 확인할까?**

현대 민주 정치의 특징에 해당하는 것을 〈보기〉에서 고른 것은?

┌─ **보기** ─────────────┐
ㄱ. 실질적 법치주의가 강조되었다.
ㄴ. 형식적 법치주의가 확립되었다.
ㄷ. 제한적 민주 정치가 이루어지고 있다.
ㄹ. 대부분의 국가에서 보통 선거 제도가 확립되었다.
└──────────────────────┘

① ㄱ, ㄴ    ② ㄱ, ㄹ    ③ ㄴ, ㄷ
④ ㄴ, ㄹ    ⑤ ㄷ, ㄹ

ⓔ 目

**완자쌤의 [탐구 강의]**

• 히틀러의 수권법을 통해 알 수 있는 **형식적 법치주의의 한계를 서술해 보자.**
형식적 법치주의는 적합한 절차를 거쳐 법을 제정하고 그 법에 따라 통치가 이루어지면 법의 내용이 무엇이든 법적 정당성을 인정하므로 법률에 근거한 합법적 독재가 가능해진다는 한계가 있나.

**[함께] 보기** 19쪽, 1등급 정복하기 4

# STEP 1 핵심 개념 확인하기

● 정답친해 02쪽 ●

**1** 공동체에서 일어나는 갈등을 해결하고, 구성원의 이해관계를 조정하여 사회 질서를 확립하는 과정을 ( )라고 한다.

**2** 다음 괄호 안의 내용 중 알맞은 말에 ○표를 하시오.

(1) 정치를 (넓은, 좁은) 의미에서 보면 정치권력의 획득·유지·행사 과정과 관련이 있다.

(2) (법, 관습)은 사회 구성원의 행위를 규율하고 질서를 유지하기 위해 국가가 만든 사회 규범이다.

(3) (근대, 현대) 사회에서는 성별, 신분, 재산 등의 제한 없이 일정 연령에 도달한 모든 사람이 참정권을 행사할 수 있다.

**3** 법의 이념과 그 내용을 옳게 연결하시오.

(1) 정의 •          • ㉠ 법은 그 사회가 추구하는 가치나 목적에 부합해야 함

(2) 합목적성 •          • ㉡ 개인의 사회생활이 법에 의해 보호되어 안정된 상태를 이루는 것

(3) 법적 안정성 •          • ㉢ 모든 사람이 동등한 대접을 받고 각자가 노력한 만큼 몫을 얻는 것

**4** ㉠, ㉡에 들어갈 법치주의의 유형을 각각 쓰시오.

( ㉠       ) 법치주의는 법률의 형식 준수와 절차의 합법성만을 강조하고, ( ㉡       ) 법치주의는 법률의 형식뿐만 아니라 목적과 내용의 정당성을 강조한다.

**5** 다음 설명에 해당하는 개념을 〈보기〉에서 골라 기호를 쓰시오.

> 보기
> ㄱ. 민주주의          ㄴ. 법치주의          ㄷ. 사회 계약설

(1) 국민의 뜻에 따라 국가의 의사를 결정해야 한다는 이념이다. ( )

(2) 법률에 근거하여 국가 기관을 구성하고 운영해야 한다는 이념이다. ( )

(3) 개인의 자연권을 보장하기 위해 사람들 간의 계약에 의해 국가가 형성되었다는 사상이다. ( )

# STEP 2 내신 만점 공략하기

**중요**

**01** 정치의 의미에 대한 관점인 (가), (나)에 대한 설명으로 옳지 않은 것은?

> (가) 정치는 정치권력의 획득과 유지 및 행사 과정에서 공동체의 목표를 추구하고 정책을 결정하며, 사회 질서를 확립해 가는 과정을 의미한다.
> (나) 정치는 국가 수준은 물론이고 개인이나 집단의 일상생활에서 사회 구성원들 간의 다양한 이해관계나 갈등을 합리적으로 조정하는 과정을 의미한다.

① (가)는 정치를 국가 특유의 현상으로 이해한다.

② (가)는 정치인들에 의해서 이루어지는 일련의 활동을 정치라고 본다.

③ (나)는 정치를 사회에서 발생하는 모든 갈등의 해결 과정이라는 데 초점을 맞추어 이해한다.

④ (가)는 (나)에 비해 다원화된 현대 사회에서 나타나는 갈등 해결 양상을 설명하는 데 적합하다.

⑤ (나)는 (가)와 달리 학교 학급 회의에서 학급 문제를 해결하는 과정을 정치라고 본다.

**02** 다음 그림을 통해 알 수 있는 정치의 기능에 대한 옳은 설명을 〈보기〉에서 고른 것은?

> 보기
> ㄱ. 독점적 의사 결정을 통해 공공의 이익을 실현한다.
> ㄴ. 공동체의 바람직한 상태를 설정하고 이를 실현한다.
> ㄷ. 한정된 자원을 합리적으로 배분할 수 있는 규칙과 제도를 만든다.
> ㄹ. 반사회적 행위를 강제적인 권력으로 통제하여 사회 질서를 유지한다.

① ㄱ, ㄴ          ② ㄱ, ㄷ          ③ ㄴ, ㄷ

④ ㄴ, ㄹ          ⑤ ㄷ, ㄹ

## 03 A, B에 해당하는 적절한 사례를 〈보기〉에서 골라 옳게 연결한 것은?

아리스토텔레스는 정의의 본질은 평등이라고 보고, 평등을 기준으로 A와 B로 구분하였다. A는 "모든 사람을 동등하게 대해야 한다."라는 원리를, B는 "개인의 능력이나 공동체에 이바지한 정도에 따라 다르게 대우해야 한다."라는 원리를 담고 있다.

보기
ㄱ. 야간 근로자에게는 임금을 더 주는 것
ㄴ. 누구든지 손해를 끼치면 배상하게 하는 것
ㄷ. 매출액 상승에 기여한 사원에게 상여금을 주는 것
ㄹ. 19세 이상의 모든 국민에게 투표권을 부여하는 것

|   | A | B |   | A | B |
|---|---|---|---|---|---|
| ① | ㄱ, ㄴ | ㄷ, ㄹ | ② | ㄱ, ㄹ | ㄴ, ㄷ |
| ③ | ㄴ, ㄷ | ㄱ, ㄹ | ④ | ㄴ, ㄹ | ㄱ, ㄷ |
| ⑤ | ㄷ, ㄹ | ㄱ, ㄴ |   |   |   |

## 04 다음 사례에 대한 학생들의 평가로 가장 적절한 것은?

2015년 3월 살인죄의 공소 시효를 폐지하는 내용이 담긴 「형사 소송법」 개정안이 국회 본회의에서 통과되었다. 이 법은 1999년 5월 대구에서 발생한 한 어린이에 대한 황산 테러 사건을 계기로 발의되었다. 당시 범인이 잡히지 않은 상태에서 공소 시효의 만료가 임박하자, 살인 사건에 대해서는 공소 시효를 폐지해야 한다는 여론이 거세져 법 개정안이 발의되었다.

① 갑: 법의 이념 중 합목적성과 법적 안정성이 상충하고 있어.
② 을: 법적 안정성도 정의의 틀 안에서 추구되어야 함을 알 수 있어.
③ 병: '민중의 행복이 최고의 법률이다.'라는 법언에 해당하는 사례야.
④ 정: 법은 시대와 사회의 변화에 적절히 맞추어야 함을 강조하고 있어.
⑤ 무: 정의만 강조하면 오히려 부정의한 결과가 초래된다는 점을 지적하고 있어.

## 05 다음 글을 통해 알 수 있는 고대 아테네 민주 정치의 특징으로 적절한 것은?

고대 아테네에서 시민의 자격을 갖는 자유민인 성인 남성들은 민회에 참석할 수 있었다. 이들은 민회에서 주로 법률을 제정하고 정책을 심의·결정하였으며, 추첨제와 *윤번제를 통해 누구나 공직에 참여할 수 있었다. 그러나 여성, 노예, 외국인은 정치에 참여할 권리를 갖지 못했다.
*윤번제: 어떤 일을 차례로 번갈아 가며 맡아 보는 방법이나 제도

① 대표자 선출에 있어 전문성을 중시하였다.
② 입헌주의가 국정 운영 원리로 채택되었다.
③ 공동체의 구성원 모두가 정치에 참여하였다.
④ 의회를 중심으로 한 대의 민주 정치가 시행되었다.
⑤ 다스림을 받는 자와 다스리는 자가 일치하는 정치 형태였다.

## 06 다음 역사적 사건들의 공통점으로 적절한 것을 〈보기〉에서 고른 것은?

• 영국에서는 제임스 2세의 전제 정치에 반대하여 의회가 제임스 2세를 축출하고, 윌리엄 3세와 메리 2세 부부를 공동 왕으로 추대한 뒤 권리 장전을 제출하여 승인받았다.
• 영국의 식민지였던 미국의 시민들은 "대표 없이는 과세 없다."라는 구호를 내걸고 독립 전쟁을 일으켰다.
• 프랑스 시민이 전제 군주 루이 16세에 저항하여 바스티유 감옥을 습격한 후 국민 의회가 중심이 되어 봉건 귀족의 특권을 폐지하고, 자유와 평등에 기초한 인권 선언을 발표하였다.

보기
ㄱ. 직접 민주제를 통해 공화국을 건설하였다.
ㄴ. 사회 계약설을 토대로 전제 정치에 저항하였다.
ㄷ. 자유와 평등에 기초한 근대 민주 정치가 등장하는 계기가 되었다.
ㄹ. 간접 민주제의 단점을 보완하기 위해 전자 민주주의를 도입하였다.

① ㄱ, ㄴ          ② ㄱ, ㄷ          ③ ㄴ, ㄷ
④ ㄴ, ㄹ          ⑤ ㄷ, ㄹ

**07** 다음은 근대 시민 혁명에 영향을 미친 사상들이다. ㉠, ㉡에 들어갈 내용을 옳게 연결한 것은?

> • ( ㉠ )은/는 미자각 상태에 있는 인간이 이성의 힘으로 편견과 오류를 극복하고 사회적 모순과 부조리를 바로잡을 수 있다고 보는 사상이다.
> • ( ㉡ )은/는 인간의 존엄성, 자유와 평등 같은 권리는 시간과 장소를 초월한 보편적 성격의 권리로, 이러한 권리는 하늘이 부여한 것으로 누구에게도 양도하거나 빼앗길 수 없다고 보는 사상이다.

|   | ㉠ | ㉡ |
|---|---|---|
| ① | 계몽사상 | 사회 계약설 |
| ② | 계몽사상 | 천부 인권 사상 |
| ③ | 사회 계약설 | 계몽사상 |
| ④ | 사회 계약설 | 천부 인권 사상 |
| ⑤ | 천부 인권 사상 | 사회 계약설 |

**08** (가), (나)는 근대 정치사상이다. 이에 대한 설명으로 옳은 것은?

> (가) 자연 상태는 '만인에 대한 만인의 투쟁 상태'이다. 개인은 이 상태에서 벗어나 안전을 보장받고자 리바이어던(국가, 주권자)에게 자연권을 전부 양도하는 계약을 체결한다.
> (나) 자연 상태는 불안정하다. 국가는 이런 불안정한 상태를 예방하기 위해 사회 구성원과의 계약을 통해 형성되었다. 그러나 만약 국가가 개인들의 권리를 침해할 경우 시민은 부당한 권력에 대항하여 그 권력을 회수할 수 있다.

① (가)는 저항권 사상을 주장하였다.
② (나)는 국가가 국민의 직접적 의사에 의해 운영되어야 한다고 보았다.
③ (가)는 (나)와 달리 주권이 국민에게 있다고 본다.
④ (나)는 (가)에 비해 절대 군주제를 옹호하는 데 유용하다.
⑤ (가), (나)는 모두 국가가 시민의 권리를 보장하기 위한 수단임을 강조하고 있다.

**09** 밑줄 친 '이 운동'에 대한 설명으로 옳은 것은?

> 1838년 5월 런던의 윌리엄 러벳(Lovett, W.)이 기초한 법안인 인민헌장(People's Charter)의 이름을 딴 이 운동은 당시에는 실패하였지만 역사적으로는 실현되었다. 인민헌장에는 21세 이상의 남성에게 선거권을 부여할 것, 선거구를 동등하게 할 것, 비밀 투표를 원칙으로 할 것, 매년 선거할 것, 의원에게 보수를 지급할 것, 의원 출마자에 대한 재산 자격 제한을 폐지할 것 등의 요구가 포함되었다.

① 평등 선거권의 축소를 주장하였다.
② 최초의 여성 참정권 보장 운동이었다.
③ 대중 민주주의가 형성되는 계기가 되었다.
④ 국민들의 정치적 무관심을 극복하고자 하였다.
⑤ 지배 세력을 중심으로 한 정치적 권리 확대 운동이었다.

**10** 다음과 같은 제도를 실시하는 궁극적인 목적을 〈보기〉에서 고른 것은?

> • 국민이 원하는 법안을 일정한 절차와 방식에 의해 제안할 경우 국회는 이를 검토해야 한다.
> • 헌법 개정과 같이 국가의 중요한 일을 결정할 때는 선거권을 가진 모든 국민을 대상으로 하여 투표를 한다.
> • 국회 의원, 지방 자치 단체장 등이 유권자의 의사에 반하는 정치를 하면 일정 기준에 의해 소환하도록 한다.

**보기**
ㄱ. 대의제의 한계를 보완하고자 한다.
ㄴ. 시민들의 정치 참여를 보장하고자 한다.
ㄷ. 국가에 의한 인권 침해를 방지하고자 한다.
ㄹ. 사회적 갈등 해소에 걸리는 시간과 노력을 줄이고자 한다.

① ㄱ, ㄴ　　　② ㄱ, ㄷ　　　③ ㄴ, ㄷ
④ ㄴ, ㄹ　　　⑤ ㄷ, ㄹ

**11** ⊙~⊚에 들어갈 내용에 대한 옳은 설명을 〈보기〉에서 고른 것은?

〈법치주의〉
1. 의미: 의회가 제정한 ( ⊙ )에 근거하여 국가 운영
2. 기원: ( ⓛ )의 자의적인 법 집행을 제한하기 위하여 등장함
3. 유형
• ( ⓒ ): 법적 절차와 형식 준수만 강조함
• ( ⓔ ): 법적 절차와 형식 준수뿐만 아니라 내용도 중시함

보기
ㄱ. ⊙에 의한 통치는 '인(人)의 통치'를 의미한다.
ㄴ. ⓛ에는 '절대 군주'가 들어갈 수 있다.
ㄷ. ⓒ은 통치의 합법성만을, ⓔ은 통치의 합법성과 정당성을 중시한다.
ㄹ. ⓔ은 ⓒ과 달리 독재자의 통치권을 강화하는 수단으로 악용되기도 한다.

① ㄱ, ㄴ  ② ㄱ, ㄷ  ③ ㄴ, ㄷ
④ ㄴ, ㄹ  ⑤ ㄷ, ㄹ

**12** 다음 사례를 통해 알 수 있는 법치주의와 민주주의 간의 관계로 가장 적절한 것은?

1896년 미국에서 호머 플래시라는 흑인이 열차의 백인 차량에 탑승하여 흑인 차량으로 이동하라는 명령을 거부하였다가 현행법을 어겼다는 이유로 처벌을 받았다. 이 사건을 계기로 인종을 분리하고 차별하는 법이 연방 대법원의 심사를 받았으나 합헌 결정이 내려졌다. 이에 흑인은 물론 다수의 백인 시민들이 전국적으로 인종 차별 반대 운동을 벌였고, 결국 인종 차별을 금지하는 법이 제정되었다.

① 민주주의보다 법치주의가 우선한다.
② 법치주의보다 민주주의가 우선한다.
③ 민주주의를 통해 법치주의가 훼손될 수 있다.
④ 법치주의와 민주주의는 상호 공존할 수 없다.
⑤ 법치주의와 민주주의의 조화를 모색해야 한다.

## 서술형 문제

● 정답친해 04쪽

**01** 다음 글의 필자가 정치를 바라보는 관점과 그 의미를 서술하시오.

정치는 우리의 일상생활에 직접적인 영향을 준다. 예를 들어 버스 노선이 조정되면 통학 시간이 달라질 수 있고, 대학 입시 정책은 우리들의 학교생활에 영향을 미친다. 이처럼 버스 노선을 개편하거나 교육 정책을 결정하는 것도 정치의 역할이다.

**02** 다음 글을 읽고 물음에 답하시오.

독일의 법철학자인 라드브루흐는 법의 이념을 정의, ( ⊙ ), ( ⓛ )(으)로 꼽는다. '정의'는 법이 추구하는 궁극적 이념이며, ( ⊙ )은/는 한 사회의 법질서는 그 사회가 지향하는 가치관에 부합하도록 실현되어야 한다는 원리이다. ( ⓛ )은/는 개인의 사회생활이 법에 의해 보호되어 안정된 상태를 이루는 것이다.

(1) ⊙, ⓛ에 들어갈 내용을 각각 쓰시오.

(2) ⓛ을 유지하기 위한 요건을 세 가지 이상 서술하시오.

**03** 갑과 을이 강조하는 법치주의를 비교하여 서술하시오.

갑

입법 절차에 따라 제정된 법률은 개정하기 전까지는 법으로서 당연히 효력이 있어요. 따라서 법을 준수해야 해요.

합법적 절차에 따라 통과된 법률이라도 그 내용이 국민의 기본권을 침해하는 것이라면 정당화될 수 없어요.

을

평가원 응용

**1** 갑과 을이 정치를 바라보는 관점에 대한 설명으로 옳은 것은?

> 정치를 보는 관점

① 갑은 정치를 모든 사회 집단에 존재하는 현상으로 보고 있다.
② 을은 정치를 구성원 간 이해관계의 조정 활동으로 보고 있다.
③ 갑이 정치를 보는 관점은 을이 정치를 보는 관점을 포함한다.
④ 을은 갑에 비해 강제력을 독점하는 국가의 특수성을 강조한다.
⑤ 갑은 을에 비해 국가 성립 이전의 정치 현상을 설명하기에 용이하다.

**2** 다음은 국가 성립에 대한 근대 사상가의 이론이다. 이에 대한 옳은 설명을 〈보기〉에서 고른 것은?

> 사회 계약설

> 인간의 본성은 백지와 같으며, 이성적인 존재인 인간이 모여 사는 자연 상태는 자유롭고 평등한 상태이다. 이러한 자연 상태에서 인간은 자연권을 가진다. 그러나 자연 상태는 옳고 그름을 구별하는 법이 없고 분쟁을 해결할 법도 없으며, 판결을 집행할 집행관도 없어 각자의 권리를 보전하는 것이 매우 불확실하여 끊임없이 타인에게 침해받을 위험에 놓여 있다. 따라서 이성적 존재인 인간은 이러한 불안 상태를 제거하기 위하여 사회 계약을 체결한다. 이때 인간은 국가에 자기의 자연권을 일부 위임하였으므로 국가가 그 역할에 충실하지 않으면 언제든지 이를 회수할 수 있다.

보기
ㄱ. 국가 권력이 주권자의 일반 의지에 의해 행사되어야 한다고 보았다.
ㄴ. 국가를 자연적으로 성립된 것이 아니라 인위적으로 구성된 것이라고 보았다.
ㄷ. 정부가 위임받은 권한을 남용할 경우 시민은 정부를 재구성할 수 있다고 보았다.
ㄹ. 개인의 안전과 사회 질서 유지를 위해 주권을 국가에 전부 양도해야 한다고 보았다.

① ㄱ, ㄴ        ② ㄱ, ㄷ        ③ ㄴ, ㄷ
④ ㄴ, ㄹ        ⑤ ㄷ, ㄹ

프랑스 인권 선언

**3** 다음은 프랑스 인권 선언이다. 이에 대한 설명으로 적절하지 <u>않은</u> 것은?

> 제1조 인간은 태어나면서부터 자유로우며 평등한 권리를 가진다.
>
> 제2조 모든 정치적 결사는 침해할 수 없는 권리를 보존하는 데 목적이 있다. 이러한 권리에는 자유권, 재산권, 안전권, 압제(壓制)에 대한 저항권 등이 있다.
>
> 제3조 모든 주권의 원리는 본질적으로 국민에게 있다. 어떤 단체나 개인도 국민으로부터 유래하지 않는 권리를 행사할 수 없다.
>
> 제4조 자유는 타인을 침해하지 않는 한 모든 범위 내에 존재하며 자유의 제한은 법률에 의해서만 결정된다.
>
> 제16조 법의 준수가 보장되지 않거나 권력 분립이 이루어지지 않는 사회는 결코 헌법을 가지고 있다고 말할 수 없다.

① 국가는 자연권의 보장을 기본적인 임무로 한다.
② 재산권은 공공복리를 위해서라면 제한할 수 있다.
③ 국가 권력 간에는 견제와 균형이 유지되어야 한다.
④ 국민은 국가의 의사를 결정하는 최고의 권한을 가진다.
⑤ 모든 국가 권력의 행사는 법률과 헌법에 근거해야 한다.

**| 완자 사전 |**

• **저항권**
국민의 기본권을 침해하는 국가 권력의 불법적 행사에 대하여 그 복종을 거부하거나 실력 행사를 통해 저항할 수 있는 국민의 권리

법치주의

**4** 법치주의의 유형 (가), (나)에 대한 설명으로 옳은 것은?

> (가) 법치주의란 '실정법률에 의한 지배'이다. 따라서 형식적인 절차에 의해 국가가 제정한 실정법이라면 법 그 자체의 내용에 대한 판단은 내리지 않으며, 그에 따른 통치는 정당하다.
>
> (나) 법치주의란 '민주주의적 가치와 정의의 요청을 충족하는 법의 지배'이다. 따라서 의회에서 심의되고 결정된 것을 인간의 존엄성과 가치를 존중하는 법의 이념에 비추어서 심사할 수 있는 헌법 재판 제도는 법치주의의 중요한 장치이다.

① (가)는 독재 정치를 정당화하는 논리로 악용되기도 한다.
② 우리나라의 위헌 법률 심판 제도는 (나)의 실현을 저해한다.
③ (가)는 (나)와 달리 '사람에 의한 지배'를 부정한다.
④ (나)는 (가)와 달리 모든 국가 작용이 법에 따라 이루어져야 함을 강조한다.
⑤ (가), (나) 모두 법의 목적과 내용이 정의에 부합해야 함을 강조한다.

**완자샘의 시험 꿀팁**

형식적 법치주의와 실질적 법치주의의 공통점과 차이점을 묻는 문제가 자주 출제된다.

**| 완자 사전 |**

• **위헌 법률 심판 제도**
법률이 상위법인 헌법에 위반될 때 헌법 재판소가 위헌을 결정하여 법치수의에 의해 민수수의가 훼손되지 않게 함으로써 국민의 자유와 권리를 보호하는 제도

# 02 헌법의 의의와 기본 원리

학습목표
• 헌법의 의의와 시대별 의미 및 헌법의 기능을 이해할 수 있다.
• 우리나라 헌법에 나타난 기본 원리와 실현 방안을 파악할 수 있다.

## 이것이 핵심!

**헌법의 기능**

| 국가 창설 | 국가 구성의 토대 |
|---|---|
| 기본권 보장 | 국민의 자유와 권리 명시 |
| 조직 수권 규범 | 국가 기관 구성, 각 기관에 권한 부여 |
| 공동체 유지·통합 | 사회적 갈등 극복 및 사회 통합 실현 |
| 정치적 평화 실현 | 정치권력의 행사 방법과 한계 규정 |

★ **헌법의 최고 규범성**

헌법은 모든 법령의 제정 근거이고 법령의 정당성을 평가하는 기준이므로 헌법에 위반되는 법률은 그 효력을 인정받지 못한다. 일반 법률보다 엄격한 헌법 개정 절차나 헌법에 어긋나는 법률의 효력을 인정하지 않는 위헌 법률 심사제를 통해 볼 때 헌법은 최고법의 지위를 가지고 있다.

## 1 헌법의 의의와 기능

### 1. 헌법의 의의

(1) **헌법**: 국가의 통치 조직과 통치 작용의 원리를 규정하고, 국민의 기본권을 보장하는 국가의 기본법이며 근본법 → 한 국가의 법체계에서 가장 상위에 있는 *최고법

(2) **입헌주의**: 국민의 자유와 권리를 보장하기 위해 국가 기관의 구성과 운영에 관한 사항을 헌법에 규정하고 국가 기관에 이 규정을 준수하도록 하는 것 → 민주주의와 법치주의 구현

(3) **헌법의 의미 변천** 자료① ┌ 고유한 의미의 헌법은 국가가 존재하는 곳이면 반드시 존재해. 대표적인 예로 조선 시대의 경국대전을 들 수 있어.

| 고유한 의미의 헌법 | 국가 통치 기관을 조직·구성하고 이들 기관의 권한과 상호 관계 등을 규정한 규범 |
|---|---|
| 근대 입헌주의 헌법 | 국가 통치 기관의 존립 근거이며, 국가 권력을 제한하는 규범 → 형식적 평등과 자유권 강조 |
| 현대 복지 국가 헌법 | 국민의 인간다운 생활 보장을 추구하는 헌법 → 실질적 평등과 사회권 강조 |

불리한 위치에 있는 사람을 배려함으로써 선천적· 후천적 차이를 극복할 수 있게 하는 것 ┘

### 2. 헌법의 기능

| 국가 창설 | 국가 성립에 필요한 국민의 자격, 영토 범위, 국가 권력의 소재와 행사 절차 등을 규정함 |
|---|---|
| 기본권 보장 | 국민의 자유와 권리를 명시하여 국민의 기본권을 보장함 → 헌법의 목적 |
| 조직 수권 규범 | 국가 기관을 구성하고(조직 규범), 각 기관에 일정한 권한을 부여함(수권 규범) |
| 공동체 유지·통합 | 헌법이 지향하는 가치와 질서에 따라 사회적 갈등을 극복하고 사회 통합을 실현함 자료② |
| 정치적 평화 실현 | 정치권력의 행사 방법과 절차 및 한계 등을 규정하여 공동체의 평화를 실현함 |

┌ 일정한 자격, 권한, 권리 등을 특정인이나 특정 기관에 부여하는 것

Q₩? 헌법은 힘의 논리에 의한 정치 생활을 억제하고 법의 지배와 정의가 실현되도록 하는 실질적 법치주의를 구현하는 규범의 성격을 가져.

## 이것이 핵심!

**헌법의 기본 원리와 실현 방안**

| 국민 주권주의 | 참정권 보장, 국민 투표제 등 |
|---|---|
| 자유 민주주의 | 법치주의, 적법 절차의 원리 등 |
| 복지 국가의 원리 | 사회권 보장, 사회 보장 제도 시행 등 |
| 국제 평화주의 | 침략 전쟁 부인, 국제법 존중 등 |
| 문화 국가의 원리 | 문화 중흥 노력 등 |
| 평화 통일 지향 | 남북 교류 협력 등 |

★ **적법 절차의 원리**

국가가 국민이 자유를 제한하는 경우에는 반드시 법률과 적법 절차에 따라야 한다는 원리

★ **상호주의**

국제 관계에서 정치적·경제적으로 등가의 이익을 교환하거나 상대국의 대우에 상응하는 대우를 해 주는 것으로, '호혜주의'라고도 한다.

## 2 우리 헌법의 기본 원리 (교과서 자료)

| | | |
|---|---|---|
| 국민 주권주의 | 의미 | 주권이 국민에게 있고, 모든 국가 권력의 근거가 국민에게 있다는 원리 |
| | 실현 방안 | 참정권 보장, 국민 투표제, 민주 선거 원칙에 따른 공정 선거 제도, 언론·출판·집회·결사의 자유 보장, 복수 정당제, 지방 자치제 등 |
| 자유 민주주의 | 의미 | 자유주의와 민주주의가 결합된 정치 원리 → 인간의 존엄성을 바탕으로 국민의 자유와 권리를 보호하고, 대표자들이 국민 주권주의에 입각해서 통치하는 원리 |
| | 실현 방안 | 법치주의, *적법 절차의 원리, 권력 분립과 사법권의 독립, 복수 정당제를 기반으로 하는 자유로운 정당 활동, 상향식 의사 결정 과정, 각종 기본권 보장 등 |
| 복지 국가의 원리 | 의미 | 국민 복지에 대한 책임을 국가에 부여하고, 사회권을 국민의 기본권으로 보장하는 원리 |
| | 실현 방안 | 인간다운 생활을 할 권리, 환경권, 근로권 등 사회권의 보장, 공공 부조 등 사회 보장 제도의 시행, 최저 임금제 채택, 소득 재분배 정책 등 |
| 국제 평화주의 | 의미 | 국제 질서를 존중하고 세계 평화와 인류의 번영을 위해 노력하는 원리 |
| | 실현 방안 | 침략 전쟁 부인, 국제법 존중, *상호주의에 따른 외국인의 지위 존중, 국제 평화 유지 활동 등 |
| 문화 국가의 원리 | 의미 | 국가로부터 문화의 자유가 보장되고, 국가가 문화를 보호·지원해야 한다는 원리 |
| | 실현 방안 | 종교·학문·예술 활동의 자유 보장, 평생 교육 진흥, 무상 의무 교육 시행, 교육의 정치적 중립성 보장 등 |
| 평화 통일 지향 | 의미 | 자유 민주적 기본 질서에 입각한 평화적 통일을 추구한다는 원리 |
| | 실현 방안 | 평화 통일 정책 수립과 실천, 평화 통일을 위한 대통령의 의무 규정, 민주 평화 통일 자문 회의 설치, 남북 교류 협력 추진, 긴장 완화를 위한 남북 간 대화 추진 등 |

## 완자 자료 탐구

### 내 옆의 선생님

---

**자료 1** 근대 입헌주의 헌법과 현대 복지 국가 헌법

> 우리나라 헌법은 근대 입헌주의 헌법을 토대로 하면서 현대 복지 국가 헌법을 수용하고 있어.

| 구분 | 근대 입헌주의 헌법 | 현대 복지 국가 헌법 |
|---|---|---|
| 대표 헌법 | 프랑스 인권 선언(1789) | 독일 바이마르 헌법(1919) |
| 국가관 | 소극 국가, 야경 국가, 자유방임 국가 | 적극 국가, 행정 국가, 복지 국가 |
| 내용 | • 자유권 중심(재산권 보장의 절대성)<br>• 형식적 평등의 추구, 형식적 법치주의 | • 사회권 수용(재산권 보장의 상대성)<br>• 실질적 평등의 추구, 실질적 법치주의 |

근대 입헌주의 헌법은 국가 권력으로부터 시민의 자유와 권리를 확보하는 데 중점을 두었다. 이후 현대 복지 국가 헌법은 근대 헌법의 토대 위에 사회권의 보장을 추가하고, 재산권 제한, 경제에 대한 규제와 조정 등을 통해 실질적인 민주 국가와 복지 국가를 지향하고 있다.

└ 국민의 기본권과 권력 분립을 성문화했어.

**자료 2** 헌법의 사회 통합 실현 기능

> 1990년대에 들어와 친일파 후손들은 국유 또는 다른 사람 명의로 등기되어 있는 토지 반환 소송을 제기하였고, 법원은 친일파 후손들의 손을 들어 주었다. 그러나 이 판결 이후 친일 재산 환수에 대한 국민적 요구가 거세지자 국회는 「친일 반민족 행위자 재산의 국가 귀속에 관한 특별법」을 제정하였다. 이에 친일파 후손들은 해당 법률에 대해 헌법 재판소에 헌법 소원 심판을 청구하였고, 헌법 재판소는 이 법률의 친일 재산 환수 규정에 대해 합헌 결정을 내렸다.

제시된 사례는 헌법 재판을 통해 민주주의와 법치주의가 구현되어 사회적 합의점을 도출한 것이다. 이와 같이 헌법은 정치적인 문제를 해결하는 판단 기준이 되어 사회적 갈등을 극복하고 사회를 통합하는 기능을 한다.

#### 수능이 보이는 교과서 자료 — 헌법의 기본 원리와 관련된 헌법 조항

| | |
|---|---|
| 국민 주권주의 | 제1조 ① 대한민국은 민주 공화국이다.<br>② 대한민국의 주권은 국민에게 있고, 모든 권력은 국민으로부터 나온다. |
| 자유 민주주의 | 제4조 …… 자유 민주적 기본 질서에 입각한 평화적 통일 정책을 수립하고 …….<br>제8조 ② 정당은 그 목적·조직과 활동이 민주적이어야 하며, …….<br>④ 정당의 목적이나 활동이 민주적 기본 질서에 위배될 때에는 …… 해산된다. |
| 복지 국가의 원리 | 제34조 ① 모든 국민은 인간다운 생활을 할 권리를 가진다.<br>② 국가는 사회 보장·사회 복지의 증진에 노력할 의무를 진다.<br>제119조 ② 국가는 균형 있는 국민 경제의 성장 및 안정과 적정한 소득의 분배를 유지하고 …… 경제에 관한 규제와 조정을 할 수 있다. |
| 국제 평화주의 | 제5조 ① 대한민국은 국제 평화의 유지에 노력하고 침략적 전쟁을 부인한다.<br>제6조 ① 헌법에 의하여 체결·공포된 조약과 일반적으로 승인된 국제 법규는 국내법과 같은 효력을 가진다.<br>② 외국인은 국제법과 조약이 정하는 바에 의하여 그 지위가 보장된다. |
| 문화 국가의 원리 | 제9조 국가는 전통문화의 계승·발전과 민족 문화의 창달에 노력하여야 한다.<br>제31조 ⑤ 국가는 평생 교육을 진흥하여야 한다. |
| 평화 통일 지향 | 제4조 대한민국은 통일을 지향하며, 자유 민주적 기본 질서에 입각한 평화적 통일 정책을 수립하고 이를 추진한다.<br>제66조 ③ 대통령은 조국의 평화적 통일을 위한 성실한 의무를 진다. |

---

### 문제로 확인할까?

현대 복지 국가 헌법의 특징이 아닌 것은?
① 실질적 평등을 추구한다.
② 행정부의 역할을 강화한다.
③ 국민의 인간다운 생활을 추구한다.
④ 사유 재산권의 절대성을 인정한다.
⑤ 경제 활동에 대한 규제와 조정을 허용한다.

④ 📖

### 자료 하나 더 알고 가자!

**규범적 헌법과 장식적 헌법**

> 헌법은 헌법과 헌법 현실의 관계에 따라 규범적 헌법과 장식적 헌법으로 구별된다. 규범적 헌법은 헌법 규범과 그 실현이 일치하는 헌법이고, 장식적 헌법은 통치자의 체제 유지를 정당화하기 위해 만든 헌법이다.

규범적 헌법은 헌법이 국가의 최고법으로 실질적인 규범력을 발휘한다. 반면에 장식적 헌법은 정권 획득과 유지를 위해 만들어져 헌법 본래의 기능을 할 수 없고 헌법의 수명도 짧다.

### 완자쌤의 탐구 강의

• 다음은 헌법 전문이다. ⑦~⑭에 나타난 헌법의 기본 원리를 정리해 보자.

> ⑦ 유구한 역사와 전통에 빛나는 우리 대한 국민은 …… ⑭ 평화적 통일의 사명에 입각하여 …… ⑭ 자율과 조화를 바탕으로 자유 민주적 기본 질서를 더욱 확고히 하여 …… ⑭ 안으로는 국민 생활의 균등한 향상을 기하고 밖으로는 ⑭ 항구적인 세계 평화와 인류 공영에 이바지함으로써 …… 헌법을 이제 국회의 의결을 거쳐 ⑭ 국민 투표에 의하여 개정한다.

⑦은 문화 국가의 원리, ⑭은 평화 통일 지향, ⑭은 자유 민주주의, ⑭은 복지 국가의 원리, ⑭은 국제 평화주의, ⑭은 국민 주권주의를 나타내고 있다.

함께 보기 25쪽, 1등급 정복하기 1

● 정답친해 05쪽 ●

# STEP 1 핵심 개념 확인하기

**1** ( )은 국가의 통치 조직과 통치 작용의 원리를 규정하고, 국민의 기본권을 보장하는 국가의 기본법이며 최고법이다.

**2** 다음 설명이 맞으면 ○표, 틀리면 ×표를 하시오.

(1) 근대 입헌주의 헌법은 실질적 평등과 사회권을 강조한다. ( )

(2) 헌법은 국민의 자유와 권리를 명시함으로써 국민의 기본권을 보장하는 기능을 한다. ( )

(3) 헌법은 국가 기관에 일정한 권한을 부여하여 모든 권력 기관의 권한 행사에 정당성을 부여한다. ( )

**3** 다음 설명에 해당하는 헌법의 기본 원리를 〈보기〉에서 골라 기호를 쓰시오.

┌─ 보기 ─────────────────────┐
│ ㄱ. 국민 주권주의        ㄴ. 국제 평화주의 │
│ ㄷ. 자유 민주주의        ㄹ. 복지 국가의 원리 │
└────────────────────────────┘

(1) 국가의 의사를 결정하는 주권이 국민에게 있다는 원리이다. ( )

(2) 국제 질서를 존중하고 세계 평화와 인류 번영을 위해 노력하는 원리이다. ( )

(3) 국민의 인간다운 생활을 보장하기 위해 국가가 적극적인 역할을 해야 한다는 원리이다. ( )

(4) 국민의 자유와 권리를 보호하고 국가 권력의 창설과 통치 과정이 국민의 합의에 근거해야 한다는 원리이다. ( )

**4** 헌법의 기본 원리와 그 실현 방안을 옳게 연결하시오.

(1) 국민 주권주의 • • ㉠ 권력 분립
(2) 자유 민주주의 • • ㉡ 국민 투표제
(3) 복지 국가의 원리 • • ㉢ 의무 교육 시행
(4) 국제 평화주의 • • ㉣ 남북한 교류 협력
(5) 문화 국가의 원리 • • ㉤ 최저 임금제 실시
(6) 평화 통일 지향 • • ㉥ 외국인의 지위 존중

# STEP 2 내신 만점 공략하기

**01** 다음 자료를 통해 알 수 있는 헌법의 특징으로 가장 적절한 것은?

┌────────────────────────────────────┐
│ 법체계는 오른쪽 그림과                          │
│ 같이 수직적 구조로 나타          │
│ 나는데, 그중 헌법은 국가                        │
│ 의 근본법으로서 가장 상                         │
│ 위에 위치한다. 따라서 하                        │
│ 위의 법 규범인 법률, 명                         │
│ 령, 조례·규칙 등은 헌법         ↑ 법의 위계      │
│ 에 위배되어서는 안 된다.                        │
└────────────────────────────────────┘

① 국민의 자유와 권리를 보장한다.
② 국가 권력 기관에 권한을 부여한다.
③ 국가의 통치 기구와 통치 작용을 구성한다.
④ 국가 권력을 분립시키고 상호 견제하게 한다.
⑤ 모든 법령과 정책은 헌법이 정하는 바에 따라 제정된다.

**02** 다음 글을 통해 볼 때 어느 나라가 입헌주의를 실시하고 있는지를 알아보기 위한 질문으로 적절하지 **않은** 것은?

┌────────────────────────────────────┐
│ 입헌주의는 각국의 정치적 상황에 따라 그 내용에 있어 │
│ 강조되는 점이 다르고 근대 헌법의 역사적 변천과 더불 │
│ 어 다양성을 나타내기는 하지만, 통치 권력의 제한과 이 │
│ 를 통한 개인의 자유와 권리의 보장이 그 핵심을 이룬다. │
│ 그러나 입헌주의의 내용은 오늘날에 와서 많은 변모를 보 │
│ 여 주고 있다. 시민 혁명에 의해 이루어진 서양 근대 사회 │
│ 의 입헌주의는 그 혁명의 주역인 부르주아의 이익에 치중 │
│ 한 시민적 민주주의를 그 내용으로 하는 것이었지만, 20 │
│ 세기 이후의 오늘날의 입헌주의는 대중 민주주의와 실질 │
│ 적 평등 실현을 그 내용으로 하고 있다. │
└────────────────────────────────────┘

① 실질적 법치주의가 실현되고 있는가?
② 국가 권력의 남용을 억제하고 있는가?
③ 권력 분립이 체계적으로 명시되어 있는가?
④ 인간의 존엄성이 최고의 가치로 간주되고 있는가?
⑤ 국민 복지의 향상을 위해 개인의 재산권에 절대적 제한을 두는가?

## 03 표는 헌법을 시대별 의미에 따라 구분한 것이다. 이에 대한 설명으로 옳은 것은? (단, A~C는 각각 고유한 의미의 헌법, 근대 입헌주의 헌법, 현대 복지 국가 헌법 중 하나이다.)

| 구분 | A | B | C |
|---|---|---|---|
| 국민의 기본권 보장을 위해 국가 권력을 제한하는 내용을 담고 있습니까? | 아니요 | 예 | 예 |
| 복지 국가의 이념을 추구합니까? | 아니요 | 아니요 | 예 |

① A에서는 입헌주의가 중시된다.
② B의 사례로 바이마르 헌법을 들 수 있다.
③ B보다 C에서 국가의 역할이 더 소극적이다.
④ C는 B와 달리 사회권적 기본권을 강조한다.
⑤ A, B는 C와 달리 국가 통치 기관의 존립 근거가 된다.

## 04 헌법의 시대별 의미인 ㉠, ㉡에 대한 설명으로 옳은 것은?

헌법의 의미는 시대와 상황에 따라 조금씩 달라져 왔다. (  ㉠  )은/는 국가 통치 기관의 존립 근거를 넘어서 국민의 기본권을 실질적으로 보장하고자 하였다. 한편 (  ㉡  )은/는 더 나아가 모든 국민의 인간다운 생활을 보장하기 위한 국가의 적극적인 역할을 인정하고 있다.

① ㉠은 실질적 평등을 추구하였다.
② ㉠은 국민의 기본권 보장과 권력 분립을 성문화하였다.
③ ㉡은 국가 통치 기관의 권한을 규정하지 않았다.
④ ㉡은 시민 혁명 이후에 나타난 근대 입헌주의 헌법이다.
⑤ ㉡은 ㉠과 달리 자유권적 기본권을 보장하고자 하였다.

## 05 다음 헌법 조항들을 토대로 추론할 수 있는 헌법의 기능으로 적절한 것은?

제40조 입법권은 국회에 속한다.
제66조 ④ 행정권은 대통령을 수반으로 하는 정부에 속한다.
제101조 ① 사법권은 법관으로 구성된 법원에 속한다.

① 국가 창설
② 기본권 보장
③ 조직 수권 규범
④ 정치적 평화 실현
⑤ 공동체 유지·통합

## 06 다음 사례를 통해 알 수 있는 헌법의 기능으로 가장 적절한 것은?

1990년대에 들어와 친일파 후손들은 국유 또는 다른 사람 명의로 등기되어 있는 토지 반환 소송을 제기하였고, 법원은 친일파 후손들의 손을 들어 주었다. 그러나 이 판결 이후 친일 재산 환수에 대한 국민적 요구가 거세지자 국회는 「친일 반민족 행위자 재산의 국가 귀속에 관한 특별법」을 제정하였다. 이에 친일파 후손들은 해당 법률에 대해 헌법 재판소에 헌법 소원 심판을 청구하였고, 헌법 재판소는 이 법률의 친일 재산 환수 규정에 대해 합헌 결정을 내렸다.

① 국민의 삶의 질을 향상시킨다.
② 국민의 기본권 남용을 규제한다.
③ 국가 통치 조직에 일정한 권한을 부여한다.
④ 국가 성립 요소와 국가 기반 등을 규정한다.
⑤ 다양한 사회적 갈등을 극복하고 사회 통합을 실현한다.

## 07 (가)에 들어갈 적절한 답변을 〈보기〉에서 고른 것은?

• 교사: 헌법에서 모든 권리는 국민으로부터 나온다고 규정하고 있어요. 이러한 원리를 구현하기 위해서는 국민의 참여가 보장되는 장치가 마련되어야 하지요. 이를 확인하려면 무엇을 알아보아야 할까요?
• 학생: _____(가)_____를 살펴보아야 합니다.

보기
ㄱ. 권력 분립과 사법권의 독립이 이루어지는가
ㄴ. 민주 선거의 원칙에 따라 선거가 행해지는가
ㄷ. 언론·출판·집회·결사의 자유가 보장되고 있는가
ㄹ. 공정한 성세 활동을 위해 국가가 적극 개입하는가

① ㄱ, ㄴ
② ㄱ, ㄷ
③ ㄴ, ㄷ
④ ㄴ, ㄹ
⑤ ㄷ, ㄹ

**08** 우리 헌법의 기본 원리인 (가), (나)에 대한 설명으로 옳지 않은 것은?

| 구분 \ 기본 원리 | (가) | (나) |
|---|---|---|
| 관련 헌법 조항 | 정당의 목적이나 활동이 민주적 기본 질서에 위배될 때에는 …… 해산된다. | 국가는 사회 보장·사회 복지의 증진에 노력할 의무를 진다. |
| 실현 방안 | 법치주의, 권력 분립과 사법권의 독립 등 | 사회 보장 제도 시행, 소득 재분배 정책 채택 등 |

① (가)는 공공 부조 제도 시행의 근거로 작용한다.
② (가)는 자유주의와 민주주의가 결합된 정치 원리이다.
③ (가)는 자유로운 정당 활동, 상향식 의사 결정 과정 등의 실질적 보장을 통해 실현될 수 있다.
④ (나)는 국민의 생존권을 보장하기 위한 국가의 적극적인 역할을 강조한다.
⑤ (나)는 자본주의의 발달 과정에서 발생한 현대 사회의 모순을 해결하고자 한다.

**09** 다음 기사의 사례에서 위배하고 있는 헌법의 기본 원리를 실현하기 위한 방안을 〈보기〉에서 고른 것은?

> 2010년에 이루어진 '○○ 지역 이주 노동자 실태 조사'에서 외국인 노동자 3명 중 1명이 컨테이너를 불법 개조한 창고나 공장 사무실 등 쪽방에서 사는 것으로 조사되었다. 그럼에도 불구하고 이들은 기숙사 사용료 명목으로 임금을 떼이는 등 착취를 당하고 있어 외국인 노동자의 인권 실태가 심각한 수준으로 드러났다.

보기
ㄱ. 적법 절차의 원리를 준수한다.
ㄴ. 언론·출판·집회·결사의 자유를 보장한다.
ㄷ. 조약과 국제 관습법 등의 국제법을 존중한다.
ㄹ. 상호주의 원칙에 따라 외국인의 지위를 보장한다.

① ㄱ, ㄴ  ② ㄱ, ㄷ  ③ ㄴ, ㄷ
④ ㄴ, ㄹ  ⑤ ㄷ, ㄹ

# 서술형 문제

● 정답친해 06쪽

**01** 다음 사례를 통해 알 수 있는 헌법의 기능을 서술하시오.

> 1948년 7월 17일 우리나라의 건국 헌법이 제정되었고, 같은 해 8월 15일 대한민국 정부가 수립되었다.

**02** 다음과 같은 배경으로 인해 등장한 헌법의 기본 원리를 쓰고, 이 원리를 실현하기 위한 방안을 **두 가지** 이상 서술하시오.

> 20세기에 접어들면서 사회적 생산의 분배를 둘러싼 노사 간의 갈등과 대립이 심화되고 근로자의 생존을 위협하는 사회적 빈곤이 일반화되자, 빈곤의 구제와 부의 공정한 배분을 위하여 자본주의 경제 질서의 수정과 더불어 사회 개혁이 불가피해졌다. 이 때문에 종래의 경제적 자유방임주의에서 벗어나 국민의 생존을 배려하기 위한 부의 재분배 정책과 국가에 의한 투자 계획의 필요성 등을 주장하는 이론이 등장하게 되었다. 또한 인간의 존엄과 가치의 보장을 이념으로 하여 사회적 약자의 생존권 보장과 실질적 자유·평등·정의의 실현을 국가의 책무로 하는 사상이 등장하였다.

**03** 다음 헌법 조항을 읽고 물음에 답하시오.

> (가) 제9조 국가는 전통문화의 계승·발전과 민족 문화의 창달에 노력하여야 한다.
> (나) 제66조 ③ 대통령은 조국의 평화적 통일을 위한 성실한 의무를 진다.

(1) (가), (나)에 나타난 우리나라 헌법의 기본 원리를 각각 쓰시오.

(2) (가), (나)를 실현하기 위한 방안을 각각 **두 가지** 이상 서술하시오.

**STEP 3** 1등급 정복하기

**1** 밑줄 친 ⊙~⑩에 나타난 헌법의 기본 원리의 실현 방안으로 옳지 <u>않은</u> 것은?

---

**대한민국 헌법 전문**

⊙ 유구한 역사와 전통에 빛나는 우리 대한 국민은 3·1 운동으로 건립된 대한민국 임시 정부의 법통과 불의에 항거한 4·19 민주 이념을 계승하고, 조국의 민주 개혁과 평화적 통일의 사명에 입각하여 정의·인도와 동포애로써 민족의 단결을 공고히 하고, 모든 사회적 폐습과 불의를 타파하며, ⓒ 자율과 조화를 바탕으로 자유 민주적 기본 질서를 더욱 확고히 하여 정치·경제·사회·문화의 모든 영역에 있어서 각인의 기회를 균등히 하고, 능력을 최고도로 발휘하게 하며, 자유와 권리에 따르는 책임과 의무를 완수하게 하여, ⓒ 안으로는 국민 생활의 균등한 향상을 기하고 ⓔ 밖으로는 항구적인 세계 평화와 인류 공영에 이바지함으로써 …(중략)… ⑩ 1948년 7월 12일에 제정되고 8차에 걸쳐 개정된 헌법을 이제 국회의 의결을 거쳐 국민 투표에 의하여 개정한다.

---

① ⊙ – 종교·학문·예술 활동의 자유 보장
② ⓒ – 복수 정당제를 기반으로 하는 자유로운 정당 활동의 보장
③ ⓒ – 국민에 대한 평생 교육의 진흥
④ ⓔ – 상호주의 원칙에 따른 외국인의 지위 보장
⑤ ⑩ – 언론·출판·집회·결사의 자유 보장

**수능 응용**

**2** 다음 자료에 대한 옳은 설명만을 〈보기〉에서 있는 대로 고른 것은?

| 우리 헌법의 기본 원리 | 관련 헌법 조문 예시 | 기본 원리의 실현 방안 |
|---|---|---|
| (가) | 모든 국민은 거주·이전의 자유를 가진다. | A |
| (나) | 모든 국민은 인간다운 생활을 할 권리를 가진다. | B |

**보기**

ㄱ. (가)는 개인의 자유가 존중되어야 하며, 국가 권력이 국민의 동의와 지지를 바탕으로 행사되어야 한다는 원리이다.
ㄴ. (나)는 국민의 기본적 생활을 국가가 보장해 주는 원리이다.
ㄷ. A에는 '국가가 저소득층을 비롯한 주거 약자에게 안정적인 주거 환경을 우선적으로 보장하는 제도'가 들어갈 수 있다.
ㄹ. B에는 '국가가 치매를 비롯한 각종 질병으로 일상생활에 어려움을 겪고 있는 노인을 지원하는 제도'가 들어갈 수 있다.

① ㄱ, ㄴ        ② ㄱ, ㄷ        ③ ㄷ, ㄹ
④ ㄱ, ㄴ, ㄹ        ⑤ ㄴ, ㄷ, ㄹ

---

▶ 헌법 전문에 나타난 헌법의 기본 원리 실현 방안

**완자 사전**

• 헌법 전문(前文)
헌법 본문 앞에 있는 문장 또는 조문. 전문에는 헌법 제정의 역사, 기본 원리, 헌법 제정권자 등이 제시되어 있다.

▶ 헌법의 기본 원리

**완자쌤의 시험 꿀팁**

헌법 조문 또는 시행되고 있는 정책 내용을 통해 헌법의 기본 원리를 묻는 문제가 자주 출제된다.

# 03 기본권의 내용과 제한

학습목표
• 우리 헌법에서 보장하는 기본권의 종류와 내용을 설명할 수 있다.
• 기본권 제한의 요건과 한계를 파악할 수 있다.

## 이것이 핵심!

**기본권의 유형과 내용**

| 인간의 존엄과 가치 및 행복 추구권 ↑ | |
|---|---|
| 자유권 | 개인의 자유로운 생활 영역에 대하여 국가 권력의 간섭이나 침해를 받지 않을 권리 |
| 평등권 | 합리적인 이유 없이 불평등한 대우를 받지 않을 권리 |
| 참정권 | 국민이 국가 기관의 형성과 국가의 정치적 의사 형성 과정에 참여할 수 있는 권리 |
| 사회권 | 국민이 실질적인 평등과 인간다운 생활의 보장을 국가에 요구할 수 있는 권리 |
| 청구권 | 국민이 국가에 대해 일정한 행위를 요구하거나 침해당한 기본권 구제를 청구할 권리 |

### ★ 자연법과 실정법

| 자연법 | 정의·이성에 근거하며 시간, 공간을 초월하여 보편타당하게 적용될 수 있는 법 |
|---|---|
| 실정법 | 경험적·역사적 사실에 의하여 성립되고 현실적인 제도로 시행되고 있는 법 |

### ★ 영장 제도

체포, 구속, 압수, 수색 등을 할 때는 적법한 절차에 따라 검사의 신청에 의하여 법관이 발부한 영장을 제시해야 하는 제도

### ★ 절대적 평등과 상대적 평등

| 절대적·획일적 평등 | 차이를 인정하지 않고 모든 사람을 똑같이 대우하는 것 |
|---|---|
| 상대적·비례적 평등 | 성별, 재능, 재산, 교육 등과 같은 선천적·후천적 차이와 합리적 차별을 인정하는 것 |

## ① 기본권의 의미와 유형

### 1. 기본권의 의미와 성격

(1) **기본권**: 헌법을 통해 보장되는 국민의 기본적 인권

 **인권과 기본권**

| 인권 | 인간이기 때문에 당연히 가지는 권리 |
|---|---|
| 기본권 | 국민의 기본적 권리를 헌법으로 보장한 것 |

(2) **기본권의 성격**

| *자연법상 권리 | 국가의 성립과 관계없이 인간이 태어나면서 가지는 권리 → 초국가적 권리 |
|---|---|
| *실정법상 권리 | 국가의 헌법에 따라 보장되는 권리 → 국가에 의한 기본권의 제한을 인정함 |

(3) **국가 권력과 기본권**: 국가는 개인이 가지는 불가침의 기본적 인권을 확인하고 이를 보장할 의무가 있음 ┌ 꼭! 우리 헌법 제10조에서 "모든 국민은 인간으로서의 존엄과 가치를 가지며, 행복을 추구할 권리를 가진다. 국가는 개인이 가지는 불가침의 기본적 인권을 확인하고 이를 보장할 의무를 진다."라고 규정하고 있어.

### 2. 기본권의 유형과 내용

(1) **인간의 존엄과 가치 및 행복 추구권** — 예 인격권, 생명권, 알 권리, 일반적인 행동권, 개성의 자유로운 발현권 등

| 인간의 존엄과 가치 (자료①) | • 인간은 인간이라는 이유만으로 존중받아야 한다는 것<br>• 헌법이 지향하는 최고 가치, 모든 기본권의 근거이자 원천, 국가 권력 행사의 기준 |
|---|---|
| 행복 추구권 | • 물질적 만족뿐만 아니라 정신적 만족을 충족시킬 수 있는 권리<br>• 국민의 행복 추구에 필요한 모든 자유와 권리의 내용을 담고 있는 포괄적 성격의 권리 |

(2) **자유권** ┌ 자유권을 '국가로부터의 자유'라고도 표현해.

① **의미**: 개인의 자유로운 생활 영역에 대하여 국가 권력의 간섭이나 침해를 받지 않을 권리

② **성격**: 소극적 권리, 방어적 권리, 포괄적 권리, 역사적으로 가장 오래된 권리 └ 시민 혁명을 통해 보장된 권리야.

③ **종류** (자료②)

| 신체의 자유 | 불법적인 체포·감금을 당하지 않고 신체의 안전을 보장받으며 국가 권력의 간섭 없이 자율적으로 활동할 수 있는 자유 예 적법 절차의 원리, 고문 금지 및 진술 거부권 보장, *영장 제도 등 |
|---|---|
| 정신적 자유 | 양심의 자유, 종교의 자유, 학문과 예술의 자유, 언론·출판·집회·결사의 자유 등 |
| 사회·경제적 자유 | 거주·이전의 자유, 직업 선택의 자유, 사생활의 비밀과 자유, 재산권의 보장 등 |

(3) **평등권**

① **의미**: 합리적 이유 없이 불평등한 대우를 받지 않을 권리

② **성격**: 다른 기본권의 보장을 위한 전제 조건, *상대적·비례적 평등 (자료③)

③ **종류**: 법 앞의 평등, 기회의 균등, 근로관계 및 가족생활에서의 양성평등 등

(4) **참정권** ┌ 꼭! 시민 혁명 이후 근대 민주 국가에서는 재산, 성별 등에 따라 참정권을 제한했지만, 오늘날 대부분의 민주 국가에서는 보통 선거 원칙에 따라 모든 국민의 참정권을 보장하고 있어.

① **의미**: 주권자인 국민이 국가 기관의 형성과 국가의 정치적 의사 형성 과정에 참여할 수 있는 권리

② **성격**: 능동적 권리, 국민 주권의 원리를 구현하는 정치적 기본권

③ **종류** ┌ 외국인은 원칙적으로 제외돼.

| 선거권 | 국민의 대표를 선출할 수 있는 권리 — vs 피선거권은 공직 선거에 입후보할 권리야. |
|---|---|
| 공무 담임권 | 국민이 국가나 지방 자치 단체의 구성원이 되어 공무를 담당할 수 있는 권리 |
| 국민 투표권 | 헌법 개정 등 국가의 중요 정책을 결정하는 국민 투표에 참여할 수 있는 권리 |

## 자료 ① 인격권

국가 인권 위원회는 피의자를 호송하는 과정에서 수갑 찬 모습을 노출하는 것은 인권 침해라고 판단했다. 국가 인권 위원회는 "근로 감독관이 「근로 기준법」을 위반한 갑을 연행하면서 유동 인구가 많은 곳인데도 수갑을 채워 데리고 가는 모습이 외부에 노출돼 갑이 수치심을 느낄 수 있는 상황이었으며, 유죄가 확정된 것도 아닌 피의자를 단순히 조사할 목적으로 연행하면서 수갑을 채운 것은 결과적으로 피의자의 인격권을 침해한 것이다."라고 밝혔다.
　　　　　　　　　　　　　　　　　　　　　　　　　　　　　　　　　　－「뉴시스」, 2012. 8. 21.

제시된 사례는 인간의 존엄과 가치에 해당하는 권리인 인격권을 침해한 경우이다. 인간의 존엄과 가치는 인간은 인간이라는 이유만으로 존중받아야 할 존재이므로 다른 목적을 위한 수단으로 이용하거나 그 사람의 인격을 훼손하는 행위를 가해서는 안 된다는 의미이다.

## 자료 ② 판례를 통해 본 자유권 침해 사례

(가) 이○○ 씨는 뇌물을 받은 혐의로 검찰의 수사를 받았다. 그런데 수사 과정에서 진술 거부권을 고지(告知)받지 않은 채 자신에게 불리한 진술을 하였다. — 적법 절차의 원리 침해
(나) 박□□ 씨는 자신이 운영하는 회사를 홍보하기 위해 텔레비전 광고를 신청했는데, 방송국 측에서는 사전 심의 절차를 받지 않았다는 이유로 이를 거절하였다. ┌ 언론·출판·집회·결사의 자유
　　　　　　　　　　　　　　　　　　　　　　　　　　　　　　　　등 표현의 자유 침해
(다) 김△△ 씨는 의사 면허와 한의사 면허를 모두 가진 '복수 면허 의료인'이다. 그런데 병원 개업을 추진하던 김 씨는 양의와 한의의 겸업이 의료법상 금지되어 있다는 것을 알게 되었다.┐
　　　　　　　　　　　　　　　　　　　　　　　　　　　직업 선택의 자유 침해

(가)는 자유권 중 신체의 자유, (나)는 정신적 자유, (다)는 사회·경제적 자유를 침해받았다. 자유권은 개인의 자유로운 생활에 대해 국가의 간섭과 침해를 배제함으로써 누릴 수 있는 권리이므로 방어적·소극적 권리이다. 또한 자유권은 매우 광범위하여 헌법에 일일이 열거되지 않아도 보장된다는 점에서 포괄적 권리이다.

## 자료 ③ 적극적 평등 실현 조치

적극적 평등 실현 조치는 단순히 차별을 철폐하고 똑같은 대우를 하는 것보다 더 적극적인 성격의 대응책으로 실질적 평등을 실현하기 위한 제도이다. 우리나라에서도 여성 고용 할당제 및 장애인 의무 고용 제도 등 적극적 평등 실현 조치를 시행하고 있다. 「남녀 고용 평등과 일·가정 양립 지원에 관한 법률」에서는 '적극적 고용 개선 조치'를 명시하여 남녀 간 고용 차별을 없애거나 고용 평등을 촉진하기 위해 잠정적으로 특정 성(性)을 우대하도록 하고 있다. 또한 「장애인 고용 촉진 및 직업 재활법」에서는 국가와 지방 자치 단체의 장, 사업주가 일정 비율 이상의 장애인을 의무적으로 고용하도록 명시하고 있다.

적극적 평등 실현 조치는 인종, 성별, 종교, 장애 등으로 인한 차별을 줄이기 위한 소수 계층 우대 정책을 의미한다. 우리 헌법은 모든 국민이 법 앞에 평등함을 선언하고 있으며, 이때 평등은 상대적·비례적·실질적 평등을 의미한다. 따라서 합리적 근거가 있는 차별은 인정한다. 합리적 차별은 선천적·후천적 조건의 차이를 고려한 차별로, 남자에게만 병역의 의무를 부과하는 것, 가중 처벌 제도, 미성년자 관람 불가 공연 인정 등이 해당된다.

---

### 정리 | 비법을 알려줄게!

**기본권의 성격**

| | |
|---|---|
| 인간의 존엄과 가치 및 행복 추구권 | 모든 기본권의 근거이자 원천, 헌법이 지향하는 최고 가치, 포괄적 권리 |
| 자유권 | 소극적·방어적 권리, 포괄적 권리 |
| 평등권 | 다른 기본권 보장의 전제 조건 |
| 참정권 | 능동적 권리 |
| 사회권 | 적극적·열거적·현대적 권리 |
| 청구권 | 수단적 권리, 기본권 보장을 위한 기본권 |

### 자료 | 하나 더 알고 가자!

**신체의 자유를 보장하기 위한 헌법상 제도**

- 죄형 법정주의, 적법 절차의 원리
- 고문 금지, 묵비권, 영장 제도, 변호인의 조력을 받을 권리
- 체포와 피의 사실의 고지 및 변호사 선임권 고지
- 구속 적부 심사제
- 자백의 증거 능력의 제한
- 형벌 불소급의 원칙
- 일사부재리의 원칙
- 연좌제 금지
- 형사 피고인의 무죄 추정의 원칙

신체의 자유는 모든 자유권의 근간이 되는 것으로, 우리 헌법에서는 제시된 자료와 같은 상세한 규정을 두고 있다.

### 자료 | 하나 더 알고 가자!

**적극적 평등 실현 조치와 관련된 법 조항**

공직 선거법 제47조 ③ 정당이 비례 대표 국회 의원 선거 및 비례 대표 지방 의회 의원 선거에 후보자를 추천하는 때에는 그 후보자 중 100분의 50 이상을 여성으로 추천하되, 그 후보자 명부의 순위의 매 홀수에는 여성을 추천하여야 한다.

여성 할당제는 여성에 대한 차별을 없애기 위해 정치, 경제, 교육, 고용 등 각 부문에서 채용이나 승진 시 일정 비율을 여성에게 할당하는 제도로, 남녀평등을 실현하기 위한 적극적 조치에 해당한다.

# 03 기본권의 내용과 제한

**VS 자유권과 사회권**

| 자유권 | 사회권 |
|---|---|
| • 국가로부터의 자유 | • 국가에 의한 자유 |
| • 소극적 권리, 포괄적 권리 | • 적극적 권리, 개별적 권리 |
| • 초국가적 권리 | • 국가 내적인 권리 |

★ **청원권**
국가 기관에 대해 자신의 의견이나 희망을 문서로 제출할 수 있는 권리

★ **범죄 피해자 구조 청구권**
범죄 피해로 생명이나 신체에 해를 입은 사람이 국가에 구조를 청구할 수 있는 권리

★ **형사 보상 청구권**
형사 피의자나 형사 피고인으로 구금되었던 사람이 불기소 처분을 받거나 무죄 판결을 받은 경우 그 손실의 보상을 국가에 청구할 권리

**(5) 사회권** (자료 ④)

① 의미: 모든 국민이 실질적인 평등과 인간다운 생활의 보장을 국가에 요구할 수 있는 권리

② 등장 배경: 자본주의의 발달로 빈부 격차, 절대 빈곤, 계급 갈등이 심화되어 인간다운 생활 및 실질적 평등 보장의 필요성 제기 → 독일 바이마르 헌법(1919)에서 최초 보장

③ 성격: 적극적 권리, 열거적 권리, 현대적 권리 ─ 기본권 중에서 가장 최근에 등장한 기본권이야.

④ 종류: 인간다운 생활을 할 권리, 교육을 받을 권리, 근로의 권리, 노동 삼권, 환경권 등
─ 단결권, 단체 교섭권, 단체 행동권
Qu? 헌법에서 규정하고 있는 것에 한해서만 보장되는 권리이기 때문이야.

**(6) 청구권** (자료 ⑤)

① 의미: 국민이 국가에 대해 일정한 행위를 요구하거나 침해당한 기본권 구제를 청구할 권리

② 성격: 수단적 권리, 절차적 권리, 적극적 권리, 기본권 보장을 위한 기본권

③ 종류: *청원권, *범죄 피해자 구조 청구권, *형사 보상 청구권, 국가 배상 청구권 등

꿀! 청구권은 국가의 존재를 전제로 인정되는 권리야.

## 이것이 핵심!

**기본권의 제한**

| 목적 | 국가 안전 보장, 질서 유지, 공공복리 |
|---|---|
| 형식 | 법률로써 제한 |
| 한계 | 과잉 금지의 원칙 준수, 자유와 권리의 본질적 내용 침해 금지 |

★ **기본권 제한의 목적**

| 국가 안전 보장 | 국가의 독립, 영토의 보존, 헌법에 의하여 설치된 국가 기관의 유지 |
|---|---|
| 질서 유지 | 사회 안녕을 위해 현존 질서 유지 |
| 공공복리 | 사회 구성원 전체에 공통되는 복지나 이익 |

## ② 기본권의 제한과 한계

**1. 기본권의 제한**

(1) *목적: 국가 안전 보장, 질서 유지, 공공복리 ─ 국가 비상사태 등의 국가적 위기 상황에서는 예외가 인정돼.

(2) 형식: 국민의 대표 기관인 국회가 제정한 법률로써 제한해야 함

**2. 기본권 제한의 요건과 한계**

(1) 과잉 금지의 원칙: 기본권 제한은 필요한 최소한에 그쳐야 함 (교과서 자료)

| 목적의 정당성 | 국민의 기본권을 제한하려는 입법 목적의 정당성이 인정되어야 함 |
|---|---|
| 방법의 적절성 | 기본권 제한의 목적 달성을 위한 방법이 효과적이고 적절해야 함 |
| 피해의 최소성 | 국민의 기본권 제한으로 인한 피해는 최소한도에 그쳐야 함 |
| 법익의 균형성 | 입법으로 보호하려는 공익과 침해되는 사익을 비교할 때 보호되는 공익이 더 커야 함 |

(2) 한계: 자유와 권리의 본질적인 내용은 침해할 수 없음 → 개별 기본권이 기본권으로서의 기능을 상실하게 될 정도로 본질적인 내용을 침해할 수 없음

(3) 기본권 제한 규정의 의의: 기본권 제한의 한계를 분명히 하여 국가 권력이 함부로 국민의 기본권을 침해할 수 없도록 함 → 국민의 기본권 보장, 공익 실현

예 도로 확장을 위해 개인의 토지를 국가에서 수용하는 것은 공공복리를 위해 가능하지만 그에 대하여 정당한 보상을 하지 않는다면 이는 사유 재산권의 본질적 내용을 침해하는 경우가 돼.

## 이것이 핵심!

**국민의 의무**

| 고전적 의무 | 납세의 의무, 국방의 의무 |
|---|---|
| 현대적 의무 | 교육의 의무, 근로의 의무, 재산권 행사의 공공복리 적합 의무, 환경 보전의 의무 |

## ③ 국민의 의무

**1. 고전적 의무**: 근대 입헌주의 국가 성립 이전부터 존재하던 의무

| 납세의 의무 | 법률의 규정에 따라 세금을 내야 할 의무 → 국가 운영의 재원 충당 |
|---|---|
| 국방의 의무 | 국가의 독립 유지와 영토 보존을 위해 국민이 부담하는 국토방위의 의무 |

꿀 국방의 의무는 모든 국민에게 부과된 의무이지만 병역의 의무는 성인 남자에게만 부과된 의무야.

**2. 현대적 의무**: 현대 복지 국가에서 사회권의 권리 행사에 수반되는 의무

| 교육의 의무 | 모든 국민이 자녀에게 초등 교육과 법률이 정하는 교육을 받게 할 의무 |
|---|---|
| 근로의 의무 | 근로 활동을 통해 자신의 생존을 확보하고 국가의 부(富) 증식에 이바지할 의무 |
| 재산권 행사의 공공복리 적합 의무 | 재산권은 개인의 권리이지만 사회 전체의 공익을 해치지 않고 공공복리에 적합하도록 행사할 의무 → 재산권 제한의 근거 |
| 환경 보전의 의무 | 환경 보호를 위해 노력해야 할 의무 |

## 자료 ④ 사회권의 침해

갑은 ○○ 편의점에서 아르바이트를 하고 있다. 사장은 갑이 미성년자라는 이유로 최저 임금에 미달하는 급여를 주고 있다. 미성년자라서 다른 일자리를 찾기 힘든 갑은 사장에게 제대로 항의도 못 하고 근무를 하고 있다.

제시된 사례에서 갑이 침해당한 기본권은 사회권이다. 사회권은 인간의 존엄성을 구현하기 위한 최소한의 필요 조건을 국가에 요구할 수 있는 법적 근거가 된다. 우리 헌법은 사회권을 보장하기 위해 인간다운 생활을 할 권리, 교육을 받을 권리, 근로의 권리, 최저 임금제의 실시, 건강하고 쾌적한 환경에서 생활할 권리 등을 규정하고 있다.

## 자료 ⑤ 국가 배상 청구권

A 마을은 높은 지대에 위치하여 홍수 피해를 받지 않는 지역이었다. 하지만 지난해부터 비가 내리면 하수구가 넘치는 일이 자주 발생하여 주민들이 많은 피해를 입었다. 원인을 살펴보니 ○○시에서 하수도 확장 공사를 시행하지 않아서 발생한 일이었다. 이에 A 마을 주민들은 ○○시로부터 재산상의 손해를 배상받으려고 한다.

A 마을 주민들은 국가 배상 청구권을 행사할 수 있다. 국가 배상 청구권은 공무원의 직무상 불법 행위나 공공시설의 설치 또는 관리의 잘못으로 손해를 입은 국민이 법률이 정하는 바에 의하여 국가 또는 공공 단체에 정당한 배상을 청구할 수 있는 권리이다. 다른 기본권은 그 자체가 목적이지만, 청구권은 국가나 타인에 의해 기본권이 침해당했을 때 그 구제를 청구하는 권리로 수단적 기본권이라는 점에서 차이가 있다.

### 수능이 보이는 교과서 자료   기본권 제한의 한계

2012년 「정보 통신망법」상의 본인 확인제에 대해 인터넷 이용자가 기본권 침해라며 헌법 소원 심판을 청구하였다. 헌법 재판소는 "해당 조항은 과잉 금지 원칙에 위배되어 표현의 자유, 개인 정보 자기 결정권, 언론의 자유 등을 침해하므로 헌법에 어긋난다."라고 판시하였다. 그 구체적 내용은 다음과 같다.

- 입법 목적의 정당성 및 방법의 적절성: 본인 확인제는 '건전한 인터넷 문화를 조성'하기 위하여 필요한 것으로서 정당한 목적을 달성하기 위한 적합한 수단이라는 점은 인정된다.
- 침해의 최소성: 본인 확인을 거치지 않으면 인터넷 게시판에 정보를 게시할 수 없도록 한 것은 목적 달성에 필요한 범위를 넘는 과도한 제한이다.
- 법익의 균형성: 본인 확인제로 인하여 기본권이 제한됨으로써 발생하는 이용자의 불이익이 본인 확인제가 달성하려는 공익보다 결코 작다고 할 수 없다.

  — 헌재 2012. 8. 23. 2010헌마47, 2010헌마252 —

헌법 재판소는 본인 확인제가 목적의 정당성과 방법의 적절성은 인정되지만, 기본권의 과도한 제한으로 침해의 최소성이 인정되지 않고, 제한되는 기본권이 달성하려는 공익보다 커 법익의 균형성도 인정되지 않아 과잉 금지의 원칙에 어긋난다고 보았다.

---

### 문제 로 확인할까?

사회권에 대한 설명으로 옳은 것은?
① 적극적·열거적 권리이다.
② 시기적으로 가장 오래된 권리이다.
③ 다른 기본권 보장을 위한 수단적 권리이다.
④ 국민 주권의 원리를 실현하기 위한 권리이다.
⑤ 다른 기본권 보장의 전제 조건이 되는 권리이다.

① 답

### 자료 하나 더 알고 가자!

기본권과 관련된 우리 헌법 조항

| | |
|---|---|
| 자유권 | 제12조 ① 모든 국민은 신체의 자유를 가진다. …… . |
| 평등권 | 제11조 ① 모든 국민은 법 앞에 평등하다. …… . |
| 참정권 | 제24조 모든 국민은 법률이 정하는 바에 의하여 선거권을 가진다. |
| 사회권 | 제34조 ① 모든 국민은 인간다운 생활을 할 권리를 가진다. |
| 청구권 | 제29조 ① 공무원의 직무상 불법 행위로 손해를 받은 국민은 법률이 정하는 바에 의하여 국가 또는 공공 단체에 정당한 배상을 청구할 수 있다. |

### 완자쌤의 탐구 강의

- 본인 확인제에 대한 헌법 재판소의 결정을 통해 알 수 있는 기본권 제한의 한계를 서술해 보자.

기본권의 제한은 꼭 필요한 경우에 그쳐야 하며, 제한으로 인한 피해를 최소화하고, 제한으로 인한 불이익보다 이를 통해 달성하려는 이익이 더 커야 하며, 기본권 제한의 목적 달성을 위한 방법이 효과적이고 적절해야 한다. 불가피하게 국민의 기본권을 제한하는 경우에도 기본권의 본질적 내용을 침해할 수 없다.

함께 보기 35쪽, 1등급 정복하기 4

## STEP 1 핵심 개념 확인하기

정답친해 07쪽

**1** 다음 빈칸에 들어갈 내용을 쓰시오.

(1) ( )은 헌법에 규정된 국민의 기본적 인권이다.

(2) 기본권은 인간이 천부적으로 가지는 자연법상 권리이자, 헌법에 의해 보장되는 ( )상 권리이다.

(3) ( )는 인간은 인간이라는 이유만으로 존중받아야 한다는 것으로 모든 기본권의 근거이자 원천이다.


**2** 다음 괄호 안의 내용 중 알맞은 말에 ○표를 하시오.

(1) (사회권, 자유권)은 현대적 권리로서 적극적 권리의 성격을 가진다.

(2) (참정권, 청구권)은 국민 주권의 원리를 구현하는 정치적 기본권이다.

(3) (청구권, 평등권)은 국민이 국가에 대하여 일정한 행위를 요구할 수 있는 권리이다.

(4) 우리 헌법상 법 앞의 평등은 선천적·후천적 차이를 고려하는 (상대적, 절대적) 평등을 의미한다.


**3** 다음 설명이 맞으면 ○표, 틀리면 ×표를 하시오.

(1) 기본권의 제한은 대통령령에 의거하여 이루어져야 한다. ( )

(2) 기본권을 제한할 때에는 과잉 금지의 원칙에 따라야 한다. ( )

(3) 목적이 정당하다면 개별 기본권의 본질적인 내용을 침해할 수 있다. ( )

(4) 국가 안전 보장, 질서 유지, 공공복리를 위해 국민의 기본권을 제한할 수 있다. ( )


**4** 고전적 의무와 현대적 의무를 〈보기〉에서 골라 기호를 쓰시오.

> **보기**
> ㄱ. 국방의 의무        ㄴ. 교육의 의무
> ㄷ. 근로의 의무        ㄹ. 납세의 의무
> ㅁ. 환경 보전의 의무

(1) 고전적 의무 ( )

(2) 현대적 의무 ( )


## STEP 2 내신 만점 공략하기

**01** 다음 헌법 조항에 대한 옳은 설명을 〈보기〉에서 고른 것은?

> 제10조 모든 국민은 인간으로서의 존엄과 가치를 가지며, 행복을 추구할 권리를 가진다. 국가는 개인이 가지는 불가침의 기본적 인권을 확인하고 이를 보장할 의무를 진다.

> **보기**
> ㄱ. 기본권 제한의 원칙을 규정하고 있다.
> ㄴ. 기본권을 실정법상의 권리로 제한하고 있다.
> ㄷ. 우리 헌법이 지향하는 최고의 가치 규범이다.
> ㄹ. 인간을 수단적 존재가 아닌 목적적 존재로 본다.

① ㄱ, ㄴ        ② ㄱ, ㄷ        ③ ㄴ, ㄷ
④ ㄴ, ㄹ        ⑤ ㄷ, ㄹ


**02** 다음 사례에서 법원이 중시한 기본권과 관련 있는 헌법 조항으로 가장 적절한 것은?

> 김○○ 씨는 집회에 참가했다가 경찰에 연행된 후 같은 날 오후 11시경에 석방되었다. 이에 김 씨는 "체포 당시 범죄 사실의 요지, 체포의 이유와 변호인을 선임할 수 있다는 내용을 고지 받지 못했다."라며 국가를 상대로 손해 배상 청구 소송을 냈고, 법원은 원고 승소 판결을 내렸다.

① 모든 국민은 법 앞에 평등하다.

② 모든 국민은 인간다운 생활을 할 권리를 가진다.

③ 모든 국민은 법률이 정하는 바에 의하여 선거권을 가진다.

④ 누구든지 체포 또는 구속을 당한 때에는 변호인의 조력을 받을 권리를 가진다.

⑤ 모든 국민은 법률이 정하는 바에 의하여 국가 기관에 문서로 청원할 권리를 가진다.

## 03 다음은 헌법 재판소 판시 내용이다. 밑줄 친 내용에 부합하는 사례를 〈보기〉에서 고른 것은?

헌법 제11조 제1항이 규정하는 평등의 원칙은 '본질적으로 같은 것은 같게, 다른 것은 다르게' 취급해야 한다는 것을 의미한다. 이는 일체의 차별적 대우를 부정하는 절대적 평등을 의미하는 것이 아니라 법의 적용이나 입법에 있어서 불합리한 조건에 의한 차별을 하여서는 안 된다는 상대적·실질적 평등을 뜻하는 것이므로, 합리적 근거 없이 자의적으로 차별하는 경우에 한하여 평등의 원칙에 위반될 뿐이다.

**보기**

ㄱ. 유권자에게 1표씩 투표권을 부여한다.
ㄴ. 판매 실적에 따라 영업 사원에게 상여금을 차등 지급한다.
ㄷ. 대학 입시에서 일정 비율을 농어촌 출신 학생에게 할당한다.
ㄹ. 수행 평가에서 모든 학생들에게 기본 점수를 동등하게 준다.

① ㄱ, ㄴ      ② ㄱ, ㄷ      ③ ㄴ, ㄷ
④ ㄴ, ㄹ      ⑤ ㄷ, ㄹ

## 04 밑줄 친 '이 권리'에 대한 설명으로 옳은 것은?

기본권 중에 이 권리는 절대 왕정 시기에는 일부 특권층만 누릴 수 있었으나 근대 시민 혁명 이후에는 시민으로서의 자격 요건을 충족한 사람만 가질 수 있었다. 시민의 자격 요건에서도 가장 중시한 것이 납세 여부였다. 즉 세금을 낼 수 없는 사람들에게는 이 권리를 부여하지 않았다.

① 불합리한 차별을 받지 않을 권리이다.
② 다른 기본권 보장을 위한 수단적 권리이다.
③ 국가 권력에 의한 침해를 배제하는 방어적 권리이다.
④ 국가에 대해 적극적인 조치를 요구할 수 있는 권리이다.
⑤ 국민이 국가의 의사 결정 과정에 참여할 수 있는 권리이다.

## 05 다음 헌법 조항이 규정된 취지로 적절하지 않은 것은?

제31조 ③ 의무 교육은 무상으로 한다.
제32조 ③ 근로 조건의 기준은 인간의 존엄성을 보장하도록 법률로 정한다.
제34조 ⑥ 국가는 재해를 예방하고 그 위험으로부터 국민을 보호하기 위하여 노력하여야 한다.
제35조 ① 모든 국민은 건강하고 쾌적한 환경에서 생활할 권리를 가지며, 국가와 국민은 환경 보전을 위하여 노력하여야 한다.

① 실질적 평등을 실현한다.
② 사회적 통합을 달성한다.
③ 인간다운 생활을 보장한다.
④ 국민 주권의 원리를 구현한다.
⑤ 복지 국가의 원리를 실현한다.

## 06 (가), (나)에 해당하는 기본권의 종류를 옳게 연결한 것은?

| (가) | (나) |
|---|---|
| • 소극적 권리 | • 적극적 권리 |
| • 국가의 간섭 회피 | • 인간다운 생활 보장 |
| • 국가로부터의 자유 | • 국가에 의한 자유 |

| | (가) | (나) |
|---|---|---|
| ① | 선거권 | 환경권 |
| ② | 신체의 자유 | 교육을 받을 권리 |
| ③ | 행복 추구권 | 공무 담임권 |
| ④ | 형사 보상 청구권 | 노동 삼권 |
| ⑤ | 거주·이전의 자유 | 인간의 존엄과 가치 |

**07** ⊙이 해당하는 기본권 유형에 대한 옳은 설명을 〈보기〉에서 고른 것은?

( ⊙ )은/는 타인의 범죄 행위로 말미암아 생명을 잃거나 신체상의 피해를 입은 국민이나 그 유족이 가해자로부터 충분한 피해 배상을 받지 못한 경우에 국가에 대하여 일정한 보상을 청구할 수 있는 권리이다. 이를 인정하는 이유는 국가가 범죄로부터 국민을 보호할 의무를 다하지 못하였다는 점과 범죄 피해자들에 대한 최소한의 구제가 필요하다는 데 있다.

ㅣ 보기 ㅣ
ㄱ. 국가의 존재를 전제로 하는 적극적 권리이다.
ㄴ. 기본권 중에서 역사가 가장 오래된 권리이다.
ㄷ. 기본권의 실현 수단과 절차를 규정한 권리이다.
ㄹ. 다른 기본권 보장을 위한 전제 조건이 되는 권리이다.

① ㄱ, ㄴ  　② ㄱ, ㄷ  　③ ㄴ, ㄷ
④ ㄴ, ㄹ  　⑤ ㄷ, ㄹ

**08** ★중요 (가)~(다)에 대한 옳은 설명만을 〈보기〉에서 있는 대로 고른 것은?(단, (가)~(다)는 인간의 존엄과 가치, 자유권, 청구권 중 하나이다.)

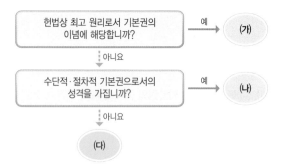

ㅣ 보기 ㅣ
ㄱ. (가)는 국가 권력 행사의 기준이 된다
ㄴ. (나)에는 국가 기관에 청원할 수 있는 권리가 포함된다.
ㄷ. (다)는 (나)와 달리 헌법에 규정된 권리만 보장된다.
ㄹ. (나)와 (다)는 (가)의 실현을 추구한다.

① ㄱ, ㄷ  　② ㄱ, ㄹ  　③ ㄴ, ㄷ
④ ㄱ, ㄴ, ㄹ  　⑤ ㄴ, ㄷ, ㄹ

**09** (가)~(다)에 해당하는 기본권 유형에 대한 설명으로 옳은 것은?

(가) 법 앞의 평등, 기회의 균등
(나) 선거권, 공무 담임권, 국민 투표권
(다) 인간다운 생활을 할 권리, 교육을 받을 권리, 근로의 권리

① (가)는 절대적·획일적 평등을 의미한다.
② (나)는 시대와 장소에 관계 없이 보장되는 권리이다.
③ (다)는 독일 바이마르 헌법에 기원을 두고 있다.
④ (가)는 (나)와 달리 그 자체가 권리의 목적으로서의 성격을 갖는다.
⑤ (나)와 (다)는 인간의 존엄성 구현을 위한 필요 조건을 국가에 요구할 수 있는 법적 근거이다.

**10** 다음 사례에 대한 분석으로 옳지 않은 것은?

농부인 갑은 댐 건설이 결정되어 자신이 살고 있는 지역이 수몰된다는 소식을 들었다. 정부가 집과 논밭에 대해 정당한 수준의 보상을 한다고는 하지만 갑은 그 정도로는 경제적 이익이 크게 제한된다고 생각하여 이에 불복하는 의견서를 정부에 제출하고, 관련 정부 기관 앞에서 1인 시위를 하였다.

① 정부는 공공복리를 내세웠을 것이다.
② 갑은 재산권의 침해를 주장했을 것이다.
③ 정부는 공익을 위해 사익을 제한하려고 하고 있다.
④ 정부는 개인의 기본권은 무제한의 권리는 아니라고 보았다.
⑤ 정부는 갑이 지닌 기본권의 본질적인 내용을 침해하고 있다.

**11** 밑줄 친 ㉠, ㉡에 대한 옳은 설명을 〈보기〉에서 고른 것은?

군복무를 하지 않은 4급 이상의 고위 공무원들에게 병역 면제 사유인 질병명을 관보와 인터넷에 공개하도록 강제하는 것을 내용으로 하는 법률안에 대한 공청회가 열렸다. 이 법안에 ㉠ 찬성하는 쪽은 정보 공개는 "병역 비리 근절을 위해서는 반드시 필요하다."라고 주장하는 반면, ㉡ 반대하는 쪽에서는 "사생활의 비밀을 과도하게 침해하는 것"이라며 반발하고 있다.

보기
ㄱ. ㉠은 공익을 위한 기본권의 제한은 불가피하다고 보고 있다.
ㄴ. ㉠은 정보 공개가 과잉 금지의 원칙에 어긋난다고 보고 있다.
ㄷ. ㉡은 기본권 중에서 자유권의 보호를 중시하고 있다.
ㄹ. ㉡은 어떠한 경우에도 개인의 기본권은 제한될 수 없다고 보고 있다.

① ㄱ, ㄴ    ② ㄱ, ㄷ    ③ ㄴ, ㄷ
④ ㄴ, ㄹ    ⑤ ㄷ, ㄹ

**12** 다음과 같이 헌법에서 규정하는 국민의 기본적 의무들의 공통점으로 가장 적절한 것은?

• 모든 국민은 근로의 의무를 진다.
• 국민은 환경 보전을 위해 노력해야 한다.
• 재산권의 행사는 공공복리에 적합하도록 하여야 한다.
• 모든 국민은 그 보호하는 자녀에게 적어도 초등 교육과 법률이 정하는 교육을 받게 할 의무가 있다.

① 고전적 의무에 해당한다.
② 근대 이전부터 중시된 의무이다.
③ 자유권에 대응하기 위한 의무이다.
④ 국가의 유지·존속을 위한 의무이다.
⑤ 의무인 동시에 권리의 성격을 가진다.

## 서술형 문제

● 정답친해 09쪽

**01** 다음 글을 읽고 물음에 답하시오.

(가) 2008년부터 노인들의 생활 안정에 도움을 주기 위한 기초 연금 제도가 시행되고 있다.
(나) 국내 영주권을 취득한 후 만 3년이 지난 19세 이상의 외국인은 2006년 5월 지방 선거부터 투표권을 행사할 수 있게 되었다.
(다) 뚜껑 없이 1주일 이상 방치된 맨홀에 빠져 왼쪽 다리를 크게 다친 갑은 해당 지방 자치 단체를 상대로 손해 배상 청구 소송을 제기하였다.

(1) (가)~(다)와 관련 있는 기본권 유형을 각각 쓰시오.

(2) (가), (다)와 관련 있는 기본권 유형의 공통점을 서술하시오.

**02** 다음 사례에 적용된 기본권 제한의 근거를 쓰고, 그 이유를 서술하시오.

고등학생인 갑은 최근 유행하는 독감에 걸렸지만 학교 시험이 얼마 남지 않아 학교에 가려고 하였다. 그런데 학교 측에서는 갑에게 완치가 될 때까지 등교하지 말라고 하였다.

**03** 다음 밑줄 친 부분에 해당하는 내용을 서술하시오.

헌법 재판소는 아동·청소년을 대상으로 성범죄를 저지른 사람에 대해 재범 위험성을 고려하지 않고 신상 정보를 공개하도록 한 「아동·청소년의 성 보호에 관한 법률」 규정은 <u>과잉 금지의 원칙</u>에 반하지 않으므로 합헌이라고 결정하였다.

**1** (가), (나)와 관련된 기본권 유형에 대한 설명으로 옳지 <u>않은</u> 것은?

> (가) 오늘날 세계는 온라인 청원의 전성 시대이다. 하지만 우리나라 국회의 청원 제도는 복잡한 청원 절차 때문에 청원권 보장을 위한 기능을 제대로 수행하지 못하고 있다. 따라서 청원권을 제대로 보장하기 위해서는 누구나 자유롭게 청원할 수 있는 온라인 청원 제도를 도입해야 한다.
>
> (나) 「집회 및 시위에 관한 법률」 제10조에 따라 얼마 전까지만 해도 우리나라에서는 야간에 집 또는 건물 밖에서 이루어지는 집회를 금지하였다. 그러나 헌법 재판소는 해가 질 때부터 다시 뜰 때까지는 너무 긴 시간이며, 직장인이나 학생 등이 집회에 참여할 권리를 박탈할 우려가 있어 「집회 및 시위에 관한 법률」 제10조가 위헌이라는 결정을 내렸다.

① (가)는 기본권을 실현하기 위한 절차적 권리이다.
② (가)는 국가의 정치적 의사 형성 과정에 참여할 수 있는 권리이다.
③ (나)는 국가 성립 이전부터 인정되는 권리이다.
④ (나)는 헌법에 열거되지 않아도 보장되는 권리이다.
⑤ (가)는 (나)와 달리 권리 그 자체가 목적이 아닌 수단적 권리이다.

▶ **기본권의 유형과 특징**

**완자샘의 시험 꿀팁**

구체적인 사례에서 행사되거나 침해된 기본권을 찾고, 기본권의 내용과 성격을 비교하는 문제가 자주 출제된다.

---

**수능 응용**

**2** ㉠에 해당하는 기본권에 대한 옳은 설명을 〈보기〉에서 고른 것은?

> 헌법 재판소는 집행 유예 기간 중인 자의 ( ㉠ )을/를 제한하고 있는 ○○법의 해당 부분은 헌법에 위반하여 청구인들의 ( ㉠ )을/를 침해하였을 뿐만 아니라 평등 원칙도 위반한 것이라고 결정하였다. 헌법 재판소는 그 이유에서 형사 책임과 주권의 행사는 다른 차원의 문제로서 범죄자가 저지른 범죄의 경중을 전혀 고려하지 않고 공동체의 운용을 주도하는 국가 조직의 구성에 참여하는 것을 전면적·획일적으로 제한하는 것은 헌법에 위반된다고 하였다.

**보기**
ㄱ. 국민 주권의 원리를 구현하는 정치적 권리이다.
ㄴ. 국민의 권리임과 동시에 헌법상의 의무이기도 하다.
ㄷ. 국가의 정치 과정에 참여할 수 있는 능동적 권리이다.
ㄹ. 민주주의의 이념 중 하나로서 다른 기본권 보장의 전제 조건이 된다.

① ㄱ, ㄴ      ② ㄱ, ㄷ      ③ ㄴ, ㄷ
④ ㄴ, ㄹ      ⑤ ㄷ, ㄹ

▶ **기본권의 특징**

**완자 사전**

• 집행 유예
유죄의 형을 선고하면서 이를 즉시 집행하지 않고 일정 기간 그 형의 집행을 미루어 주는 제도

**3** 다음은 어떤 사건에 대해 내려진 헌법 재판소 판결문의 일부이다. 이와 같은 헌법 재판소 결정의 근거로 가장 적절한 것은?

▶ 기본권 제한의 요건

> 피청구인이 유치장에 수용되는 자에게 실시하는 신체검사는 그 필요성과 타당성은 인정된다 할 것이나, 그 목적 달성을 위하여 최소한도의 범위 내에서 이루어져야 한다. 그런데 청구인들의 옷을 전부 벗긴 상태에서 청구인들에 대하여 실시한 신체 수색은 그 수단과 방법에 있어서 최소한의 범위를 명백하게 벗어난 조치로서 …… 헌법에 위반된다.

① 기본권을 제한할 경우에는 반드시 법률로써 해야 한다.
② 기본권의 제한은 헌법 규정에 의해 직접 이루어져야 한다.
③ 국민의 기본권은 필요한 경우에 한하여 최소한으로 제한해야 한다.
④ 국민의 기본권은 헌법에 열거되지 아니한 이유로 경시되지 아니한다.
⑤ 국민의 기본권은 국가 안전 보장, 질서 유지, 공공복리를 위하여 제한할 수 있다.

**4** 다음 글에 대한 옳은 설명만을 〈보기〉에서 있는 대로 고른 것은?

▶ 기본권 제한의 한계

▎**완자 사전**▏
• 인터넷 게시판 이용자 본인 확인제
인터넷 이용자의 실명과 주민 등록 번호가 확인되어야만 게시판에 글을 올릴 수 있는 제도

> 인터넷 사용자 A 씨 등은 인터넷 게시판 운영자가 본인 확인을 요구하자 "인터넷 게시판을 익명으로 이용하지 못하게 하는 법률이 기본권을 침해한다."라며 헌법 소원 심판을 청구하였다. 이에 대해 헌법 재판소는 "본인 확인제는 '건전한 인터넷 문화를 조성'하기 위하여 필요한 것으로서 목적의 정당성과 방법의 적절성은 인정되지만 본인 확인을 거치지 않으면 인터넷 게시판에 정보를 게시할 수 없도록 한 것은 목적 달성에 필요한 범위를 넘는 과도한 제한이다. 그리고 본인 확인제로 인하여 기본권이 제한됨으로써 발생하는 이용자의 불이익이 본인 확인제가 달성하려는 공익보다 크다."라고 판시하였다.

┌ **보기** ┐
ㄱ. 본인 확인제는 과잉 금지 원칙에 위배된다.
ㄴ. 청구인들이 침해당한 기본권은 표현의 자유이다.
ㄷ. 헌법 재판소는 기본권을 무제한적으로 누릴 수 있는 불가침의 권리로 보았다.
ㄹ. 헌법 재판소는 본인 확인제가 침해의 최소성과 법익의 균형성에 부합하지 않는다고 보았다.

① ㄱ, ㄴ          ② ㄱ, ㄷ          ③ ㄷ, ㄹ
④ ㄱ, ㄴ, ㄹ          ⑤ ㄴ, ㄷ, ㄹ

# 01 정치와 법

## 1. 정치의 의미와 기능

(1) **정치**: 공동체에서 일어나는 갈등을 해결하고, 구성원의 이해관계를 조정하여 사회 질서를 확립하는 과정

| 좁은 의미 | 정치권력의 획득·유지·행사 과정과 관련된 활동 |
|---|---|
| 넓은 의미 | 사회 구성원 간의 이해관계의 대립과 갈등을 합리적으로 조정·해결하는 과정 |

(2) **정치의 기능**: 질서 유지, 사회 통합 실현, 사회적 (❶      ) 배분, 공동체의 발전 방향 제시 등

## 2. 법의 의미와 이념

(1) **법의 의미와 특성**

① **법**: 사회 구성원의 행위를 규율하고 질서를 유지하기 위해 국가가 만든 사회 규범 → 행위 규범, 재판 규범

② **특성**: 강제성, 단계적 구조(헌법 〉 법률 〉 명령 〉 조례·규칙)

(2) **법의 이념**

| (❷      ) | • 법이 추구하는 궁극적 이념<br>• 모든 사람이 인간으로서 동등한 대접을 받고(평균적 정의) 각자가 노력한 만큼 몫을 얻는 것(배분적 정의) |
|---|---|
| 합목적성 | 법은 그 사회가 추구하는 가치나 목적에 부합해야 함 |
| 법적 안정성 | 개인의 사회생활이 법에 의해 보호되어 안정된 상태를 이루는 것 |

## 3. 민주주의와 법치주의

(1) **민주주의의 발전 과정**

| 고대<br>아테네 | • 직접 민주 정치: 시민이 직접 참여하여 의사를 결정함<br>• 제한적 민주주의: 자유민인 성인 남성만 참정권을 행사함 |
|---|---|
| 근대<br>민주 정치 | • 근대 시민 혁명을 계기로 형성됨<br>• 시민 혁명의 사상적 배경: 천부 인권 사상, 계몽사상, 사회 계약설<br>• 시민 혁명의 결과: 민주주의 대의제 발달, 법치주의 입헌주의 원리 확립 |
| 현대<br>민주 정치 | • 참정권 확대 진개 운동 → (❸      ) 선거 제도 확립<br>• 대의제의 일반화 → 대중 민주주의 확립<br>• 대의제의 보완 → 직접 민주제 요소 도입, 전자 민주주의 |

(2) **법치주의의 발전 과정**

① **법치주의**: 의회가 제정한 법률에 근거하여 국가 기관을 구성하고 운영해야 한다는 이념

② **형식적 법치주의와 실질적 법치주의**

| (❹      )<br>법치주의 | • 적법한 절차에 의한 통치를 강조하고 법의 목적이나 내용은 문제 삼지 않음<br>• 전제 정치나 독재 정치를 정당화하는 수단으로 악용될 수 있음 |
|---|---|
| 실질적<br>법치주의 | • 법률의 형식뿐만 아니라 목적과 내용도 정당해야 함<br>• 형식적 합법성과 함께 실질적 정당성 강조 → 국민의 자유와 권리 보장 |

(3) **민주주의와 법치주의의 관계**

① 상호 보완적 관계와 긴장과 대립의 관계가 공존함

② 법치주의는 민주주의의 실현을 목적으로 하고, 민주주의는 법치주의의 틀 안에서 운영됨으로써 양측이 조화롭게 발전할 수 있음

# 02 헌법의 의의와 기본 원리

## 1. 헌법의 의의와 기능

(1) **헌법의 의미 변천**

| 고유한 의미의<br>헌법 | 국가 통치 기관을 조직·구성하고 이들 기관의 권한과 상호 관계 등을 규정함 |
|---|---|
| 근대 입헌주의<br>헌법 | 국가 통치 기관의 존립 근거이며, 국가 권력을 제한함 → 형식적 평등과 자유권 강조 |
| 현대 복지 국가<br>헌법 | 국민의 인간다운 생활 보장을 추구함 → 실질적 평등과 (❺      ) 강조 |

(2) **헌법의 기능**

| 국가 창설 | 국가 성립에 필요한 국민의 자격, 영토 범위, 국가 권력의 소재와 행사 절차 등을 규정함 |
|---|---|
| 기본권 보장 | 국민의 자유와 권리를 명시하여 국민의 기본권을 보장함 → 헌법의 목적 |
| 조직 수권 규범 | 국가 기관을 구성하고(조직 규범), 각 기관에 일정한 권한을 부여함(수권 규범) |
| 공동체 유지·통합 | 헌법이 지향하는 가치와 질서에 따라 사회적 갈등을 극복하고 사회 통합을 실현함 |
| 정치적 평화 실현 | 정치권력의 행사 방법과 절차 및 한계 등을 규정하여 공동체의 평화를 실현함 |

## 2. 우리 헌법의 기본 원리

| 국민 주권주의 | • 의미: 주권이 국민에게 있고, 모든 국가 권력의 근거가 국민에게 있다는 원리<br>• 실현 방안: 참정권 보장, 국민 투표제, 선거 제도 등 |
|---|---|
| 자유 민주주의 | • 의미: 국민의 자유와 권리를 보호하고, 대표자들이 국민 주권주의에 입각해서 통치하는 원리<br>• 실현 방안: 법치주의, 적법 절차의 원리, 권력 분립 등 |
| (❻       )<br>의 원리 | • 의미: 국민 복지에 대한 책임을 국가에 부여하고, 사회권을 국민의 기본권으로 보장하는 원리<br>• 실현 방안: 사회권 보장, 사회 보장 제도의 시행 등 |
| 국제 평화주의 | • 의미: 국제 질서를 존중하고 세계 평화와 인류의 번영을 위해 노력하는 원리<br>• 실현 방안: 침략 전쟁 부인, 국제 평화 유지 활동 등 |
| 문화 국가의 원리 | • 의미: 국가로부터 문화의 자유가 보장되고, 국가가 문화를 보호·지원해야 한다는 원리<br>• 실현 방안: 평생 교육 진흥, 무상 의무 교육 시행 등 |
| 평화 통일 지향 | • 의미: 자유 민주적 기본 질서에 입각한 평화적 통일을 추구한다는 원리<br>• 실현 방안: 평화 통일 정책 수립 및 남북 교류 추진 등 |

## 03 기본권의 내용과 제한

### 1. 기본권의 의미와 성격

| 의미 | 헌법을 통해 보장되는 국민의 기본적 인권 |
|---|---|
| 성격 | • 자연법상 권리: 인간이 태어나면서 가지는 권리<br>• (❼       )상 권리: 국가의 헌법에 따라 보장되는 권리 |

### 2. 기본권의 유형과 내용

#### (1) 인간의 존엄과 가치 및 행복 추구권

| 인간의 존엄과 가치 | 인간이라는 이유만으로 존중받아야 할 권리 → 헌법이 지향하는 최고 가치, 모든 기본권의 근거이자 원천, 국가 권력 행사의 기준 |
|---|---|
| 행복 추구권 | 물질적·정신적 만족을 충족시킬 수 있는 권리 → 포괄적 권리 |

#### (2) 자유권

| 의미 | 개인의 자유로운 생활 영역에 대해 국가 권력의 간섭이나 침해를 받지 않을 권리 |
|---|---|
| 성격 | 소극적·방어적·포괄적 권리, 역사적으로 가장 오래된 권리 |
| 종류 | 신체의 자유, 정신적 자유, 사회·경제적 자유 등 |

#### (3) 평등권

| 의미 | 합리적 이유 없이 불평등한 대우를 받지 않을 권리 |
|---|---|
| 성격 | 다른 기본권의 보장을 위한 전제 조건, 상대적·비례적 평등 |
| 종류 | 법 앞의 평등, 기회의 균등 등 |

#### (4) 참정권

| 의미 | 주권자인 국민이 국가의 정치 과정에 참여할 수 있는 권리 |
|---|---|
| 성격 | 능동적 권리, (❽       )의 원리를 구현하는 정치적 기본권 |
| 종류 | 선거권, 공무 담임권, 국민 투표권 등 |

#### (5) 사회권

| 의미 | 국민이 실질적인 평등과 인간다운 생활의 보장을 국가에 요구할 수 있는 권리 |
|---|---|
| 성격 | 적극적·열거적·현대적 권리 |
| 종류 | 인간다운 생활을 할 권리, 교육을 받을 권리, 근로의 권리 등 |

#### (6) 청구권

| 의미 | 국민이 국가에 대해 일정한 행위를 요구하거나 침해당한 기본권 구제를 청구할 권리 |
|---|---|
| 성격 | 수단적·절차적·적극적 권리, 기본권 보장을 위한 기본권 |
| 종류 | 청원권, 범죄 피해자 구조 청구권, 형사 보상 청구권, 국가 배상 청구권 등 |

### 3. 기본권의 제한과 한계

#### (1) 기본권 제한

| 목적 | 국가 안전 보장, 질서 유지, (❾       ) |
|---|---|
| 형식 | 국회가 제정한 법률로써 제한해야 함 |

#### (2) 기본권 제한의 한계

| 정도 | 필요한 최소한에 그쳐야 함 → (❿       )의 원칙 |
|---|---|
| 한계 | 자유와 권리의 본질적인 내용은 침해할 수 없음 |

(3) **기본권 제한 규정의 의의**: 국가 권력이 함부로 국민의 기본권을 침해할 수 없도록 함 → 국민의 기본권 보장, 공익 실현

### 4. 국민의 의무

(1) **고전적 의무**: 납세의 의무, 국방의 의무
(2) **현대적 의무**: 교육의 의무, 근로의 의무, 재산권 행사의 공공 복리 적합 의무, 환경 보전의 의무

# 대단원 실력 굳히기

**01** ㉠에 들어갈 개념에 대한 설명으로 옳지 <u>않은</u> 것은?

> 사회적 가치들은 희소하므로 이를 획득하고자 하는 개인이나 집단 간에는 경쟁이 벌어지고 이 과정에서 긴장이나 갈등이 야기될 수 있다. 이러한 가치를 누구에게, 언제, 얼마만큼, 어떻게 나누어 줄 것인가에 대한 기준과 원칙이 있지만, 이 기준과 원칙이 지켜지지 않아 대립으로 인한 갈등이 심화되므로 ( ㉠ )이/가 필요하다.

① 경제적 효율성을 우선시한다.
② 사회의 중요한 문제를 조정한다.
③ 사회 혼란을 막고 질서를 유지한다.
④ 공동체의 발전을 위한 합의와 노력을 이끌어 낸다.
⑤ 희소가치를 공정하게 배분하는 규칙과 제도를 만든다.

**02** 밑줄 친 ㉠, ㉡에 대한 설명으로 옳지 <u>않은</u> 것은?

> • ㉠「국민 투표법」은 국가의 중요 정책 등에 대한 국민 투표에 관하여 필요한 사항을 규정한 법률이다. 제2장 제7조에서는 19세 이상의 국민은 투표권이 있다고 명시하고 있다. 투표권은 성별, 학력, 계층 등과 상관없이 개인별로 한 표씩 부여되며, 그 표의 가치가 동등하게 취급되어야 한다.
> • ㉡「국민 기초 생활 보장법」은 사회 보장 제도의 하나인 공공부조(公共扶助)의 기능을 담당하기 위하여 제정된 법률이다. 이 법률은 최저한도의 인간다운 생활을 유지하기가 곤란해진 사람에게 필요한 급여가 지급될 수 있도록 그 요건과 급여 내용을 정하여 이들의 최저 생활을 보장한다.

① ㉠은 평균적 정의의 실현과 관련된 법률이다.
② ㉠과 관련된 정의는 개인의 선천적·후천적 차이를 고려하지 않는다.
③ ㉡은 배분적 정의의 실현과 관련된 법률이다.
④ ㉡과 관련된 정의는 개인의 능력이나 상황, 필요 등에 따른 차이를 반영한다.
⑤ ㉠, ㉡의 정의는 모두 '같은 것은 같게, 다른 것은 다르게'라는 법언으로 설명할 수 있다.

**03** 그림은 국가 성립에 대한 근대 사상가의 이론을 구분한 것이다. 갑~병에 대한 설명으로 옳은 것은? (단, 갑~병은 각각 로크, 루소, 홉스 중 하나이다.)

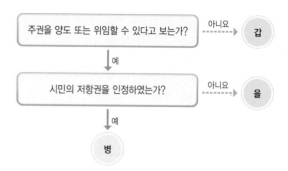

① 갑은 자연 상태를 만인에 대한 만인의 투쟁 상태로 보았다.
② 을은 국가를 일반 의지가 구현되는 평등한 공동체로 보았다.
③ 병은 절대 군주제를 이상적인 정치 형태로 보았다.
④ 갑은 병과 달리 직접 민주 정치를 이상적인 정치 체제로 보았다.
⑤ 갑과 을은 병과 달리 국가를 인위적 질서가 아니라 자연 발생적 질서로 간주하였다.

**04** 다음은 민주 정치의 발전 과정을 나타낸 것이다. 이에 대한 설명으로 옳은 것은?

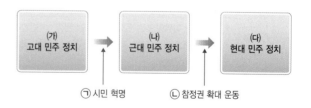

① ㉡의 사례로 미국 독립 혁명을 들 수 있다.
② (가)에서는 내의 민주 정치가 일반화되었다.
③ (나)에서는 ㉠을 통해 보통 선거가 정착되었다.
④ (다)에서는 직접 민주 정치의 한계를 대의제로 보완하고 있다.
⑤ (다)에서는 ㉡의 성과를 바탕으로 시민의 다양한 정치 참여를 보장하고 있다.

**05** 다음 사례에 대한 설명으로 가장 적절한 것은?

> 대공황 이후 독일은 심각한 경기 불황으로 실업률이 급증하였다. 이때 히틀러가 이끄는 나치당이 선거에서 제1당이 되어 내각을 구성하였고, '민족과 국가의 위난을 제거하기 위한 법률', 즉 '수권법'을 의회를 통해 제정하도록 하였다. 수권법은 국가 권력을 행정부에 집중시키고, 헌법에 위배되는 법률을 정부가 제정·집행할 수 있는 근거가 되었는데, 히틀러는 이를 통해 일당 독재 체제를 확립하고, 반대 세력을 제거하는 등 비민주적 통치를 합리화하였다.

① 입헌주의 원리에 따르고 있다.
② 권력 분립의 원리가 실현되고 있다.
③ 군주에 의한 통치가 이루어지고 있다.
④ 적법한 절차에 의한 통치만 강조되고 있다.
⑤ 실질적인 정당성이 확보되어 국민의 기본권이 보호되고 있다.

**06** 다음은 학교 누리집에 올린 학생의 질문에 대한 교사의 답변이다. (가)에 들어갈 내용으로 가장 적절한 것은?

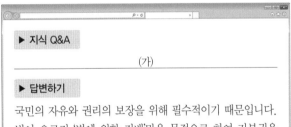

> ▶ 지식 Q&A
>
> _____(가)_____
>
> ▶ 답변하기
>
> 국민의 자유와 권리의 보장을 위해 필수적이기 때문입니다. 법이 오로지 '법에 의한 지배'만을 목적으로 하여 기본권을 보장하지 않거나 위헌 법률 심사제 등을 통해 입법권을 견제하지 않는다면 국민의 뜻에 반하는 법률이 만들어져 기본권이 유린될 수 있기 때문입니다.

① 절대적 평등이 구현되어야 하는 이유는 무엇인가요?
② 실질적 법치주의를 실현해야 하는 이유는 무엇인가요?
③ 징치권력이 합법성을 지녀야 하는 이유는 무엇인가요?
④ 형식적 법치주의를 실현해야 하는 이유는 무엇인가요?
⑤ 악법도 법이기 때문에 준수해야 한다는 것은 무엇 때문인가요?

**07** 표는 헌법의 시대별 의미를 분류한 것이다. A~C에 대한 설명으로 옳은 것은? (단, A~C는 각각 고유한 의미의 헌법, 근대 입헌주의 헌법, 현대 복지 국가 헌법 중 하나이다.)

| 질문 \ 헌법 | A | B | C |
|---|---|---|---|
| 자유권을 보장하고 있습니까? | 예 | 아니요 | 예 |
| 생존권적 기본권을 보장하고 있습니까? | 아니요 | 아니요 | 예 |
| (가) | 예 | 예 | 예 |

① A는 국가가 존재하면 반드시 존재한다.
② B는 성문 헌법 국가에서는 존재하지 않는다.
③ C는 형식적인 평등의 실현을 목표로 한다.
④ A는 C와 달리 권력 분립을 규정하지 않는다.
⑤ (가)에는 '국가 통치 기관의 조직·구성에 관해 규정하고 있습니까?'가 들어갈 수 있다.

**08** 그림은 수업 시간의 칠판 판서 내용이다. (가)에 들어갈 내용을 〈보기〉에서 고른 것은?

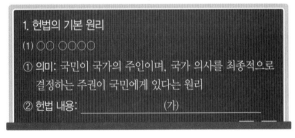

> 1. 헌법의 기본 원리
> (1) ○○○ ○○○○
> ① 의미: 국민이 국가의 주인이며, 국가 의사를 최종적으로 결정하는 주권이 국민에게 있다는 원리
> ② 헌법 내용: _____(가)_____

**보기**
ㄱ. 대한민국은 민주 공화국이다.
ㄴ. 모든 국민은 인간다운 생활을 할 권리를 가진다.
ㄷ. 모든 국민은 법률이 정하는 바에 의하여 선거권을 가진다.
ㄹ. 외국인은 국제법과 조약이 정하는 바에 의하여 그 지위가 보상된다.

① ㄱ, ㄴ  ② ㄱ, ㄷ  ③ ㄴ, ㄷ
④ ㄴ, ㄹ  ⑤ ㄷ, ㄹ

**09** 다음에서 설명하는 헌법의 기본 원리를 실현하기 위한 방안을 〈보기〉에서 고른 것은?

개인의 자유와 권리를 중시하는 자유주의와 국가 권력의 창출과 통치 과정이 국민의 동의와 합의에 근거한다는 민주주의가 결합된 것이다.

보기
ㄱ. 국제 평화를 위해 저개발국에 대한 원조를 확대한다.
ㄴ. 복수 정당제를 기반으로 하는 자유로운 정당 활동을 보장한다.
ㄷ. 사법부의 공정한 재판을 보장하기 위해 법원의 독립과 법관의 독립을 보장한다.
ㄹ. 정부는 경제 주체 간의 조화를 통한 경제의 민주화를 위하여 경제에 관한 규제와 조정을 할 수 있다.

① ㄱ, ㄴ          ② ㄱ, ㄷ          ③ ㄴ, ㄷ
④ ㄴ, ㄹ          ⑤ ㄷ, ㄹ

**10** 다음 제도와 관련된 헌법의 기본 원리에 대한 설명으로 적절하지 <u>않은</u> 것은?

최저 임금제는 국가가 노사 간의 임금 결정 과정에 개입하여 임금의 최저 수준을 정하고, 사용자에게 최저 수준 이상의 임금을 지급하도록 법으로 강제함으로써 저임금 근로자를 보호하는 제도이다. 최저 임금제의 시행으로 저임금 해소를 통한 임금 격차 완화와 소득 분배 개선에 이바지할 수 있으며, 근로자의 생활을 안정시키고, 근로자의 사기를 올려 주어 노동 생산성이 향상될 수 있다.

① 국민들의 실질적 평등을 지향한다.
② 국민의 삶의 질 향상을 국가의 의무로 한다.
③ 모든 국민의 인간다운 생활의 보장을 목표로 한다.
④ 복지 향상 수단으로 시장 기구의 자동 조절 기능을 신뢰한다.
⑤ 국가는 적정한 소득의 분배를 유지하기 위해 경제에 관한 규제와 조정을 할 수 있다.

**11** 다음 헌법 조항과 관련된 헌법의 기본 원리에 대한 옳은 설명을 〈보기〉에서 고른 것은?

전문 …… 밖으로는 항구적인 세계 평화와 인류 공영에 이바지함으로써 …….
제5조 ① 대한민국은 국제 평화의 유지에 노력하고 침략적 전쟁을 부인한다.

보기
ㄱ. 무력을 사용하는 일체의 전쟁을 부인한다.
ㄴ. 국제 평화 유지 활동과 구호 활동에 참여한다.
ㄷ. 조약과 국제 관습법에 비해 국내법을 우선 적용한다.
ㄹ. 상호주의 원칙에 따라 외국인의 신분과 지위를 보장한다.

① ㄱ, ㄴ          ② ㄱ, ㄷ          ③ ㄴ, ㄷ
④ ㄴ, ㄹ          ⑤ ㄷ, ㄹ

**12** 밑줄 친 ㉠, ㉡에 대한 설명으로 옳은 것은?

• 헌법 재판소는 이의 신청 및 심사 청구를 거치지 않으면 지방세 부과 처분에 대해 행정 소송을 제기할 수 없도록 한 「지방세법」 규정이 지방세 납세 의무자의 ㉠ 기본권을 침해한다고 결정하였다.
• 헌법 재판소는 국가를 비판하는 내용의 문학 작품을 발표했다는 이유로 억울한 수감 생활을 했던 갑의 권리를 구제하는 결정을 내렸다. 자신의 사상을 표현하는 ㉡ 기본권의 행사는 국민이 누릴 수 있는 당연한 권리라는 것이 그 이유이다.

① ㉠은 기본권이 침해되었을 때 이를 구제받기 위한 수단적 권리이다.
② ㉡은 국가의 정치 과정에 적극적으로 참여할 수 있는 권리이다.
③ ㉡은 헌법에 근거 규정이 있어야만 보장받을 수 있는 구체적 권리이다.
④ ㉠은 ㉡과 달리 국가의 간섭을 받지 않을 소극적 권리이다.
⑤ ㉡은 ㉠과 달리 인간다운 생활을 국가에 요구할 수 있는 적극적 권리이다.

**13** 다음 법률 조항과 관련된 설명으로 옳지 <u>않은</u> 것은?

> • 「공직 선거법」 제47조 ③ 정당이 비례 대표 국회 의원 선거 및 비례 대표 지방 의회 의원 선거에 후보자를 추천하는 때에는 그 후보자 중 100분의 50 이상을 여성으로 추천하되, 그 후보자 명부의 순위의 매 홀수에는 여성을 추천하여야 한다.
> • 「장애인 고용 촉진 및 직업 재활법」 제27조 ① 국가와 지방 자치 단체의 장은 장애인을 소속 공무원 정원의 100분의 3 이상 고용하여야 한다.

① 사회적 차별을 줄이기 위한 정책적 수단이다.
② 헌법상 규정된 실질적 평등 규정을 실현하기 위한 법률이다.
③ 평균적인 일반인이 차별을 받을 수 있는 역차별의 우려가 있다.
④ 사회적 약자를 우대하여 적극적으로 기회 균등을 보장하기 위한 제도이다.
⑤ 어떠한 차별도 허용하지 않고 동등하게 대우하는 평등 정신을 실현하기 위한 것이다.

**14** (가)~(라) 사례와 관련 있는 기본권에 대한 옳은 설명을 〈보기〉에서 고른 것은?

> (가) 법원은 영장 없이 체포된 갑에게 무죄를 선고하였다.
> (나) 을은 헌법 개정안에 대한 국민 투표에서 자신의 소신대로 투표하였다.
> (다) 병은 출산 여성의 육아 휴직 기간을 늘리기로 한 정부 정책의 혜택을 받았다.
> (라) 빙판길에서 사고가 나 머리를 크게 다친 정이 도로 관리자인 국가를 상대로 소송을 제기하였다.

보기
ㄱ. (가) – 법 앞에 평등할 권리
ㄴ. (나) – 국가의 간섭이나 침해를 받지 않을 권리
ㄷ. (다) – 인간다운 생활을 할 조건을 국가에 요구할 권리
ㄹ. (라) – 국민이 국가에 대해 특정한 행위를 요구할 권리

① ㄱ, ㄴ      ② ㄱ, ㄷ      ③ ㄴ, ㄷ
④ ㄴ, ㄹ      ⑤ ㄷ, ㄹ

**15** 다음 판결문에 나타난 법원의 입장으로 가장 적절한 것은?

> 수형자 갑이 교도관에 대한 공무 집행 방해 및 상해 등으로 3회 처벌받은 전력이 있는 사실 등을 감안하면 교도관들에 대한 직접적인 공격 의도를 드러내지 않았다고 하더라도 지시나 통제에 따르지 않을 듯한 태도를 보이는 것에 대해 교도관들이 보호 장비를 사용할 만한 상당한 이유가 있었다. 또 보호 장비로 인해 갑이 큰 불편을 느끼지 않도록 노력했다.

① 헌법에 열거된 기본권만 보장되어야 한다.
② 기본권은 질서 유지를 위해서는 폭넓게 제한할 수 있다.
③ 신체의 자유는 천부 인권적인 성격을 가지므로 제한해서는 안 된다.
④ 기본권을 제한할 경우에는 정당한 목적과 피해 최소성의 요건을 갖추어야 한다.
⑤ 국가 권력은 공익을 위해서는 국민의 기본권을 효과적으로 제한할 수 있어야 한다.

**16** (가)~(마)에 대한 설명으로 옳지 <u>않은</u> 것은?

> (가) 납세의 의무        (나) 국방의 의무
> (다) 교육의 의무        (라) 근로의 의무
> (마) 환경 보전의 의무

① (가)는 법률의 규정에 따라 세금을 내야 할 의무이다.
② 우리나라에서는 (나)를 남성만 부담하고 있어 논란이 되고 있다.
③ (다)는 자녀에게 의무 교육을 시키도록 부모에게 주어지는 의무이다.
④ (라)는 의무이면서 동시에 권리이기도 하다.
⑤ (마)는 현대 사회로 들어오면서 새롭게 등장한 의무이다.

# 민주 국가와 정부

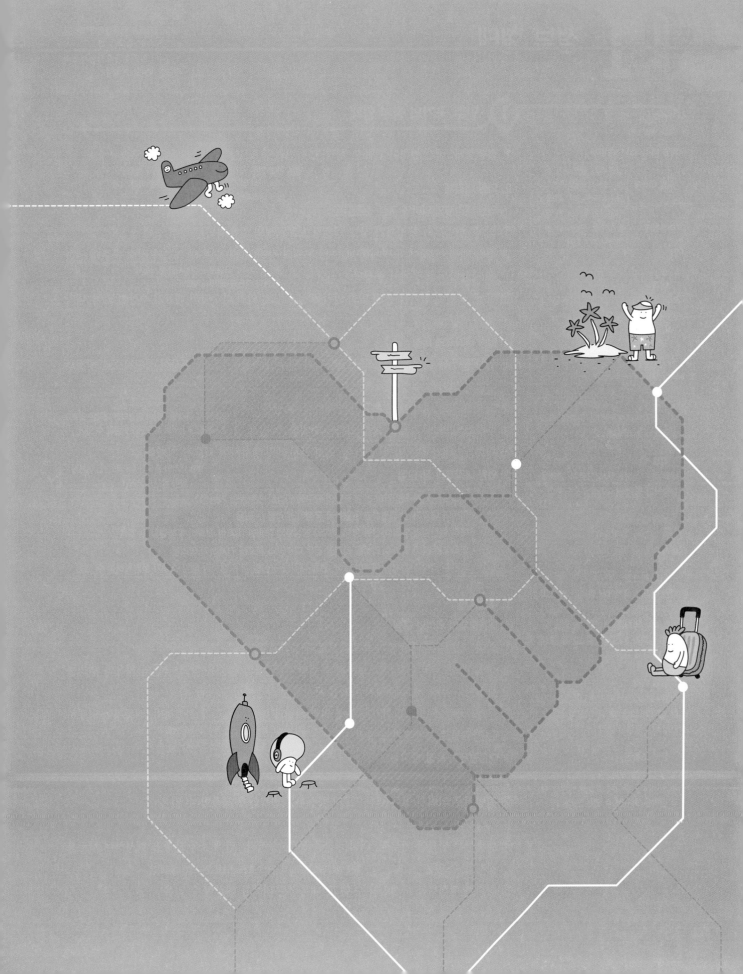

# 01 정부 형태

학습목표
• 의원 내각제와 대통령제의 특징을 비교하여 설명할 수 있다.
• 우리나라 정부 형태의 특징과 변화 과정을 파악할 수 있다.

## 이것이 핵심!

**의원 내각제와 대통령제**

| 의원 내각제 | 입법부와 행정부가 상호 의존적으로 구성되고 운영되는 정부 형태 |
|---|---|
| 대통령제 | 입법부와 행정부가 독립적으로 구성되고 운영되는 정부 형태 |

★ **내각**
의원 내각제에서 국가의 행정권을 담당하는 최고 합의 기관

★ **국가 원수**
국제법상 대외적으로 그 나라를 대표할 수 있는 자격을 가진 주체

★ **수상**
의원 내각제에서 내각을 이끄는 최고 직위로서 총리라고도 한다.

★ **각료**
내각을 구성하는 사람으로서 정책을 결정하고 집행하는 역할을 담당한다.

★ **내각 불신임권**
의원 내각제 국가에서 내각의 총사퇴를 결의할 수 있는 의회의 권한

★ **의회 해산권**
의원 내각제 국가에서 총리가 의회 의원의 자격을 임기 만료 전에 소멸시킴으로써 의회를 해산할 수 있는 권리로, 의회가 해산되면 총선거를 통해 의회를 다시 구성한다.

★ **연립 내각**
의원 내각제에서 과반수 의석을 차지한 정당이 없을 때 둘 이상의 정당이 연합하여 구성한 내각

★ **탄핵 소추권**
대통령 등의 고위 공직자가 직무 집행에 있어서 헌법이나 법률을 위배한 경우 탄핵을 청구할 수 있는 권리

## ① 민주 국가의 정부 형태

**1. 정부 형태:** 국가 권력이 입법권, 행정권, 사법권 등으로 분립하여 구체화한 모습 ㅡ

> 꼭! 현대 민주 국가의 정부 형태는 입법부와 행정부의 구성 방식 및 두 국가 기관 간의 관계에 따라 크게 의원 내각제와 대통령제로 구분돼.

**2. 의원 내각제**

**(1) 의원 내각제의 의미와 구성** 교과서 자료

① 의미: 입법부와 행정부가 상호 의존적으로 구성되고 운영되는 정부 형태

② 성립 배경: 영국에서 명예혁명(1688)과 권리 장전(1689)을 통해 의회가 절대 군주의 권한을 제한하는 과정에서 형성됨

> 이 과정에서 '국왕은 군림하지만 통치하지 않는다.'라는 원칙이 세워졌어.

③ 구성: 국민이 선거를 통해 의회 의원을 선출하고, 의회 다수당의 대표가 수상이 되어 *내각을 구성함 자료 ①

**(2) 의원 내각제의 특징**

① 입헌 군주나 대통령은 형식적으로 *국가 원수의 역할만 하고, *수상이 실질적으로 행정부 수반의 역할을 수행함

② 의회 의원과 내각 모두 법률안을 제출할 수 있음

③ 수상과 내각의 *각료는 의회 의원을 겸직할 수 있음

> 의회에서 내각 불신임이 의결되면 내각은 스스로 총사퇴하거나 의회 해산권을 발동할 수 있어.

④ 의회는 *내각 불신임권, 내각은 *의회 해산권을 행사하여 서로를 견제할 수 있음

**(3) 의원 내각제의 장·단점**

> Q 왜? 내각의 존속이 의회의 신임 여부에 달려 있기 때문이야.

| 장점 | • 내각의 정치적 책임감이 높고 국민의 요구에 민감하게 반응할 가능성이 높음<br>• 의회와 내각이 잘 협조하면 원활하게 국정이 운영될 수 있음<br>• 내각 불신임과 의회 해산을 통해 의회와 행정부의 대립을 비교적 신속하게 해결할 수 있음 |
|---|---|
| 단점 | • 의회 다수당이 과반수 의석을 차지할 경우 다수당의 횡포를 견제하기 어려움<br>• 과반수 의석을 차지한 정당이 없어 *연립 내각을 구성할 경우 정치적 책임 소재가 불명확해질 수 있음 |

**3. 대통령제**

**(1) 대통령제의 의미와 구성**

① 의미: 입법부와 행정부가 독립적으로 구성되고 운영되는 정부 형태

② 성립 배경: 미국이 영국으로부터 독립한 후 권력의 집중을 막고 국민의 자유와 권리를 보장하기 위해 새로운 정치 체제를 구상하는 과정에서 고안됨

③ 구성: 국민이 별도의 선거를 통해 의회 의원과 대통령을 각각 선출하며, 대통령이 임명하는 각료들로 행정부가 구성됨

> 각각 국민으로부터 국가 권력을 위임받았기 때문에 국민에 대하여 정치적 책임을 져.

**(2) 대통령제의 특징** 자료 ②

① 대통령이 국가 원수와 행정부 수반의 역할을 모두 수행함

② 입법권은 의회의 고유 권한으로서 행정부는 법률안을 제출할 수 없음

③ 행정부의 각료는 의회 의원을 겸직할 수 없음

④ 대통령은 법률안 거부권, 의회는 각종 동의·승인권, *탄핵 소추권 등을 행사하여 서로를 견제할 수 있음

> Q 왜? 의회와 대통령이 독립적으로 조직되고 운영되기 때문이야.

⑤ 의회는 행정부를 불신임할 수 없고, 대통령은 의회를 해산할 수 없음

# 완자 자료 탐구

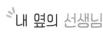

내 옆의 선생님

**수능이 보이는 교과서 자료** | **의원 내각제와 대통령제의 정부 구성**

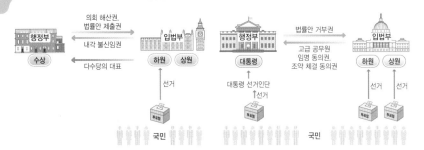

↑ 의원 내각제(영국) 정부의 구성    ↑ 대통령제(미국) 정부의 구성

의원 내각제에서 입법부인 의회는 국민의 직접 선거를 통해 구성되며, 의회 다수당의 대표가 행정부 수반인 수상이 되어 소속 정당 의원들을 내각의 각료로 임명함으로써 행정부인 내각을 구성한다. 대통령제에서는 국민이 직접 선거로 입법부인 의회 의원과 행정부의 수반인 대통령을 각각 선출하며, 행정부는 대통령 및 대통령이 임명하는 각료들로 구성된다.

**완자샘의 탐구 강의**

• 영국과 미국에서 나타나는 입법부와 행정부의 관계를 서술해 보자.

의원 내각제를 채택하고 있는 영국에서는 입법부와 행정부가 긴밀하게 협조하는 반면, 대통령제를 채택하고 있는 미국에서는 입법부와 행정부가 엄격하게 분리되어 상호 견제와 균형을 이룬다.

**함께 보기** 53쪽, 1등급 정복하기 1

---

**자료 1** 영국 총선 결과와 내각 구성

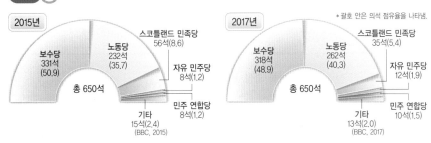

의원 내각제에서 과반수 의석을 차지하는 정당이 없을 때는 둘 이상의 정당이 연합하여 연립 내각을 구성할 수 있다. 영국에서는 2015년에는 보수당이 과반수 의석을 차지하여 단독 내각을 구성한 반면, 2017년에는 과반수 의석을 차지한 정당이 없어 보수당과 민주 연합당이 연립 내각을 구성하였다.

**자료 2** 대통령제에서의 법률안 거부권

> 미국에서 「환자 보호 적정 의료법」이 도입된 이래로 이에 반대하는 의견이 계속 제기되었다. 반대 의견을 이끌던 공화당이 하원과 상원을 모두 장악하면서 해당 법의 핵심 조항을 폐지하는 법률안이 추진되었고, 이 법률안은 2016년 1월 의회에서 통과되었다. 그러자 미국의 오바마 대통령은 이 법률안에 대해 거부권을 행사하였다.

법률안 거부권은 정부로 이송된 법률안에 대하여 다른 의견이 있을 경우 대통령이 법률안을 국회로 돌려보내 다시 의결할 것을 요구할 수 있는 권한이다. 대통령제에서 대통령은 법률안 거부권을 행사함으로써 의회 다수당의 입법권 남용을 견제할 수 있다.

**자료 하나 더 알고 가자!**

의원 내각제와 대통령제의 유래

• 의원 내각제: 17세기 영국에서 의회가 입법권을 갖고 국왕의 권한 행사를 통제하면서 의회 중심의 정부 형태 발달
• 대통령제: 영국의 식민지였던 미국이 독립하면서 절대 군주의 폐단을 극복하고자 국민이 선출하는 국가 원수(대통령)를 중심으로 한 정부 형태 발달

의원 내각제와 대통령제 정부 형태는 입법부와 행정부의 구성 방식 및 관계 측면에서 서로 다른 모습을 보인다.

**정리 비법을 알려줄게!**

의원 내각제와 대통령제에서의 입법부와 행정부 간의 상호 견제 수단 비교

| 의원<br>내각제 | • 의회 → 내각: 내각 불신임권<br>• 내각 → 의회: 의회 해산권 |
|---|---|
| 대통령제 | • 의회 → 대통령: 각종 동의·승인권, 탄핵 소추권<br>• 대통령 → 의회: 법률안 거부권 |

# 01 정부 형태

**★ 여당과 야당**
• 여당: 집권하고 있는 정당. 대통령제에서는 대통령이 배출된 정당, 의원 내각제에서는 수상이 소속된 정당이 여당이다.
• 야당: 집권하지 못하고 있는 정당
• 여대야소·여소야대: 대통령제에서 대통령 소속 정당이 의회 다수를 차지하고 있는 상황을 여대야소, 대통령 소속 정당이 의회에서 소수인 상황을 여소야대라고 한다.

**(3) 대통령제의 장·단점**

| 장점 | • 대통령의 임기가 보장되기 때문에 안정적이고 일관된 정책을 추진할 수 있음<br>• 대통령의 법률안 거부권 행사로 의회 다수당의 횡포를 방지할 수 있음 |
|---|---|
| 단점 | • 대통령이 국민의 요구에 둔감할 수 있고, 임기 하반기에 '레임덕 현상'이 나타날 수 있음<br>• 여대야소 상황에서는 대통령에게 권한이 집중되어 독단적으로 국정을 운영할 우려가 있음<br>• 여소야대 상황에서는 행정부와 의회가 대립할 때 갈등을 중재하기 어려움 |

└ 임기 말에 대통령의 권력이 약화되어 국정 수행에 차질이 생기는 현상이야.

**4. 이원 집정부제** 자료③

**(1) 이원 집정부제의 의미와 구성**

① 의미: 대통령제와 의원 내각제를 절충한 정부 형태

② 구성: 대통령과 의회가 별도의 직접 선거를 통해 구성되며, 내각은 대통령이 임명한 총리가 구성함

└ **VS** 따라서 총리는 의회에 정치적 책임을 지는 한편 국민에 의해 직접 선출된 대통령은 의회에 정치적 책임을 지지 않아.

**(2) 이원 집정부제의 특징**

① 외교와 국방 분야는 대통령, 일반 행정 분야는 총리가 담당함 ─┐**꼭!** 비상시에는 대통령이 전적으로 행정권을 행사하게 돼.

② 의회는 내각 불신임권을 가지고, 대통령은 총리 임면권과 의회 해산권을 가짐

③ 대통령과 총리의 소속 정당이 같을 경우, 정책 결정과 집행 과정에서 강력한 추진력을 발휘할 수 있음

④ 대통령과 총리의 소속 정당이 다른 동거 정부가 구성될 경우, 대통령과 총리가 대립하여 정치적 혼란이 나타날 수 있음

---

이것이 **핵심!**

**우리나라 정부 형태의 특징**

| 우리나라의 정부 형태 | 대통령제를 기본으로 의원 내각제 요소를 가미한 정부 형태 |
|---|---|
| 의원 내각제 요소 | • 행정부의 법률안 제출권 인정<br>• 국무총리와 국무 회의 제도<br>• 국회 의원의 국무총리, 국무 위원 겸직 가능 등 |

**★ 간선제**
일반 선거인 중에서 선출된 중간 선거인이 선거를 하도록 하는 제도

**★ 직선제**
국민이 직접 선거를 통하여 대표를 선출하는 제도

## ② 우리나라의 정부 형태

**1. 헌법 개정과 우리나라 정부 형태의 변화 과정** 자료④ ─┐**꼭!** 대통령제를 기본으로 유지하였고, 제3차 개정 헌법에서만 의원 내각제를 채택했어.

| 구분 | 시기 | 특징 |
|---|---|---|
| 제헌 헌법 | 1948년 | 의원 내각제 요소를 가미한 대통령제 채택 |
| 제3차 개헌 | 1960년 | 의원 내각제 채택, 국회 양원제 도입 |
| 제5차 개헌 | 1962년 | 대통령제 채택, 국회 단원제로 환원 |
| 제7차 개헌 | 1972년 | 통일 주체 국민 회의에서 대통령과 국회 의원 3분의 1을 선출하는 유신 체제 등장 → 대통령이 입법부와 사법부 위에 군림하는 권위주의적 정부 형태 |
| 제8차 개헌 | 1980년 | 간선제에 의한 대통령 단임제(7년) 채택 |
| 제9차 개헌 | 1987년 | 직선제에 의한 대통령 단임제(5년) 채택 → 현행 헌법 |

└ 대통령 직선제는 제1차 개헌에서 처음 시행되었어.

**2. 우리나라의 정부 형태**

**(1) 우리나라의 정부 형태:** 대통령제를 기본으로 의원 내각제 요소를 가미한 정부 형태

**(2) 우리나라 정부 형태의 대통령제 및 의원 내각제 요소** 자료⑤

| 대통령제 요소 | • 국민의 직접 선거를 통해 대통령과 국회 의원을 각각 선출함<br>• 대통령은 법률안 거부권, 국회는 탄핵 소추권을 행사하여 서로를 견제할 수 있음 |
|---|---|
| 의원 내각제 요소 | • 행정부가 법률안 제출권을 인정함<br>• 국무총리와 국무 회의가 헌법 기관으로 존재함<br>• 국회 의원이 국무총리나 국무 위원을 겸할 수 있음<br>• 국회의 국무총리 임명 동의권과 국무총리 및 국무 위원 해임 건의권을 인정함<br>• 국회의 요구가 있을 때 국무총리, 국무 위원이 국회에 출석하여 국정 상황에 대해 답변하도록 함 |

## 자료 ③ 이원 집정부제

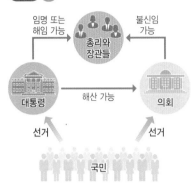

임명 또는 해임 가능 / 불신임 가능

총리와 장관들

대통령 — 해산 가능 → 의회

선거 / 선거

국민

⬆ 이원 집정부제(프랑스) 정부 구성

> 군주가 있는 국가는 주로 의원 내각제를 채택하는 반면, 식민지를 경험한 신생국들은 주로 대통령제를 채택하고 있어.

이원 집정부제는 대통령제와 의원 내각제를 절충한 제3의 정부 형태로 대표적으로 프랑스에서 채택하고 있는 정부 형태이다. 이원 집정부제에서 대통령과 의회 의원은 별도의 선거를 통해 국민이 선출하며, 그 임기가 보장된다. 내각은 대통령이 임명한 총리가 구성한다. 이원 집정부제는 행정부의 권한을 이원화하여 외교와 국방 분야는 대통령이, 일반 행정 분야는 총리가 각각 담당하게 한다.

> 대통령과 총리에게 권한을 분산하여 상호 견제하게 함으로써 권력을 제한하고 독재를 방지할 수 있다는 장점이 있어.

자료 하나 더 알고 가자!

세계 여러 나라의 정부 형태

| 대통령제 | 미국, 러시아, 인도네시아 등 |
|---|---|
| 의원 내각제 | 독일, 일본, 오스트레일리아 등 |

오늘날 대부분의 민주 국가가 대통령제 또는 의원 내각제를 채택하고 있으며, 각국의 전통과 정치적 상황에 맞게 변형된 정부 형태를 운영하고 있다.

## 자료 ④ 우리나라 정부 형태의 변화 과정에서 일어난 주요 사건

⬆ 대한민국 정부 수립(1948)

⬆ 5·16 군사 정변(1961)

⬆ 6월 민주 항쟁(1987)

1948년 제헌 헌법은 의원 내각제 요소를 가미한 대통령제를 채택하였다. 그러나 초대 대통령의 독재와 장기 집권으로 4·19 혁명이 일어난 이후, 제3차 개헌을 통해 의원 내각제가 도입되었다. 하지만 의원 내각제가 제대로 정착되기도 전에 5·16 군사 정변이 일어나며 제5차 개헌을 통해 다시 대통령제가 도입되었고, 제7차 개헌에서는 대통령에게 초헌법적 권한을 부여하는 유신 체제가 나타났다. 이후 제8차 개헌을 통해 유신 체제가 폐지되었고, 1987년 6월 민주 항쟁의 결과로 제9차 개헌을 통해 대통령 직선제가 부활하였다.

정리 비법을 알려줄게!

우리나라 정부 형태의 변화 과정

대통령제 중심 + 의원 내각제 요소 가미
(대한민국 정부 수립, 1948)

↓ 4·19 혁명(1960)

의원 내각제 중심

↓ 5·16 군사 정변(1961)

대통령제 중심

↓ 제8차 개헌(1980)

대통령제 중심
(~현재)

## 자료 ⑤ 현행 우리나라 헌법을 통해 본 우리나라의 정부 형태

제40조 입법권은 국회에 속한다.

제52조 국회 의원과 정부는 법률안을 제출할 수 있다.

제53조 ② 법률안에 이의가 있을 때에는 대통령은 제1항의 기간 내에 이의서를 붙여 국회로 환부하고, 그 재의를 요구할 수 있다.

제63조 ① 국회는 국무총리 또는 국무 위원의 해임을 대통령에게 건의할 수 있다.

제66조 ④ 행정권은 대통령을 수반으로 하는 정부에 속한다.

우리나라는 의원 내각제 요소를 가미한 대통령제를 채택하고 있다. 제시된 헌법에서 입법권과 행정권의 분립(제40조, 제66조 ④), 대통령의 법률안 거부권(제53조 ②)은 대통령제의 특징에 해당한다. 반면 행정부의 법률안 제출권(제52조), 국무총리 및 국무 위원에 대한 해임 건의권(제63조 ①) 등은 의원 내각제 요소에 해당한다.

문제로 확인할까?

우리나라 정부 형태의 의원 내각제 요소에 해당되지 않는 것은?

① 국무 회의 제도

② 국회의 탄핵 소추권

③ 행정부의 법률안 제출권

④ 국회의 국무총리 해임 건의권

⑤ 국무 위원의 국회 출석·발언권

② 🔒

# STEP 1 핵심 개념 확인하기

정답친해 14쪽

**1 다음 빈칸에 들어갈 내용을 쓰시오.**

(1) 국가 권력이 입법권, 행정권, 사법권 등으로 분립하여 구체화한 모습을 (　　　　)라고 한다.

(2) 정부 형태는 (　　　　)와 행정부의 관계에 따라 크게 의원 내각제와 대통령제로 구분된다.

**2 다음 설명이 맞으면 ○표, 틀리면 ×표를 하시오.**

(1) 의원 내각제에서는 대통령이 내각을 구성한다. (　　)

(2) 의원 내각제에서는 다수당의 대표가 수상이 된다. (　　)

(3) 대통령제에서는 의회 의원과 행정부 모두 법률안 제출권을 가진다. (　　)

(4) 대통령제에서 의회 의원과 대통령은 모두 국민의 직접 선거에 의해 선출된다. (　　)

**3 다음 내용이 의원 내각제에 해당하면 '의', 대통령제에 해당하면 '대'라고 쓰시오.**

(1) 의회 의원은 내각의 각료를 겸직할 수 있다. (　　)

(2) 입법부와 행정부의 관계가 상호 의존적인 정부 형태이다. (　　)

(3) 입법부와 행정부가 독립적으로 구성되고 운영되는 정부 형태이다. (　　)

**4 ㉠, ㉡에 들어갈 용어를 각각 쓰시오.**

우리나라의 정부 형태는 (㉠　　　　)를 기본으로 채택하고 있으며, (㉡　　　　) 요소를 일부 도입하고 있다.

**5 우리나라의 정부 형태에 도입된 의원 내각제 요소를 〈보기〉에서 골라 기호를 쓰시오**

〈보기〉
ㄱ. 국무총리제　　　　　ㄴ. 대통령의 의회 해산권
ㄷ. 의회의 내각 불신임권　　ㄹ. 행정부의 법률안 제출권

---

# STEP 2 내신 만점 공략하기

**01 다음 글에 해당하는 전형적인 정부 형태에 대한 설명으로 옳지 않은 것은?**

입법부는 국민의 직접 선거를 통해 선출된 대표들로 구성되고, 행정부는 입법부에 의해 구성된다. 입법부는 행정부에 책임을 물을 수 있는 권한을 가지고, 행정부는 입법부를 해산하고 선거를 통해 입법부가 재구성되도록 할 수 있는 권한을 가진다.

① 영국에서 발달한 정부 형태이다.

② 내각이 법률안을 제출할 수 있다.

③ 의회 의원이 내각의 각료를 겸직할 수 있다.

④ 권력의 분립보다 융합에 충실한 정부 형태이다.

⑤ 행정부 수반은 의회에서 의결된 법률안에 대해 거부권을 행사할 수 있다.

**02 다음 교사의 질문에 옳게 답변한 학생은?**

영국에서 비롯한 이 정부 형태는 '국왕은 군림하되 통치하지 않는다.'라는 원칙에 근거하여, 총리 또는 수상이 이끄는 내각이 실질적인 국정 운영을 담당합니다. 이 정부 형태의 전형적인 특징을 발표해 보세요.

① 갑: 행정부 수반과 국가 원수가 동일합니다.

② 을: 연립 내각이 구성될 경우 국정 운영이 원활해집니다.

③ 병: 행정부 수반의 임기가 보장되기 때문에 지속적인 정책 수행이 가능합니다.

④ 정: 과반수 의석을 차지한 정당이 있을 경우 다수당의 횡포가 나타날 우려가 있습니다.

⑤ 무: 행정부 수반이 의회에 대해 연대 책임을 지지 않기 때문에 독재가 나타날 가능성이 높습니다.

**03** 밑줄 친 ㉠, ㉡에 해당하는 권한을 옳게 연결한 것은?

> 전형적인 정부 형태 중 하나인 A는 내각의 성립과 존속이 의회에 의존하고 있다. 행정부 수반은 의회에서 선출되고, 내각이 의회에 연대하여 정치적 책임을 진다. 이렇듯 권력이 융합된 정부 형태이지만, 상호 견제 장치가 없는 것은 아니다. ㉠ 의회는 내각을 견제하고, ㉡ 내각은 의회를 견제함으로써 의회와 내각은 상호 간의 균형을 이루고 있다.

|  | ㉠ | ㉡ |
|---|---|---|
| ① | 내각 불신임권 | 의회 해산권 |
| ② | 내각 불신임권 | 탄핵 소추권 |
| ③ | 내각 불신임권 | 동의·승인권 |
| ④ | 법률안 거부권 | 의회 해산권 |
| ⑤ | 법률안 거부권 | 탄핵 소추권 |

**04** 다음은 전형적인 의원 내각제 국가인 갑국 의회의 정당별 의석 점유율을 나타낸 것이다. 이에 대한 옳은 분석 및 추론을 〈보기〉에서 고른 것은?

(단위: %)

| 구분 | A당 | B당 | C당 | D당 |
|---|---|---|---|---|
| (가) 시기 | 60 | 28 | 7 | 5 |
| (나) 시기 | 45 | 40 | 12 | 3 |

> **보기**
> ㄱ. (가) 시기에 갑국의 총리는 A당 소속이었을 것이다.
> ㄴ. (나) 시기에는 단독 내각 구성이 가능하였을 것이다.
> ㄷ. (가) 시기와 달리 (나) 시기에는 과반수 의석을 차지한 정당이 존재하지 않았을 것이다.
> ㄹ. (나) 시기와 달리 (가) 시기에는 국민의 다양한 의사가 국정에 반영되었을 것이다.

① ㄱ, ㄴ  ② ㄱ, ㄷ  ③ ㄴ, ㄷ
④ ㄴ, ㄹ  ⑤ ㄷ, ㄹ

**05** 그림은 어느 국가의 정부 형태를 나타낸 것이다. 이 국가가 채택하고 있는 정부 형태에 대한 옳은 설명을 〈보기〉에서 고른 것은?

> **보기**
> ㄱ. 행정부 수반은 의회를 해산할 수 없다.
> ㄴ. 수상과 내각의 각료는 의회 의원을 겸직할 수 있다.
> ㄷ. 행정부 수반은 국민에 대해서만 정치적 책임을 진다.
> ㄹ. 행정부가 법률안 제출권 및 거부권을 행사하므로 국정 운영의 능률성이 보장된다.

① ㄱ, ㄴ  ② ㄱ, ㄷ  ③ ㄴ, ㄷ
④ ㄴ, ㄹ  ⑤ ㄷ, ㄹ

**06** 다음 글을 통해 유추할 수 있는 갑국 정부 형태의 특징으로 가장 적절한 것은?

> 갑국의 대통령이 상·하원 만장일치로 통과한 법안에 대한 거부권을 행사함으로써 의회와의 정면충돌이 불가피해졌다. 이에 따라 의회는 다음 주 법안 재심의 절차에 들어가게 되었다.

① 대통령이 다수당의 횡포를 견제할 수 있다.
② 대통령은 의회에 대해 정치적 책임을 진다.
③ 군소 정당이 난립할 경우 정국이 불안정해질 수 있다.
④ 대통령의 강력하고 지속적인 정책 수행이 불가능하다.
⑤ 의회와 행정부의 정치적 대립이 비교적 신속하게 해결될 수 있다.

**07** 다음은 어느 학생이 작성한 노트 필기의 일부이다. (가), (나)에 들어갈 내용으로 적절한 것을 〈보기〉에서 고른 것은?

---

**전형적인 정부 형태 A**

• 특징: 행정부와 입법부의 엄격한 분립으로 권력의 견제와 균형의 원리에 충실함
• 장·단점

| 장점 | (가) |
|---|---|
| 단점 | (나) |

---

〈보기〉

ㄱ. (가) – 입법부와 행정부가 긴밀하게 협력하여 책임 정치 구현
ㄴ. (가) – 행정부 수반의 임기 보장으로 국가 정책의 지속성 확보
ㄷ. (나) – 연립 정부가 구성될 경우 정치적 책임 소재 불분명
ㄹ. (나) – 행정부 수반에게 권력이 집중되어 독단적 국정 운영 우려

① ㄱ, ㄴ     ② ㄱ, ㄷ     ③ ㄴ, ㄷ
④ ㄴ, ㄹ     ⑤ ㄷ, ㄹ

**08** 다음과 같은 제도를 갖춘 정부 형태에 대한 설명으로 옳지 <u>않은</u> 것은?

---

• 대통령과 의회 의원은 각각 국민의 선거를 통해 선출된다.
• 외교와 국방 분야는 대통령이, 일반 행정 분야는 총리가 담당한다.
• 총리는 대통령이 임명하며, 총리에 의해 구성된 내각은 의회의 신임에 구속된다.

---

① 행정부의 권력이 이원화되어 있다.
② 대통령과 총리는 모두 의회에 연대 책임을 진다.
③ 의원 내각제와 대통령제가 혼합된 정부 형태이다.
④ 대통령과 총리의 정당이 같을 경우 강력한 국정 수행이 가능하다.
⑤ 대통령과 총리의 정당이 다를 경우 정치적 혼란이 발생하기 쉽다.

---

**09** 그림은 전형적인 정부 형태 A, B를 구분한 것이다. 이에 대한 옳은 설명을 〈보기〉에서 고른 것은?

〈보기〉

ㄱ. A의 행정부는 연립 내각으로 구성될 수 있다.
ㄴ. A에서는 B와 달리 의회 의원이 각료를 겸직할 수 없다.
ㄷ. B에서는 A와 달리 국가 원수와 행정부 수반의 권한이 한 명에게 집중되어 있다.
ㄹ. 행정부의 법률안 거부권은 A, 행정부의 법률안 제출권은 B의 요소이다.

① ㄱ, ㄴ     ② ㄱ, ㄷ     ③ ㄴ, ㄷ
④ ㄴ, ㄹ     ⑤ ㄷ, ㄹ

**10** 갑국과 을국 정부 형태의 특징에 대한 설명으로 옳지 <u>않은</u> 것은? (단, 갑국과 을국은 서로 다른 전형적인 정부 형태를 채택하고 있다.)

---

• 갑국에서 의회 의원과 행정부 수반은 별도의 선거를 통해 선출된다. 현재 행정부 수반은 ○○당 소속이며, 의회는 △△당이 제1당으로 전체 의석의 51%를 차지하고 있다.
• 을국에서 최근 치러진 의회 의원 선거에서 □□당이 전체 의석의 45%를 획득하게 되었다. 이에 따라 □□당 대표가 의회에서 행정부 수반으로 선출되며 내각을 새롭게 구성하였다.

---

① 갑국은 선거 결과 여소야대 현상이 나타났다.
② 을국은 선거 결과 단독 내각이 구성되었을 것이다.
③ 갑국보다 을국의 정부 형태가 국민의 요구에 민감할 것이다.
④ 을국은 갑국과 달리 행정부 수반이 의회를 해산할 수 있다.
⑤ 을국보다 갑국의 정부 형태가 권력 분립의 원리에 충실하다.

**11** 표는 전형적인 정부 형태 A, B를 비교한 것이다. (가), (나)에 들어갈 질문을 〈보기〉에서 골라 옳게 연결한 것은?

| 질문 | 정부 형태 | |
| --- | --- | --- |
| | A | B |
| 행정부가 법률안을 제출할 수 있는가? | 예 | 아니요 |
| (가) | 아니요 | 예 |
| (나) | 예 | 아니요 |

【보기】
ㄱ. 의회 의원과 각료 간의 겸직이 가능한가?
ㄴ. 내각의 존립이 의회의 신임에 의존하는가?
ㄷ. 입법부와 행정부가 상호 독립적으로 구성되는가?
ㄹ. 의회에서 가결된 법률안에 대해 행정부의 수반이 재의를 요구할 수 있는가?

| | (가) | (나) | | (가) | (나) |
| --- | --- | --- | --- | --- | --- |
| ① | ㄱ, ㄴ | ㄷ, ㄹ | ② | ㄱ, ㄹ | ㄴ, ㄷ |
| ③ | ㄴ, ㄷ | ㄱ, ㄹ | ④ | ㄴ, ㄹ | ㄱ, ㄷ |
| ⑤ | ㄷ, ㄹ | ㄱ, ㄴ | | | |

**12** 갑국과 을국의 정부 형태에 대한 설명으로 옳지 <u>않은</u> 것은? (단, 갑국과 을국은 서로 다른 전형적인 정부 형태를 채택하고 있다.)

이번 의회 의원 선거 결과 을국의 행정부 수반이 되신 것을 축하드립니다.

갑국 대표

감사합니다. 갑국 대표님의 행정부 수반 임기가 2년 남았는데, 양국 간의 외교를 잘 이어나갔으면 합니다.

을국 대표

① 갑국의 행정부 수반은 국민에 의해 선출된다.
② 을국은 국민의 대표에 의해 행정부 수반이 선출된다.
③ 을국은 갑국과 달리 연립 내각이 구성될 수 있다.
④ 갑국은 을국과 달리 권력이 융합된 정부 형태를 채택하고 있다.
⑤ 갑국과 을국의 행정부는 각각 입법부를 견제할 수 있는 권한을 가지고 있다.

**13** 갑국에서 나타날 정치적 상황에 대한 옳은 추론만을 〈보기〉에서 있는 대로 고른 것은? (단, 행정부 수반은 A당 소속으로 변함이 없다.)

전형적인 정부 형태 중 하나를 채택하고 있는 갑국은 최근 의회 의원 선거를 실시하였다. 선거 결과 A당은 35%, B당은 30%, C당은 22%, 나머지 정당이 13%의 의석을 차지하였다. 이전 의회에서 과반 의석을 차지했던 A당은 이번 선거 결과 과반 의석을 차지하지 못하게 되었다.

【보기】
ㄱ. 의원 내각제 국가라면, 내각 불신임의 가능성은 이전에 비해 높아질 것이다.
ㄴ. 의원 내각제 국가라면, 의회와 행정부의 대립 가능성은 이전에 비해 낮아질 것이다.
ㄷ. 대통령제 국가라면, 국가 정책의 일관성을 유지하는 것은 이전에 비해 용이해질 것이다.
ㄹ. 대통령제 국가라면, 행정부 수반의 법률안 거부권 행사 가능성은 이전에 비해 높아질 것이다.

① ㄱ, ㄴ ② ㄱ, ㄹ ③ ㄴ, ㄷ
④ ㄱ, ㄷ, ㄹ ⑤ ㄴ, ㄷ, ㄹ

**14** (가)에 들어갈 옳은 내용을 〈보기〉에서 고른 것은?

**우리나라의 정부 형태**

1. 특징: 대통령제를 기본으로 하면서 의원 내각제적 요소를 부분적으로 도입함
2. 의원 내각제 요소: _____(가)

【보기】
ㄱ. 국무총리와 국무 회의를 두고 있다.
ㄴ. 국회 의원이 국무 위원을 겸직할 수 있다.
ㄷ. 국회에서 제정한 법률안에 대해 대통령이 거부권을 행사할 수 있다.
ㄹ. 국회가 대통령 등 주요 공직자에 대한 탄핵 소추권을 행사할 수 있다.

① ㄱ, ㄴ ② ㄱ, ㄷ ③ ㄴ, ㄷ
④ ㄴ, ㄹ ⑤ ㄷ, ㄹ

**15** 표는 우리나라 주요 개정 헌법의 내용을 비교한 것이다. (가)∼(다)에 대한 설명으로 옳은 것은?

| 개정 헌법 | 주요 내용 |
|---|---|
| (가) | 의원 내각제 채택, 국회 양원제 도입 |
| (나) | 대통령 간선제 및 중임 제한 철폐, 대통령이 모든 법관 임명 |
| (다) | 대통령 직선제 및 5년 단임제 채택, 대통령이 국회의 동의를 얻어 대법관 임명 |

① (가)의 국회 구성 형태는 현재와 동일하다.
② (나)는 대통령의 초헌법적인 권한을 명시하였다.
③ (나)는 (다)와 달리 사법권의 독립을 보장한다.
④ (다)는 (나)에 비해 행정부 수반 선출에 있어 국민의 의사 반영이 어렵다.
⑤ (가)는 4·19 혁명을 계기로 등장한 헌법이며, (다)는 5·16 군사 정변을 계기로 등장한 헌법이다.

**16** 밑줄 친 ㉠에 들어갈 내용으로 적절한 것은?

① 의회의 내각 불신임권
② 국무총리의 의회 발언권
③ 행정부의 법률안 제출권
④ 의회의 각종 동의·승인권
⑤ 의회의 국무 위원 해임 건의권

**01** 그림은 전형적인 정부 형태를 나타낸 것이다. 이를 보고 물음에 답하시오.

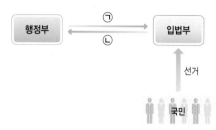

*화살표는 국가 기관 간의 견제 방향을 나타낸다.

(1) ㉠, ㉡에 해당하는 견제 권한을 각각 쓰시오.

(2) 위 그림에 해당하는 정부 형태를 쓰고, 그 장점을 두 가지 이상 서술하시오.

**02** 밑줄 친 정부 형태를 쓰고, 그 단점을 두 가지 이상 서술하시오.

> 영국 식민지 시대를 거치면서 미국은 영국과 마찬가지로 의회를 중심으로 하는 권력 구조를 가지고 있었다. 이후 영국으로부터 독립한 미국은 시민의 자유와 권리를 보장하고 의회의 권력을 견제하기 위해 권력 분립과 견제에 충실한 정부 형태를 구상하였다.

**03** 다음 글에 나타난 우리나라 정부 형태의 의원 내각제 요소를 서술하시오.

> 환경부는 가습기 살균제 사고의 재발 방지를 위한 정부 제출 법률 제정안이 국무 회의를 통과했다고 밝혔다. 해당 법률안이 국회에서 의결되면 관련 업체는 살균·소독제 제품의 출시에 앞서 환경부 승인을 신청해야 하며, 제품 겉면에 관련 물질 목록, 주의 사항 등을 표시해야 한다.

## STEP 3 1등급 정복하기

수능 응용

**1** 자료의 갑국에 대한 옳은 설명만을 〈보기〉에서 있는 대로 고른 것은?

▶ 정부 형태의 특징

전형적인 정부 형태 중 하나를 채택하고 있는 갑국은 최근 의회 의원 선거를 실시하였고, 그 결과는 다음과 같다.

**갑국의 헌법**

제○조 의회는 행정부에 대한 불신임을 결의할 수 있다.

제○조 행정부는 의원 임기 만료 전에 새 의회 구성을 위한 총선거를 요구할 수 있다.

제○조 행정권은 총리와 내각에 속한다. 총리는 의회 내 과반수 의석을 획득한 단독 정당 또는 복수의 정당 연합의 대표가 맡는다.

**선거 결과 정당별 의석수**

| 정당 | 의석 수(석) |
| --- | --- |
| A당 | 128 |
| B당 | 110 |
| C당 | 64 |
| D당 | 48 |
| 합계 | 350 |

*갑국의 총 의석수는 350석임

**보기**

ㄱ. 행정부 수반은 A당 소속이다.
ㄴ. 행정부는 입법부에 대해 책임을 진다.
ㄷ. 두 개 이상의 정당이 연합하여 연립 내각을 구성할 수 있다.
ㄹ. 행정부 수반의 임기가 보장되어 정책의 일관성 확보가 용이하다.

① ㄱ, ㄹ　　　　② ㄴ, ㄷ　　　　③ ㄷ, ㄹ
④ ㄱ, ㄴ, ㄷ　　　⑤ ㄱ, ㄴ, ㄹ

**2** 표는 전형적인 정부 형태를 채택하고 있는 갑국의 의회 의원 선거 결과이다. 이에 대한 분석 및 추론으로 옳은 것은?

▶ 정부 형태의 특징

**완자쌤의 시험 꿀팁**

선거 결과 각 정당별 의석수를 통해 정부 형태를 파악해야 하는 문항이 자주 출제된다.

| 시기 정당 | t | | t+1 | |
| --- | --- | --- | --- | --- |
| | 지역구 | 비례 대표 | 지역구 | 비례 대표 |
| A | 50 | 30 | 25 | 23 |
| B | 32 | 13 | 54 | 22 |
| C | 11 | 5 | 10 | 3 |
| D | 5 | 2 | 8 | 2 |
| 무소속 | 2 | | 3 | |
| 계 | 100 | 50 | 100 | 50 |

*갑국의 행정부 수반은 t대와 t+1대 모두 B당 소속이다.
**갑국의 의회는 재적 의원 과반수 찬성으로 법률안을 의결한다.

① 갑국은 권력의 분립보다 융합에 충실한 정부 형태를 채택하고 있다.
② t+1대에는 t대와 달리 여소야대의 정국이 형성될 것이다.
③ t대는 t+1대에 비해 행정부 수반의 법률안 거부권 행사 가능성이 높을 것이다.
④ t+1대는 t대에 비해 의회의 탄핵 소추권 행사 가능성이 높을 것이다.
⑤ t대와 t+1대 모두 집권당이 단독으로 법률안을 제정할 수 있다.

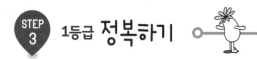

**3** 표는 전형적인 정부 형태 A, B를 비교한 것이다. (가)~(다)에 들어갈 내용으로 옳지 <u>않은</u> 것은?

▶ 의원 내각제와 대통령제

| 구분 | A | B |
|------|---|---|
| 공통점 | (가) | |
| 특징 | (나) | (다) |
| 채택 국가 | 영국 | 미국 |

① (가) – 의회 의원은 국민의 선거로 선출된다.

② (나) – 의회에서 선출된 총리가 내각을 구성한다.

③ (나) – 국정 운영의 능률성 향상을 위해 의회 의원의 각료 겸직을 허용한다.

④ (다) – 행정부는 법률안을 제출할 수 없다.

⑤ (다) – 행정부 수반은 입법부와 행정부가 대립할 때 최후의 수단으로 의회 해산권을 행사할 수 있다.

교육청 응용

**4** 다음은 갑국의 정치적 상황이다. 갑국이 채택하고 있는 정부 형태에 대한 옳은 설명을 〈보기〉에서 고른 것은?

▶ 정부 형태의 특징

- 국민이 직접 투표하는 대통령 선거에서 ○○당 후보자 A가 60%의 득표율을 차지하며 당선되었다.
- 의회 의원 선거에서 대통령 A가 소속된 ○○당이 전체 의석 300석 중 180석을 차지하며 제1당이 되었다.
- 대통령 A는 의회에서 선출된 B를 총리로 임명하였고, 이에 따라 B는 내각을 새롭게 구성하였다. 그러나 얼마 되지 않아 B는 의료법 개정에 대한 책임을 지고 의회로부터 불신임되었다.

┌ 보기 ┐

ㄱ. 대통령과 총리 모두 의회에 정치적 책임을 진다.

ㄴ. 의원 내각제와 대통령제를 절충한 정부 형태이다.

ㄷ. 대통령과 총리의 소속 정당이 다른 동거 정부가 구성되었을 가능성이 높다.

ㄹ. 대통령과 총리가 정부 권력을 이원화함으로써 독재를 방지할 수 있다는 장점이 있다.

① ㄱ, ㄴ       ② ㄱ, ㄷ       ③ ㄴ, ㄷ

④ ㄴ, ㄹ       ⑤ ㄷ, ㄹ

**5** (가), (나)는 서로 다른 시기의 우리나라 헌법이다. 각 헌법에 나타난 정치 체제에 대한 설명으로 옳은 것은?

|  (가)  |  (나)  |
|---|---|
| 제31조 입법권은 국회가 행한다. 국회는 민의원과 참의원으로써 구성한다.<br>제68조 행정권은 국무원에 속한다. 국무원은 국무총리와 국무 위원으로 조직한다. 국무원은 민의원에 대하여 연대 책임을 진다.<br>제69조 국무총리는 대통령이 지명하여 민의원의 동의를 얻어야 한다. | 제35조 입법권은 국회에 속한다.<br>제39조 ① 대통령은 통일 주체 국민 회의에서 토론 없이 무기명 투표로 선거한다.<br>제59조 ① 대통령은 국회를 해산할 수 있다.<br>제63조 ① 행정권은 대통령을 수반으로 하는 정부에 속한다. |

① (가)는 권력 분립보다 권력 융합을 추구하는 구조이다.
② (가)에서 대통령은 국가 원수인 동시에 행정부의 수반이다.
③ (나)는 권력 분립의 원리가 엄격하게 지켜지고 있다.
④ (나)에서 대통령은 국민의 직접 선거에 의해 선출되었다.
⑤ (가)는 (나)에 비해 국민의 정치적 요구에 둔감한 정부 형태이다.

**6** 밑줄 친 ㉠, ㉡에 해당되는 헌법 조항을 〈보기〉에서 골라 옳게 연결한 것은?

- 갑: 우리나라 헌법 조항에서 정부 형태와 관련된 조항을 찾는 수행 평가 다 했어?
- 을: 응. 우리나라는 기본적으로 정부 형태 A를 취하고 있잖아. 난 헌법 조항 중 ㉠ A 요소가 나타난 조항을 찾았어.
- 병: 우리나라는 정부 형태 A가 기본이지만, 부분적으로 정부 형태 B를 도입하고 있잖아. 그래서 난 ㉡ B 요소가 나타난 조항을 찾았어.

**보기**

ㄱ. 국회 의원과 정부는 법률안을 제출할 수 있다(제52조).
ㄴ. 대통령은 국민의 보통·평등·직접·비밀 선거에 의하여 선출한다.(제67조 ①).
ㄷ. 국회는 국무총리 또는 국무 위원의 해임을 대통령에게 건의할 수 있다(제63조①).
ㄹ. 법률안에 이의가 있을 때에는 대통령은 ……국회로 환부하고, 그 재의를 요구할 수 있다.(제52조②).

|   | ㉠ | ㉡ |   | ㉠ | ㉡ |
|---|---|---|---|---|---|
| ① | ㄱ, ㄴ | ㄷ, ㄹ | ② | ㄱ, ㄷ | ㄴ, ㄹ |
| ③ | ㄴ, ㄷ | ㄱ, ㄹ | ④ | ㄴ, ㄹ | ㄱ, ㄷ |
| ⑤ | ㄷ, ㄹ | ㄱ, ㄴ |   |   |   |

▶ 우리나라 정부 형태의 변화 과정

| 완자 사전 |
- 민의원과 참의원
양원제 국회에서 민의원은 하원, 참의원은 상원에 해당한다.

▶ 우리나라 정부 형태의 특징

완자쌤의 시험 꿀팁

우리나라의 정부 형태에서 나타나는 대통령제와 의원 내각제 요소를 구분하는 문제가 자주 출제된다.

# 02 우리나라의 국가 기관

학습목표
- 국회, 대통령과 행정부, 법원과 헌법 재판소의 역할과 권한을 이해할 수 있다.
- 권력 분립의 원리를 바탕으로 국가 기관 간의 관계를 설명할 수 있다.

## 이것이 핵심!

**국회의 지위와 권한**

| 지위 | • 국민의 대표 기관<br>• 입법 기관<br>• 국정 통제 기관 |
|---|---|
| 권한 | 입법에 관한 권한, 재정에 관한 권한, 국정 감시 및 통제 권한, 인사에 관한 권한 |

★ **단원제**
국민에 의해 선출된 단일한 합의체 조직으로 의회를 구성하는 제도

★ **국회 의원의 특권**

| 면책<br>특권 | 국회 내에서 직무와 관련하여 행한 발언이나 표결에 대해 국회 밖에서 책임지지 않음 |
|---|---|
| 불체포<br>특권 | 현행범인 경우를 제외하고는 국회 회기 중에 국회의 동의 없이 체포 또는 구금되지 않음 |

## ① 국회

**1. 국회의 지위**: 국민이 직접 선출한 대표들로 구성된 국민의 대표 기관, 법률을 제정 혹은 개정하는 입법 기관, 국정을 감시하고 견제하는 국정 통제 기관

**2. 국회의 구성과 조직**

(1) **국회의 구성**: *단원제, 국민의 선거로 선출된 200인 이상의 국회 의원으로 구성

(2) **국회 의원**

① 구성: 지역구 의원(국민이 직접 선출), 비례 대표 의원(정당별 득표율에 비례하여 선출)

② 특징: 임기 4년, *면책 특권과 *불체포 특권을 가짐

(3) **국회의 조직**
> 꼭! 국회 의원 중에서 선출되며, 임기는 2년이야.

① 1인의 국회 의장과 2인의 부의장을 둠

② 위원회(상임 위원회, 특별 위원회): 본회의에서 심의할 안건을 미리 조사함

③ 교섭 단체: 국회 의원 20인 이상으로 구성되는 단체 → 국회의 중요 의사를 협의·조정함

(4) **국회의 회의**: 본회의에서 국회의 의사를 최종적으로 결정함

| 종류 | 정기회(매년 1회, 100일 이내), 임시회(대통령 또는 재적 의원 4분의 1 이상 요구, 30일 이내) |
|---|---|
| 의결 방식 | 일반적으로 재적 의원 과반수의 출석과 출석 의원 과반수의 찬성으로 의결됨 |
| 원칙 | 회의 공개의 원칙, 회기 계속의 원칙, 일사부재의 원칙 |

**3. 국회의 권한**
> 국가 안전 보장에 관한 조약, 주권의 제약에 관한 조약 등 주요 조약에 한하여 동의권을 갖는 것이고, 이렇게 동의를 받은 조약은 법률과 같은 효력을 갖게 돼.

| 입법에 관한 권한 | 법률의 제정 및 개정, 헌법 개정, 조약 체결·비준에 대한 동의권 자료① |
|---|---|
| 국정 통제에 관한 권한 자료② | • 재정에 관한 권한: 예산안 심의·확정권, 결산 심사권, 조세 결정권<br>• 국정 감시 및 통제 권한: 국정 감사권, 국정 조사권, 대통령의 권한 행사에 대한 동의권, 국무총리 및 국무 위원 해임 건의권, 일반 사면에 대한 동의권, 탄핵 소추 의결권<br>• 인사에 관한 권한: 헌법 재판소 재판관(3인)·중앙 선거 관리 위원회 위원(3인) 선출권, 국무총리·대법원장·대법관·헌법 재판소장·감사원장 임명에 대한 동의권 |

> **vs** 국정 감사는 매년 국정 전반에 대해 상임 위원회별로 실시되고, 국정 조사는 특정한 국정 사안이 발생하였을 때 실시돼.

## 이것이 핵심!

**대통령의 지위와 권한**

| 지위 | 행정부 수반이자 국가 원수 |
|---|---|
| 권한 | 행정부의 지휘·감독권, 대외적 국가 대표권, 국가와 헌법 수호권, 국정 조정권, 헌법 기관 구성권 등 |

★ **임면**
공무원 등에게 직무나 책임을 맡기거나(임명) 직위에서 물러나게(면직) 하는 것

## ② 대통령과 행정부

**1. 대통령의 지위와 권한**

(1) **대통령의 선출**: 국민의 보통·평등·직접·비밀 선거로 선출됨, 임기는 5년이고 중임할 수 없음

(2) **대통령의 지위와 권한**: 행정부 수반이자 국가 원수로서의 지위를 동시에 가짐 자료③

| 지위 | | 권한 |
|---|---|---|
| 행정부 수반 | | 행정부 지휘·감독권, 국군 통수권, 공무원 *임면권, 대통령령 발포권 등 |
| 국가 원수 | 대외적 국가 대표권 | 조약 체결·비준권, 외교 사절 신임·접수·파견권, 선전 포고·강화권 등 |
| | 국가와 헌법 수호권 | 긴급 재정·경제 명령 및 처분권, 긴급 명령권, 계엄 선포권 등 |
| | 국정 조정권 | 국민 투표 부의권, 헌법 개정안 제안권, 국회 임시회 소집권, 국회 출석 발언권, 법률안 거부권 및 공포권, 사면권 등 |
| | 헌법 기관 구성권 | 국무총리, 대법원장, 대법관, 헌법 재판소장, 감사원장 등 임명권 |

## 완자 자료 탐구

### 자료 ① 법률 제정·개정 절차

위원회도 법률안을 제출할 수 있는데, 이 경우에는 상임 위원회의 심사를 거치지 않고 본회의에 상정돼.

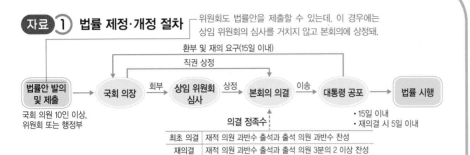

환부 및 재의 요구(15일 이내)

직권 상정

| 법률안 발의 및 제출 | → | 국회 의장 | 회부 | 상임 위원회 심사 | 상정 | 본회의 의결 | 이송 | 대통령 공포 | → | 법률 시행 |

국회 의원 10인 이상, 위원회 또는 행정부

의결 정족수

• 15일 이내
• 재의결 시 5일 이내

| | |
|---|---|
| 최초 의결 | 재적 의원 과반수 출석과 출석 의원 과반수 찬성 |
| 재의결 | 재적 의원 과반수 출석과 출석 의원 3분의 2 이상 찬성 |

국회 의원 10인 이상 또는 정부가 제출한 법률안은 소관 상임 위원회의 심사를 거쳐 본회의에 회부되며, 국회 재적 의원 과반수의 출석과 출석 의원 과반수의 찬성으로 의결된다. 국회에서 의결한 법률안은 정부로 이송되며 대통령이 공포하는데, 대통령이 법률안에 이의가 있을 때에는 15일 이내에 국회에 환부하여 재의를 요구할 수 있다. 특별한 규정이 없는 한 공포한 날로부터 20일이 지나면 법률의 효력이 발생한다.

국회에서 재의결한 법률안은 법률로 확정되며, 대통령은 이에 대해 거부권을 행사할 수 없어.

### 자료 ② 법원과 정부에 대한 국회의 견제 수단

(가)

국회 인사 청문 특별 위원회는 전체 회의를 열고 이○○ 대법관 후보자의 임명 동의안 심사 경과 보고서를 여야 합의로 의결하였다. 이○○ 대법관 후보자의 임명 동의안은 국회 본회의에서 최종 의결 절차를 밟는다.

(나)

국회는 2016년 정기 국회 첫 본회의를 열어 2015년 회계 연도 결산안을 정부 원안대로 의결하였다. 결산안은 출석 의원 214명 중 찬성 212명, 반대 2명으로 가결되었다. - 「뉴스 1」, 2016. 9. 2.

(가)는 대법관 임명에 대한 동의권으로서 국회가 법원을 견제하는 수단이고, (나)는 결산 심사권으로서 국회가 정부를 견제하는 수단이다. 국회는 국민을 대표하는 기관으로서 다른 국가 기관을 감시하고 견제할 수 있는 국정 통제에 관한 권한을 가진다.

### 자료 ③ 헌법에 규정된 대통령의 권한

제73조 대통령은 조약을 체결·비준하고, 외교 사절을 신임·접수 또는 파견하며, 선전 포고와 강화를 한다. — 조약 체결·비준권(국가 원수로서의 권한)

제74조 ① 대통령은 헌법과 법률이 정하는 바에 의하여 국군을 통수한다. — 국군 통수권(행정부 수반으로서의 권한)

제75조 대통령은 법률에서 구체적으로 범위를 정하여 위임받은 사항과 법률을 집행하기 위하여 필요한 사항에 관하여 대통령령을 발할 수 있다. — 대통령령 발포권(행정부 수반으로서의 권한)

제86조 ① 국무총리는 국회의 동의를 얻어 대통령이 임명한다. — 국무총리 임명권(국가 원수로서의 권한)

대통령은 행정부 수반으로서 대통령령을 발포하고, 국군을 통수하는 등의 권한을 가진다. 또한 대통령은 국가 원수로서 내외적으로 우리나라를 대표하여 외교에 관한 권한을 행사하며, 헌법 기관의 구성원을 임명한다. 이러한 대통령의 권한 행사를 신중히 하기 위해 모든 국법상 행위는 문서로써 하며, 이 문서에는 국무총리와 관계 국무 위원의 부서를 받도록 하고 있다. — 꼭! 대통령이 주요 권한을 행사할 때 사전에 국무 회의의 심의를 거치도록 하는 것도 대통령의 신중한 권한 행사를 위한 통제 장치야.

---

### 자료 하나 더 알고 가자!

**헌법 개정 절차**

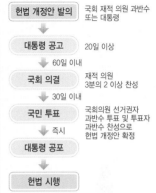

| 헌법 개정안 발의 | 국회 재적 의원 과반수 또는 대통령 |
| 대통령 공고 | 20일 이상 |
| 60일 이내 |
| 국회 의결 | 재적 의원 3분의 2 이상 찬성 |
| 30일 이내 |
| 국민 투표 | 국회의원 선거권자 과반수 투표 및 투표자 과반수 찬성으로 헌법 개정안 확정 |
| 즉시 |
| 대통령 공포 |
| 헌법 시행 |

헌법 개정은 국회 재적 의원 과반수 또는 대통령의 발의로 제안된다. 제안된 헌법 개정안은 국회 재적 의원 3분의 2 이상의 찬성으로 의결되며, 국민 투표로 최종 확정된다.

### 정리 비법을 알려줄게!

**국회의 회의 원칙**

| 회의 공개의 원칙 | 회의는 공개하는 것이 원칙임 |
|---|---|
| 회기 계속의 원칙 | 한 회기 중에 의결하지 못한 안건은 다음 회기에 계속해서 심의하여야 함 |
| 일사부재의 원칙 | 한번 부결된 안건은 같은 회기 중에 다시 발의·제출되지 못함 |

### 문제로 확인할까?

대통령의 권한 중 국가 원수로서의 권한으로 적절하지 않은 것은?

① 국군 통수권
② 조약 체결·비준권
③ 법률안 공포 및 거부권
④ 감사원장 및 감사 위원 임명권
⑤ 긴급 재정·경제 명령 및 처분권

① 답

★ 국무 위원

15인 이상 30인 이하로 구성되는 국무 회의의 구성원으로서 국무총리의 제청으로 대통령이 임명한다.

국무 회의의 심의 내용이 대통령의 판단과 집행을 구속하는 것은 아니야.

꼭! 감사원은 조직상으로는 대통령에 소속되어 있지만 업무상으로는 독립된 헌법 기관이야.

### 2. 행정부의 주요 조직 자료④

| 국무총리 | 대통령을 보좌하며 행정에 관하여 대통령의 명을 받아 행정 각부를 통할함 → 국회의 동의를 얻어 대통령이 임명함 |
|---|---|
| 국무 회의 | 행정부의 중요 정책을 심의하는 행정부 내 최고 심의 기관 → 의장(대통령), 부의장(국무총리), 일정 수의 *국무 위원으로 구성됨 |
| 행정 각부 | 구체적인 행정 사무를 시행함 → 행정 각부의 장(장관)은 국무 위원 중에서 국무총리의 제청을 받아 대통령이 임명함 |
| 감사원 | 국가 세입·세출의 결산 검사, 국가 및 법률에서 정한 단체의 회계 감사, 행정 기관 및 공무원의 직무에 관한 감찰을 하는 행정부 내 최고 감사 기관 |

---

이것이 **핵심!**

**법원과 헌법 재판소**

| 법원 | • 사법권의 독립: 법원의 독립, 법관의 독립<br>• 심급 제도: 급을 달리하는 법원에서 여러 번 재판을 받을 수 있도록 하는 제도 |
|---|---|
| 헌법 재판소 | • 구성: 법관의 자격을 가진 9인의 재판관<br>• 권한: 위헌 법률 심판, 헌법 소원 심판, 탄핵 심판, 위헌 정당 해산 심판, 권한 쟁의 심판 |

★ 우리나라 법원의 조직

대법원 아래에는 고등 법원이, 고등 법원 아래에는 지방 법원이 설치되어 있다. 이밖에도 전문적 영역의 사건을 다루는 특수 법원으로 가정 법원, 행정 법원, 특허 법원 등이 있다.

★ 헌법 소원 심판의 종류

| 권리 구제형 헌법 소원 | 공권력의 행사 또는 불행사로 인하여 헌법상 보장된 기본권을 침해받은 국민이 제기하는 헌법 소원 |
|---|---|
| 위헌 심사형 헌법 소원 | 재판 당사자가 법원에 위헌 법률 심판 제청을 하였으나 기각되었을 때 제청 신청을 한 당사자가 직접 제기하는 헌법 소원 |

---

## 3 법원과 헌법 재판소

### 1. 법원

(1) **사법권**: 공적 및 사적 영역에서 발생하는 분쟁이나 사건에 법을 적용하여 옳고 그름이나 권리관계 등을 판단하는 권한 → 법원에 속하며, 헌법 재판소에도 일부 권한이 부여됨

(2) **사법권의 독립**: 법원의 독립, 법관의 신분상 독립, 법관의 재판상 독립 → 공정한 재판을 실현함으로써 국민의 기본권을 보장하는 것을 목적으로 함 교과서 자료

(3) **법원의 조직**: 대법원과 각급 법원으로 조직됨 ┌─ 임기는 6년이고, 국회의 동의를 얻어 대통령이 임명해.

| 대법원 | • 사법부 최고 기관으로서 대법원장과 대법관으로 구성됨<br>• 민사, 형사, 행정, 특허 및 가사 사건에 대한 최종 재판, 위헌·위법 명령 및 규칙·처분에 대한 최종 심사, 대통령 및 국회 의원에 대한 선거 소송 재판 등 |
|---|---|
| 고등 법원 | 지방 법원의 판결·심판·결정·명령에 대한 상소 사건 심판 |
| 지방 법원 | 민사, 형사 사건에 대한 1심 심판 및 지방 법원 단독 판사의 판결·결정에 대한 상소 사건 심판 |

(4) **심급 제도**: 하급 법원의 판결이나 결정·명령에 불복하는 경우 상소하여 상급 법원에서 재판을 받을 수 있도록 하는 제도 → 원칙적으로 3심제로 운영됨 자료⑤

| 항소 | 1심 법원의 판결에 불복하여 2심 법원에 재판을 청구하는 것 |
|---|---|
| 상고 | 2심 법원의 판결에 불복하여 대법원에 재판을 청구하는 것 |
| 항고 | 1심 법원의 결정·명령에 불복하여 2심 법원에 재판을 청구하는 것 |
| 재항고 | 2심 법원의 결정·명령에 불복하여 대법원에 재판을 청구하는 것 |

### 2. 헌법 재판소

┌─ 꼭! 3명은 국회가 선출하고, 대통령과 대법원장이 각각 3명씩 지명해.

(1) **헌법 재판소의 역할**: 헌법 관련 심판 담당 기관 → 헌법을 수호하고 국민의 기본권을 보장함

(2) **헌법 재판소의 구성**: 법관의 자격을 가진 9명의 재판관을 대통령이 임명함

(3) **헌법 재판소의 권한** ┌─ 꼭! 법원은 직권 또는 재판 당사자의 신청에 의한 결정으로 헌법 재판소에 위헌 여부 심판을 제청할 수 있어.

| 위헌 법률 심판 | 법원의 제청에 따라 재판의 전제가 되는 법률이 헌법에 위반되는지를 판단하는 심판 |
|---|---|
| *헌법 소원 심판 | 헌법에 보장된 국민의 기본권이 공권력에 의하여 침해되었을 때 이를 구제하기 위한 심판 |
| 탄핵 심판 | 국회에서 탄핵 소추된 고위직 공무원의 파면 여부를 심사하는 심판 |
| 위헌 정당 해산 심판 | 정부의 제소에 따라 정당의 목적이나 활동이 민주적 기본 질서에 어긋나는지를 판단하여 정당의 해산을 결정하는 심판 |
| 권한 쟁의 심판 | 국가 기관 및 지방 자치 단체 간의 권한과 의무에 대한 다툼을 심판 |

(4) **헌법 재판소의 운영**: 심판 청구가 적법하지 않으면 각하 결정을 하고, 심판 청구가 적법하면 본안 판단을 하여 종국 결정을 함

┌─ 헌법 재판소가 위헌 결정을 내릴 경우 해당 법률은 효력을 상실해.

└─ 법률의 위헌 결정, 탄핵의 결정, 정당 해산의 결정, 헌법 소원 심판의 인용 결정은 재판관 9인 중 6인 이상의 찬성이 필요하며, 한편 권한 쟁의 심판은 과반수 찬성으로 인용을 결정해.

완자 자료 탐구     내 옆의 선생님

(\*2018년 12월 기준)

행정부는 국회가 제정한 법률을 집행하고, 국가의 목적이나 공익을 실현하기 위해 다양한 정책을 수립하여 시행하는 기관으로, 현대 복지 국가의 등장 이후 그 역할이 점차 커지고 있다. 우리나라의 행정부는 대통령을 수반으로 하여 국무총리, 국무 회의, 행정 각부, 감사원 등의 기관으로 구성된다.

자료 하나 더 알고 가자!

**행정 국가화 현상**

오늘날 각종 사회 문제의 해결에 국가 권력의 적극적 개입이 증가하면서 입법권·사법권에 비해 행정권이 크게 강화되는 행정 국가화 현상이 나타나고 있다. 행정 국가화 현상의 심화는 삼권 분립에 따른 견제와 균형을 깨뜨리고, 국민 주권주의의 원칙을 훼손할 우려가 있다.

행정 국가화 현상으로 인한 문제점을 해결하기 위해서는 의회의 기능과 역할을 강화하고 행정부에 대한 직접적인 감시 및 통제를 강화하는 등의 노력이 필요하다.
  예 국회 입법 조사처 신설, 전문 위원 제도 도입 등

**수능이 보이는 교과서 자료 우리나라 국가 기관 간의 견제와 균형**

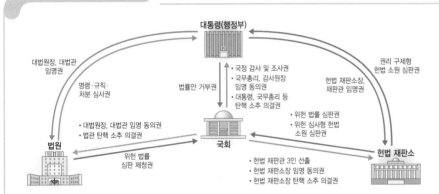

우리나라의 국가 권력은 법을 만드는 입법부와 법을 집행하는 행정부, 법을 적용하는 사법부에 분립되어 있으며, 이들 국가 기관 간에는 상호 견제를 위한 장치가 마련되어 있다. 이러한 상호 견제 장치는 개별 국가 기관의 자의적인 권한 행사 또는 권력 남용을 방지함으로써 권력 분립의 원리를 실현하고 국민의 자유와 권리 보장에 기여한다.

**완자샘의 탐구 강의**

• 우리나라 대통령이 다른 국가 기관을 견제할 수 있는 수단을 정리해 보자.

| 국회 | 법률안 거부권 |
|---|---|
| 법원 | 대법원장, 대법관 임명권 |
| 헌법 재판소 | 헌법 재판소장, 재판관 임명권 |

함께 보기 63쪽, 내신 만점 공략하기 12

자료 5 심급 제도

↑ 민사·형사 사건의 심급 제도

우리나라는 원칙적으로 3심제를 채택하고 있다. 이에 따라 하급 법원의 판결에 불복할 경우에는 항소와 상고를 할 수 있고, 하급 법원의 결정·명령에 불복하는 경우에는 항고와 재항고를 할 수 있다. 심급 제도는 법관이 잘못된 판결을 내릴 가능성을 최소화하고 공정한 재판을 실현하여 국민의 기본권을 보장하는 것을 목적으로 한다.
  꼭! 법원은 공정한 재판을 실현하기 위해 심급 제도 외에도 공개 재판주의, 증거 재판주의 등의 원칙을 채택하고 있어.

자료 하나 더 알고 가자!

**사법권의 독립과 관련된 헌법 조항**

제101조 ① 사법권은 법관으로 구성된 법원에 속한다. — 법원의 독립
제101조 ③ 법관의 자격은 법률로 정한다. — 법관의 신분상 독립
제103조 법관은 헌법과 법률에 의하여 그 양심에 따라 독립하여 심판한다. — 법관의 재판상 독립
제106조 ① 법관은 탄핵 또는 금고 이상의 형의 선고에 의하지 아니하고는 파면되지 아니하며, ……. — 법관의 신분상 독립

## STEP 1 핵심 개념 확인하기

**1** ㉠, ㉡에 들어갈 용어를 각각 쓰시오.

> 국회는 국민이 직접 선출한 대표들로 구성된 국민의 대표 기관
> 이자 법률을 제정·개정하는 (㉠      ) 기관이다. 또한 국정
> 을 감시하고 견제하는 (㉡      ) 기관의 지위를 가진다.

**2** 다음 빈칸에 들어갈 내용을 쓰시오.

(1) 국회의 위원회는 (      )에서 심의할 안건을 미리 조
사하여 심의하는 기관이다.

(2) (      )는 20인 이상의 국회 의원으로 구성되며, 국
회 의사 진행에 필요한 중요한 안건을 협의한다.

**3** 대통령의 지위에 따른 권한을 〈보기〉에서 골라 기호를 쓰시오.

> **보기**
> ㄱ. 국군 통수         ㄴ. 국무총리 임명
> ㄷ. 대통령령 발포     ㄹ. 외국과 조약 체결

(1) 국가 원수로서의 권한 (      )

(2) 행정부 수반으로서의 권한 (      )

**4** 다음 설명이 맞으면 ○표, 틀리면 ×표를 하시오.

(1) 우리나라 대통령의 임기는 5년이고, 중임할 수 있다.
(      )

(2) 감사원은 업무상 독립된 행정부의 최고 감사 기관이다.
(      )

(3) 국무 회의의 의장은 대통령, 부의장은 국무총리가 맡는다.
(      )

**5** 다음 괄호 안의 내용 중 알맞은 말에 ○표를 하시오.

(1) 우리나라는 원칙적으로 (2심제, 3심제)를 채택하고 있다.

(2) 헌법 재판소장은 (국회, 대법원)의 동의를 얻어 대통령이
임명한다.

(3) 1심 법원의 판결에 불복하여 2심 재판을 청구하는 것을
(상고, 항소)라고 한다.

(4) 국민의 기본권이 공권력에 의하여 침해되었을 때, 이를 구
제하기 위한 심판은 (위헌 법률, 헌법 소원) 심판이다.

## STEP 2 내신 만점 공략하기

**01** 밑줄 친 ㉠~㉣에 대한 설명으로 옳지 않은 것은?

> 국회는 국민의 대표 기관으로서, 국민의 선거로 선출된
> 200인 이상의 ㉠ 국회 의원으로 구성된다. 국회는 각종
> ㉡ 위원회와 ㉢ 교섭 단체를 운영하고 있다. 국회의 의사
> 를 최종적으로 결정하는 곳은 ㉣ 본회의이며, 여기서는
> 표결을 통해 법률안과 예산안 등을 결정한다.

① ㉠은 면책 특권과 불체포 특권을 가진다.
② ㉡은 국회의 효율적인 운영을 위해 구성된 조직이다.
③ ㉢은 국회 의원 20인 이상으로 구성되는 단체이다.
④ ㉣에서 한번 부결된 안건은 같은 회기 중에 다시 발의
될 수 없다.
⑤ ㉣의 의결은 일반적으로 재적 의원 과반수의 출석과 출석
의원 3분의 2 이상의 찬성으로 한다.

**02** (가), (나) 사례와 관련된 국회의 권한에 대한 옳은 설명
을 〈보기〉에서 고른 것은?

> (가) 국회는 대법원장 후보자 ○○○의 임명 동의안에 대
> 한 무기명 투표를 실시하였다.
> (나) 국회는 가습기 살균제 사고의 진상을 규명하고 피해
> 를 구제하며 재발 방지 대책을 마련하고자 국정 조사
> 를 실시하였다.

> **보기**
> ㄱ. (가)를 통해 국회가 사법부보다 우위에 있음을 알 수
> 있다.
> ㄴ. (가)는 국회가 국가 기관 구성 과정에 참여할 수 있음
> 을 보여 준다.
> ㄷ. (나)는 국회의 입법에 관한 권한에 해당한다.
> ㄹ. (나)는 국회가 행정부를 견제하는 장치에 해당한다.

① ㄱ, ㄴ     ② ㄱ, ㄷ     ③ ㄴ, ㄷ
④ ㄴ, ㄹ     ⑤ ㄷ, ㄹ

**03** (가)~(라)는 학교 안전법 개정 절차를 나타낸 것이다. 이에 대한 설명으로 옳지 <u>않은</u> 것은?

(가) 학교 안전법 개정안이 공포되었다.
(나) 국회에서 학교 안전법 개정안이 발의되었다.
(다) 학교 안전법 개정안이 본회의에서 가결되었다.
(라) 소관 상임 위원회에서 학교 안전법 개정안을 심의하였다.

① (가)의 권한은 대통령에게 있다.
② (나)는 국회 의원 5인 이상의 요구로 할 수 있다.
③ (다)를 위해서는 재적 의원 과반수 출석과 출석 의원 과반수의 찬성이 필요하다.
④ 국회 의장은 (라) 과정을 거치지 않은 안건을 본회의에 상정할 수 있는 권한을 가진다.
⑤ 법률안 개정 절차 순서는 '(나)-(라)-(다)-(가)'이다.

**04** 다음은 우리나라 대통령의 주요 업무 일정을 가상으로 나타낸 것이다. 밑줄 친 ㉠~㉤에 대한 설명으로 옳은 것은?

| | 우리나라 대통령의 주요 업무 |
|---|---|
| 월 | ㉠ 국무 회의 참석 |
| 화 | ㉡ 법률안 거부권 행사 |
| 수 | ㉢ 국무총리 임명장 수여 |
| 목 | ㉣ 군 장성 진급 및 보직 신고 |
| 금 | ㉤ A국과의 자유 무역 협정 체결 |

① ㉠은 행정부의 최고 의결 기관이다.
② 대통령은 ㉡을 통해 법원을 견제할 수 있다.
③ ㉢은 행정부의 2인자로, 행정 각부를 통할한다.
④ ㉣은 대통령의 국가 원수로서의 권한에 해당한다.
⑤ ㉤과 같은 행위는 국무총리와 관계 국무 위원의 부서를 필요로 하지 않는다.

**05** ㉠에 해당하는 권한을 옳게 말한 학생은?

• 교사: 우리나라의 대통령은 ( ㉠ )(으)로서 행정에 관한 최종적인 책임을 집니다. 또한 국가 원수로서 대외적으로 국가를 대표하고 보전하며, 헌법을 수호할 책임도 있어요. ( ㉠ )에 해당하는 권한을 발표해 볼까요?

① 갑: 공무원을 임명하고 해임할 수 있습니다.
② 을: 헌법 재판소장에 대한 임명권을 가집니다.
③ 병: 외교 사절을 임명하고 파견할 수 있습니다.
④ 정: 국회가 의결한 법률안에 대해 거부권을 행사할 수 있습니다.
⑤ 무: 중대한 국가 위기 등이 발생할 경우 긴급 명령권을 발포할 수 있습니다.

**06** ㉠에 들어갈 기관에 대한 옳은 설명을 〈보기〉에서 고른 것은?

회계 검사는 국가, 지방 자치 단체, 정부 투자 기관 등의 회계를 검사하여 그 집행이 적정하도록 하는 것이다. 그 대상은 ( ㉠ )에서 반드시 검사하여야 하는 사항으로서, 국가 및 지방 자치 단체 등 38,700여 개 기관의 회계 업무가 이에 해당한다.

보기
ㄱ. 행정부의 주요 정책을 심의하는 헌법 기관이다.
ㄴ. 행정권의 남용과 부패를 견제하기 위한 기구이다.
ㄷ. 대통령 직속 기구로 행정 기관 및 공무원의 직무에 관한 감찰을 한다.
ㄹ. 국가 기관이 국민의 기본권을 부당하게 침해하였는지 여부를 심판한다.

① ㄱ, ㄴ  ② ㄱ, ㄷ  ③ ㄴ, ㄷ
④ ㄴ, ㄹ  ⑤ ㄷ, ㄹ

**07** 다음 헌법 조항들을 규정하고 있는 목적으로 가장 적절한 것은?

> 제101조 ③ 법관의 자격은 법률로 정한다.
> 제103조 법관은 헌법과 법률에 의하여 그 양심에 따라 독립하여 심판한다.
> 제106조 ① 법관은 탄핵 또는 금고 이상의 형의 선고에 의하지 아니하고는 파면되지 아니하며, …….

① 법관의 역할 제한
② 재판 진행의 효율성 향상
③ 대의 민주주의의 한계 극복
④ 공정하고 정당한 재판 실현
⑤ 법원의 입법에 관한 권한 보장

**08** 그림은 우리나라의 심급 제도를 나타낸 것이다. 이에 대한 옳은 설명을 〈보기〉에서 고른 것은?

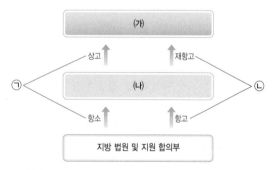

> **보기**
> ㄱ. ⑤은 결정·명령, ⑥은 판결에 대한 이의 제기이다.
> ㄴ. (가)는 대통령이 임명한 대법원장과 대법관으로 구성된다.
> ㄷ. (나)는 헌법에 보장된 국민의 기본권이 침해당했을 때 이를 구제하기 위한 심판을 담당한다.
> ㄹ. (가)는 (나)와 달리 위헌·위법 명령 및 규칙·처분에 대한 최종 심사권을 가진나.

① ㄱ, ㄴ      ② ㄱ, ㄷ      ③ ㄴ, ㄷ
④ ㄴ, ㄹ      ⑤ ㄷ, ㄹ

**09** ⑤, ⑥에 해당하는 헌법 기관을 옳게 연결한 것은?

> • 대법관은 ( ⑤ )의 제청으로 ( ⑥ )의 동의를 얻어 대통령이 임명한다.
> • 헌법 재판소는 9인의 재판관으로 구성된다. 이때 재판관은 대통령이 임명하되, 3인은 ( ⑥ )이/가 선출하는 자를, 3인은 대통령, 3인은 ( ⑤ )이 지명하는 자를 임명한다.

|   | ⑤ | ⑥ |
|---|---|---|
| ① | 대법원장 | 국회 |
| ② | 대법원장 | 국무총리 |
| ③ | 대법원장 | 감사원장 |
| ④ | 헌법 재판소장 | 국회 |
| ⑤ | 헌법 재판소장 | 국무총리 |

**10** 다음 사례에 대한 옳은 설명만을 〈보기〉에서 있는 대로 고른 것은?

> 「학교 보건법」 제○○조 위반 혐의로 기소되어 △△ 지방 법원에서 재판을 받던 갑은 관련 조항이 자신의 기본권을 침해한다고 보고 ⑤ △△ 지방 법원에 위헌 법률 심판 제청 신청을 하였고, 법원은 갑의 신청을 받아들여 헌법 재판소에 위헌 법률 심판 제청을 하였다. 이에 대해 헌법 재판소는 관련 조항이 ⑥ 헌법에 위반된다는 결정을 내렸다.

> **보기**
> ㄱ. ⑤이 없으면 법원은 직권으로 위헌 법률 심판 제청을 할 수 없다.
> ㄴ. ⑥은 헌법 재판소 재판관 9인 중 6인 이상의 찬성이 필요하다.
> ㄷ. 헌법 재판소의 위헌 결정으로 해당 법률 조항은 효력을 상실한다.
> ㄹ. 법원이 갑의 신청을 받아주지 않았다면, 갑은 해당 법률 조항에 대해서 이의를 제기할 수 있는 방법이 없다.

① ㄱ, ㄹ      ② ㄴ, ㄷ      ③ ㄷ, ㄹ
④ ㄱ, ㄴ, ㄷ      ⑤ ㄱ, ㄴ, ㄹ

**11** ㉠, ㉡에 들어갈 국가 기관에 대한 설명으로 옳은 것은?

- 갑은 항소심 판결에 불복하여 상고했지만 ( ㉠ )은 이를 기각하고 갑에게 징역 10년 형을 확정하였다.
- 을은 마음껏 다리를 뻗기 어려울 정도로 구치소에 많은 사람을 수용한 행위가 인간의 존엄과 가치를 침해한 행위라며 ( ㉡ )에 헌법 소원 심판을 제기하였다.

① ㉠은 탄핵 심판권을 가진다.
② ㉡은 사법부의 최고 기관이다.
③ ㉡은 대통령 선거 소송을 담당한다.
④ ㉡은 ㉠에 위헌 법률 심판 제청권을 행사할 수 있다.
⑤ ㉠과 ㉡의 장(長)은 모두 대통령이 국회의 동의를 얻어 임명한다.

**12** 그림은 우리나라 국가 기관 간의 관계를 나타낸 것이다. 이에 대한 설명으로 옳은 것은?(단, A~C는 각각 입법부, 행정부, 사법부 중 하나이다.)

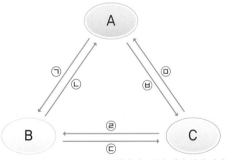

*화살표는 국가 기관 간의 견제 방향을 나타낸다.

① A가 입법부이고, B가 행정부이면, ㉡은 탄핵 소추 의결권이 될 수 있다.
② B가 입법부이고, C가 사법부이면, ㉢은 위헌 법률 심판 제청권이 될 수 있다.
③ C가 행정부이고, A가 사법부이면, ㉤은 대법원장 임명권이 될 수 있다.
④ ㉣이 명령·규칙·처분 심사권이면, ㉠에는 법률안 거부권이 들어갈 수 있다.
⑤ ㉤이 국정 감사·조사권이면, B는 행정부이다.

**01** 다음 글을 읽고 물음에 답하시오.

우리 정부는 개발 도상국에 대한 인도적 목적의 식량 지원과 공급 과잉에 처한 국내 쌀 수급 문제의 개선을 위해 식량 원조 협약(FAC) 가입을 추진 중이다. 식량 원조 협약 가입안은 최근 국무 회의에서 의결되었으며, 향후 ( ㉠ )의 비준 동의 절차를 거쳐 국내 절차가 마무리될 예정이다.

(1) ㉠에 해당하는 우리나라의 국가 기관을 쓰시오.

(2) (1)이 가지는 국정 통제에 관한 권한을 두 가지 이상 서술하시오.

**02** 다음 글을 읽고 물음에 답하시오.

우리나라의 법원은 심급 제도를 두어 당해 재판에 불복하여 상소하는 당사자에게 다시 재판받을 기회를 부여한다. 1심 법원의 판결에 불복하여 2심 법원에 재판을 청구하는 것을 ( ㉠ ), 2심 법원의 판결에 불복하여 대법원에 재판을 청구하는 것을 ( ㉡ )라고 한다.

(1) ㉠, ㉡에 해당되는 용어를 각각 쓰시오.

(2) 위와 같은 제도를 채택하고 있는 궁극적인 목적을 서술하시오.

**1** (가), (나)의 절차에 대한 설명으로 옳지 <u>않은</u> 것은?

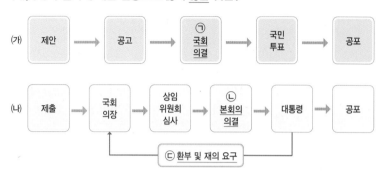

① ㉠과 달리 ㉡을 위해서는 재적 의원 과반수의 출석과 출석 의원 과반수의 찬성이 필요하다.

② ㉢의 경우 국회에서 재의결한 법률안에 대해 대통령은 거부권을 행사할 수 있다.

③ (가)에서 공고와 공포는 모두 대통령에 의해 이루어진다.

④ (가)는 헌법 개정 절차, (나)는 법률 제정·개정 절차에 해당한다.

⑤ (가)에서 제안은 국회 재적 의원 과반수로 할 수 있으며, (나)에서 제출은 국회 의원 10인 이상의 찬성으로 할 수 있다.

> 국회의 입법 과정

> **완자샘의 시험 꿀팁**
> 헌법 개정 절차와 법률 제정·개정 절차를 비교하는 문제가 자주 출제된다.

**2** 다음 사례에 대한 옳은 분석만을 〈보기〉에서 있는 대로 고른 것은?

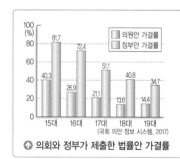

↑ 의회와 정부가 제출한 법률안 가결률

오늘날 각종 사회 문제의 해결에 국가 권력이 적극적으로 개입하며 입법부, 사법부에 비해 행정부의 기능이 상대적으로 강화되는 현상이 나타나고 있다. 정부 제출에 의한 입법이 늘어나고, 국회가 제출한 법률 중 의결·통과된 법률은 상대적으로 줄어들고 있는 것도 이러한 현상의 하나로 볼 수 있다.

> 행정 국가화 현상

> **완자 사전**
> • **국회 입법 조사처**
> 국회의 입법 역량과 전문성을 강화하기 위하여 국회 내에 설립된 독립적인 입법 조사·연구 기관

보기
ㄱ. 우리나라의 정부 형태에 의원 내각제 요소가 있음을 알 수 있다.
ㄴ. 권력 분립의 원리가 엄격하게 실현되고 있음을 나타나는 사례이다.
ㄷ. 국회 입법 조사처를 신설하는 등 의원의 전문성을 제고하려는 노력이 필요하다.
ㄹ. 이러한 현상이 심화될 경우 내의제 원리가 실현되지 못한다는 비판이 세기될 수 있다.

① ㄱ, ㄴ        ② ㄱ, ㄷ        ③ ㄴ, ㄹ
④ ㄱ, ㄷ, ㄹ     ⑤ ㄴ, ㄷ, ㄹ

**3** (가), (나)에 대한 옳은 분석을 〈보기〉에서 고른 것은?

법원과 헌법 재판소

**(가)**

🖊 • 사건: 2010가합 □□□
• 원고: 출입국 관리소
• 피고: 갑

위 사건에 관하여 피고는 아래와 같이 위헌 법률 심판 제청을 신청합니다.

**신청 취지**

출입국 관리법 제○조가 헌법에 위반된다.

**신청 이유**

… 위헌이라고 판단되므로 …(중략)… 제청해 주실 것을 신청하기에 이르렀습니다.

**(나)**

🖊 • 청구인: 을
• 대리인: 병

**청구 취지**

"청원 경찰법 제△△조는 헌법에 위반된다."라는 결정을 구합니다.

**당해 사건**

서울 고등 법원 2014구○○○호
피고인: 을

**위헌이라고 해석되는 법률 조항**

청원 경찰법 제△△조

> **보기**
> ㄱ. (가)는 국가 기관 상호 간의 권한 다툼을 해결하고자 하는 것이다.
> ㄴ. 을이 청구한 (나)는 권리 구제형 헌법 소원에 해당한다.
> ㄷ. (가)의 신청은 법원에, (나)의 신청은 헌법 재판소에 해야 한다.
> ㄹ. (가)의 신청이 기각될 경우 갑은 (나)와 같은 유형의 심판을 청구할 수 있다.

① ㄱ, ㄴ
② ㄱ, ㄷ
③ ㄴ, ㄷ
④ ㄴ, ㄹ
⑤ ㄷ, ㄹ

완자쌤의 시험 꿀팁

위헌 법률 심판 제청 신청과 헌법 소원 청구의 신청 주체 및 신청 기관 등을 묻는 문제가 출제된다.

**완자 사전**

• 원고
손해를 입었다고 주장하면서 소를 제기한 사람

• 피고
원고의 주장에 의해 소송을 당한 사람

---

**수능 응용**

**4** 우리나라의 헌법 기관 ㉠~㉣에 대한 설명으로 옳은 것은?

우리나라의 국가 기관

> • ( ㉠ )은/는 상고심 관할권과 대통령, 국회 의원 선거 소송에 대한 재판권을 가진다.
> • ( ㉡ )은/는 행정부의 수반을 의장으로 하여 국정의 기본 계획, 중요한 대외 정책, 정부 제출 법률안 등을 심의한다.
> • ( ㉢ )은/는 법률이 정한 공무원이 그 직무 집행에 있어서 헌법이나 법률을 위배한 때에는 탄핵의 소추를 의결할 수 있다.
> • ( ㉣ )은/는 국가의 세입·세출의 결산 검사, 국가 및 법률이 정한 단체의 회계 검사와 행정 기관 및 공무원의 직무에 관한 감찰을 하는 기관이다.

① ㉠은 명령·규칙이 헌법이나 법률에 위반되는지 여부가 재판의 전제가 된 경우 이에 대한 최종 심사권을 가진다.
② ㉡은 대통령의 가중 권한 행사에 대한 동의·승인권을 가진다.
③ ㉢은 민주적 기본 질서에 위배되는 정당의 해산을 헌법 재판소에 제소할 수 있다.
④ ㉣은 예산안 결산 등 정부의 중요 정책을 심의하는 행정부 최고 심의 기관이다.
⑤ ㉠, ㉢의 장(長)은 대통령이 임명하며, ㉡, ㉣의 장(長)은 국민이 직접 선출한다.

# 03 지방 자치

학습목표
· 지방 자치의 의미와 의의를 이해할 수 있다.
· 우리나라 지방 자치의 현실과 과제를 탐구할 수 있다.

## 이것이 핵심!

**지방 자치의 의미와 의의**

| 의미 | 일정한 지역의 주민이 자치 단체를 구성하여 해당 지역의 사무를 자율적으로 처리하는 제도 |
|---|---|
| 의의 | · 지역 주민의 정치 의식과 책임 의식 고양 → 풀뿌리 민주주의 실현<br>· 정치권력 분산 → 중앙 정부와 지방 정부 간 수직적 권력 분립 실현 |

★ **풀뿌리 민주주의**
평범한 시민들이 지역 기반의 의사 결정 과정을 거쳐 지역 공동체의 운영과 생활의 변화에 참여하는 민주주의의 한 형태

★ **조례와 규칙**

| 조례 | 지방 자치 단체가 특정 사무에 관하여 법령의 범위 내에서 지방 의회의 의결을 거쳐 제정한 법규 |
|---|---|
| 규칙 | 지방 자치 단체의 장이 그 권한에 속하는 사항에 관하여 법령 또는 조례가 위임한 범위 내에서 정하는 법 규범 |

## ① 지방 자치

### 1. 지방 자치의 의미와 의의

(1) **지방 자치**: 일정한 지역의 주민이 자치 단체를 구성하여 해당 지역의 사무를 자율적으로 처리하는 제도

| 단체 자치 | 지방 자치 단체가 중앙 정부로부터 자치권을 인정받아 스스로 지역 사무를 처리하는 지방 자치 |
|---|---|
| 주민 자치 | 지역 주민들이 해당 지역의 문제에 관한 정책을 스스로 결정하고 집행하는 지방 자치 |

(2) **지방 자치의 의의**

① 지역 주민이 지역 문제를 자주적으로 해결하는 과정에서 민주주의의 경험을 쌓고 정치 의식과 책임 의식을 고양할 수 있음 → *풀뿌리 민주주의 실현

② 정치권력이 중앙 정부에 집중되는 것을 막고 이를 각 지방에 분산함 → 중앙 정부와 지방 정부 간 수직적 권력 분립 실현 <sub>VS</sub> 국가 기관을 입법, 사법, 행정으로 나누어 권한을 부여하는 것은 수평적 권력 분립이라고 해.

### 2. 우리나라의 지방 자치 단체 〔교과서 자료〕

(1) **지방 자치 단체의 종류**: 광역 자치 단체, 기초 자치 단체
　　　　　　　　　　　　　　　　예) 특별시, 광역시, 특별자치시,　　　예) 시, 군, 구
　　　　　　　　　　　　　　　　　　도, 특별자치도

(2) **지방 자치 단체의 구성**

| 지방 의회 | 지방 자치 단체장 |
|---|---|
| · 주민의 대표 기관이자 지역 내 최고 의사 결정 기관<br>· *조례 제정 및 개폐, 지방 예산의 심의·확정 등<br>· 지방 행정 사무에 대한 감사 및 조사 → 집행 기관에 대한 견제 및 감시 권한 | · 지역 내 행정 사무를 총괄하는 집행 기관<br>· *규칙 제정, 지역의 행정 사무 처리 등<br>· 지방 의회의 의결에 대해 재의 요구권 행사 → 지방 의회를 견제할 수 있는 권한 |

## 이것이 핵심!

**우리나라 지방 자치의 과제**

| 문제점 |
|---|
| 지방 자치 단체의 자율성 제약, 지역 주민의 적극적 참여 부족, 지역 이기주의 등 |

↓

| 발전 과제 |
|---|
| 지방 분권 강화, 주민 참여 활성화, 공동체 의식 함양 등 |

★ **조세의 종류**

| 국세 | 중앙 정부에서 걷는 세금<br>예) 소득세, 부가 가치세 등 |
|---|---|
| 지방세 | 지방 자치 단체가 걷는 세금<br>예) 주민세, 재산세, 자동차세 등 |

★ **재정 자립도**
지방 자치 단체가 필요한 자금을 자체적으로 조달하고 있는 정도를 나타내는 지표

## ② 우리나라 지방 자치의 현실과 과제

### 1. 우리나라 지방 자치의 현실: 1995년 본격적으로 지방 자치 시행, 행정적 분권 → 주민 참여를 확대하는 방향으로 변화

### 2. 우리나라의 주민 참여 제도 〔자료 ①〕

주민 소환 투표권자 총수의 3분의 1 이상 투표와 유효 투표 총수의 과반수 찬성으로 해임할 수 있어.

| 주민 투표 | 주민에게 중대한 영향을 미치는 지방 자치 단체의 중요 정책 등을 주민 투표로 결정하는 제도 |
|---|---|
| 주민 소환 | 선출직 지역 공직자의 직무 수행에 심각한 문제가 있을 때 주민 투표로 해임할 수 있는 제도 |
| 주민 조례 제정 및 개폐 청구 | 일정 수 이상의 주민이 정해진 요건을 갖춰 지방 자치 단체장에게 조례의 제정, 개정 및 폐지를 청구하는 제도 |

선거에 의해 선출된 지방 자치 단체장이나 지방 의회 의원이 이에 해당돼.

### 3. 우리나라 지방 자치의 문제점과 발전 과제 〔자료 ②〕

(1) **문제점**: 지방 자치 단체의 자율성 제약, 지역 주민의 적극적 참여 부족, 지역 이기주의 등

(2) **발전 과제**

| 지방 분권 강화 | *조세 제도를 개선하여 지방 자치 단체의 *재정 자립도를 높이고, 지역 정책을 자율적으로 수립하고 실행할 수 있도록 지방 의회 및 지방 자치 단체의 권한을 확대해야 함 |
|---|---|
| 주민 참여 활성화 | 주민 참여 방식을 다변화하여 주민들이 지방 정치에 적극적으로 참여하도록 함 |
| 공동체 의식 함양 | 국가와 지역 사회의 공동 이익을 추구하는 성숙한 공동체 의식을 함양해야 함 |

꼭! 우리나라는 지방 분권을 강화하는 특별법을 제정하고 지방 교부세와 같은 중앙 정부의 재정 지원을 강화하는 등의 노력을 하고 있어.

# 완자 자료 탐구

내 옆의 선생님

**수능이 보이는 교과서 자료** 우리나라 지방 자치 단체의 구성

| 구분 | 의결 기관 | 집행 기관 | |
|------|-----------|-----------|----------|
| | | 일반 업무 | 교육·학예 업무 |
| **광역 자치 단체** | 특별시, 광역시, 특별자치시, 도, 특별자치도 | 시·도 의회 | 시장·도지사 | 교육감 |
| **기초 자치 단체** | 시·군·구 (자치구) | 시·군·구 의회 | 시장·군수·구청장 | – |

⬆ 우리나라 지방 자치 단체의 종류

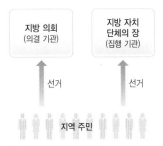

⬆ 지방 자치 단체의 구성

우리나라의 지방 자치 단체는 특별시, 광역시, 특별자치시, 도, 특별자치도와 같은 광역 자치 단체와 시, 군, 구와 같은 기초 자치 단체로 구분한다. 지방 자치 단체는 의결 기관인 지방 의회와 집행 기관인 지방 자치 단체의 장으로 구성되며, <u>지방 의회 의원과 지방 자치 단체의 장은 주민의 직접 선거를 통해 선출된다.</u>
┗ 임기는 4년이야.

**완자샘의 탐구 강의**

• 서울특별시 동대문구에 거주하는 주민이 지방 선거를 통해 선출할 수 있는 기관을 써 보자.
서울특별시 의회 의원, 서울특별시장, 서울특별시 교육감, 동대문구 의회 의원, 동대문 구청장을 선출할 수 있다.

**함께 보기** 71쪽, 1등급 정복하기 1

---

**자료 ①** 우리나라의 주민 참여 제도

우리나라는 주민 자치 제도의 하나로 주민들이 필요하다고 판단하는 내용을 포함한 조례를 만들거나, 변경하거나, 없애 달라고 지방 자치 단체의 장에게 청구할 수 있는 주민 조례 제정 및 개폐 청구 제도를 마련하고 있다. 여러 지방 자치 단체에서 농민 수당의 지급을 요구하는 조례를 발의한 것을 그 예로 들 수 있다.

우리나라는 지방 행정의 민주성과 책임성을 높이기 위해 다양한 주민 참여 제도를 두고 있다. 지역 주민은 주민 투표, 주민 소환, 주민 조례 제정 및 개폐 청구 등을 통해 지방 자치 행정에 직접 참여하여 <u>지방 정책의 방향을 결정함으로써 주민 자치를 실현할 수 있다.</u>
┗ 꼭! 주민 참여 제도 중 직접 민주 정치의 요소를 지닌 제도에 해당해.

**정리** 비법을 알려줄게!

다양한 주민 참여 제도

| | |
|---|---|
| 주민 참여 예산제 | 지방 자치 단체의 예산 편성 과정에 주민이 직접 참여하는 제도 |
| 주민 감사 청구 | 잘못된 행정으로 권리와 이익을 침해당한 주민이 직접 감사를 청구하는 제도 |
| 주민 소송 | 지방 자치 단체가 부당한 재정 활동을 한 경우 법원에 소송을 제기하는 제도 |
| 주민 청원 | 지방 자치 단체가 마련하기를 바라는 정책, 조치 등을 지방 의회에 문서로써 청원할 수 있는 제도 |

---

**자료 ②** 우리나라의 지방 재정 자립도와 주요국 지방세 비중

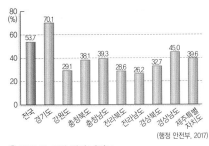

⬆ 전국 각 도별 재정 자립도

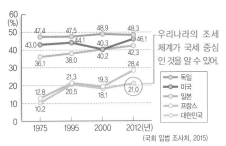

⬆ 주요국 지방세 비중 추이

우리나라는 지방 자치 단체의 재정 자립도가 낮고, 지역별로 그 차이가 크다. 이는 지방 자치 단체의 독립성과 자율성을 약화하고 지역 간 균형 발전을 저해하는 문제로 이어지기도 한다. 따라서 지방 자치의 발전을 위해서는 독일, 미국, 일본과 같이 지방세의 비중을 높이는 등 조세 제도를 개선할 필요가 있다.
┗ Q&? 대부분의 지방 자치 단체가 중앙 정부의 경제적 지원에 의존하기 때문이야.

**자료** 하나 더 알고 가자!

우리나라 선거별 투표율

낮은 지방 선거 투표율은 지방 자치에 대한 관심과 참여가 낮음을 나타낸다. 이러한 현상이 지속될 경우 지방 행정이 주민의 의사와 어긋나게 운용될 수 있다.
┗ Q&? 지방 자치 단체의 활동에 대한 지역 주민의 감시와 통제가 제대로 이루어지지 않기 때문이야.

## 핵심 개념 확인하기

**1 다음 괄호 안의 내용 중 알맞은 말에 ○표를 하시오.**

(1) 우리나라의 특별시, 광역시는 (광역, 기초) 자치 단체에 해당한다.

(2) 중앙 정부와 지방 정부의 권력 분립은 (수직적, 수평적) 권력 분립에 해당한다.

(3) 지방 자치 단체장은 지역의 사무 처리를 위한 (조례, 규칙) 을/를 제정할 수 있다.

**2 ㉠, ㉡에 들어갈 내용을 각각 쓰시오.**

> 지방 자치 단체의 기관에는 주민의 대표 기관이자 의사 결정 기관인 (㉠        )와/과 지역 내 행정 사무를 총괄하는 집행 기관인 (㉡        )이/가 있다.

**3 다음 설명에 해당하는 주민 참여 제도를 〈보기〉에서 골라 기호를 쓰시오.**

> **보기**
> ㄱ. 주민 소환　　　　ㄴ. 주민 청원
> ㄷ. 주민 투표　　　　ㄹ. 주민 참여 예산제

(1) 지방 자치 단체의 중요 정책 등을 주민 투표로 결정하는 제도 　　　　　　　　　　　　　　　( 　　)

(2) 지방 자치 단체의 예산 편성 과정에 주민이 직접 참여하는 제도 　　　　　　　　　　　　　　( 　　)

(3) 지방 자치 단체가 마련하기를 바라는 정책을 지방 의회에 문서로써 청원할 수 있는 제도 　　　　( 　　)

(4) 선출된 지역 공직자의 직무 수행에 심각한 문제가 있을 때 투표로 해임을 결정할 수 있는 제도 　　( 　　)

**4 다음 설명이 맞으면 ○표, 틀리면 ×표를 하시오.**

(1) 지방 재정 자립도를 높이기 위해서는 지방세의 비중을 낮추고 국세의 비중을 높여야 한다. 　　　( 　　)

(2) 지방 자치가 발전하기 위해서는 지방 정치에 대한 지역 주민의 적극적인 관심과 참여가 필요하다. ( 　　)

---

## 내신 만점 공략하기

**01 ㉠에 들어갈 개념에 대한 옳은 설명을 〈보기〉에서 고른 것은?**

> 일정한 지역을 기초로 하는 단체나 지역 주민이 해당 지역의 문제를 자신의 의사와 책임에 따라 자주적으로 처리하는 과정을 ( ㉠ )(이)라고 한다.

> **보기**
> ㄱ. 단체 자치와 주민 자치로 구분된다.
> ㄴ. 지역 주민의 주권 의식 향상에 기여한다.
> ㄷ. 국가 권력이 중앙 정부에 집중되는 데 기여한다.
> ㄹ. 각 지역의 독립성과 특수성을 반영하는 행정 사무를 축소한다.

① ㄱ, ㄴ　　　② ㄱ, ㄷ　　　③ ㄴ, ㄷ
④ ㄴ, ㄹ　　　⑤ ㄷ, ㄹ

**02 다음 글을 통해 알 수 있는 지방 자치의 의의로 가장 적절한 것은?** 중요

> 최근의 국가적 위기 속에서도 과거의 큰 정치적 혼란기와 달리 전국 대부분의 지역은 큰 문제 없이 돌아가고 있다. 오히려 상당수 자치 단체는 지역 안정 대책 기구를 만들고 지역 현안과 민생을 챙기는 모습을 보인다. 중앙 정부의 혼란이 지역 주민 삶의 불안과 위기로 번지지 않도록 민첩하게 대응하는 형국이다.
> － 박동훈, 「지방 자치는 중앙 정치의 방파제」, 「월간 지방 자치」

① 지방 자치는 지역 간 경제적 격차 완화에 기여한다.
② 중앙 정부와 지방 자치 단체는 상호 보완적인 역할을 한다.
③ 지방 자치를 통해 수직적 권력 분립의 원리를 실현할 수 있다.
④ 지방 자치의 확대로 지역별 정치 참여 기회의 격차가 확대되고 있다.
⑤ 지역 주민은 지방 자치에 참여함으로써 민주주의의 경험을 쌓을 수 있다.

## 03 ㉠, ㉡에 대한 옳은 설명을 〈보기〉에서 고른 것은?

우리나라의 지방 자치 단체는 급별에 따라 광역 지방 자치 단체인 특별시, 광역시, 특별자치시, 도, 특별자치도와 기초 지방 자치 단체인 시·군·구로 구분되며, 각 급별로 의결 기관인 ( ㉠ )와/과 집행 기관인 ( ㉡ )(으)로 구분된다.

┌ 보기 ┐
ㄱ. ㉠은 지방 행정 사무에 대한 감사 및 조사를 할 수 있는 권한을 가진다.
ㄴ. ㉡은 지역의 예산을 심의하고 확정할 수 있는 권한을 가진다.
ㄷ. ㉠은 ㉡과 달리 주민의 직접 선거에 의해 구성된다.
ㄹ. ㉡은 ㉠에서 의결된 사안에 대해 재의를 요구할 수 있다.

① ㄱ, ㄴ　　② ㄱ, ㄹ　　③ ㄴ, ㄷ
④ ㄴ, ㄹ　　⑤ ㄷ, ㄹ

## 04 밑줄 친 '자치 법규'에 대한 질문에 모두 옳게 답변한 학생은?

지방 의회와 지방 자치 단체장은 지역 특성에 맞게 업무를 처리하는 과정에서 자치 법규를 제정하기도 한다.

| 질문 | 갑 | 을 | 병 | 정 | 무 |
| --- | --- | --- | --- | --- | --- |
| 1. 자치 법규의 종류에는 조례와 규칙이 있다. | × | ○ | × | ○ | ○ |
| 2. 규칙은 조례와 달리 상위 법령에 구속되지 않는다. | ○ | ○ | × | × | × |
| 3. 규칙은 해당 자치 단체의 사무에만 영향을 미친다. | ○ | × | ○ | ○ | ○ |
| 4. 조례는 법령과 규칙이 위임한 범위 내에서 제정할 수 있다. | ○ | ○ | ○ | × | × |
| 5. 지방 의회는 조례, 지방 자치 단체장은 규칙을 각각 제·개정할 수 있다. | × | ○ | × | × | ○ |

① 갑　　② 을　　③ 병　　④ 정　　⑤ 무

## 05 (가)~(다)의 제도에 대한 설명으로 옳지 <u>않은</u> 것은?

(가) 지방 자치 단체의 예산 편성 과정에 주민이 직접 참여하는 제도
(나) 주민에게 중대한 영향을 미치는 주요 사항을 주민이 직접 주민 투표로 결정하는 제도
(다) 주민이 정해진 요건을 갖춰 지방 자치 단체장에게 조례의 제정, 개정 및 폐지를 청구하는 제도

① (가)는 지방 자치 단체의 예산 운영의 투명성을 높인다.
② (나)는 지방 자치 단체의 의사 결정이 민주적으로 이루어지도록 한다.
③ (다)에서 주민이 청구한 조례안은 지방 의회의 의결을 거쳐 효력을 가진다.
④ (가), (나)는 (다)와 달리 직접 민주 정치 요소를 지닌 제도이다.
⑤ (가)~(다)는 모두 주민의 자치 의식과 책임 의식 향상에 기여한다.

## 06 ㉠에 대한 옳은 설명을 〈보기〉에서 고른 것은?

지역 주민은 ( ㉠ )을/를 통해서 위법·부당한 행위를 저지르거나 직무가 태만한 지방 자치 단체장이나 지방 의회 의원을 투표권자 총수의 3분의 1 이상 투표와 유효 투표 총수의 과반수 찬성으로 해임할 수 있다.

┌ 보기 ┐
ㄱ. 국민 주권의 원리 실현에 기여한다.
ㄴ. 지방 자치 행정의 민주성과 책임성 제고를 위해 도입되었다.
ㄷ. 선거를 통해 선출된 대표자의 독립적인 권한 행사를 강화한다.
ㄹ. 지방 의회 의원은 지방 자치 단체장과 달리 그 대상이 될 수 없다.

① ㄱ, ㄴ　　② ㄱ, ㄷ　　③ ㄴ, ㄷ
④ ㄴ, ㄹ　　⑤ ㄷ, ㄹ

**07** 그림은 우리나라의 대통령 선거와 지방 선거 투표율을 나타낸 것이다. 이에 대한 옳은 추론만을 〈보기〉에서 있는 대로 고른 것은?

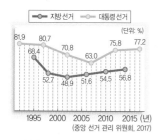

보기
ㄱ. 지방 정부의 독립성과 자율성이 강화될 수 있다.
ㄴ. 주민의 대표로 선출된 공직자의 대표성이 약화될 수 있다.
ㄷ. 지역 주민의 의사에 반하는 정책 결정이 이루어질 수 있다.
ㄹ. 지방 정부의 정책 결정에 중앙 정부가 영향을 받을 수 있다.

① ㄱ, ㄴ        ② ㄴ, ㄷ        ③ ㄷ, ㄹ
④ ㄱ, ㄴ, ㄹ     ⑤ ㄱ, ㄷ, ㄹ

**08** (가)에 들어갈 내용으로 적절하지 않은 것은?

• 갑: 우리나라의 지방 자치는 짧은 기간 동안 많은 발전을 이루어 왔어.
• 을: 맞아. 그렇지만 아직 부족한 부분이 많아. 지방 자치가 더욱 발전을 하기 위해서는 _____(가)_____

① 지방세 비중을 확대하여 지방 정부의 재정 자립도를 높여야 해.
② 주민 참여 방식을 다변화하여 지역 주민의 지방 정치 참여를 확대해야 해.
③ 행정의 전문성 향상을 위해 지방 자치 단체장을 중앙 정부에서 임명해야 해.
④ 지방 자치 단체 간의 분쟁을 사율석으로 해결할 수 있는 제도를 강화해야 해.
⑤ 지역 주민은 공동체 의식을 가지고 사회 전체의 이익을 고려하는 태도를 함양해야 해.

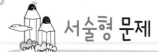

● 정답친해 22쪽

**01** 다음 글을 읽고 물음에 답하시오.

(가) ○○시 주민들은 약 2천 명의 서명을 받아 「학교 급식 지원에 관한 조례안」을 시장에게 제출하였다.
(나) △△시는 다음 달 열리는 주민 참여 예산 위원회 총회를 통해 주민이 제안한 사업을 선정하여 차기 연도 예산에 편성하기로 하였다.

(1) (가), (나)에 해당하는 주민 참여 제도를 각각 쓰시오.

(2) (1)과 같은 제도를 실시하는 목적을 서술하시오.

**02** 다음 글을 읽고 물음에 답하시오.

지방 자치 단체가 재정 활동에 필요한 자금을 어느 정도나 자체적으로 조달하고 있는가를 나타내는 지표를 재정 자립도라고 한다. 행정 안전부가 발간한 『2017 행정 자치 통계 연보』에 따르면 2016년 우리나라 지방 자치 단체의 재정 자립도는 53.7%로 다소 낮게 나타났으며, 재정 자립도가 가장 높은 서울특별시는 83.3%, 가장 낮은 전라남도는 21.2%로 지역 간 차이가 크게 나타났다.

(1) 위 글과 같은 현상이 계속될 경우 나타날 수 있는 문제점을 두 가지 이상 서술하시오.

(2) (1)의 해결 방안을 서술하시오.

## STEP 3 1등급 정복하기

**평가원 응용**

**1** 밑줄 친 ㉠~㉣에 대한 옳은 설명을 〈보기〉에서 고른 것은?

> 최근 ○○군은 △△시와의 행정 구역 통합을 위한 주민 투표를 실시하여 투표율 36.7%, 찬성률 79%로 통합을 결정했다. 또한 △△시는 이미 ㉠ 지방 의회 의결을 통해 행정 구역 통합에 찬성했다. 중앙 정부가 아닌 ㉡ 지방 자치 단체의 요구에 의해 주민 투표를 거쳐 통합을 결정한 것은 이번이 처음이다. 이러한 주민 투표제 이외에도 현재 우리나라에서는 ㉢ 주민 발안 제도와 ㉣ 주민 소환 제도를 통해 주민 참여를 보장하고 있다.

**보기**

ㄱ. ㉠의 구성원은 지역 주민의 선거를 통해 선출된다.
ㄴ. ㉢을 통해서 지역 주민은 직접 조례를 제정할 수 있다.
ㄷ. ㉣의 목적은 해당 지역의 단체장 또는 지역구 국회 의원의 잘못된 직무 수행을 견제하는 것이다.
ㄹ. 법령의 범위 내에서 ㉠은 조례를, ㉡의 장은 규칙을 제·개정할 수 있다.

① ㄱ, ㄴ  ② ㄱ, ㄹ  ③ ㄴ, ㄷ
④ ㄴ, ㄹ  ⑤ ㄷ, ㄹ

> **우리나라의 지방 자치 제도**
>
> **완자쌤의 시험 꿀팁**
> 지방 자치 단체의 종류와 권한, 주민 참여 제도의 내용을 묻는 문제가 자주 출제된다.
>
> **완자 사전**
> • 주민 발안제
> 주민이 직접 조례안을 발의할 수 있는 제도

**2** 교사의 질문에 옳게 답변한 학생만을 있는 대로 고른 것은?

> 농산물 안전성 조사는 원래 중앙 정부와 광역 자치 단체장의 사무에 속하였으나 2010년 '지방 분권 촉진 위원회'가 국가, 광역 자치 단체장, 기초 자치 단체장의 사무로 이양하여 농산물 안전성 확보에 대한 세부 계획은 지방 자치 단체가 맡도록 하였다.

① 갑, 을  ② 갑, 병  ③ 병, 정
④ 갑, 을, 정  ⑤ 을, 병, 정

> **지방 자치의 발전**

## 01 정부 형태

### 1. 의원 내각제

**(1) 의원 내각제의 의미와 특징**

| 의미 | 입법부와 행정부가 상호 의존적으로 구성되고 운영되는 정부 형태 |
|---|---|
| 구성 | 국민이 직접 선거를 통해 의회 의원을 선출하고, 의회 다수당의 대표가 수상이 되어 내각을 구성함 |
| 특징 | • 의회 의원과 내각 모두 법률안을 제출할 수 있음<br>• 수상과 내각의 각료는 의회 의원을 겸직할 수 있음<br>• 의회는 내각 불신임권, 내각은 ( ❶　　　 )으로 서로 견제함 |

**(2) 의원 내각제의 장·단점**

| 장점 | • 내각의 정치적 책임감이 높고 국민의 요구에 민감하게 반응함<br>• 의회와 내각이 잘 협조하면 원활하게 국정이 운영될 수 있음<br>• 내각 불신임과 의회 해산을 통해 의회와 행정부의 대립이 비교적 신속하게 해결됨 |
|---|---|
| 단점 | • 의회 다수당이 과반수 의석을 차지할 경우 다수당의 횡포를 견제하기 어려움<br>• 과반수 의석을 차지한 정당이 없어 ( ❷　　　 )을 구성할 경우 정치적 책임 소재가 불명확해질 수 있음 |

### 2. 대통령제

**(1) 대통령제의 의미와 특징**

| 의미 | 입법부와 행정부가 독립적으로 구성되고 운영되는 정부 형태 |
|---|---|
| 구성 | 국민은 별도의 선거를 통해 의회 의원과 대통령을 각각 선출하며, 대통령이 행정부를 구성함 |
| 특징 | • 행정부는 법률안을 제출할 수 없음<br>• 행정부의 각료는 의회 의원을 겸직할 수 없음<br>• 대통령은 ( ❸　　　 ), 의회는 각종 동의·승인권, 탄핵 소추권 등으로 서로 견제함 |

**(2) 대통령제의 장·단점**

| 장점 | • 대통령의 임기가 보장되기 때문에 안정적이고 일관된 정책을 추진할 수 있음<br>• 대통령의 법률안 거부권 행사를 위해 다수당의 횡포를 방지함 |
|---|---|
| 단점 | • 여대야소 상황에서는 대통령에게 권한이 집중되어 독재 정치가 나타날 수 있음<br>• 여소야대 상황에서는 행정부와 의회가 대립할 때 갈등을 중재하기 어려움 |

### 3. 우리나라의 정부 형태

**(1) 우리나라의 정부 형태:** 대통령제를 기본으로 의원 내각제 요소를 가미한 정부 형태

**(2) 우리나라 정부 형태의 대통령제 및 의원 내각제 요소**

| 대통령제<br>요소 | • 국민이 선거를 통해 대통령과 국회 의원을 각각 선출함<br>• 대통령은 법률안 거부권, 국회는 탄핵 소추권을 행사하여 서로를 견제할 수 있음 |
|---|---|
| 의원 내각제<br>요소 | • 행정부의 법률안 제출권을 인정함<br>• ( ❹　　　 )와 국무 회의가 헌법 기관으로 존재함<br>• 국회 의원이 국무총리나 국무 위원을 겸할 수 있음<br>• 국회의 국무총리 임명 동의권과 국무총리 및 국무 위원 해임 건의권을 인정함<br>• 국회의 요구가 있을 때 국무총리, 국무 위원이 국회에 출석하여 국정 상황에 대해 답변하도록 함 |

## 02 우리나라의 국가 기관

### 1. 국회

**(1) 국회의 구성과 조직**

| 지위 | 국민의 대표 기관, 입법 기관, 국정 통제 기관 |
|---|---|
| 구성 | 국민의 선거로 선출된 200인 이상의 국회 의원으로 구성 |
| 국회 의원 | • 구성: 지역구 의원(국민이 직접 선출), 비례 대표 의원(정당별 득표율에 비례하여 선출)<br>• 특징: 임기 4년, 면책 특권과 불체포 특권을 가짐 |
| 조직 | • 1인의 국회 의장과 2인의 부의장을 둠<br>• 위원회: ( ❺　　　 )에서 심의할 안건을 미리 조사함<br>• 교섭 단체: 국회 의원 20인 이상으로 구성되는 단체 → 국회의 중요 의사를 협의·조정함 |
| 회의 | • 종류: 정기회, 임시회<br>• 의결 방식: 일반적으로 재적 의원 과반수의 출석과 출석 의원 과반수의 찬성으로 의결됨 |

**(2) 국회의 권한**

| 입법에 관한<br>권한 | 헌법 개정에 관한 권한, 법률 제정 및 개정에 관한 권한, 조약 체결 및 비준에 대한 동의권 |
|---|---|
| 국정 통제에<br>관한 권한 | • 재정에 관한 권한: 예산안 심의·확정권, 결산 심사권, 조세 결정권 등<br>• 국정 감시 및 통제 권한: 국정 감사 및 조사권, 탄핵 소추권, 국무총리 및 국무 위원 해임 건의권 등<br>• 인사에 관한 권한: 국무총리, 감사원장, 대법원장, 대법관, 헌법 재판소장 임명 동의권 등 |

## 2. 대통령과 행정부

### (1) 대통령의 지위와 권한

| 지위 | 권한 |
|---|---|
| ( ❻ ) | 행정부 지휘·감독권, 국군 통수권, 공무원 임면권, 대통령령 발포권 등 |
| 국가 원수 | • 대외적 국가 대표권: 조약 체결·비준권, 외교 사절 신임·접수·파견권, 선전 포고·강화권 등<br>• 국가와 헌법 수호권: 긴급 재정·경제 명령 및 처분권, 긴급 명령권, 계엄 선포권 등<br>• 국정 조정권: 국민 투표 부의권, 헌법 개정안 제안권, 국회 임시회 소집권, 국회 출석 발언권 등<br>• 헌법 기관 구성권: 국무총리, 대법원장, 대법관, 헌법 재판소장, 감사원장 등 임명권 |

### (2) 행정부의 주요 조직

| | |
|---|---|
| 국무총리 | 대통령을 보좌하며 행정에 관하여 대통령의 명을 받아 행정 각부를 통할함 → 국회의 동의를 얻어 대통령이 임명함 |
| 국무 회의 | 행정부의 중요 정책을 심의하는 행정부 내 최고 심의 기관 → 의장(대통령), 부의장(국무총리), 일정 수의 국무 위원으로 구성됨 |
| 행정 각부 | 구체적인 행정 사무를 시행함 → 행정 각부의 장(장관)은 국무 위원 중에서 국무총리의 제청을 받아 대통령이 임명함 |
| ( ❼ ) | 국가 세입·세출의 결산 검사, 국가 및 법률에서 정한 단체의 회계 감사, 행정 기관 및 공무원의 직무에 관한 감찰을 하는 행정부 내 최고 감사 기관 |

## 3. 법원과 헌법 재판소

### (1) 법원의 조직과 기능

| | |
|---|---|
| 대법원 | 상고 및 재항고 사건 재판, 위헌·위법 명령 및 규칙·처분 최종 심사, 대통령 및 국회 의원 선거 소송 재판 등 |
| 고등 법원 | 지방 법원의 판결·심판·결정·명령에 대한 상소 사건 심판 |
| 지방 법원 | 민사, 형사 사건에 대한 1심 심판 등 |

### (2) 심급 제도

| | |
|---|---|
| 의미 | 하급 법원의 판결이나 결정·명령에 불복하는 경우 상소하여 상급 법원에서 재판을 받을 수 있도록 하는 제도 → 원칙적으로 3심제로 운영됨 |
| 목적 | 법관이 잘못된 판결을 내릴 가능성을 최소화하고 공정한 재판을 실현하여 국민의 기본권을 보장하기 위함 |

### (3) ( ❽ )

| | |
|---|---|
| 역할 | 헌법 관련 심판 담당 기관 → 헌법 수호 및 국민의 기본권 보장 |
| 구성 | 법관의 자격을 가진 9명의 재판관을 대통령이 임명함 |
| 권한 | 위헌 법률 심판, 헌법 소원 심판, 탄핵 심판, 위헌 정당 해산 심판, 권한 쟁의 심판 |

## 📘 지방 자치

## 1. 지방 자치

### (1) 지방 자치의 의미와 의의

| | |
|---|---|
| 의미 | 일정한 지역의 주민이 자치 단체를 구성하여 해당 지역의 사무를 자율적으로 처리하는 제도 |
| 의의 | • 다양한 영역의 지역 문제를 자주적으로 해결하는 과정에서 주민의 정치 의식과 책임 의식 고양 → 풀뿌리 민주주의 실현<br>• 정치권력이 중앙 정부에 집중되는 것을 막고 이를 각 지방으로 분산함 → 중앙 정부와 지방 정부 간 수직적 권력 분립 실현 |

### (2) 지방 자치 단체의 구성

| | |
|---|---|
| ( ❾ ) | • 주민의 대표 기관이자 지역 내 최고 의사 결정 기관<br>• 조례의 제정 및 개폐, 지방 예산의 심의·확정 등<br>• 지방 행정 사무에 대한 감사 및 조사 |
| 지방 자치 단체장 | • 지역 내 행정 사무를 총괄하는 집행 기관<br>• 규칙 제정, 지역의 행정 사무 처리 등<br>• 지방 의회의 의결에 대해 재의 요구권 행사 |

## 2. 우리나라 지방 자치의 현실과 과제

### (1) 우리나라의 주민 참여 제도

| | |
|---|---|
| 주민 투표 | 주민에게 중대한 영향을 미치는 지방 자치 단체의 중요 정책 등을 주민 투표로 결정하는 제도 |
| ( ❿ ) | 선출직 지역 공직자의 직무 수행에 심각한 문제가 있을 때 주민 투표로 해임할 수 있는 제도 |
| 주민 조례 제정 및 개폐 청구 | 일정 수 이상의 주민이 정해진 요건을 갖춰 지방 자치 단체장에게 조례의 제정, 개정 및 폐지를 청구하는 제도 |
| 그 외 | 주민 참여 예산제, 주민 감사 청구, 주민 소송 등 |

### (2) 우리나라 지방 자치의 문제점과 발전 과제

| | |
|---|---|
| 문제점 | 지방 자치 단체의 자율성 제약, 지역 주민의 적극적 참여 부족, 지역 이기주의 등 |
| 발전 과제 | 지방 분권 강화, 주민 참여 활성화, 공동체 의식 함양 등 |

● 정답 ● ① 행정부 수반 ② 감사원 ③ 헌법 재판소 ④ 지방 의회 ⑤ 주민 소환 ⑥ 행정부 수반 ⑦ 감사원 ⑧ 헌법 재판소 ⑨ 지방 의회 ⑩ 주민 소환

II. 민주 국가와 정부  073

## 01 밑줄 친 '정부 형태'에 대한 설명으로 옳지 <u>않은</u> 것은?

이 정부 형태는 국왕이 행사해 오던 권력을 국민의 대표 기관인 의회가 넘겨받게 되는 과정을 통해 형성되었다.

① 내각이 법률안을 제출할 수 있다.
② 의회 의원이 각료를 겸직할 수 있다.
③ 행정부 수반은 법률안을 거부할 수 있다.
④ 행정부와 입법부 간의 권력이 융합되어 있다.
⑤ 의회는 내각에 대해 불신임권을 행사할 수 있다.

**[02~03]** 그림은 전형적인 정부 형태를 채택하고 있는 갑국, 을 국의 정부 형태를 나타낸 것이다. 이를 보고 물음에 답하시오.

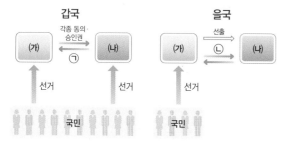

*화살표는 국가 기관 간의 견제 방향을 나타낸다.

## 02 갑국과 을국의 정부 형태에 대한 설명으로 옳은 것은?

① 갑국에서는 과반 의석을 차지한 정당이 없을 경우 연립 내각이 구성될 수 있다.
② 갑국에서 (나)는 (가)에 법률안을 제출할 수 있다.
③ 을국에서 (나)는 (가)에 대해 책임을 지지 않는다.
④ 을국에서 (나)의 구성원은 (가)의 의원을 겸직할 수 있다.
⑤ 을국의 (나)는 갑국의 (나)와 달리 임기가 보장된다.

## 03 ㉠, ㉡에 해당하는 권한을 옳게 연결한 것은?

| | ㉠ | ㉡ |
|---|---|---|
| ① | 탄핵 소추권 | 내각 불신임권 |
| ② | 탄핵 소추권 | 법률안 거부권 |
| ③ | 법률안 거부권 | 탄핵 소추권 |
| ④ | 법률안 거부권 | 의회 해산권 |
| ⑤ | 법률안 거부권 | 내각 불신임권 |

## 04 전형적인 정부 형태를 채택하고 있는 갑국의 정치적 상황에 대한 옳은 분석 및 추론만을 〈보기〉에서 있는 대로 고른 것은?

최근 실시된 갑국의 의회 의원 선거 결과 집권당인 A당 이 과반 의석 차지에 실패하였다. 지난 의회에서 과반 의석을 차지했던 A당이 이번 의회 의원 선거에서 35% 의 의석률을 차지함으로써, 55%인 B당에 크게 뒤처지며 집권 2년째를 맞는 행정부 수반의 국정 운영에 어려움 이 예상되고 있다.

**보기**

ㄱ. 여소야대의 정국이 형성되었다.
ㄴ. 행정부 수반의 소속 정당은 A당이다.
ㄷ. 행정부 수반의 의회 해산권 행사 가능성이 높아졌다.
ㄹ. 행정부 수반의 법률안 거부권 행사 가능성이 증가하 였다.

① ㄱ, ㄷ  ② ㄴ, ㄹ  ③ ㄷ, ㄹ
④ ㄱ, ㄴ, ㄷ  ⑤ ㄱ, ㄴ, ㄹ

## 05 A, B에 대한 옳은 설명을 〈보기〉에서 고른 것은?

**학습 주제: 전형적인 정부 형태**

1. 정부 형태 A
 - 국민의 선거에 의해서 입법부를 구성하고, 의회 다수 당 대표를 행정부 수반으로 선출함
2. 정부 형태 B
 - 국민의 선거에 의해서 행정부 수반과 의회 의원을 선 출하고 행정부 수반이 행정부를 구성함

**보기**

ㄱ. A에서 행정부 수반은 의회 해산권을 통해 의회를 견 제할 수 있다.
ㄴ. B에서 행정부 수반과 국가 원수는 이원화되어 있다.
ㄷ. A와 달리 B에서는 의회 의원이 내각의 각료를 겸직할 수 없다.
ㄹ. B와 달리 A에서는 사법부의 독립이 보장된다.

① ㄱ, ㄴ  ② ㄱ, ㄷ  ③ ㄴ, ㄷ
④ ㄴ, ㄹ  ⑤ ㄷ, ㄹ

**06** (가)~(라)는 우리나라 헌법 조항 중 일부이다. 이에 대한 옳은 설명을 〈보기〉에서 고른 것은?

> (가) 제41조 ① 국회는 국민의 보통·평등·직접·비밀 선거에 의하여 선출된 국회 의원으로 구성한다.
> (나) 제52조 국회 의원과 정부는 법률안을 제출할 수 있다.
> (다) 제67조 ① 대통령은 국민의 보통·평등·직접·비밀 선거에 의하여 선출한다.
> (라) 제86조 ① 국무총리는 국회의 동의를 얻어 대통령이 임명한다.

보기
> ㄱ. (가)의 내용은 의원 내각제 정부 형태에서도 나타난다.
> ㄴ. (다)는 제3차 개정 헌법에서 처음 등장한 내용이다.
> ㄷ. (라)는 입법부가 행정부를 견제할 수 있는 조항이다.
> ㄹ. (나)는 (라)와 달리 의원 내각제적 요소로 볼 수 없다.

① ㄱ, ㄴ    ② ㄱ, ㄷ    ③ ㄴ, ㄷ
④ ㄴ, ㄹ    ⑤ ㄷ, ㄹ

**07** 밑줄 친 ㉠, ㉡에 대한 설명으로 옳은 것은?

> 국회는 내일 본회의를 열어 ㉠ 국회 의원 갑이 대표 발의한 ○○ 법률안과 ㉡ 정부가 제출한 □□ 법률안을 의결할 예정이다.

① ㉠이 발의되기 위해서는 국회 의원 20인 이상이 필요하다.
② ㉡은 소관 상임 위원회를 거치지 않아도 된다.
③ ㉠과 달리 ㉡은 의결된 이후에 대통령이 국회에 재의를 요구할 수 없다.
④ ㉡과 달리 ㉠은 의결된 경우 국회 의장이 공포하여 법률로서 확정된다.
⑤ ㉠과 ㉡은 모두 의결되기 위해 각각 재적 의원 과반수 출석과 출석 의원 과반수 찬성이 필요하다.

**08** (가)~(라)는 우리나라 어느 헌법 기관의 권한 중 일부이다. 이에 대한 옳은 설명만을 〈보기〉에서 있는 대로 고른 것은?

> (가) 헌법 재판소장을 임명한다.
> (나) 필요한 사항에 대해 대통령령을 발한다.
> (다) 국군을 통수하고 행정부 공무원을 임명한다.
> (라) 국가 안위에 관한 중요 정책을 국민 투표에 부칠 수 있다.

보기
> ㄱ. (가)의 행사는 국회의 동의를 필요로 한다.
> ㄴ. (다)의 행사를 통해 국회 의장을 임명한다.
> ㄷ. (라)를 통해 대의 기구를 거치지 않고 주권자의 의사를 확인할 수 있다.
> ㄹ. (가), (라)는 국가 원수로서의 권한, (나), (다)는 행정부 수반으로서의 권한에 해당한다.

① ㄱ, ㄴ    ② ㄱ, ㄹ    ③ ㄴ, ㄷ
④ ㄱ, ㄷ, ㄹ    ⑤ ㄴ, ㄷ, ㄹ

**09** 다음은 서술형 평가와 학생 답안이다. 학생 답안의 밑줄 친 ㉠~㉤ 중 옳지 않은 것은?

**서술형 평가**

• 문제: (가), (나)는 각각 우리나라의 헌법 기관에 해당한다. 각 기관의 권한에 대해 서술하시오.

> (가) 국민의 대표 기관으로서 법률을 제정 혹은 개정할 수 있는 권한을 가진다.
> (나) 국민의 선거에 의해 선출되는 행정부의 최고 책임자로서 행정부를 지휘하고 감독한다.

• 학생 답안: ㉠ (가)는 헌법 개정안을 제안하고 의결할 수 있다. 반면 ㉡ (나)는 헌법 개정안을 제안할 수는 있지만 개정할 수는 없다. 또한 ㉢ (나)는 조약 체결·비준권이 있으며, (가)는 이에 대한 동의권을 가진다. 한편, 재정과 관련하여 ㉣ (가)는 국가 세입·세출의 결산을 확인할 수 있는 권한을 가지며, ㉤ (나)는 긴급 재정·경제 명령 및 처분권을 가진다.

① ㉠    ② ㉡    ③ ㉢    ④ ㉣    ⑤ ㉤

**10** (가)~(다)에 나타난 법원의 권한에 대한 옳은 설명을 〈보기〉에서 고른 것은?

> (가) 법률이 헌법에 위반되는지 여부가 재판의 전제가 된 경우 제청할 수 있다.
> (나) 선거 절차상의 하자를 이유로 그 선거의 전부 또는 일부의 효력을 다투는 재판을 담당한다.
> (다) 명령·규칙 또는 처분이 헌법이나 법률에 위반되는지 여부가 재판의 전제가 된 경우 이를 심사할 수 있다.

보기

> ㄱ. 법원이 (가)를 하게 되면 헌법 재판소가 법률의 위헌 여부를 심판한다.
> ㄴ. 국회 의원과 관련된 (나)는 고등 법원에서 담당한다.
> ㄷ. (다)는 사법부의 행정부에 대한 견제 수단에 해당한다.
> ㄹ. (다)와 달리 (나)의 재판은 공개 재판주의가 적용된다.

① ㄱ, ㄴ  ② ㄱ, ㄷ  ③ ㄴ, ㄷ
④ ㄴ, ㄹ  ⑤ ㄷ, ㄹ

**11** ㉠, ㉡은 헌법 소원 심판의 종류이다. 이에 대한 설명으로 옳은 것은?

> • ( ㉠ ): 국가 권력의 행사 또는 불행사가 국민의 기본권을 침해하는지를 판단하는 재판
> • ( ㉡ ): 재판의 당사자가 법원에 위헌 법률 심판 제청을 요청하였지만 법원이 이를 받아들이지 않은 경우 재판 당사자의 청구에 따라 법률이 헌법에 위반되는지를 판단하는 재판

① ㉠은 재판이 전제되어야 한다.
② ㉡을 통해 위헌 결정이 내려진 법률은 해당 재판에 한하여 효력을 상실한다.
③ ㉠은 위헌 심사형 헌법 소원 심판, ㉡은 권리 구제형 헌법 소원 심판이다.
④ ㉠과 달리 ㉡은 대법원에서 담당한다.
⑤ ㉠과 ㉡에서 청구권자는 기본권을 침해받은 국민이다.

**12** 우리나라의 국가 기관 ㉠~㉢에 대한 설명으로 옳은 것은?

> • ( ㉠ )은/는 명령·규칙 또는 처분이 헌법이나 법률에 위반되는지 여부가 재판의 전제가 된 경우 이를 최종적으로 심사한다.
> • ( ㉡ )에서 만든 법률이 헌법에 위반되는지 여부를 ( ㉢ )에서 심판한다.

① ㉠은 상고 사건 및 대통령 선거 소송 등을 담당한다.
② ㉡은 대통령 직속의 독립적 헌법 기관이다.
③ ㉢은 개인 간의 관계에서 발생하는 분쟁을 대상으로 하는 재판을 담당한다.
④ ㉠은 ㉡이 소추한 고위 공직자에 대한 탄핵을 심판한다.
⑤ ㉠과 달리 ㉢의 장(長)은 대통령이 임명한다.

**13** 다음은 헌법 재판소 결정문의 일부이다. 이에 대한 분석으로 옳은 것은?

> **불기소 처분 취소**
> [판시사항] 교통사고 피의자 갑의 교통사고 처리 특례법 위반 피의 사실에 대하여 한 검사의 불기소 처분이 청구인의 평등권 및 재판 절차 진술권을 침해하였다고 본 사례
> [당사자] 청구인  을
> 피청구인  ○○ 지방 검찰청 검사
> [주문]
> 피청구인이 ○○ 지방 검찰청 사건에서 피의자 갑에 대하여 한 불기소 처분은 청구인의 평등권과 재판 절차 진술권을 침해한 것이므로 이를 취소한다.

① 검사도 위 재판을 청구할 수 있다.
② 헌법 재판소의 결정으로 갑은 유죄가 확정되었다.
③ 검사는 헌법 재판소의 결정에 대해 항소할 수 있다.
④ 법률이 헌법에 위배되는지의 여부에 대한 심판을 하는 헌법 재판이다.
⑤ 공권력에 의해 국민의 기본권이 침해된 경우 최종적으로 이를 구제하는 심판을 하는 헌법 재판이다.

**14** 밑줄 친 '이 제도'에 대한 설명으로 옳지 <u>않은</u> 것은?

> 이 제도는 국가 권력 일부를 지방 정부로 이양함으로써 중앙 정부와 지방 정부가 국가의 기능을 분담하는 제도이다.

① 간접 민주주의의 한계를 극복할 수 있다.
② 국가 권력의 중앙 집중화를 막을 수 있다.
③ 삼권 분립과 같은 수평적 권력 분립의 원리를 실현할 수 있다.
④ 지역 주민들에게 민주주의의 경험을 쌓을 수 있는 기회를 제공한다.
⑤ 우리나라에서는 광역 자치 단체와 기초 자치 단체로 나누어 시행하고 있다.

**16** 다음 '지식 Q&A'의 질문에 옳지 <u>않은</u> 답변을 한 학생은?

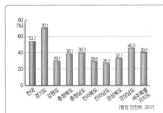

> ▶ 지식 Q&A
>
> 지역 주민이 지방 자치에 참여할 수 있는 방법에는 무엇이 있을까요?
>
> ▶ 답변하기
>
> └ 갑: 일정한 수 이상의 의결을 통하여 지방의 조례를 제정할 수 있어요.
> └ 을: 일정한 절차와 방법에 따라 지방의 예산 편성 과정에 참여할 수 있어요.
> └ 병: 해당 지역의 지방 자치 단체장 및 지방 의회 의원을 소환할 권리가 있어요.
> └ 정: 잘못된 지역 행정으로 권리와 이익을 침해당한 경우 직접 감사를 청구할 수 있어요.
> └ 무: 지방 자치 단체가 마련하기를 바라는 정책이나 조치를 지방 의회에 문서로써 청원할 수 있어요.

① 갑    ② 을    ③ 병    ④ 정    ⑤ 무

**15** 밑줄 친 ㉠~㉫에 대한 옳은 설명을 〈보기〉에서 고른 것은?

> ┌ ㉠ 중앙 정부 ─┬─ ㉢ 대통령
> │              └─ ㉣ 국회
> │
> └ ㉡ 지방 자치 단체 ─┬─ ㉤ 지방 자치 단체장
>                      └─ ㉥ 지방 의회

〔보기〕

ㄱ. ㉠에서는 국민 투표, ㉡에서는 주민 투표를 각각 실시할 수 있다.
ㄴ. ㉢과 ㉤의 임기는 같다.
ㄷ. ㉣과 ㉥은 지역의 사무를 처리할 수 있는 조례를 제정할 수 있다.
ㄹ. ㉤은 ㉥의 의결 사항을 집행하고, 규칙을 제정할 수 있는 권한을 가진다.

① ㄱ, ㄴ      ② ㄱ, ㄹ      ③ ㄴ, ㄷ
④ ㄴ, ㄹ      ⑤ ㄷ, ㄹ

**17** 다음과 같은 현상에 대한 옳은 분석만을 〈보기〉에서 있는 대로 고른 것은?

⊙ 전국 각 도별 재정 자립도

> 지방 자치 단체의 재정 자립도는 지방 자치 단체가 재정 활동에 필요한 자금을 어느 정도나 자체적으로 조달하고 있는지를 나타내는 지표이다. 우리나라는 지방 자치 단체의 재정 자립도가 낮고, 지역별로 그 차이가 큰 편이다.

〔보기〕

ㄱ. 지역 간 균형 발전을 저해할 수 있다.
ㄴ. 지방 정치가 중앙 정치에 예속될 수 있다.
ㄷ. 지방 자치 단체의 독립성과 자율성이 약화된다.
ㄹ. 우리나라의 조세 제도가 국세보다 지방세 중심이기 때문에 나타나는 현상이나.

① ㄱ, ㄴ         ② ㄱ, ㄹ         ③ ㄷ, ㄹ
④ ㄱ, ㄴ, ㄷ     ⑤ ㄴ, ㄷ, ㄹ

# 정치 과정과 참여

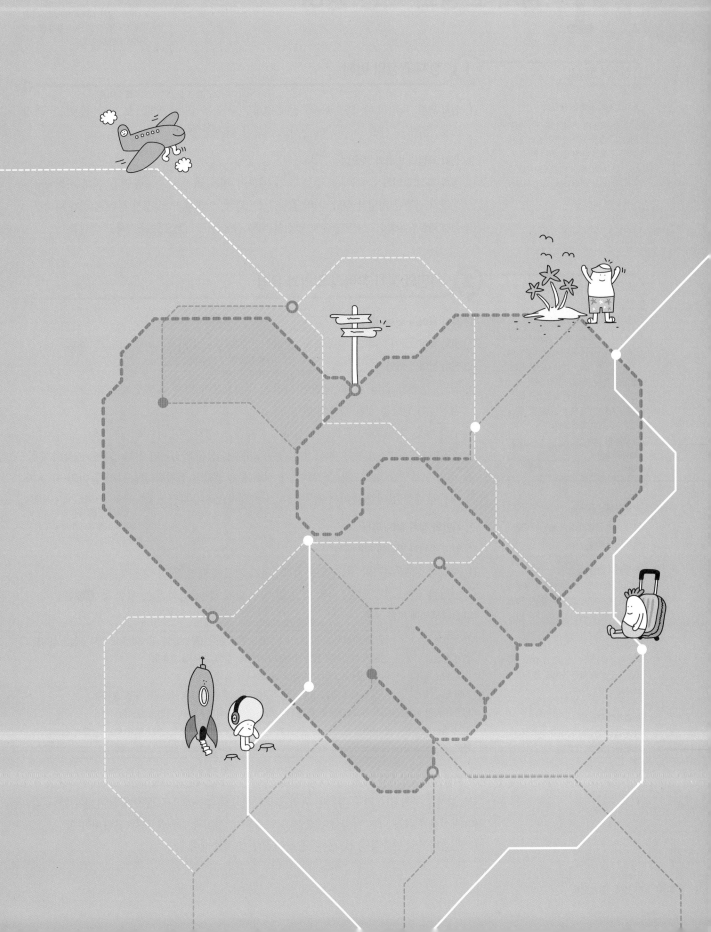

# 01 정치 과정과 시민 참여

학 습 목 표
• 정치 과정의 의미와 단계를 이해할 수 있다.
• 시민의 정치 참여의 의의와 유형을 알고, 바람직한 정치 참여 자세에 대해 설명할 수 있다.

## 이것이 핵심!

**정치 과정의 의미와 중요성**

| 의미 | 국민의 다양한 요구가 정책 결정 기구에 투입되어 정책으로 나타나는 모든 과정 |
|---|---|
| 중요성 | 사회 통합과 발전을 위해 갈등을 합리적으로 조정·해결함 |

## ① 정치 과정의 이해

┌─ 국가 기관인 입법부, 행정부, 사법부를 의미해.

**1. 정치 과정**: 국민의 다양한 요구가 정책 결정 기구에 투입되어 정책으로 나타나는 모든 과정으로, '투입 → 산출 → 환류'의 순서로 순환함 `교과서 자료`

**2. 정치 과정의 변화와 중요성** ┌─ 입법부, 행정부 등

(1) **정치 과정의 변화**: 과거에는 주로 국가 기관이 정치 과정을 주도했으나, 현대 사회에서는 국가 기관뿐만 아니라 정당, 이익 집단, 시민 단체, 언론 등으로 정치 참여 주체가 확대됨

(2) **정치 과정의 중요성**: 사회 통합과 발전을 위해 갈등을 합리적으로 조정하고 해결함

## 이것이 핵심!

**시민의 정치 참여 유형**

| 선거 참여 | 후보자로 출마, 투표로 공직자 선출, 국가의 중요 의사 결정에 참여 |
|---|---|
| 집단을 통한 참여 | 정당, 이익 집단, 시민 단체 등의 활동에 참여 |
| 언론을 통한 참여 | 독자 투고 등을 통해 의견 표명 |
| 정보 통신 매체를 통한 참여 | 전자 공청회, 전자 투표 등을 통한 의견 공유 |

★ **국민 주권의 원리**
국가 정책 결정의 최종 권한이 국민에게 있다는 원리

★ **정치적 효능감**
시민이 정치 과정에 참여할 때 정책 결정이나 지도자의 행동에 영향을 미칠 수 있는지를 느끼는 정도에 대한 인식

★ **진정**
국민이 국가 또는 공공 단체에 구두 또는 서면으로 어떤 조처를 해 달라고 요청하는 것

★ **정치적 무관심**
정책 결정 과정에 참여하기를 거부하거나 관심을 보이지 않는 태도

## ② 시민의 정치 참여의 의의와 유형

**1. 정치 참여의 의의** `자료 ①`

(1) **정치 참여**: 국가 기관의 정책 결정 과정에 영향을 주고자 하는 시민들의 모든 활동

(2) **정치 참여의 의의** ┌─ 정책 결정 과정에 시민의 의사를 전달하여 시민의 이익을 반영함으로써 안정적인 정책 집행이 가능해.

① ★국민 주권의 원리 실현: 국민이 나라의 주인으로서 정치 과정에 능동적으로 참여하여 자신들이 원하는 것을 정책에 반영함

② 권력 남용 방지: 정치 권력을 감시하고 통제함 → 정치 권력의 자의적인 행사 방지

③ 정책에 대한 정당성 부여: 적극적인 참여와 지지를 통해 안정적인 정책 집행을 가능하게 함

④ ★정치적 효능감 강화: 자신의 요구가 정책에 반영되면 정치적 효능감이 높아짐 → 국가 기관에 대한 신뢰가 높아져 정치 체제가 안정적으로 유지됨 `Q.H?` 시민들이 바라는 대로 정책이 수립되어 집행되면 많은 시민이 정책에 자발적으로 따르게 되기 때문이야.

**2. 시민의 정치 참여 유형**

(1) **참여 주체의 범위에 따른 구분**

① 개인적 참여: 선거와 투표, 언론 투고, 국가 기관에 대한 ★진정이나 청원 등

② 집단적 참여: 정당 활동, 이익 집단 및 시민 단체 활동, 집회 또는 시위 등 `자료 ②`

(2) **참여 방법에 따른 구분** `꼭!` 대의 민주 정치에서 가장 기본적이고 보편적인 참여 방법이야.

| 선거 참여 | 선거에 후보자로 출마하거나 투표를 통해 공직자를 선출함, 국가의 중요 의사 결정에 참여함 |
|---|---|
| 정당 활동 | 정당에 가입하여 활동함으로써 자신의 정치적 의사를 표출함 |
| 이익 집단 활동 | 이익 집단에 가입하여 특수 이익의 실현을 추구함 |
| 시민 단체 활동 | 시민 단체에 가입하여 공익 추구를 위해 정부 정책 결정에 영향력을 행사함 |
| 언론을 통한 참여 | 독자 투고, 제보 등을 통해 사회적 쟁점에 대한 자신의 의견을 표명함 |
| 정보 통신 매체를 통한 참여 | 인터넷을 통해 온라인상에서 게시물 작성, 전자 공청회, 전자 투표 등의 활동에 참여함 → 전자 민주주의 구현 |

**3. 바람직한 정치 참여 태도** ┌─ `Q.H?` 정치적 무관심은 권력의 독재화 정치권력의 부정부패, 국민의 의사에 반하는 정책 결정 등으로 이어질 수 있기 때문이야.

(1) ★정치적 무관심은 민주 정치의 위기를 초래하므로 능동적으로 정치에 참여해야 함

(2) 자신과 견해가 다른 타인을 존중하고 이해하며, 사익과 공익을 모두 고려해야 함

(3) 합법적이고 민주적인 절차를 존중하여 의견을 표출해야 함

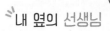

## 수능이 보이는 교과서 자료  이스턴(Easton, D.)의 정치 과정 모형

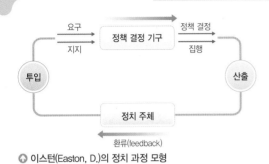

⬆ 이스턴(Easton, D.)의 정치 과정 모형

이스턴(Easton, D.)에 따르면 정치 과정은 투입, 산출, 환류 단계로 나눌 수 있다. 투입은 국민의 정치적 요구나 지지를 표출·집약하는 것으로, 표출 기능은 시민 단체, 이익 집단, 언론 등이 담당하고, 집약 기능은 정당이 담당한다. 산출 과정에서는 투입된 국민의 요구와 지지를 바탕으로 입법부, 행정부와 같은 정책 결정 기구가 정책을 결정하고 집행한다. 한번 결정된 정책은 국민의 정책에 대한 평가와 반응을 통해 새로운 요구로 나타나게 되는데, 이를 환류라고 한다. ┌ 민주주의 국가에서는 투입과 환류 기능이 활발하게 이루어져.

### 완자샘의 탐 구 강 의

• 정치 과정의 단계별 특징에 대해 정리해 보자.

| 투입 | 개인이나 집단이 정부에 정책을 요구하거나 정부 정책에 대한 의사를 표현함 |
|---|---|
| 산출 | 투입 결과에 따라 구체적인 정책을 결정하고 결정된 정책을 집행함 |
| 환류 | 산출된 정책에 대한 정치 주체의 평가와 반응을 통해 새로운 요구를 표출함 |

함께 보기 85쪽, 1등급 정복하기 1

## 자료 1  정치 참여와 정치 문화

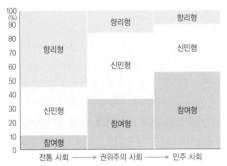

⬆ 각 사회별 정치 문화의 유형 분포

정치 문화란 한 사회의 다수 구성원이 자신들의 정치 체제에 관하여 공유하고 있는 신념, 감정, 태도를 의미한다. 정치학자 알몬드(Almond, G.)와 버바(Verba, S.)는 정치 문화를 향리형, 신민형, 참여형으로 분류하였다. 향리형 정치 문화는 전통 사회에서 지배적인 유형으로, 구성원 다수가 정치 체제를 알지 못하고, 참여도 하지 않는다. 신민형 정치 문화는 권위주의 사회에서 주로 나타나는 유형으로, 구성원들이 정치 체제를 알고 있으나 자신을 적극적인 참여자로 인식하지 않는다. 참여형 정치 문화는 민주 사회에서 지배적으로 나타나는 유형으로, 구성원들이 정치 체제를 알고 있고 주체적으로 참여한다.

└ 전근대적 사회에서 근대적 사회로 발전하면서 나타나는 유형으로, 구성원들이 정치 과정과 정책에 대해서는 알지만 정치 과정에 자신들의 요구를 투입하려는 태도는 부족해.

### 문제 로 확인알까?

참여형 정치 문화에 대한 설명으로 옳지 않은 것은?
① 정치 주체로서의 인식을 가지고 있다.
② 정치 체제 전반에 대해 인지하고 있다.
③ 투입과 산출 기능에 대한 관심이 높다.
④ 민주 사회에서 나타나는 정치 문화이다.
⑤ 정치 체계와 산출 결과에만 관심이 있다.

⑤ 🅰

## 자료 2  시민의 정치 참여 유형

미국의 예산 감시 시민 단체는 매년 '꿀꿀이 상'을 선정해 시상한다. '꿀꿀이 상'은 최악의 예산 낭비 사례를 매달 선정해 주는 상이다. 정부 예산으로 자신의 선거구에만 혜택이 돌아가게 하는 사업을 벌이는 '특혜성 예산(pork barrel)'을 가리키는 영어 속어가 그 어원으로, '포크(pork)'가 '돼지고기'를 뜻하여 이를 상징적으로 표현한 것이다. 이 단체는 해마다 예산 낭비 사례를 모아 '돼지 장부(pig book)'를 발표한다.

제시된 사례는 시민의 정치 참여 유형 중 시민 단체 활동으로, 집단적 정치 참여 방법에 해당한다. 집단적 참여 방법은 일반적으로 개인적 참여 방법보다 지속성이 높으며, 정치 과정에서 자신이 원하는 것을 더 효과적으로 표현하고 달성할 수 있는 방법이다.

### 자료 하나 더 알고 가자!

시민의 정치 참여를 위한 제도적 장치

| 공청회 | 공공 기관이 중요한 안건에 대해 이해관계자나 전문가에게 공개 석상에서 의견을 듣는 제도 |
|---|---|
| 사전 예고제 | 정부가 정책, 민원 등에 대한 정보를 미리 공고하여 시민들의 참여를 높이는 제도 |
| 옴부즈맨 제도 | 민원 조사관이 정부의 활동이나 공무원의 권한 내용을 조사·감시하는 제도 |
| 청원 | 국민이 국가 기관에 의견, 희망 사항을 문서로 청구하는 제도 |

# STEP 1 핵심 개념 확인하기

정답친해 26쪽

**1** 다음 빈칸에 들어갈 내용을 쓰시오.

(1) (　　　　)은 국민의 다양한 요구가 정책 결정 기구에 투입되어 정책으로 나타나는 모든 과정을 의미한다.

(2) 시민이 정치에 관심을 가지고 국가 기관의 정책 결정 과정에 영향을 주고자 하는 모든 활동을 (　　　　)라고 한다.

**2** ㉠~㉢에 들어갈 용어를 각각 쓰시오.

> 정치 과정은 사회의 다양한 요구가 표출되는 (㉠　　　), 정책 결정 기구가 정책을 수립하고 집행하는 (㉡　　　), 집행된 정책에 대한 사회의 평가가 재투입되는 (㉢　　　)가 이루어지는 일련의 과정을 의미한다.

**3** 다음 설명이 맞으면 ○표, 틀리면 ×표를 하시오.

(1) 시민의 정치 참여를 통해 정치적 효능감을 높일 수 있다. (　　)

(2) 선거와 투표, 언론 투고, 국가 기관에 대한 진정이나 청원 등은 개인적 정치 참여 방법에 해당한다. (　　)

(3) 정당, 이익 집단, 시민 단체는 정치 과정에 영향을 미치지만, 개인은 정치 과정에 영향을 미치지 못한다. (　　)

**4** 다음에서 설명하는 정치 참여 유형을 〈보기〉에서 골라 기호를 쓰시오.

> **보기**
> ㄱ. 선거　　　　　　ㄴ. 청원
> ㄷ. 시민 단체 활동　　ㄹ. 이익 집단 활동

(1) 국민이 국가 기관에 대하여 일정한 의견이나 희망 사항을 문서로써 제출한다. (　　)

(2) 정부 정책에 대한 감시 활동 등을 통해 공공선과 공동체 전체의 이익을 추구한다. (　　)

(3) 대의 민주 정치에서 시민이 정치에 참여하는 가장 기본적이고 보편적인 방법이다. (　　)

(4) 자신들의 특수 이익을 정책에 반영하기 위해 다양한 방법으로 정책 결정 과정에 압력을 행사한다. (　　)

# STEP 2 내신 만점 공략하기

**01** 다음 사례에 나타난 정치 과정에 대한 설명으로 가장 적절한 것은?

> 정부는 최근 복지 지출의 증가와 함께 경기 침체로 인한 세수 부족 문제를 해결하기 위해 세금 인상 방안에 대해 공청회를 열기로 했다가 급히 철회하였다. 정부의 방안에 대해 정부 누리집은 물론 여당 누리집에도 다음 선거에서 지지해 주지 않겠다는 댓글이 넘쳐 나는 등 국민들의 반감이 급속도로 확산되었기 때문이다.

① 환류 과정에서 발생하는 정치 현상이다.
② 수직적인 의사 결정 방식이 선호되고 있다.
③ 대의제를 중심으로 한 정책 결정이 효과를 거두고 있다.
④ 정부 정책 방향에 대하여 시민의 요구가 투입되고 있다.
⑤ 정책 결정 기구에 의해 정책이 실행된 것에 대하여 국민들이 반응하고 있다.

**02** 그림은 이스턴의 정치 과정 모형이다. 밑줄 친 ㉠~㉢에 대한 옳은 설명을 〈보기〉에서 고른 것은?

> **보기**
> ㄱ. ㉠은 주로 입법부, 행정부 등이 담당한다.
> ㄴ. 권위주의 국가에서는 ㉠이 ㉢보다 활발하게 이루어질 것이다.
> ㄷ. ㉠, ㉢의 내용이 유사할수록 국민들의 정치적 효능감이 높아질 것이다.
> ㄹ. ㉢에는 ㉡에 대한 시민들의 평가가 담겨 있다.

① ㄱ, ㄴ　　② ㄱ, ㄷ　　③ ㄴ, ㄷ
④ ㄴ, ㄹ　　⑤ ㄷ, ㄹ

**03** 다음은 수업 시간의 판서 내용이다. 밑줄 친 ㉠, ㉡에 대한 설명으로 옳은 것은?

> **정치 과정의 변화**
>
> (1) ㉠ 전통적 정치 과정
> • 지배자의 통치 행위
> • 위로부터의 지시와 통제
> (2) ㉡ 오늘날의 정치 과정
> • 위로부터의 통치와 아래로부터의 반응

① ㉠에서는 다양한 의견 수렴이 가능하다.
② ㉠에서는 여론이 정책 결정에 큰 영향을 미친다.
③ ㉡에서는 국가 기관만을 중심으로 정치 과정이 전개된다.
④ ㉡에서는 정당, 이익 집단, 시민 단체 등의 역할이 증가한다.
⑤ ㉠에서는 공정성이, ㉡에서는 효율성이 중시된다.

**04** (가), (나)와 같은 정치 참여 방법에 대한 설명으로 적절한 것은?

> (가) 갑은 ○○ 환경 단체에 가입하여 오존층 보호 캠페인에 참여하였다. 이 단체는 오존층 보호를 위한 생활 속 실천 방안을 제시하면서 시민들의 적극적인 동참을 강조하였다.
> (나) 중학교 3학년인 을은 휴대 전화의 교내 반입 규제가 학생의 통신의 자유를 침해한다고 생각하여 국가 인권 위원회에 이를 바로잡아 달라고 진정하였다. 국가 인권 위원회는 이 진정을 받아들여 교내 휴대 전화 사용 제한을 완화하라고 학교 측에 권고하였다.

① (가)는 시민이 직접 정책 결정에 참여하는 방식이다.
② (가)는 특수 이익의 실현을 위해 참여하는 방식이다.
③ (나)는 (가)에 비해 지속적으로 정치에 참여할 수 있는 방식이다.
④ (가) 방식은 (나) 방식과 달리 집단적 정치 침여 유형에 해당한다.
⑤ 여론을 형성하고 표출하는 데는 (가) 방식에 비해 (나) 방식이 효율적이다.

**05** (가)에 들어갈 내용으로 적절하지 <u>않은</u> 것은?

> 지방 선거를 앞두고 20~30대 유권자들 사이에서 누리집에 접속하여 공약만으로 자신에게 맞는 후보자를 찾아보는 '공약 블라인드 테스트'가 인기를 끌었다. 이를 개발한 관계자는 "선거 운동이 비난 일색이라는 문제 의식에서 출발해 유권자가 후보자의 공약을 정확하게 알 필요가 있다는 생각으로 프로그램을 만들었다."라고 하였다. 이러한 현상의 확산을 통해 우리는 _____(가)_____

① 후보자들을 감시하고 견제할 수 있다.
② 주권자로서의 권리 의식을 형성할 수 있다.
③ 유권자들을 능동적인 정치 주체로 만들 수 있다.
④ 제도적 참여를 통해 직접 민주주의를 실현할 수 있다.
⑤ 사회 구성원의 이익을 증진하고 대의 민주 정치를 보완할 수 있다.

**06** 다음은 시민의 정치 참여에 대한 상반된 주장이다. 이에 대한 설명으로 옳은 것은?

갑: 민주 정치에서 시민에 의해 선출된 대표에게 국가 의사 및 정책의 결정권을 전적으로 위임해야 합니다.

을: 대의제하에서는 시민의 다양한 의사를 정치 과정에 투입하는 데 한계가 있으므로 청원, 옴부즈맨 제도, 주민 감사 청구 제도 등을 통해 이를 보완해야 해요.

① 갑은 환류 과정에 대한 시민의 주도성과 자율성을 강조한다.
② 을은 시민의 정치 참여도가 높을수록 시민의 이익이 감소될 것이라고 생각한다.
③ 갑은 을에 비해 시민에 의한 정책 결정 방식에 긍정적이다.
④ 을은 갑과 달리 정부에 대한 감시와 통제에 대해 부정적이다.
⑤ 을은 갑에 비해 시민의 정치 참여를 높이기 위한 제도적 수단의 마련을 중시한다.

**07** ⊙에 들어갈 용어가 미치는 영향에 대한 옳은 설명을 〈보기〉에서 고른 것은?

> 정치학자 A는 갑국의 정치 상황을 연구한 결과 1950년부터 2010년까지 갑국 국민들의 정당 참여도와 정치에 대한 의사 표현 횟수, 그리고 자신이 지지하는 정당의 유무와 함께 선거에 참여한 비율 등이 다른 나라들에 비해 현저하게 낮음을 밝혔다. A는 이를 국민들이 정치에 대한 관심이 저하되는 현상, 즉 ( ⊙ )(이)라고 일컬으며, 이와 같은 현상이 지속될 경우 유권자에 대한 대표자의 무책임성이 증가할 것이라고 경고하였다.

〈보기〉
ㄱ. 정치적 효능감이 높아질 때 해소될 수 있다.
ㄴ. 국민 주권의 원리를 실현하는 데 걸림돌이 된다.
ㄷ. 민주주의적 가치의 확산에 긍정적 영향을 끼친다.
ㄹ. 정부 정책에 대한 정당성을 부여하는 데 기여한다.

① ㄱ, ㄴ  ② ㄱ, ㄷ  ③ ㄴ, ㄷ
④ ㄴ, ㄹ  ⑤ ㄷ, ㄹ

**08** 다음 글에 나타난 문제를 해결하기 위한 정치 참여 태도로 가장 적절한 것은?

> ○○구 특수 학교 부지는 주변이 공동 주택 단지로 둘러싸여 있고, 일반 교육 시설도 섞여 있다. 특수 학교를 혐오 시설로 인식하는 주민들의 반발이 거세어 몇 년째 학교 설립이 진행되지 못하고 있다. 이미 생활 편의 시설이 갖춰진 지역이다 보니 공연장과 수영장 등을 세워 준다고 해도 설득이 쉽지 않다. 이런 반발 때문에 △△시에서는 지난 10년 동안 단 한 곳의 특수 학교도 새로 문을 열지 못했다. 신도시는 도시 계획 단계에서부터 특수 학교 부지를 정할 수 있지만 이미 기존 주거지가 형성된 곳에서는 쉽지 않다.

① 개인적 참여보다 집단적 참여를 중시한다.
② 합법적이고 민주적인 절차에 따라 참여한다.
③ 개인의 이익과 공공의 이익이 조화를 이루도록 한다.
④ 결정된 정책이 신속하게 집행될 수 있도록 협조한다.
⑤ 주인 의식을 가지고 자발적이고 능동적으로 참여한다.

**01** 다음 사례에서 정치 과정의 투입 단계와 산출 단계를 구분하여 서술하시오.

> 기름값이 오르면 버스 운송 사업자들은 재정난을 겪게 될 것이고, 이를 해결하기 위해 행정부에 버스비 인상을 요구할 수 있다. 그러나 버스비가 오르면 피해를 보게 될 버스 이용자들은 이에 반대할 것이다. 이런 상황에서 행정부는 버스비를 올리되 버스 운송 사업자들이 요구한 것보다는 요금 인상 폭을 낮추는 조정안을 선택할 수 있다.

**02** ⊙에 들어갈 용어를 쓰고, ⊙이 지니는 의의를 두 가지 이상 서술하시오.

> ( ⊙ )(이)란 입법부, 행정부, 사법부와 같은 국가 기관의 정책 결정 과정에 영향을 주고자 하는 개인들의 행위를 말한다. 대의 민주주의를 대부분 채택하고 있는 현대 민주 국가에서 시민들의 ( ⊙ )이/가 없는 민주주의는 상상하기 어렵다.

**03** 다음 글을 읽고 물음에 답하시오.

> 현대 대의 민주주의에서 시민의 정치 참여는 다양한 형태로 나타나는데, 정치 참여의 유형은 크게 ⊙ 개인적 정치 참여와 ⓛ 집단적 정치 참여로 나눌 수 있다.

(1) ⊙, ⓛ에 해당하는 정치 참여 방법을 각각 두 가지 이상 쓰시오.

(2) ⊙에 비해 ⓛ이 일반적으로 갖는 장점을 서술하시오.

## STEP 3 1등급 정복하기

교육청 응용

**1** 그림은 정치 과정을 나타낸 것이다. ㉠~㉢에 대한 설명으로 옳은 것은?

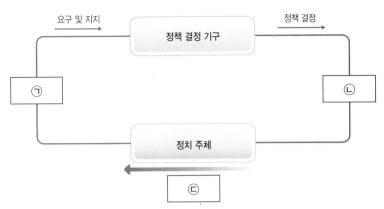

① 정부가 간척 사업 피해 주민에게 피해 보상을 하는 것은 ㉠ 단계이다.

② 정당에서 당론을 결정하는 것은 ㉡ 단계이다.

③ 선거를 통해 ㉢이 이루어질 수 있다.

④ 언론의 기능은 ㉠ 단계보다 ㉡ 단계에서 더 중요하게 작용한다.

⑤ 민주적인 국가일수록 ㉠, ㉢보다 ㉡ 단계를 더 중시한다.

> **정치 과정**
>
> **완자샘의 시험 꿀팁**
>
> 정치 과정의 단계와 각 단계에서의 정치 참여 주체의 역할을 구분하는 문제가 자주 출제된다.

**2** 정치 문화의 유형에 따라 구분한 (가)~(다) 사회에 대한 옳은 설명을 〈보기〉에서 고른 것은?

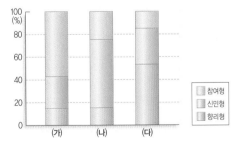

보기

ㄱ. (가) 사회에서는 정치 참여에 활발한 구성원이 많다.

ㄴ. (나) 사회에서는 구성원이 투입 과정보다 산출 과정에 적극적이다.

ㄷ. (다) 사회에서는 구성원의 정치 체계에 대한 관심이 높다.

ㄹ. (나)와 (다) 사회 모두 구성원의 정치적 효능감이 높다.

① ㄱ, ㄴ          ② ㄱ, ㄷ          ③ ㄴ, ㄷ

④ ㄴ, ㄹ          ⑤ ㄷ, ㄹ

> **정치 문화의 유형**
>
> **완자샘의 시험 꿀팁**
>
> 정치 문화의 유형 분포를 통해 각 사회에서 지배적으로 나타나는 구성원들의 정치 참여 태도를 비교하는 문제가 자주 출제된다.

# 02 선거 제도

**학 습 목 표**
- 선거의 의의와 기능을 이해할 수 있다.
- 선거구제와 대표 결정 방식의 유형, 우리나라 선거 제도의 특징과 문제점을 파악할 수 있다.

## 이것이 핵심!

**선거의 의의와 기능**

| 의의 | 대의 민주주의에서 국민이 주권을 행사하는 가장 기본적인 수단 |
|---|---|
| 기능 | • 대표자 선출<br>• 대표자 통제<br>• 정치권력에 정당성 부여<br>• 국민의 의사 반영<br>• 정치 교육의 장 제공 등 |

**★ 표의 등가성**
한 표가 선거 결과에 기여하는 정도가 동등해야 한다는 원칙

**★ 책임 정치**
국가 기관이나 대표가 국민에 대하여 책임을 지는 정치

## 1 선거의 중요성

### 1. 선거의 의미와 의의

**vs 선거와 국민 투표**

| 선거 | 대표를 선출하는 것 |
|---|---|
| 국민 투표 | 특정 안건에 대해 찬반을 묻는 것 |

(1) **선거**: 주권자인 국민이 자신들을 대표하여 국가를 운영할 공직자를 투표로 선출하는 행위

(2) **선거의 의의**: 대의 민주주의에서 국민이 주권을 행사하는 가장 기본적인 수단

(3) **민주 선거의 4원칙**

| 보통 선거 | 일정 연령에 도달한 모든 국민에게 선거권을 부여하는 원칙 자료① |
|---|---|
| 평등 선거 | 모든 유권자가 평등하게 같은 수의 표를 행사하고 ★표의 등가성을 보장하는 원칙 |
| 직접 선거 | 유권자가 대리인을 거치지 않고 직접 대표자를 선출하는 원칙 |
| 비밀 선거 | 유권자가 누구에게 투표했는지 다른 사람이 알지 못하도록 하는 원칙 |

### 2. 선거의 기능

**왜?** 선거에서 주권자인 국민은 자신이 원하는 것을 실현해 줄 수 있는 후보를 선택하고, 선출된 대표는 주권을 위임받아 정치권력을 구성하여 정책을 결정하고 추진하기 때문이야.

(1) **대표자 선출**: 국민을 대신하여 국정을 수행할 대표자를 선출함 → 국민 주권의 원리 실현

(2) **대표자 통제**: 선거를 통해 대표를 재신임하거나 책임을 물어 교체함 → ★책임 정치 보장 수단

(3) **민주적 정당성 부여**: 대표자는 합법적 절차와 국민 다수의 지지를 받아 선출되므로 정치권력 행사에 정당성과 권위가 부여됨

(4) **국민의 의사 반영**: 후보들의 공약에 대해 국민은 다양한 의사를 표출하고, 선출된 대표는 이를 정책에 반영함

(5) **정치 교육의 장 제공**: 선거 과정을 통해 국민은 다양한 현안과 공약을 이해하고 정치 참여의 중요성을 인식하게 됨

정부, 정당, 입후보자 등이 국민에게 실행할 것을 약속하는 정책 내용

## 이것이 핵심!

**선거구제의 종류**

| 소선거구제 | 한 선거구당 한 명의 대표 선출 |
|---|---|
| 중·대선거구제 | 한 선거구당 두 명 이상의 대표 선출 |

**대표 결정 방식**

| 다수 대표제 | 단순 다수제 | 최다 득표자 한 명만 당선 |
|---|---|---|
| | 절대 다수제 | 과반수 득표를 한 한 명만 당선 |
| 비례 대표제 | | 정당 득표율에 비례하여 대표 선출 |

**★ 사표**
선거 결과 낙선한 후보에게 던져진 표로서 대표자의 당선에 기여하지 못한 표

## 2 선거 제도의 유형과 특징

### 1. 선거구제

(1) **선거구**: 대표자를 선출하는 지역적 단위

(2) **선거구제의 종류**: 한 선거구에서 선출하는 대표자의 수에 따라 구분됨

| 구분 | 소선거구제 자료② 자료③ | 중·대선거구제 |
|---|---|---|
| 의미 | 한 개의 선거구에서 한 명의 대표자를 선출하는 제도 | 한 개의 선거구에서 두 명 이상의 대표자를 선출하는 제도 |
| 장점 | • 선거 운동 비용이 적게 들고 선거 관리가 쉬움<br>• 유권자들이 후보자와 공약을 파악하기 쉬움<br>• 다수당 후보의 당선 가능성이 높음 → 정치적 안정에 유리함 | • 소선거구제에 비해 상대적으로 사표가 적게 발생함<br>• 선거 운동이 과열될 가능성이 낮음<br>• 군소 정당의 의회 진출 가능성이 높음 → 국민의 다양한 의견이 반영됨 |
| 단점 | • ★사표가 많이 발생함 → 정당 득표율과 의석률의 불일치로 과대 대표, 과소 대표 문제가 발생함<br>• 군소 정당 후보의 의회 진출이 어려움 → 국민의 다양한 의견 반영이 어려움<br>• 선거구 간 인구 편차로 인해 선거구별로 유권자 표의 가치가 달라질 수 있음 | • 선거 운동 비용이 많이 들고 선거 관리가 어려움<br>• 유권자가 후보자에 대해 파악하기 어려움<br>• 군소 정당이 난립할 가능성이 커 정국이 불안정해질 우려가 있음<br>• 선거구 내 후보자들의 득표 차로 인해 당선자 간 투표 가치의 차등 문제가 발생할 수 있음 |

최다 득표자를 많이 배출한 정당은 득표율보다 더 많은 의석을 확보하고(과대 대표),
최다 득표자를 많이 내지 못한 정당은 득표율보다 적은 의석(과소 대표)을 가지게 돼.

# 완자 자료 탐구

### 자료 ① 보통 선거 원칙의 실현을 위한 재외 선거

참정권은 국민 주권의 원리를 실현하기 위한 기본적이고 필수적인 권리이다. 따라서 참정권 제한은 최소한에 그쳐야 하는데, 재외 국민은 오직 나라 밖에 있다는 이유로 선거에 참여할 수 없었다. 이에 헌법 재판소가 2007년 재외 국민(국외 거주자)의 선거권 및 평등권 침해, 보통 선거 원칙 위반으로 「공직 선거법」 관련 규정에 대해 헌법 불합치 결정을 함으로써 재외 국민도 국외에서 참정권 행사가 가능하게 되었다.

재외 선거는 국외에 거주하거나 체류 중인 대한민국 국민이 해외에서도 국내 선거에 참여하는 것이다. 우리나라는 대통령 선거와 임기 만료에 따른 국회 의원 선거에 재외 선거를 할 수 있다. 선거일 현재 18세 이상의 재외 국민에게 대통령 선거와 임기 만료에 따른 국회 의원 선거에 대한 투표권을 부여하여 보통 선거 원칙을 실현하고 있다.

### 자료 ② 소선거구제의 문제점

다수 득표한 1인이 선출되는 승자 독식 구도의 소선거구제에 대한 문제점이 끊임없이 지적되고 있다. 한 표라도 많은 표를 획득한 최다 득표자는 선거에서 승리하지만, 나머지 후보들에 대한 표는 모두 사표가 되기 때문이다. 제20대 총선을 기준으로 할 때 사표의 비율은 50.32%에 달하였는데, 전체 투표율이 58%인 점을 감안하면 국회 의원 당선자들은 전체 유권자의 4분의 1 정도의 지지만을 확보한 셈이다.

소선거구제에서는 여러 후보자 중 한 명만 당선되므로 사표가 과다하게 발생한다. 따라서 '다수가 지지하지 않는 후보를 다수의 대표로 선출'하는 역설이 나타나게 된다. 이런 현상으로 인해 소선거구제에서는 정당 득표율과 의석률의 격차가 커져 유권자의 의사가 의석 배분에 제대로 반영되지 못할 수 있다.

### 자료 ③ 선거구별 인구 편차를 줄이기 위한 선거구 재획정

2012년 청구인들은 「공직 선거법」 제25조 제2항 별표1 국회 의원 지역 선거구 구역표가 인구 편차 상하 50%(인구 비례 3:1)를 기준으로 작성되어 기본권을 침해한다며 헌법 소원을 제기하였다. 이에 헌법 재판소는 선거구 인구 편차의 기준을 상하 $33\frac{1}{3}$%(인구 비례 2:1)로 변경하는 것이 타당하다며, 2015년 12월 31일을 시한으로 새로운 선거구에 대한 입법을 명하는 헌법 불합치 결정을 내렸다.

소선거구제에서는 선거구 간 인구 편차로 인해 선거구별로 유권자 표의 가치가 달라지게 된다. 만약 유권자가 16만 명인 선거구와 유권자가 4만 명인 선거구가 있고, 두 선거구 모두 한 명의 대표를 선출하는 경우, 유권자가 16만 명인 지역구 유권자의 투표 가치에 비해 유권자가 4만 명인 지역구 유권자의 투표 가치가 4배가 된다. 그러므로 표의 등가성이 훼손되는 문제가 나타나 평등 선거의 원칙에 어긋날 수 있다.

---

**자료 하나 더 알고 가자!**

**미국 대통령 선거와 직접 선거 원칙**

미국의 대통령은 각 주(州)에서 뽑힌 선거인단에 의해서 선출된다. 선거인단은 미국의 각 주에서 인구 비례로 선출된 투표인단으로, 유권자들은 각 정당이 내세운 선거인단 후보에게 투표함으로써 선거인단을 구성한다. 각 주는 해당 주의 의원 수만큼의 선거인단 수를 배정받고, 각 주에서 한 표라도 더 얻은 정당이 그 주의 선거인단 전체를 차지한다.

미국 대통령 선거에서 유권자들은 대통령 후보가 아니라 선거인단 후보에게 투표한다. 미국 대통령 선거의 선거인단 투표 방식은 간접 선거이지만, 이 선거인단을 선출하는 투표가 직접 선거이기 때문에 직접 선거의 원칙에 위배된다고 볼 수 없다.

**문제 로 확인할까?**

소선거구제의 상대적 특징으로 옳지 않은 것은?
① 사표 과다 발생
② 거대 정당에 유리
③ 정치적 안정에 유리
④ 선거 관리의 어려움
⑤ 후보 인물 파악 용이

⑦ 目

**정리 비법을 알려줄게!**

**선거구제와 표의 가치**

| | |
|---|---|
| 소선거구제 | 선거구 간 인구수가 차이나면 선거구 간 유권자 표의 가치가 달라짐 |
| 중·대 선거구제 | 한 선거구 내에서 득표수가 서로 다른 후보자 여러 명이 당선되었을 때 많은 득표수로 당선된 후보가 얻은 표보다 적은 득표수로 낙선된 후보가 얻은 표가 상대적으로 높은 가치를 가지게 되어 투표 가치의 차등 문제가 발생함 |

★ 결선 투표제
1차 투표에서 과반수 득표자가 없을 경우, 상위 득표자 2인에 대해서만 2차 투표를 하여 당선자를 확정하는 투표 제도

대부분의 경우 소선거구제와 결합하지만 중·대선거구제와 결합하여 운용되기도 해.

## 2. 대표 결정 방식

(1) **다수 대표제**: 다수 득표자가 당선되는 방식 〔자료〕④

| 구분 | 단순 다수제 | 절대 다수제 |
|---|---|---|
| 의미 | 다른 후보보다 한 표라도 더 많은 표를 얻은 최다 득표자 한 명을 대표자로 선출하는 방식 | 과반수 득표를 한 후보자 한 명을 대표자로 선출하는 방식 ⓔ ★결선 투표제, 선호 투표제 |
| 장점 | 선거 관리가 쉽고, 당선자 결정이 편리함 | 당선자의 대표성을 높일 수 있음 |
| 단점 | • 당선자의 대표성이 낮을 수 있음<br>• 군소 정당 후보의 당선이 어렵고, 대량의 사표 발생 | • 선거 비용이 많이 듦<br>• 선거 운영이 복잡함 |

↳ Why? 후보자가 많을 경우 적은 득표수로도 당선될 가능성이 있기 때문이야.

(2) **비례 대표제**

① 의미: 정당 득표율에 비례하여 의석을 배분하고 당선자를 결정하는 방식

② 장점: 국민의 다양한 의견 반영, 군소 정당의 의회 진출 가능성 높음, 사표가 적게 발생함

③ 단점: 유권자가 당선자 결정에 직접 영향을 미치기 어려움, 군소 정당의 난립으로 정국 불안정이 우려됨, 의석 배분 방식이 복잡함

---

이것이 **핵심!**

**공정 선거를 위한 제도**

| 선거구 법정주의 | 선거구를 국회에서 제정한 법률로 확정함 |
|---|---|
| 선거 공영제 | 선거 과정을 국가 기관이 관리하고 국가나 지방 자치 단체가 선거 비용 일부를 부담하는 제도 |
| 선거 관리 위원회 | 선거의 공정한 관리, 정당에 관한 사무 처리 담당 |

★ **정당 명부식 비례 대표제**
우리나라에서 각 정당은 정당 득표율과 지역구 당선자 수에 따라 의석을 배분받게 되고, 미리 작성해 둔 명부의 순위에 따라 당선자가 결정된다. 비례 대표 후보자를 정당이 정하게 되면 국민의 의사가 제대로 반영되지 못하는 단점이 있다.

★ **권역별 비례 대표제**
전국을 몇 개 권역으로 나눠 인구 비례에 따라 권역별 의석수를 먼저 배정한 뒤, 그 의석을 정당 투표 득표율에 따라 배분하는 제도이다. 이 제도는 지역주의 완화, 사표 과다 발생 방지 등에 기여하고, 민의가 그대로 선거에 반영되는 의석 배분이 이루어질 수 있다는 평가를 받는다.

## ③ 우리나라의 선거 제도

### 1. 우리나라 공직 선거의 종류

(1) **대통령 선거**: 5년마다 실시, 전국 단위 단순 다수제 채택

(2) **국회 의원 선거**: 4년마다 실시, 소선거구제와 단순 다수제(지역구 의원), 전국 단위 ★정당 명부식 비례 대표제(비례 대표 의원) 채택 〔교과서 자료〕

(3) **지방 선거**

| 지방 자치 단체장 선거 | 광역 자치 단체장(특별시장, 광역시장, 특별자치시장, 도지사, 특별자치도지사), 기초 자치 단체장(시장, 군수, 구청장) → 소선거구 단순 다수제로 선출 |
|---|---|
| 지방 의회 의원 선거 | • 광역 의회 의원(지역구 시·도의원) → 소선거구 단순 다수제로 선출<br>• 광역 의회 의원(비례 대표 시·도의원) → 정당 명부식 비례 대표제로 선출<br>• 기초 의회 의원(지역구 시·군·구의원) → 중·대선거구 단순 다수제로 선출<br>• 기초 의회 의원(비례 대표 시·군·구의원) → 정당 명부식 비례 대표제로 선출 |
| 교육감 선거 | 4년마다 실시, 시·도 단위 소선거구 단순 다수제로 선출 |

선거구당 2명을 선출해.

교육감은 교육의 중립성을 위해 정당 공천을 하지 않으므로 정당 소속이 아니어야 해.

### 2. 공정 선거를 위한 제도

| 선거구 법정주의 | 특정 정당이나 후보자가 선거구를 자의적으로 획정하는 것을 방지하기 위해 선거구를 국회에서 제정한 법률로 획정함 → 게리맨더링 방지 〔자료〕⑤ |
|---|---|
| 선거 공영제 | 선거 과정을 국가 기관이 관리하고 국가나 지방 자치 단체가 선거 비용의 일부를 부담함 → 후보자 간 선거 운동의 기회 균등 보장, 선거 운동의 과열 방지 |
| 선거 관리 위원회 | 각종 선거와 국민 투표의 공정한 관리, 정당 및 정치 자금의 투명한 관리와 사무를 담당하는 헌법상 독립 기관 |

### 3. 우리나라 선거 제도의 문제점과 개선 방향

| 문제점 | 개선 방향 |
|---|---|
| 사표 과다 발생으로 당선자의 대표성이 낮아짐 | 중·대선거구제 도입 및 비례 대표 의석수 증가 등 |
| 지연, 학연 등 연고주의에 따른 투표 경향 | ★권역별 비례 대표제의 도입으로 지역주의 완화 등 |
| 금권 선거 및 흑색 선전 | 공명 선거 문화 확립 등 |

완자 자료 탐구

내 옆의 선생님

## 자료 4 다수 대표제의 대표 결정 방식

(가) 2017년 우리나라 제19대 대통령 선거 결과 A 후보가 최종 승리를 거뒀다. A 당선인의 득표율은 41.08%로, 24.03%를 얻은 2위 후보와의 득표율 차는 17.05%p를 기록했다. 다자 구도가 펼쳐진 이번 대선에서 A 당선인은 과반수 득표를 획득하지는 못했지만 2위 후보와의 득표율 격차는 직선제 도입 이후 두 번째로 컸다. — 「중앙일보」, 2017. 5. 10.

(나) 2017년 프랑스 대통령 선거 1차 투표에서 B 후보의 득표율은 24.01%이고, C 후보는 21.03%였다. 1차 투표 결과 과반수 득표자가 없었기 때문에 B 후보와 C 후보만을 대상으로 2차 투표가 진행되었고, B 후보가 66.10%를 얻어 대통령에 당선되었다.

(가)는 단순 다수제로서, 최다 득표자 한 명을 대표자로 선출하므로 선거 관리가 쉽지만, 당선자의 대표성이 낮을 수 있고 대량의 사표가 발생할 수 있다. (나)는 절대 다수제의 한 유형인 결선 투표제로, 당선자의 대표성은 높일 수 있지만, 투표를 한 번 더 시행하므로 선거 운영이 복잡하고 선거 운동에 비용이 많이 드는 단점이 있다.

### 수능이 보이는 교과서 자료 국회 의원 선거 제도 - 1인 2표제

1인 1표제가 시행되었던 제15대, 제16대 국회 의원 선거에서는 비례 대표 국회 의원 당선자 수를 지역구 후보의 득표율에 따라 정당별로 결정하였다. 이러한 방식은 유권자가 정당에 대한 투표를 따로 할 수 없으므로 비례 대표 국회 의원을 직접적으로 결정할 수 있는 권한이 없는 것으로 볼 수 있다. 또한 정당에 소속된 지역구 후보자에 대한 투표는 지역구 의원의 선출과 정당의 비례 대표 의원의 선출에 영향을 주지만 무소속 후보자에 대한 투표는 지역구 의원 선출에만 기여하므로 투표 가치의 불평등이 발생한다.

국회 의원 선거의 1인 1표제는 유권자가 비례 대표 국회 의원을 선출하는 데 직접적인 결정권이 없고, 정당에 소속된 후보자를 선택하는 유권자와 무소속 후보자를 선택하는 유권자의 투표 가치에 불평등이 발생한다는 문제가 있었다. 이에 따라 우리나라는 2004년 제17대 국회 의원 선거부터 지역구 국회 의원에 한 표, 비례 대표 국회 의원에 한 표를 행사하는 1인 2표제를 도입하였다. ┌ 유권자가 지역구 후보에 한 표를 행사하고, 정당에도 한 표를 행사하는 방식이야.

## 자료 5 게리맨더링

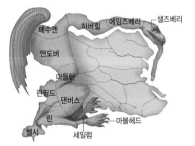

미국의 매사추세츠 주지사였던 게리가 자신이 소속된 공화당 후보들에게 유리하게 선거구를 획정하였는데, 그 모습이 그리스 신화에 나오는 '샐러맨더(도롱뇽)'와 비슷하다고 하여 그의 이름과 샐러맨더를 합성하여 '게리맨더링'이라고 부르게 되었다. 이후 게리맨더링은 선거구의 자의적인 획정을 의미하게 되었다. 우리나라에서는 이와 같은 게리맨더링을 방지하기 위해 선거구를 국회에서 법률로 정하는 선거구 법정주의를 채택하고 있다.

---

### 자료 하나 더 알고 가자!

**선호 투표제**

유권자는 지지하는 선호에 따라 모든 후보의 순위를 투표 용지에 기재한다. 1순위 표수로 1차 집계를 한 뒤 과반수 득표자가 나오면 당선자로 확정된다. 하지만 과반수 득표자가 없으면 최하위에 해당하는 후보를 탈락시키고, 최하위 후보를 1순위로 표시한 유권자의 표를 그 유권자가 2순위로 표시한 후보자에게 넘긴 후 다시 표를 집계한다. 과반수 득표자가 나올 때까지 이 과정을 반복한다.

선호 투표제는 사표 방지의 효과가 있으나, 여러 후보에게 순위를 매겨 투표해야 하므로 투표 과정이 복잡하다는 단점이 있다.

### 완자샘의 탐구 강의

• 국회 의원 선거의 1인 1표제가 비례 대표 의원 선출 시 위배한 민주 선거 원칙을 써 보자.
직접 선거, 평등 선거

• 우리나라의 지역구 국회 의원 선출 방식(대표 결정 방식)을 쓰고, 그 방식의 장·단점에 대해 서술해 보자.
단순 다수제. 단순 다수제는 선거 관리가 쉽고 당선자 결정이 편리한 장점이 있다. 하지만 당선자의 대표성이 낮을 수 있고 사표가 많이 발생하는 단점이 있다.

함께 보기 94쪽. 1등급 정복하기 2

### 자료 하나 더 알고 가자!

**선거 공영제 관련 헌법 조항**

제116조 ① 선거 운동은 각급 선거 관리 위원회의 관리하에 법률이 정하는 범위 안에서 하되 균등한 기회가 보장되어야 한다.
② 선거에 관한 경비는 법률이 정하는 경우를 제외하고는 정당 또는 후보자에게 부담시킬 수 없다.

## STEP 1 핵심 개념 확인하기

**1** 다음 설명이 맞으면 ○표, 틀리면 ×표를 하시오.

(1) 선거는 정치권력 행사에 민주적 정당성을 부여한다.
( )

(2) 선거는 대의 민주주의에서 국민이 주권을 행사하는 가장 기본적인 수단이다. ( )

(3) 평등 선거는 일정한 연령에 도달한 국민은 누구나 선거권을 가지는 선거 원칙이다. ( )

(4) 비밀 선거는 어느 후보에게 투표했는지 다른 사람이 알지 못하도록 하는 선거 원칙이다. ( )

**2** 다음 내용이 소선거구제의 특징에 해당하면 '소', 중·대선거구제의 특징에 해당하면 '중'을 쓰시오.

(1) 군소 정당의 의회 진출 가능성이 높다. ( )

(2) 거대 정당 후보가 당선될 가능성이 크다. ( )

(3) 선거 운동 비용이 많이 들고 선거 관리가 어렵다. ( )

(4) 사표가 많이 발생하여 과대 대표 문제가 나타날 수 있다.
( )

**3** ㉠, ㉡에 들어갈 용어를 각각 쓰시오.

> 선거를 통해 대표를 선출하는 방식은 크게 (㉠ )와 (㉡ )로 분류된다. (㉠ )는 다수 득표자가 당선되는 방식이고, (㉡ )는 정당 득표율에 비례하여 의석을 배분하고 당선자를 결정하는 방식이다.

**4** 다음 설명에 해당하는 공정 선거를 위한 제도를 〈보기〉에서 골라 기호를 쓰시오.

> **보기**
> ㄱ. 선거 공영제 ㄴ. 선거구 법정주의
> ㄷ. 선거 관리 위원회

(1) 국민 투표의 공정한 관리를 담당한다. ( )

(2) 선거구의 자의적 획정을 방지하기 위해 선거구를 법률로 정한다. ( )

(3) 선거 과정을 국가 기관이 관리하고 선거 비용 일부를 국가나 지방 자치 단체가 부담한다. ( )

## STEP 2 내신 만점 공략하기

**01** ㉠의 기능으로 적절하지 않은 것은?

> ( ㉠ )은/는 대의 민주주의에서 국민의 대표를 선출하는 과정을 의미한다. ( ㉠ )은/는 국민이 주권을 행사하는 가장 기본적인 수단으로서 국민의 정치적 합의에 근거하여 국가 권력을 창출한다는 데 의의가 있다.

① 대의 민주주의의 한계를 보완하는 역할을 한다.
② 각계각층의 다양한 의견을 정치 과정에 반영한다.
③ 국민을 대신하여 국정을 담당할 대표자를 선출한다.
④ 정치권력에 합법적인 정통성을 부여하여 권위를 가지게 한다.
⑤ 집권 세력을 재신임하거나 책임을 물어 교체함으로써 정치권력을 통제한다.

**02** 다음 글을 통해 파악할 수 있는 선거의 기능으로 가장 적절한 것은?

> 갑국 총선거에서 야당인 B당이 집권당인 A당을 물리치고 승리했다. B당이 43% 득표율로 하원 전체 350석 중 150석을 획득한 데 비해, 집권당인 A당은 37%를 득표하여 130석을 얻는 데 그쳤다. 야당이 총선에서 승리한 것은 정부의 경제 정책 실패에 대한 국민들의 반감이 야당 지지로 연결된 것으로 분석되고 있다.

① 정치권력에 합법성을 부여한다.
② 국정을 담당할 대표를 선출한다.
③ 국민 스스로 주권자임을 인식하도록 한다.
④ 여론을 표출하고 집약하여 정책 결정에 영향을 미친다.
⑤ 정치권력에 대한 통제를 통해 책임 정치를 구현하도록 한다.

**03** 다음 헌법 재판소의 결정과 관련 있는 민주 선거의 원칙으로 적절한 것은?

2012년 청구인들은 「공직 선거법」 제25조 제2항 별표1 국회 의원 지역 선거구 구역표가 인구 편차 상하 50%(인구 비례 3:1)를 기준으로 작성되어 기본권을 침해한다며 헌법 소원을 제기하였다. 이에 헌법 재판소는 선거구 인구 편차의 기준을 상하 33 1/3%(인구 비례 2:1)로 변경하는 것이 타당하다며, 2015년 12월 31일을 시한으로 새로운 선거구에 대한 입법을 명하는 헌법 불합치 결정을 내렸다.

① 유권자가 직접 투표소에 가서 투표해야 한다.
② 유권자가 대리인을 거치지 않고 투표해야 한다.
③ 모든 유권자가 행사한 표의 가치가 동등해야 한다.
④ 일정한 연령에 도달한 모든 국민은 선거권을 갖는다.
⑤ 유권자가 누구에게 투표했는지 다른 사람이 알지 못하도록 해야 한다.

**04** ㉠에 들어갈 선거구제에 대한 설명으로 옳은 것은?

지난 의회 의원 총선거에서 갑당은 총유효 투표 1,000만여 표 중 250만 표 이상을 얻어 25.34%의 득표를 하였다. 그러나 갑당의 의회 총의석수는 전체 의석 200석 중 10석에 불과했다. ( ㉠ )에서는 최다 득표 후보에게 던진 표 이외의 표는 사표가 되기 때문에 갑당은 득표수에 비해 훨씬 적은 의석수를 얻을 수밖에 없었다.

① 양당제가 형성될 가능성이 낮다.
② 군소 정당의 원내 진출이 용이하다.
③ 과도한 선거 비용이 발생할 수 있다.
④ 당선자 간 투표 가치의 차등 문제가 발생할 수 있다.
⑤ 정당 득표율과 의석률의 불일치로 과소 대표 문제가 발생할 수 있다.

**05** 다음은 갑국과 을국의 의회 선거에서 후보자를 선출하는 방식이다. 이에 대한 설명으로 가장 적절한 것은?

• 갑국의 유권자는 1인 1표에 의해 자신이 가장 선호하는 후보 한 명에게만 표를 던지고, 가장 많은 표를 얻은 후보 한 명만이 당선자로 결정된다.
• 을국의 유권자는 1차 투표에서 자신이 선호하는 후보자 한 명과 함께 지지하는 정당에 대해 표를 던질 수 있다. 그리고 후보자 한 명이 50% 이상의 득표를 얻지 못할 경우 1위와 2위 후보자를 대상으로 하여 2차 투표를 실시하여 과반수를 득표한 후보자가 당선자로 결정된다.

① 사표 발생의 가능성은 선거 과정이 복잡한 을국에서 높다.
② 을국은 갑국에 비해 선거 과정의 투명성 정도가 높다.
③ 갑국은 소선거구제, 을국은 중·대선거구제에 적합하다.
④ 갑국은 을국에 비해 정당의 지지도와 의석수 간의 연계성이 적을 것이다.
⑤ 갑국과 을국은 모두 유권자의 참여 부족으로 인해 당선자의 대표성이 문제가 될 것이다.

**06** 표는 갑국의 정당별 의석수를 나타낸 것이다. 갑국의 선거 제도에 대한 분석으로 옳은 것은?

(단위: 석)

| 구분 | 2014년 | 2018년 |
|---|---|---|
| A당 | 104 | 75 |
| B당 | 70 | 94 |
| C당 | 13 | 26 |
| D당 | 13 | 5 |
| 지역 선거구 수 | 150 | 150 |

*정당은 A~D당만 존재하며, 비례 대표 의석(50석)을 배분하기 위한 별도의 선거는 없다.

① 한 선거구에서 두 명 이상의 대표를 선출하였다.
② 지역구 의원 선거에서는 소선거구제를 채택하고 있다.
③ 대통령제 국가라면 2018년에는 여대야소 정국이 형성된다.
④ 갑국의 비례 대표 의원 선출 방식은 직접 선거 원칙에 위배되지 않는다.
⑤ 의원 내각제 국가라면 행정부 수반은 2014년에는 A당, 2018년에는 B당 소속일 것이다.

[07~08] 표는 의원 내각제를 채택하고 있는 A국의 의회 의원 선출 결과이다. 물음에 답하시오.

| 지역 | 선거구 수 | 정당별 의석수 | | | |
|---|---|---|---|---|---|
| | | 갑당 | 을당 | 병당 | 정당 |
| (가) | 37 | 9 | 25 | 3 | 0 |
| (나) | 40 | 2 | 27 | 5 | 6 |
| (다) | 35 | 30 | 3 | 0 | 2 |
| (라) | 37 | 28 | 5 | 3 | 1 |
| 합계 | 149 | 69 | 60 | 11 | 9 |

**07** A국에서 채택하고 있는 선거구제와 대표 결정 방식을 옳게 연결한 것은?

| | 선거구제 | 대표 결정 방식 |
|---|---|---|
| ① | 대선거구제 | 비례 대표제 |
| ② | 소선거구제 | 다수 대표제 |
| ③ | 소선거구제 | 비례 대표제 |
| ④ | 중선거구제 | 다수 대표제 |
| ⑤ | 중선거구제 | 비례 대표제 |

**08** A국의 선거 제도에 대한 옳은 분석만을 〈보기〉에서 있는 대로 고른 것은?

┌─ 보기 ─────────────────────┐
ㄱ. 정당 선호도의 지역적 편중 현상이 나타나고 있다.
ㄴ. 사표가 많이 발생하는 선거구 제도를 채택하고 있다.
ㄷ. 연립 정부 수립을 위해서 정당 간 협상이 이루어질 것이다.
ㄹ. 군소 정당의 난립 가능성이 큰 대표 결정 방식을 채택하고 있다.
└────────────────────────────┘

① ㄱ, ㄴ   ② ㄱ, ㄹ   ③ ㄷ, ㄹ
④ ㄱ, ㄴ, ㄷ   ⑤ ㄴ, ㄷ, ㄹ

**09** ☆중요 다음 자료에 대한 분석으로 옳은 것은? (단, 갑국~병국의 의회 의원은 지역구 의원 또는 비례 대표 의원이다.)

| 구분 | 총의석수(석) | 지역구 의석수 / 총의석수 | 투표 방식 |
|---|---|---|---|
| 갑국 | 300 | 0.5 | 1인 1표 |
| 을국 | 300 | 0.7 | 1인 2표 |
| 병국 | 300 | 1 | 1인 1표 |

*각국의 선거 결과: 제1당의 의석수는 갑국은 170석, 을국은 165석, 병국은 90석이다.

① 갑국의 정부 형태가 의원 내각제라면 연립 내각이 구성될 것이다.
② 을국은 한 지역구에서 2명의 지역구 의원을 선출한다.
③ 병국은 지역구 선거에서의 정당 득표율에 비례하여 비례 대표를 선출한다.
④ 갑국은 을국보다 비례 대표 의석수가 많다.
⑤ 병국은 을국에 비해 국민의 다양한 의사를 반영하기에 유리하다.

**10** 표는 갑국에서 실시된 선거 중 한 선거구의 개표 결과이다. 이 국가에서 채택하고 있는 대표 결정 방식의 특징을 〈보기〉에서 고른 것은?

| 후보(소속 정당) | 득표수 | 득표율(%) | 비고 |
|---|---|---|---|
| A('가'당) | 24,528 | 42.9 | 당선 |
| B('나'당) | 22,883 | 40.1 | 낙선 |
| C('다'당) | 9,144 | 16.0 | 낙선 |
| D('라'당) | 577 | 1.0 | 낙선 |

(단, '다'당의 후보를 지지하는 유권자는 자신들의 이념상 '가'당 후보보다는 '나'당 후보를 선호하는 경향이 있다.)

┌─ 보기 ─────────────────────┐
ㄱ. 대표 결정 방식 중 사표가 가장 적게 발생한다.
ㄴ. 군소 정당이 난립하여 정국이 혼란스러워질 가능성이 높다.
ㄷ. 군소 정당 후보를 지지하는 유권자들의 소신 있는 투표를 저해할 수 있다.
ㄹ. 전체 유권자 중 다수의 유권자들이 원하지 않는 후보가 당선되는 경우도 있다.
└────────────────────────────┘

① ㄱ, ㄴ   ② ㄱ, ㄷ   ③ ㄴ, ㄷ
④ ㄴ, ㄹ   ⑤ ㄷ, ㄹ

**11** 밑줄 친 부분과 같은 현상을 방지하기 위한 대책으로 가장 적절한 것은?

> ○○국에서는 집권당은 대도시가 포함된 A 지역에서 많이 당선되고, 야당은 농어촌이 포함된 B 지역에서 많이 당선되는 현상이 최근 두 차례의 선거에서 나타났다. 그러자 집권당은 A 지역의 선거구는 더욱 세분화하고, B 지역의 선거구는 통합하는 방식으로 선거구를 획정하였다.

① 복수 정당제를 실시한다.
② 선거 공영제를 도입한다.
③ 선거구 법정주의를 시행한다.
④ 민주 선거의 4원칙을 제도적으로 보장한다.
⑤ 후보자 추천에 국민 경선 제도를 실시한다.

**12** 갑국과 을국이 다음과 같은 제도를 운영하는 공통적인 목적으로 가장 적절한 것은?

> • 갑국에서는 후보자가 선거인에게 보내는 선거 운동용 홍보물의 우편료를 면제해 주며, 선거 운동을 위한 집회를 개최할 때에 공립 학교 등 공공시설을 무료로 사용할 수 있도록 한다.
> • 을국에서는 공식 선거 운동 기간 중에 선전 벽보 및 선거 홍보물 작성, 후보자 방송 연설 등에 들어가는 비용에 대해 후보자의 득표수가 유효 투표 총수의 10~15%인 경우 후보자가 지출한 선거 비용의 50%를, 그 이상인 경우와 후보자가 당선된 경우 전액 보전해 준다.

① 선거구를 공정하게 획정하기 위해
② 선거 운동의 기회를 공정하게 보장하기 위해
③ 후보자 난립을 막아 선거의 효율성을 높이기 위해
④ 선거 운동 비용의 감소를 통해 선거 기간을 줄이기 위해
⑤ 선거 운동 비용의 국고 부담을 통해 평등 선거를 보장하기 위해

## 서술형 문제

**01** 다음과 같은 비례 대표 의원 의석 배분 방식이 위반한 민주 선거의 원칙을 **두 가지** 쓰고, 그 이유를 서술하시오.

> 각 정당이 지역구 의원 선거에서 얻은 득표를 합산한 후, 각 정당의 지역구 의원 선거 득표율에 비례하여 비례 대표 의원 의석을 배분한다. 단, 지역구 의원 선거에서 무소속 후보자에게 투표한 표는 정당별 득표율 계산에서 제외된다.

**02** 다음 자료를 읽고 물음에 답하시오.

> 갑국은 각각 100개의 선거구로 구성된 (가)~(다) 지역에서 선출한 지역구 의원으로만 의회를 구성한다. 그런데 전체 의석수는 유지한 채 전국에서 얻은 정당별 득표율에 비례하여 전체 의석을 배분하는 개편안을 논의 중이다. 다음 표는 최근 갑국의 의회 의원 선거 결과이다.
>
> (단위: %, 석)
>
> | 구분 | A당 | | B당 | | C당 | |
> |---|---|---|---|---|---|---|
> | | 득표율 | 의석수 | 득표율 | 의석수 | 득표율 | 의석수 |
> | (가) 지역 | 55 | 85 | 30 | 15 | 15 | 0 |
> | (나) 지역 | 15 | 25 | 80 | 75 | 5 | 0 |
> | (다) 지역 | 35 | 40 | 25 | 6 | 40 | 54 |
> | 전체 | 35 | 150 | 45 | 96 | 20 | 54 |
>
> * 최근 선거 결과에서 (가)~(다) 지역의 지역별 유효 투표수는 모두 같고, 유권자의 정당 지지도는 후보 지지도와 일치한다.
> ** 개편안 시행 전후, 유권자의 정당 지지도는 변함이 없다.

(1) 갑국의 현행 선거구 제도를 쓰시오.

(2) 개편안을 시행할 경우 가장 많은 의석을 차지하는 정당을 쓰고, 그 이유를 서술하시오.

1 갑~병의 주장에 대한 설명으로 옳은 것은?

> 선거권을 가진 사람에게 무조건 투표권을 부여하는 것은 문제가 있어. 선거 관리 위원회에 직접 투표권 행사자로 등록한 사람에게만 투표권을 줘야 해.

갑

을

> 그건 문제가 있어. 선거권을 가진 사람은 모두 투표권을 행사할 수 있도록 해야 해.

> 그보다는 투표에 참여한 유권자에게만 인센티브를 주는 것이 필요하다고 봐.

병

① 갑은 투표권을 국민의 당연한 권리로 보고 있다.
② 병의 방식은 유권자의 자발성에 주안점을 두고 있다.
③ 갑은 을, 병과 달리 직접 선거 원칙을 강조하고 있다.
④ 을의 방식은 갑의 방식에 비해 보통 선거 원칙에 더 충실하다.
⑤ 병의 방식은 을의 방식에 비해 당선자의 득표율이 더 높게 나타난다.

> **민주 선거의 원칙**

> **완자 사전**
>
> • 인센티브(incentive)
> 어떤 행동을 취하도록 부추기는 것을 목적으로 하는 자극 또는 유인책

2 의회 의원 선거 제도 A, B에 대한 옳은 설명을 〈보기〉에서 고른 것은?

| 구분 | A | B |
|---|---|---|
| 의원 총수 | 300명(지역구 246명, 비례 대표 54명) | 300명(지역구 200명, 비례 대표 100명) |
| 선거 단위 | 지역구 및 비례 대표 | • 전국 6개 권역 구분<br>• 지역구 및 권역별 비례 대표 |
| 비례 대표 | 전국 단위 명부 작성 | 권역 단위 명부 작성 |
| 의석 배분 방식 | • 지역구: 단순 다수제<br>• 비례 대표: 정당 득표율에 따라 의석 배분 | • 지역구: 단순 다수제<br>• 비례 대표: 권역별 정당 득표율에 따라 정당별 총의석수 우선 배정, 각 정당 지역구 당선자의 숫자를 제외한 의석수만큼 비례 대표 배정 |

보기

ㄱ. A는 의회 의원의 지역 대표성보다 직능 대표성을 중시한다.
ㄴ. B는 특정 정당이 특정 지역의 의석을 대부분 차지하는 지역주의의 완화에 기여한다.
ㄷ. A가 B보다 사표 발생 가능성이 낮다.
ㄹ. B가 A보다 지역 지지 기반이 약한 정당의 지지를 받을 것이다.

① ㄱ, ㄴ          ② ㄱ, ㄷ          ③ ㄴ, ㄷ
④ ㄴ, ㄹ          ⑤ ㄷ, ㄹ

> **선거 제도**

> **완자샘의 시험 꿀팁**
>
> 선거 제도를 통해 선거구제의 종류와 대표 선출 방식을 추론하는 문제가 자주 출제된다.

> **완자 사전**
>
> • 직능 대표
> 각 직업 분야의 대표

**3** 다음 자료에 대한 분석 및 추론으로 옳지 **않은** 것은?

> 현재 갑국의 의회는 지역구 의원으로만 구성되고 의석수는 100석이며, 선거구는 총 100
> 개이다. 갑국은 향후 의회의 의석수를 현재 지역구 100석에 비례 대표 100석을 추가해
> 총 200석으로 변경하고자 한다. 비례 대표 의석은 각 정당의 지역구 후보들 전체가 전국
> 적으로 얻은 득표율에 비례하여 배분된다.
>
> 〈갑국의 최근 의회 의원 선거 결과〉
>
> | 구분 | A당 | B당 | C당 |
> |---|---|---|---|
> | 득표율(%) | 45 | 35 | 20 |
> | 의석수(석) | 70 | 25 | 5 |

① 현행 대표 결정 방식은 다수 대표제이다.
② 현행 선거구 제도의 일반적 특징으로 양당제가 확립될 가능성이 높다.
③ 최근 선거 결과, 득표율에 비해 의석수를 가장 적게 획득한 정당은 C당이다.
④ 변경될 선거 제도를 최근 선거 결과에 적용한다면, A당은 과반 의석을 확보하게 된다.
⑤ 변경될 선거 제도를 최근 선거 결과에 적용한다면, 각 정당의 득표율과 의석 점유율
간의 격차가 늘어난다.

> **선거 결과 분석**
>
> **완자샘의 시험 꿀팁**
>
> 각국의 선거 결과를 통해 선거구제
> 와 대표 선출 방식의 특징과 장단점
> 등을 묻는 문제가 자주 출제된다.

**4** 다음은 어느 나라의 의회 의원 선거 결과이다. 이에 대한 옳은 설명을 〈보기〉에서 고른 것은?

> **선거 결과 분석**

(단위: 표, 석)

| 구분 | 갑 선거구 | 을 선거구 | 병 선거구 | 정 선거구 |
|---|---|---|---|---|
| A당 | 4만 | 2만 | 5천 | 1만 |
| B당 | 3만 | 1만 5천 | 1만 | 2만 |
| C당 | 2만 | 2만 5천 | 2만 | 1만 |
| D당 | 1만 | 1만 | 1만 5천 | 3만 |
| 의석수 | 1 | 1 | 1 | 1 |

*전체 투표율은 100%이다.

> **보기**
>
> ㄱ. 비례 대표제에 의해서 대표가 선출되었다.
> ㄴ. 사표의 수가 가장 적은 선거구는 병 선거구이다.
> ㄷ. A당 지지자에 비해 C당 지지자의 의사는 과대 대표되었다.
> ㄹ. 선거 관리가 복잡하고 비용이 비교적 많이 드는 선거구제이다.

① ㄱ, ㄴ      ② ㄱ, ㄷ      ③ ㄴ, ㄷ
④ ㄴ, ㄹ      ⑤ ㄷ, ㄹ

# 03 정치 참여의 방법과 한계

학습목표
• 정당을 통한 정치 참여 방법과 한계를 설명할 수 있다.
• 이익 집단, 시민 단체, 언론을 통한 참여 방법과 한계를 설명할 수 있다.

## 이것이 핵심!

**정당의 의미와 기능**

| | |
|---|---|
| 의미 | 정치적 견해를 같이하는 사람들이 정권을 획득하여 자신들의 정강을 실현하기 위해 조직한 단체 |
| 기능 | 정치적 충원, 여론 형성과 조직, 정부 구성과 견제, 의회와 정부 매개, 정치 사회화 등 |

**정당 제도의 유형**

| | |
|---|---|
| 일당제 | • 의미: 특정 정당이 계속해서 집권하는 정당 제도<br>• 문제점: 독재 정치 우려 |
| 양당제 | • 의미: 두 개의 주요 정당이 경쟁하는 정당 제도<br>• 장점: 정국 안정, 정치적 책임 소재 명확<br>• 단점: 과반수 의석을 가진 정당의 횡포 우려, 국민의 다양한 의견 반영 어려움 |
| 다당제 | • 의미: 세 개 이상의 정당이 경쟁하는 정당 제도<br>• 장점: 국민의 다양한 의사 반영 가능<br>• 단점: 군소 정당 난립 시 정국 불안정, 정치적 책임 소재 불명확 |

**★ 정강**
정당이 국민에게 공약하여 실현하고자 하는 정책과 이념을 나타낸 것. 경제, 안보, 복지, 문화, 교육 등 다양한 분야에 걸쳐 제시되어 있다.

**★ 당정 협의회**
행정부와 정당이 중요 정책을 결정함에 있어 서로 협의하는 기구

**★ 정치 사회화**
정치적 쟁점에 대한 가치, 신념, 태도를 습득하여 내면화하는 것

**★ 공천**
정당이 대통령 선거나 국회 의원 선거에 출마할 후보자를 추천하는 일

**★ 공청회**
중요한 정책 사안에 있어서 공개적으로 의견을 듣는 형식

## ① 정당을 통한 정치 참여

### 1. 정당의 의미와 기능
┌ 정당은 국가 기관이 아니야. 국가 기관은 국가 정책의 결정·집행을 포함한 모든 국가 작용을 담당하는 기관을 말하는데, 정당은 이러한 역할을 하는 집단이 아니기 때문이야.

(1) **정당**: 정치적 견해를 같이하는 사람들이 정권을 획득하여 자신들의 *정강을 실현하기 위해 조직한 단체

(2) **정당의 기능** ── 꼭! 정당은 공적 이익 추구, 선거 참여를 위한 공직 획득, 정부 내 영향력 행사를 목적으로 해.

| 정치적 충원 | 선거에 후보자를 공천하여 대표자를 배출함 |
|---|---|
| 여론 형성과 조직 | 국민의 다양한 요구와 의사를 수렴하여 여론을 형성하고 이를 조직화하여 정책으로 제시함 |
| 정부 구성과 견제 | 선거를 통해 정부를 구성(여당)하고 비판·견제함(야당) → 정부의 책임성 강화 |
| 의회와 정부 매개 | *당정 협의회 등을 통해 정부에 의회의 의견을 전달함 |
| *정치 사회화 | 정치적 현안에 대해 정보를 제공하고 시민의 관심과 참여를 유도함 |

└ 정치적 쟁점이나 사회 문제에 대해 시민 다수가 가지는 공통된 의견이나 태도

### 2. 정당 제도의 유형 (자료①)

(1) **일당제**: 실질적으로 하나의 정당만 존재하거나 특정 정당이 계속해서 집권하는 정당 제도 → 독재 정치의 가능성이 크고 국민의 다양한 의사가 정치 과정에 반영되기 어려움

(2) **복수 정당제**: 두 개 이상의 정당이 경쟁함 → 민주주의 국가의 정당 제도 (자료②)

| | 의미 | 두 개의 주요 정당이 권력 획득을 위해 경쟁하며 교대로 집권함 |
|---|---|---|
| 양당제 | 장점 | • 정국이 비교적 안정적으로 운영됨<br>• 정치적 책임 소재가 분명함 → 책임 정치 확립 가능 |
| | 단점 | • 과반수 의석을 차지한 정당의 횡포가 우려됨<br>• 정당 선택의 폭이 제한되어 다양한 국민의 의견이 정치에 반영되기 어려움 |
| 다당제 | 의미 | 세 개 이상의 정당이 권력 획득을 위해 경쟁함 |
| | 장점 | • 정당 선택의 범위가 넓어 국민의 다양한 의사가 반영될 수 있음<br>• 정당 간 대립 시 중재가 비교적 쉬움 |
| | 단점 | • 군소 정당이 난립할 경우 정국이 불안정해짐<br>• 강력한 정책 추진이 어렵고, 정치적 책임 소재가 불분명함 |

└ VS 의원 내각제를 채택하는 경우에는 연립 정부를 구성할 가능성이 커. 연립 정부에 참여한 정당들이 서로 협조하지 않으면 정국 불안정을 초래할 수 있고, 국정 실패의 책임 소재가 불명확할 수 있어. 대통령제를 채택하는 경우에는 여소야대 상황이 나타날 가능성이 커.

### 3. 정당을 통한 정치 참여 방법과 한계

(1) **정당을 통한 정치 참여**

① 정당에 가입하여 활동하는 경우: 정당 지도부 선출, *공천을 받아 공직 후보자로 출마, 정책 제안에 참여, 당헌·당규 준수 및 당비 납부 의무 등

② 정당에 가입하지 않는 경우: 선거에서 특정 정당의 후보나 정당에 투표, 정당 주최 *공청회 및 정책 토론회에 참여, 집회에 참여하여 특정 정책에 대한 의사 표현 등

(2) **정당을 통한 정치 참여의 한계**: 정당의 거대화·관료화에 따른 권위적 운영으로 인해 국민의 다양한 요구가 정당의 정책에 반영되지 못함 ── 왜? 정당의 규모가 커지면 효율적인 운영을 위해 관료제 조직으로 운영되고 소수의 당 지도부가 의사 결정을 주도하게 돼.

(3) **우리나라 정당 정치의 문제점**: 특정 인물 중심, 지역주의 심화, 비민주적 조직과 운영 등

(4) **우리나라 정당 정치의 과제**: 상향식 의사 결정 방식을 통한 당내 민주주의 실현, 정책 중심의 정당 운영 등 (자료③)
┌ 정당이 특정 인물이나 특정 지역의 영향을 받게 되면 국민의 요구를 수렴하여 정책으로 연결하는 정당의 기능을 제대로 수행하기 어려워.

# 완자 자료 탐구

## 내 옆의 선생님

### 자료 1 각국의 정당 제도

> 양당제는 주로 거대 정당에 유리한 소선거구 단순 다수제를 채택하는 국가에서 나타나고, 다당제는 주로 군소 정당에 유리한 중·대선거구 다수 대표제나 비례 대표제를 채택하는 국가에서 나타나.

**(가) 싱가포르의 정당별 의석수**

| 총선 시기(년) | 총 의석수 | 인민 행동당 | 기타 정당 |
|---|---|---|---|
| 1991 | 81 | 77 | 4 |
| 1997 | 83 | 81 | 2 |
| 2001 | 84 | 82 | 2 |
| 2006 | 84 | 82 | 2 |
| 2011 | 87 | 81 | 6 |

(단위: 석)

**(나) 미국의 집권당**

| 기간(년) | 집권당 |
|---|---|
| 1981~1989 | 공화당 |
| 1989~1993 | 공화당 |
| 1993~2001 | 민주당 |
| 2001~2009 | 공화당 |
| 2009~2017 | 민주당 |
| 2017~현재 | 공화당 |

**(다) 독일 연방의 정당별 의석수**

| 정당 | 1998년 | 2002년 | 2005년 |
|---|---|---|---|
| 기민당 | 198 | 190 | 180 |
| 기사당 | 47 | 58 | 46 |
| 사민당 | 295 | 251 | 222 |
| 자민당 | 43 | 47 | 61 |
| 민사당 | 36 | 2 | 54 |
| 녹색당 | 47 | 55 | 51 |

(단위: 석)

(가) 싱가포르는 특정 정당이 장기적으로 집권하는 일당제 형태를 띠고 있다. (나) 미국의 공화당과 민주당처럼 실질적으로 두 개의 정당 사이에서 정치권력 교체가 일어나는 정당 제도의 유형을 양당제라고 한다. (다) 독일은 과반수를 차지한 정당이 없어 2~3개 정당이 연합 정부를 구성하여 집권하는 다당제 형태를 띠고 있다.

> 정당이 세 개 이상 존재하더라도 오랜 기간 두 개의 정당이 번갈아가며 정권을 잡았거나 국민의 지지가 두 개의 정당에 집중된다면 양당제라고 할 수 있어.

### 자료 2 우리나라 헌법과 복수 정당제

> 제8조 ① 정당의 설립은 자유이며, 복수 정당제는 보장된다.
> ② 정당은 그 목적·조직과 활동이 민주적이어야 하며, 국민의 정치적 의사 형성에 참여하는 데 필요한 조직을 가져야 한다.
> ③ 정당은 법률이 정하는 바에 의하여 국가의 보호를 받으며, 국가는 법률이 정하는 바에 의하여 정당 운영에 필요한 자금을 보조할 수 있다.

민주주의 국가는 복수 정당제를 채택하여 다양성을 보장하고 정당들이 정책 경쟁을 통해 다양한 이해관계를 반영하고자 한다. 우리 헌법에서는 정당 설립의 자유, 복수 정당제 보장, 정당의 요건 등을 직접 규정하여 정당을 보호하고 있다.

> 자유 민주적 기본 질서의 핵심으로서 개정이 금지돼.

### 자료 3 국민 참여 경선 제도

**A 정당의 공직 후보자 추천 당헌**

> 제99조 ① 대통령 후보자는 대통령 후보자 선출을 위한 국민 참여 선거인단 대회(선거인단은 대의원, 당원, 일정 요건을 갖춘 일반 국민) 투표 결과와 여론 조사 결과를 종합하여 선출한다.
> ② 대통령 후보자 당선자는 국민 참여 선거인단 유효 투표 결과 80%, 여론 조사 결과 20%를 반영하여 산정한 최종 집계 결과 최다 득표자로 한다.

국민 참여 경선 제도는 정당의 공직 후보자 선출 시 당원뿐만 아니라 일반 국민도 후보자 선출에 참여하도록 하는 제도이다. 대표적인 사례로 미국의 개방형 예비 선거(open primary)를 들 수 있다. 개방형 예비 선거는 정당 구조를 민주적으로 변화시킬 수 있고 높은 지지율을 끌어낼 수 있는 장점이 있지만, 당원의 역할이 축소되고 정당 정치의 기반을 약화시킬 수도 있다.

> Q&? 인기에 영합하는 공약이 남발되거나 정당 이념에 부합하지 않는 인물이 후보자로 선출되고 선거에서 당선될 수 있기 때문이야.

---

### 정리 | 비법을 알려줄게!

**양당제와 다당제**

| 구분 | 양당제 | 다당제 |
|---|---|---|
| 장점 | • 정국이 비교적 안정적으로 운영됨<br>• 정치적 책임이 분명함 | 국민의 다양한 의견이 정치에 반영될 수 있음 |
| 단점 | 국민의 다양한 의견이 정치에 반영되기 어려움 | • 군소 정당이 난립할 경우 정국이 불안정해짐<br>• 정치적 책임 소재가 불분명해질 수 있음 |
| 대표 국가 | 미국, 영국 등 | 독일, 노르웨이 등 |

### 자료 | 하나 더 알고 가자!

**정당 가입**

> 정당법 제22조 ① 국회 의원 선거권이 있는 자는 공무원 그 밖에 그 신분을 이유로 정당 가입이나 정치 활동을 금지하는 다른 법령의 규정에 불구하고 누구든지 정당의 발기인 및 당원이 될 수 있다.

우리나라는 국회 의원 선거권을 가지는 국민에게만 당원이 될 수 있는 자격을 부여하고 있다. 헌법 재판소 재판관, 중앙 선관위 위원, 정무직을 제외한 공무원은 당원이 될 수 없다.

### 자료 | 하나 더 알고 가자!

**정당의 다양한 공천 방식**

| 개방형 예비 선거 | 당원과 일반 국민이 후보 선출에 참여 |
|---|---|
| 폐쇄형 예비 선거 | 당원들만 참가하여 후보 선출 |
| 지역당 중심 공천 | 지역당의 당원 대표나 대의원들이 후보 선출 |
| 중앙당 중심 공천 | 중앙당의 특정 기구가 후보 결정 |
| 정당 지도자 1인의 공천 | 정당 지도자가 단독으로 후보 결정 |

**이익 집단, 시민 단체, 언론을 통한 정치 참여**

| | |
|---|---|
| 이익 집단 | • 의미: 특수 이익을 실현하기 위해 결성한 집단<br>• 기능: 국민의 다양한 의사 표출, 지역 대표제나 정당의 한계 보완, 정치 사회화, 정부 정책 감시·비판 등<br>• 문제점: 집단의 특수 이익과 공익 간 충돌 우려, 정치권력과 결탁 등 |
| 시민 단체 | • 의미: 공익 실현을 위해 시민이 자발적으로 만든 단체<br>• 기능: 정부 정책 감시·비판, 사회 문제에 대한 여론 형성, 정치 사회화 등<br>• 문제점: 낮은 시민 참여도, 시민 단체의 관료화, 시민 단체의 자율성 훼손, 시민 단체의 이익 집단화 |
| 언론 | • 의미: 신문, 인터넷 등의 매체를 통해 사실을 알리거나 여론을 형성하는 활동<br>• 기능: 국민의 알 권리 보장, 시민의 의견 표출 통로, 국가 권력에 대한 감시·견제, 특정 여론의 형성 및 주도 등 |

**★ 로비(lobby)**
원래는 의회의 대기실, 면회실을 의미했으나, 여기서 이익 집단들이 자기들의 특수 이익을 보호하기 위하여 의원들에게 입법을 촉진하거나 저지하기 위한 압력을 주로 행사하면서 그러한 활동 자체를 가리키는 용어로 쓰이기도 한다.

**★ 알 권리**
국민 개개인이 정치·사회 현실 등에 관한 정보를 자유롭게 알 수 있는 권리

**★ 의제 설정**
언론이 특정한 주제를 선택 및 강조하여 보도함으로써 사람들이 그것을 중요한 문제로 인식하도록 만드는 것을 의미한다.

## 2 이익 집단, 시민 단체, 언론을 통한 정치 참여 (교과서 자료)

### 1. 이익 집단

(1) **이익 집단**: 특정한 이해관계나 목표를 같이하는 사람들이 자신들의 특수 이익을 실현하기 위해 결성한 집단

(2) **이익 집단의 기능**: 국민의 다양한 정치적 의사 표출, 지역 대표제나 정당의 한계 보완, 정치 사회화, 정부 정책 감시·비판 등

> **왜?** 특정 분야의 전문성을 바탕으로 정책 결정자에게 전문적인 정보를 제공하기 때문이야.

(3) **이익 집단을 통한 정치 참여**: 선거 자금 후원, 전문 지식 활용, 시위 및 집회 등을 통한 참여, 의회 의원이나 정부 관료에게 영향력 행사(*로비 활동) 등

(4) **이익 집단의 문제점**

① 집단의 특수 이익과 사회 전체의 보편적 이익 간 충돌 우려, 집단 이기주의로의 변질 우려, 정부의 정책 결정 지연이나 혼란 발생 우려

② 정치권력과 결탁하여 부정부패 초래 가능성

### 2. 시민 단체

> **vs** 집단의 특수 이익을 추구하는 이익 집단과 달리 시민 단체는 인권, 환경, 복지 등 공공 문제나 공적 이익에 관심을 두고 활동해.

(1) **시민 단체**: 공공의 이익을 실현하기 위해 시민이 자발적으로 만든 비영리 단체

(2) **시민 단체의 기능**: 정부 정책 감시·비판, 사회 문제에 대한 여론 형성, 정치 사회화 등

(3) **시민 단체를 통한 정치 참여**: 시민 단체 조직·가입, 사회적 쟁점에 관한 토론회나 공청회 개최, 서명 운동이나 캠페인 활동 및 공직자 면담, 관련 기관에 의견 제출 등

(4) **우리나라 시민 단체의 문제점** (자료 4)

① 낮은 시민 참여도: 시민 단체에 대한 시민의 참여도와 회원들의 회비 납부율이 낮음

② 시민 단체의 관료화: 소수 활동가 중심의 운영, 일반 회원의 의사 결정 참여 기회 제한

③ 시민 단체의 자율성 훼손: 정부 지원금이나 외부 후원에 의존한 자금 운영으로 정부·기업 감시 기능 저하

④ 시민 단체의 이익 집단화: 특수 이익이나 정책을 지지하거나 특정 세력과 결탁

(5) **해결 방법**: 시민 단체 의사 결정 구조의 민주화, 재정 자립 실현, 사회적 책임성 강조 등

### 3. 언론

(1) **언론**: 신문, 텔레비전, 인터넷 등의 매체를 통해 어떤 사실을 알리거나 여론을 형성하는 활동

(2) **언론의 기능**: 국민의 *알 권리 보장, 시민의 의견 표출 통로, 국가 권력에 대한 감시·견제, *의제 설정 기능을 통해 특정 여론의 형성 및 주도 등

(3) **언론의 자유와 책임**

① 언론의 자유: 권력과 자본에 대한 비판과 감시, 국민의 알 권리 보장

② 언론의 책임: 정확성(객관적 사실 전달), 공정성(다양한 의견 보도), 공익성(공공의 이익 우선)

> 언론은 정보를 제공하여 여론이 만들어지고 전달되는 데 큰 영향을 끼치기 때문에 책임이 막중하다고 할 수 있어.

(4) **언론을 통한 정치 참여**: 독자 투고나 언론사와의 인터뷰, 인터넷 게시판이나 누리 소통망 서비스(SNS) 등을 통해 각종 정보를 언론사에 제보 등

(5) **언론을 대하는 시민의 태도**: 언론 보도에 대해 비판적·중립적인 시각을 가지고 분석하는 자세를 가져야 함 (자료 5)

> **왜?** 언론은 때로 편파·과장·왜곡 보도를 하여 시민의 올바른 의사 결정을 방해하기 때문이야.

## 수능이 보이는 교과서 자료 — 정당, 이익 집단, 시민 단체의 특징

| 구분 | 정당 | 이익 집단 | 시민 단체 |
| --- | --- | --- | --- |
| 목적 | 정치권력 획득 | 특수 이익 실현 | 공공선과 공익 실현 |
| 추구하는 이익 | 공익 | 사익(특수 이익) | 공익 |
| 정치적 책임 | 있음 | 없음 | 없음 |
| 공통점 | 정부의 정책 결정 과정에 영향력 행사 | | |

시민 단체는 공공선의 실현을 목표로 하고, 이익 집단은 특수 이익의 실현을 목표로 한다는 점에서 차이가 있다. 정당은 광범위한 분야에 걸쳐 공익을 추구하는 데 비해 이익 집단은 특정 분야에서 특수 이익을 추구한다는 점에서 차이가 있다. 그러나 정당, 시민 단체, 이익 집단은 정치 과정에서 여론을 형성하고 시민의 요구를 표출하는 투입 기능을 수행한다는 공통점이 있다.

### 완자쌤의 탐구 강의

• 이익 집단과 정당 간의 관계에 대해 서술해 보자.

이익 집단은 소속 구성원들의 이해 관계를 정책에 반영하기 위해 정당을 매개체로 이용하고, 정당은 지지 기반을 확보하고 정책에 대한 전문적 지식과 견해를 획득하기 위해 이익 집단과 상호 작용한다.

함께 보기 105쪽, 1등급 정복하기 4

## 자료 4 우리나라 시민 단체의 문제점

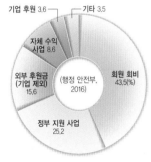

기업 후원 3.6 ─ ┌ 기타 3.5
자체 수익 사업 8.6
외부 후원금 (기업 제외) 15.6
(행정 안전부, 2016)
회원 회비 43.5(%)
정부 지원 사업 25.2

⬆ 시민 단체의 예산

행정 안전부가 2015년 국내 718개 시민 단체를 대상으로 설문 조사를 진행한 결과, 시민 단체의 예산 중 정부 보조금 비율이 평균 25.2%에 달하는 것으로 조사되었다. 이에 비해 시민 단체의 안정적인 재정 기반이 되는 회원들의 회비는 전체 예산의 43.5%에 불과하여 전체 예산의 절반에도 미치지 못한다. 이와 같이 시민 단체의 운영 자금이 정부 지원금이나 외부 후원에 의존하게 되면 시민 단체의 자율성이 훼손되고 정부와 기업을 제대로 감시하지 못하는 현상이 나타날 수 있다.

### 문제 로 확인할까?

시민 단체에 대한 설명으로 옳지 않은 것은?
① 공익 실현을 목적으로 한다.
② 정치적 책임을 지지 않는다.
③ 대의 정치의 한계를 보완한다.
④ 정책 결정 과정에 영향을 미친다.
⑤ 정치권력을 획득하여 자신들의 정강을 실현하고자 한다.

⑨ 답

## 자료 5 언론을 대하는 시민의 태도

많은 언론인이 중립적이고 객관적인 사실에 기반을 두어 기사를 작성해야 한다는 신념을 지니고 있으며, 이를 바탕으로 좋은 보도를 할 수 있다고 주장한다. 반면, 그렇지 않다고 주장하는 소수의 언론인도 있다. 객관성·중립성이라는 개념은 언론 매체가 권력을 유지하려고 편의상 사용하는 허구라는 것이다. 현대의 언론 매체들은 중립성과 진실을 주문처럼 외우지만 실제 취재와 보도 관행에서는 편향 보도와 무지, 숨은 의도가 저널리즘을 계속 타락시키고 있다. 따라서 독자는 항상 언론을 의심해야 한다.
     – 피터 스티븐, 『언론 이야기』 수정 인용

언론은 기본적으로 특정한 사회 문제나 정책에 대해 사실에 근거하여 사건의 쟁점이나 정보를 제공한다. 그러나 언론도 분석 기사나 사설, 녹사 부고늘 쉬사선택하거나, 기사에 특정 문제만을 부각하는 등의 방법으로 언론사의 견해나 의견을 제시하므로 반드시 객관적이고 중립적이라고 할 수 없다. 따라서 민주 시민은 언론 보도에 대해 비판적·분석적인 태도로 접근해야 한다.

### 자료 하나 더 알고 가자!

#### 언론 중재 위원회

언론 중재 위원회는 언론 보도로 발생하는 국민과 언론 간의 분쟁을 해결하고 보도에 의한 법익 침해 상황을 심의하는 준사법적 기관이다. 언론 보도로 피해를 본 피해자가 정정·반론·추후 보도 또는 손해 배상을 청구할 경우 언론 조정·중재 제도를 통해 분쟁이 해결될 수 있도록 돕는다.

언론 중재 위원회는 언론 기관의 거대화·과다 경쟁·상업성 등으로 인해 발생한 언론에 대한 비판과 언론의 사회적 책임을 강조하면서 설립되었으며, 법정 투쟁을 거치지 않고도 언론사와 권리를 침해받은 개인의 중요한 이해관계를 균형 있게 처리하는 것을 목적으로 한다.

# STEP 1 핵심 개념 확인하기

**1** 다음 설명이 맞으면 ○표, 틀리면 ×표를 하시오.

(1) 이익 집단과 시민 단체는 정치에 대한 시민의 관심과 참여를 활성화하는 데 기여한다. ( )

(2) 언론은 정치적 쟁점이나 사건 정보를 주로 제공하고, 견해나 의견은 제시하지 않는다. ( )

(3) 정당은 공통의 정치적 견해를 가진 사람들이 정치권력의 획득을 목표로 조직한 집단이다. ( )

(4) 다당제에서는 국민의 다양한 의견이 반영될 가능성이 크지만 다수당의 횡포가 우려된다. ( )

(5) 양당제는 정치적 책임 소재가 비교적 명확한 반면, 정당간 대립이 발생할 때 중재가 어렵다. ( )

(6) 시민은 언론이 전달하는 정보에 대해 비판적·중립적인 시각으로 분석해 보는 자세를 가져야 한다. ( )

**2** 정당의 기능을 〈보기〉에서 골라 기호를 쓰시오.

> **보기**
> ㄱ. 정치 사회화　　　ㄴ. 정치적 충원
> ㄷ. 특수 이익 실현　　ㄹ. 지역 대표제의 한계 보완

**3** 다음 빈칸에 알맞은 정치 주체를 쓰시오.

(1) ( )은 공익을 추구하며, 정치적 책임을 지는 집단이다.

(2) ( )는 공익을 추구하는 비영리 집단으로, 정치적 책임을 지지 않는다.

(3) ( )은 특수 이익을 추구하기 위해 결성된 집단으로, 정치적 책임을 지지 않는다.

**4** 다음 괄호 안의 내용 중 알맞은 말에 ○표를 하시오.

(1) (언론, 정당)은 이에 실천 기능을 통해 여론을 형성하며 정치적 영향력을 행사한다.

(2) (시민 단체, 이익 집단)은/는 특정 분야의 전문성을 바탕으로 정당의 한계를 보완하는 기능을 한다.

(3) 바람직한 정당 정치의 실현을 위해서는 (상향식, 하향식) 의사 결정 방식을 통해 정당 내 민주주의를 실현해야 한다.

# STEP 2 내신 만점 공략하기

**01** 다음 글을 통해 알 수 있는 정당의 기능으로 가장 적절한 것은?

> 전당 대회는 각 정당의 총재를 비롯한 주요 지도부의 선출, 대통령 후보자의 결정 등을 위해 전국의 당원을 대표하는 대의원들이 참가하여 개최하는 회의이다.

① 정치적 현안에 대해 정보를 제공한다.
② 선거를 통해 정부를 조직하거나 견제한다.
③ 정부에 의회의 의견을 전달하는 역할을 한다.
④ 선거에 후보자를 공천하여 대표자를 배출한다.
⑤ 국민의 다양한 의사를 수렴하여 정책으로 제안한다.

★중요
**02** (가)~(다)는 여러 나라의 정당 제도의 유형이다. 이에 대한 설명으로 옳지 <u>않은</u> 것은?

> (가) A국의 경우 노동당 이외의 정당이 존재하기는 하나, 정권을 담당하는 것은 항상 노동당이다.
> (나) B국에는 보수당, 노동당, 자유당, 사회 민주당, 공산당 등 여러 당이 존재하나 실제로 정권은 노동당과 보수당이 교대로 담당하고 있으며, 여타의 정당은 정치 과정에 별다른 영향력을 행사하지 못한다.
> (다) C국에는 사회 민주당, 기독교 민주 연합, 기독교 사회 연합, 자유 민주당, 녹색당, 민주 사회당 등 다양한 정당이 존재하며 그 세력도 크게 차이가 나지 않는다. 그 결과 정권은 여러 정당의 연합에 의해 구성되는 경우가 많다.

① (가) - 정권 교체가 이루어 단계가 나타날 가능성이 높다.
② (나) - 소수파의 권익이 보장되기 어렵다.
③ (나) - 정당이 내건 공약에 대해 책임을 지는 풍토가 형성된다.
④ (다) - 정부의 구성이 원활하고 안정적이다.
⑤ (다) - 집권당의 일관성 있는 정책 수행이 어렵다.

**03** 다음은 우리나라 헌법 조항이다. 이 조항이 추구하는 목적으로 적절한 것을 〈보기〉에서 고른 것은?

> 제8조 ① 정당의 설립은 자유이며, 복수 정당제는 보장된다.
> ② 정당은 그 목적·조직과 활동이 민주적이어야 하며, 국민의 정치적 의사 형성에 참여하는 데 필요한 조직을 가져야 한다.
> ③ 정당은 법률이 정하는 바에 의하여 국가의 보호를 받으며, 국가는 법률이 정하는 바에 의하여 정당 운영에 필요한 자금을 보조할 수 있다.

┌ 보기 ┐
ㄱ. 정당의 활동이 정부 규제 안에서 이루어지도록 한다.
ㄴ. 정당의 운영과 의사 결정이 민주적으로 이루어지도록 한다.
ㄷ. 정당 활동을 보장하여 국민의 다양한 의사가 반영되도록 한다.
ㄹ. 정당의 운영이 당원의 회비가 아닌 국가 자금에 의해 이루어지도록 한다.

① ㄱ, ㄴ　　　② ㄱ, ㄷ　　　③ ㄴ, ㄷ
④ ㄴ, ㄹ　　　⑤ ㄷ, ㄹ

**04** 밑줄 친 제도에 대한 설명으로 옳지 <u>않은</u> 것은?

> <u>오픈 프라이머리(open primary)</u>는 정당이 선거에 내보낼 후보자에 대한 선출권을 당원에만 국한하지 않고 일반 국민으로 확대시키는 것이다. 정당의 후보를 국민들이 직접 뽑을 수 있어 개방형 예비 선거라고 불린다. 이 제도는 국민의 선거 참여 기회 확대, 폐쇄적 정당 구조의 민주적 변화, 높은 지지율 유인 등의 장점이 있다.

① 국민의 자발적 참여가 있어야 실효성이 있다.
② 국민의 정치적 무관심 해소에 기여할 수 있다.
③ 지지하는 정당의 이념적 성향에 부합하는 후보자 선출에 유리하다.
④ 다른 정당 지지자가 많이 참여할 경우 경쟁력이 약한 후보자가 공천될 수 있다.
⑤ 공천 과정에서 정당 지도부의 영향력을 줄이고 국민들의 영향력을 강화시킬 수 있다.

**05** 다음 글의 필자가 주장할 것으로 예상되는 바람직한 정당 정치를 위한 개선 방안으로 가장 적절한 것은?

> A국과 B국은 모두 국회 의원들의 독립성을 헌법에서 명시적으로 보장하고 있다. 그러나 A국의 국회에서는 의원들이 정당 지도부의 결정에 순응하며 일사불란하게 행동하는 모습이 당연시되고 있다. 반면 B국의 국회 의원들은 정당의 당론과는 상관없이 각자 소신에 따라 투표하는 교차 투표를 당연시하고 있다.

① 당원들의 의사와 무관하게 당론이 결정되어야 한다.
② 복수 정당제를 통해 다수당의 횡포를 견제해야 한다.
③ 군소 정당의 난립을 막아 정국 불안 요소를 제거해야 한다.
④ 정치적 다양성과 자율성을 보장하는 정당 문화가 필요하다.
⑤ 정당의 민주적 운영을 위해 국민들의 감시와 비판이 필요하다.

☆중요
**06** 정치 참여 주체인 A의 특징으로 옳은 것을 〈보기〉에서 고른 것은?

> 로비(lobby)는 원래는 의회의 대기실을 의미했으나 이곳에서 입법 활동에 영향력을 행사하기 위한 A의 활동이 이루어지면서 이러한 활동 자체를 가리키는 용어로 사용되고 있다. 미국에서는 로비 공개법을 제정하여 로비를 하려면 등록하도록 하고, 누구를 위해서 어떤 목적으로 활동하는지 등의 활동 내역도 보고하도록 의무화하였다. 이러한 노력은 집단의 특수 이익을 보호하기 위한 A의 활동이 공익을 해치지 않도록 규제하기 위한 것이다.

┌ 보기 ┐
ㄱ. 정치 과정에서 주로 산출 기능을 담당한다.
ㄴ. 시민의 자발적인 참여로 공공선을 추구한다.
ㄷ. 선거에서 특정 후보자를 지지 또는 비판하기도 한다.
ㄹ. 자신들의 정책 대안에 대해 정치적인 책임을 지지 않는다.

① ㄱ, ㄴ　　　② ㄱ, ㄷ　　　③ ㄴ, ㄷ
④ ㄴ, ㄹ　　　⑤ ㄷ, ㄹ

**07** 다음 글에 나타난 정치 참여 주체의 특징으로 적절하지 않은 것은?

> ○○ 연대의 이동 전화 요금 인하 운동은 이동 통신 업체들이 벌어들이고 있는 막대한 수익이 이동 통신 회사들이 책정하고 있는 부당한 요금 체계에 기인한 것이라고 규정하고, 다수 소비자들의 경제적 이익을 보호하기 위한 차원에서 추진되고 있다. 이러한 ○○ 연대의 이동 전화 요금 인하 운동은 궁극적으로 다수 시민들의 결집된 의사와 힘을 바탕으로 정부 정책에 영향력을 행사하여 이동 통신 회사에 압력을 가하기 위한 것이다.

① 특정한 집단의 특수한 이익을 추구한다.
② 정부의 정책 결정 및 집행을 감시하고 비판한다.
③ 사회 구성원들의 의견을 집약하여 여론을 형성한다.
④ 다양한 사회 문제에 대한 시민들의 관심을 유도한다.
⑤ 계층 간의 이해관계를 초월한 사회적 공공선의 확립에 기여한다.

**08** 다음 대화에서 옳은 진술을 한 학생만을 있는 대로 고른 것은?

> • 교사: 이익 집단과 시민 단체의 중요한 차이점은 그 단체가 A와 B 중 무엇을 추구하기 위해 결성되었는가에 있어요. 일반적으로 어떤 단체가 A를 실현했을 때 회원들만이 그 혜택을 누릴 수 있는 반면, B를 실현했을 경우에는 회원뿐만 아니라 비회원들에게도 그 혜택이 돌아가요. 그러면 A를 추구하기 위해 결성된 단체의 특징은 무엇일까요?
> • 갑: 이 단체의 활동은 정부의 정책 결정 지연이나 혼란을 줄 수 있어요.
> • 을: 주로 정부 예산으로 운영되고 있습니다.
> • 교사: 그러면 두 단체 중 B를 추구하기 위해 결성된 단체에 대해 말해 보세요.
> • 병: 소수의 활동가 중심으로 운영되는 것은 바람직하지 않습니다.
> • 정: 각종 직능 단체들이 여기에 해당합니다.

① 갑, 을　　　② 갑, 병　　　③ 을, 정
④ 갑, 병, 정　　⑤ 을, 병, 정

**09** 정치 참여 주체인 A, B에 대한 설명으로 옳은 것은?

> A와 B는 특수 이익을 추구하는 것이 아니라 공익을 추구한다는 공통점을 가지고 있다. 그러나 A는 정치권력의 획득을 목적으로, B는 권력 획득이 아닌 공공선의 실현을 목적으로 활동한다.

① A는 회원들의 권익 추구를 우선한다.
② A는 자신들의 활동에 대해 정치적 책임을 지지 않는다.
③ B는 포괄적인 정강과 정책을 지닌 정치 집단이다.
④ B는 공직 선거에 후보자를 추천하고 공약을 제시한다.
⑤ A와 B는 공통적으로 정치 사회화 기능을 수행한다.

**10** 정치 참여 주체 A~C에 대한 옳은 설명을 〈보기〉에서 고른 것은? (단, A~C는 각각 정당, 이익 집단, 시민 단체 중 하나이다.)

> • A는 B와 달리 특수 이익을 추구한다.
> • B는 공적 이익을 추구하며, C와 달리 정치적 책임을 지지 않는다.
> • C는 A를 통해 자신의 정치적 지지 기반을 확보하기도 한다.

[보기]
ㄱ. A의 지나친 이익 추구는 보편적 이익과 충돌할 우려가 있다.
ㄴ. B는 비영리성, 비권력성을 특징으로 한다.
ㄷ. C는 A와 달리 대의제의 한계를 보완하는 데 기여한다.
ㄹ. A는 B, C와 달리 정치 과정에서 투입 기능을 담당한다.

① ㄱ, ㄴ　　　② ㄱ, ㄷ　　　③ ㄴ, ㄷ
④ ㄴ, ㄹ　　　⑤ ㄷ, ㄹ

**11** 다음 글에서 강조하는 언론의 역할로 가장 적절한 것은?

> 정치는 사회의 공공 이익을 실현하기 위해 존재한다. 그런데 정치의 공적 책임이 정치인들에게만 맡겨진다면, 부적절한 의도를 가진 사람들이 권력을 장악하여 사적 이익만을 추구하게 될 수도 있다. 그러나 언론이 정치권력의 지배를 받지 않고 그 역할을 독립적으로 수행한다면, 정치인들은 그 같은 행동을 할 동기조차 갖지 못하게 될 것이다. 즉 대의제에서 언론은 정치인의 무능, 부패, 권력 남용을 폭로하고 비판함으로써 정치의 공적 책임성이 유지되도록 하는 데 기여한다.

① 시의적절한 정보를 제공해야 한다.
② 정치권력을 감시하고 견제해야 한다.
③ 다양한 정치적 이익 및 의사를 집약해야 한다.
④ 사실에 근거하여 정확한 정보를 제공해야 한다.
⑤ 사익보다는 공익을 우선하는 자세를 가져야 한다.

**12** 다음 글이 시사하는 바로 가장 적절한 것은?

> 언론은 정치 과정에서 쟁점이나 사건의 정보를 사실에 근거하여 제공하지만 사설 등을 통해 의견을 제시하기도 한다. 분석 기사나 사설, 독자 투고를 취사선택하거나, 기사에 특정 문제만을 부각하는 등의 방법으로 언론사의 견해나 의견을 제시하는 것이다. 대부분의 언론은 사실에 근거한 정확하고 공정한 보도를 하지만, 일부 언론은 언론사의 이익에 부합하는 내용과 관점만을 일방적으로 전달하고 정치적으로 편파적인 기사나 방송을 내보내기도 한다. 그래서 같은 쟁점이라도 서로 다른 관점에서 접근하는 경우를 쉽게 볼 수 있다.

① 언론은 중요한 사건이나 쟁점만을 보도해야 한다.
② 시민은 새로운 정보를 최대한 신속하게 받아들여야 한다.
③ 시민은 언론 보도에 대해 비판적인 태도로 접근해야 한다.
④ 언론은 사회에서 발생한 모든 사건을 주관적으로 보도해야 한다.
⑤ 시민은 개인적으로 선호하는 특정 매체만 이용하여 정보를 얻어야 한다.

## 서술형 문제

● 정답친해 33쪽

**01** 표는 갑국, 을국의 집권당 변천 과정을 각각 나타낸 것이다. 물음에 답하시오.

[갑국]

| 기간(년) | 집권당 |
|---|---|
| 1974~1977 | A당 |
| 1977~1981 | B당 |
| 1981~1993 | A당 |
| 1993~2001 | B당 |
| 2001~2008 | A당 |

[을국]

| 기간(년) | 집권당 |
|---|---|
| 1969~1974 | A당+B당 |
| 1974~1982 | A당+B당 |
| 1982~1998 | C당+B당 |
| 1998~2005 | A당+D당 |
| 2005~2008 | C당+A당 |

(1) 갑국과 을국의 정당 제도의 유형을 각각 쓰시오.

(2) 을국의 정당 제도가 갑국의 정당 제도에 비해 상대적으로 지니는 장점과 단점을 각각 서술하시오.

**02** 다음 글을 통해 파악할 수 있는 우리나라 정당 정치의 문제점을 서술하시오.

> 우리나라에서는 대선을 앞두고 특정 대선 주자를 위해 당을 만들거나 당명만 바꾸는 등 신당 창당, 당명 개정의 바람이 불고 있다. 학계에 따르면 1948년 제헌 국회 이후 국회 의원 후보를 낸 정당은 210여 개이며, 평균 수명은 30개월로 국회 의원 임기인 4년에도 훨씬 못 미친다.

**03** 다음 밑줄 친 부분에 해당하는 노력을 서술하시오.

> 시민 단체는 사회적 문제를 쟁점화하여 부당한 점을 비판하고 개선안을 제안하는 등의 정치적 역할을 한다. 많은 시민 단체는 재정이 열악하여 기업이나 정부의 지원에 의존하기도 한다. 이는 시민 단체의 공정성을 훼손하는 심각한 문제로 이어질 수 있다. 따라서 시민 단체는 활동의 공정성을 실현하기 위한 노력을 스스로 해야 한다.

1 그림은 정당이 중시하는 기능에 따라 (가)~(라) 정당을 구분한 것이다. 이에 대한 적절한 분석을 〈보기〉에서 고른 것은?

▶ 정당의 기능

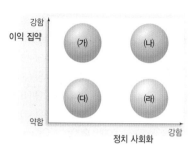

**보기**

ㄱ. (가) 정당은 다른 정당들에 비해 의회 내 정치적 영향력이 작을 것이다.
ㄴ. (가) 정당은 (다) 정당에 비해 국민의 다양한 요구와 이해를 반영한 정책 대안을 내놓을 것이다.
ㄷ. (나), (라) 정당은 (가) 정당에 비해 각종 강연회 등의 개최에 적극적일 것이다.
ㄹ. (가), (나)에 비해 (라) 정당은 정치 신인들이 정치에 입문하는 기회를 많이 부여할 것이다.

① ㄱ, ㄴ      ② ㄱ, ㄷ      ③ ㄴ, ㄷ
④ ㄴ, ㄹ      ⑤ ㄷ, ㄹ

2 표는 정당 제도의 유형을 구분한 것이다. 이에 대한 설명으로 옳지 <u>않은</u> 것은? (단, A, B는 각각 양당제와 다당제 중 하나이다.)

▶ 정당 제도의 유형

완자쌤의 시험 꿀팁
양당제와 다당제의 일반적인 특징과 국정 운영 양상을 비교하는 문제가 자주 출제된다.

| 질문 \ 정당 유형 | A | B |
|---|---|---|
| 유권자의 정당 선택의 폭이 넓은가? | 예 | 아니요 |
| 다수당의 횡포 가능성이 높은가? | 아니요 | 예 |
| 정책에 대한 책임 소재가 명확한가? | 아니요 | 예 |
| (가) | 아니요 | 예 |

① A는 강력한 정책 추진이 어려울 수 있다.
② B에서 의원 내각제 채택 시 연립 정부의 수립 가능성이 낮다.
③ A는 B에 비해 정당 간 대립 시 중재가 용이하다.
④ B는 A와 달리 민주적인 정권 교체의 가능성이 낮다.
⑤ (가)에는 '소수당의 이익 반영에 불리한가?'가 적절하다.

**3** 다음과 같은 공천 방식의 변화로 인해 나타나는 현상에 대한 옳은 분석 및 추론을 〈보기〉에서 고른 것은?

▶ 정당의 공천 방식

> 과거에는 소수의 정당 간부나 지도부가 선거에 출마할 후보자를 결정하였다. 하지만 최근에는 당내 경선을 통해 후보자를 결정하는 방식을 활용하고 있다. 이 과정에서 당원뿐만 아니라 일반 국민들도 자발적으로 경선에 참여하여 후보 선출에 참여하기도 한다. 일반 국민의 경우 실제 지지하는 정당이 아니더라도 해당 정당의 후보 선출에 참여할 수도 있다.

| 완자 사전 |

• 역선택
정치에서는 여론 조사 경선 따위에서 자기가 싫어하는 후보를 떨어뜨리기 위해 또는 본선거에서 자기가 지지하는 후보에게 유리한 상황을 만들기 위해 행해지는 선택을 의미한다.

**보기**

ㄱ. 상향식 공천으로 정당의 민주화에 기여한다.
ㄴ. 정당의 정체성을 강화하고 당원 간 결속을 강화시키게 된다.
ㄷ. 경쟁 정당의 지지자가 참여하는 경우 역선택이 발생할 수 있다.
ㄹ. 정당 지도부의 책임이 강화되고 실제 선거에서 소속 후보의 당선 가능성이 높아질 수 있다.

① ㄱ, ㄴ          ② ㄱ, ㄷ          ③ ㄴ, ㄷ
④ ㄴ, ㄹ          ⑤ ㄷ, ㄹ

**교육청 응용**

**4** 갑~병에 대한 설명으로 옳은 것은?

▶ 정치 참여 주체

**완자쌤의 시험 꿀팁**

정당, 시민 단체, 이익 집단의 특징과 성격을 비교하는 문제가 자주 출제된다.

나는 A의 전당 대회에서 지도부 선출에 참여했어.
갑

나는 B의 회원인데, 너희들도 B에 가입하는 게 어때?
을

나는 복지에 관심이 없어. C의 회원으로만 활동할 거야.
병

| A | 정권 획득을 위해 국민 복지의 확대를 추구한다는 정강(政綱)을 실현하고자 하는 단체 |
|---|---|
| B | 민주주의 발전과 사회 복지의 확대를 목적으로 시민들이 자발적으로 결성한 단체 |
| C | ○○ 업종에 종사하는 사람들이 자신들의 직업적 이익을 실현하기 위해 만든 단체 |

① 갑의 정치 참여는 개인적 정치 참여 방식에 해당한다.
② 갑은 병과 달리 의회와 정부를 매개하는 기능을 담당하는 단체의 구성원이다.
③ 을과 병은 공익을 추구하는 단체를 통해 정치에 참여하고 있다.
④ 을과 병은 갑과 달리 정치에 참여하고 있지 않다.
⑤ 갑과 을은 병과 달리 정치 사회화 기능을 수행하는 단체를 통해 활동하고 있다.

# 01 정치 과정과 시민 참여

## 1. 정치 과정

| 의미 | 국민의 다양한 요구가 정책 결정 기구에 투입되어 (❶          )으로 나타나는 과정(투입 → 산출 → 환류 순서로 순환) |
|---|---|
| 변화 | • 과거: 입법부, 행정부와 같은 국가 기관이 정치 과정을 주도함<br>• 현대: 국가 기관뿐 아니라 정당, 이익 집단, 언론 등으로 정치 참여 주체가 확대됨 |

## 2. 시민의 정치 참여의 의의와 유형

### (1) 정치 참여

| 의미 | 국가 기관의 정책 결정 과정에 영향을 주고자 하는 시민들의 활동 |
|---|---|
| 의의 | • 국민 주권의 원리 실현　　　• 권력 남용 방지<br>• 정책에 대한 정당성 부여　• (❷　　　　) 강화 |

### (2) 시민의 정치 참여 유형

| 개인적 참여 | 선거 참여, 언론 투고, 국가 기관에 대한 진정이나 청원 등 |
|---|---|
| 집단적 참여 | 정당 활동, 이익 집단 및 시민 단체 활동, 집회, 시위 등 |

# 02 선거 제도

## 1. 선거의 중요성

### (1) 선거의 의미와 의의

| 의미 | 주권자인 국민이 국가를 운영할 공직자를 투표로 선출하는 행위 |
|---|---|
| 의의 | 대의 민주주의에서 국민이 주권을 행사하는 가장 기본적인 수단 |

### (2) 민주 선거의 4원칙

| 보통 선거 | 일정 연령에 도달한 모든 국민에게 선거권을 부여하는 원칙 |
|---|---|
| (❸　　　　) | 모든 유권자가 평등하게 같은 수의 표를 행사하고 표의 등가성을 보장하는 원칙 |
| 직접 선거 | 유권자가 대리인을 거치지 않고 직접 대표자를 선출하는 원칙 |
| 비밀 선거 | 어느 후보에게 투표했는지 다른 사람이 알지 못하도록 하는 원칙 |

### (3) 선거의 기능

| 대표자 선출 | 국정을 담당할 대표자를 선출함 → 국민 주권의 원리 실현 |
|---|---|
| 대표자 통제 | 선거를 통해 대표를 재신임하거나 교체함 → 책임 정치 보장 수단 |
| 민주적 정당성 부여 | 대표자는 합법적 절차와 국민 다수의 지지로 선출되므로 정치권력 행사에 정당성과 권위가 부여됨 |
| 국민의 의사 반영 | 후보들의 공약에 대해 표출된 국민의 다양한 의사나 요구를 정책에 반영함 |
| 정치 교육의 장 제공 | 선거 과정을 통해 국민은 다양한 현안과 공약을 이해하고 정치 참여의 중요성을 인식함 |

## 2. 선거 제도의 유형과 특징

### (1) 선거구제

| 구분 | 소선거구제 | 중·대선거구제 |
|---|---|---|
| 의미 | 한 개의 선거구에서 한 명의 대표자를 선출하는 제도 | 한 개의 선거구에서 두 명 이상의 대표자를 선출하는 제도 |
| 장점 | • 선거 운동 비용이 적게 듦<br>• 선거 관리가 쉬움<br>• 유권자가 후보자와 공약을 파악하기 용이함<br>• 다수당 후보의 당선 가능성이 높음 → 정치적 안정에 유리함 | • 사표가 적게 발생함<br>• 선거 운동이 과열될 가능성이 낮음<br>• 군소 정당의 의회 진출 가능성이 높음 → 국민의 다양한 의견이 반영됨 |
| 단점 | • (❹　　　　)가 많이 발생함 → 과대 대표, 과소 대표 문제<br>• 군소 정당 후보의 의회 진출이 어려움 → 국민의 다양한 의견 반영이 어려움<br>• 선거구 간 인구 편차로 선거구별로 유권자 표의 가치가 달라질 수 있음 | • 선거 운동 비용이 많이 듦<br>• 선거 관리가 어려움<br>• 유권자가 후보자에 대해 파악하기 어려움<br>• 군소 정당 난립 시 정국 불안정<br>• 선거구 내 후보들의 득표차로 당선자 간 투표 가치의 차등 문제가 발생할 수 있음 |

### (2) 대표 결정 방식

#### ① 다수 대표제

| 구분 | 단순 다수제 | 절대 다수제 |
|---|---|---|
| 의미 | 최다 득표자 한 명을 대표자로 선출하는 방식 | 과반수 득표를 한 후보자 한 명을 대표자로 선출하는 방식 |
| 장점 | • 선거 관리가 쉬움<br>• 당선자 결정이 편리함 | 당선자의 (❺　　　　)을 높일 수 있음 |
| 단점 | • 당선자의 대표성이 낮을 수 있음<br>• 사표가 많이 발생함 | • 선거 비용이 많이 듦<br>• 선거 운영이 복잡함 |

② 비례 대표제

| 의미 | (❻        ) 득표율에 비례하여 의석을 배분하고 당선자를 결정하는 방식 |
|---|---|
| 장점 | • 국민의 다양한 의견이 반영됨<br>• 군소 정당의 의회 진출 가능성이 높음<br>• 사표가 적게 발생함 |
| 단점 | • 유권자가 당선자 결정에 직접 영향을 미치기 어려움<br>• 군소 정당의 난립으로 정국 불안정이 우려됨<br>• 의석 배분 방식이 복잡함 |

## 3. 우리나라의 선거 제도

### (1) 우리나라 공직 선거의 종류

| 대통령 선거 | 5년마다 실시, 전국 단위 단순 다수제 |
|---|---|
| 국회 의원 선거 | • 4년마다 실시<br>• 지역구 의원: (❼        ) 단순 다수제<br>• 비례 대표 의원: 전국 단위 정당 명부식 비례 대표제 |
| 지방 선거 | • 지방 자치 단체장, 지방 의회 의원, 교육감 선출<br>• 지방 자치 단체장: 소선거구 단순 다수제<br>• 광역 의회 지역구 의원: 소선거구 단순 다수제<br>• 기초 의회 지역구 의원: 중·대선거구 단순 다수제<br>• 광역 및 기초 의회 비례 대표 의원: 정당 명부식 비례 대표제<br>• 교육감: 소선거구 단순 다수제 |

### (2) 공정 선거를 위한 제도

| 선거구 법정주의 | 특정 정당이나 후보자가 선거구를 자의적으로 획정하는 것을 방지하기 위해서 선거구를 국회에서 제정한 (❽        )로 획정함 → 게리맨더링 방지 |
|---|---|
| 선거 공영제 | 선거 과정을 국가 기관이 관리하고 국가나 지방 자치 단체가 선거 비용 일부를 부담함 → 후보자 간 선거 운동의 기회 균등 보장, 선거 운동의 과열 방지 |
| 선거 관리 위원회 | 각종 선거와 국민 투표의 공정한 관리, 정당 및 정치 자금의 투명한 관리와 사무를 담당하는 헌법상 독립 기관 |

### (3) 우리나라 선거 제도의 문제점과 개선 방향

| 문제점 | 개선 방향 |
|---|---|
| 사표 과다 발생으로 당선자의 대표성이 낮아짐 | 중·대선거구제 도입 및 비례 대표 의석수 증가 등 |
| 지연, 학연 등 연고주의에 따른 투표 경향 | 권역별 비례 대표제의 도입으로 지역주의 완화 등 |
| 금권 선거 및 흑색 선전 | 공명 선거 문화 확립 등 |

## 03 정치 참여의 방법과 한계

## 1. 정당을 통한 정치 참여

### (1) 정당의 의미와 기능

| 의미 | 정치적 견해를 같이하는 사람들이 정권을 획득하여 자신들의 정강을 실현하기 위해 조직한 단체 |
|---|---|
| 기능 | 정치적 충원, 여론 형성과 조직, 정부 구성과 견제, 의회와 정부 매개, 정치 사회화 등 |

### (2) 정당 제도의 유형

| 일당제 | | 실질적으로 하나의 정당만 존재하거나 특정 정당이 계속 집권하는 정당 제도 → 독재 정치의 가능성이 큼 |
|---|---|---|
| 복수 정당제 | 양당제 | • 두 개의 주요 정당이 권력 획득을 위해 경쟁하며 교대로 집권함<br>• 장점: 정국 안정, 정치적 책임 소재 명확<br>• 단점: 다수당의 횡포 우려, 다양한 의견 반영 곤란 |
| | 다당제 | • 세 개 이상의 정당이 권력 획득을 위해 경쟁함<br>• 장점: 다양한 의견 반영, 정당 간 대립 시 중재 용이<br>• 단점: 군소 정당 난립 시 정국 불안정, 정치적 책임 소재 불분명 |

## 2. 이익 집단, 시민 단체, 언론을 통한 참여

### (1) 이익 집단

| 의미 | (❾        )을 실현하기 위해 결성한 집단 |
|---|---|
| 기능 | 국민의 다양한 정치적 의사 표출, 지역 대표제나 정당의 한계 보완, 정치 사회화, 정부 정책 감시·비판 등 |
| 문제점 | • 집단 이기주의, 공익과 충돌 우려, 정부의 정책 결정 지연<br>• 정치권력과 결탁하여 부정부패 가능성 등 |

### (2) 시민 단체

| 의미 | (❿        )을 실현하기 위해 시민이 자발적으로 만든 단체 |
|---|---|
| 기능 | 정부 정책에 대한 감시·비판, 사회 문제에 대한 여론 형성, 정치 사회화 등 |
| 문제점 | • 낮은 시민 참여도    • 시민 단체의 자율성 훼손<br>• 시민 단체의 관료화 및 이익 집단화 등 |

### (3) 언론

| 의미 | 대중 매체를 통해 어떤 사실을 알리거나 여론을 형성하는 활동 |
|---|---|
| 기능 | 국민의 알 권리 보장, 시민의 의견 표출 통로, 국가 권력에 대한 감시·견제, 의제 설정 기능을 통해 여론 형성 및 주도 등 |

**01** (가)~(다)에 대한 옳은 설명을 <보기>에서 고른 것은?

> (가) 정부는 부동산 가격이 급격하게 상승하는 것을 막기 위해 주택 대출 규제를 강화하고, 투기 과열 지구를 지정하였다.
>
> (나) 주택 대출 규제 강화와 투기 과열 지구 지정이 부동산 가격 상승을 막는 데 큰 영향을 주지 못한다는 평가가 나오자, 정부는 새로운 부동산 정책을 수립하기로 결정하였다.
>
> (다) 부동산 가격 상승으로 인해 주거 불안정이 심화되고, 시중의 부동 자금이 부동산으로만 몰리게 되어 부동산 가격 상승을 막는 정책 마련이 시급하다는 목소리가 높아지고 있다.

보기

> ㄱ. (가)와 같은 정책 결정은 주로 정당에서 이루어진다.
> ㄴ. (나)는 (가)에 대한 평가를 수렴하여 나타난 결과이다.
> ㄷ. (다)에는 시민 단체, 이익 집단 등이 참여한다.
> ㄹ. 정치 과정은 '(가) → (나) → (다)'의 순서로 나타난다.

① ㄱ, ㄴ  ② ㄱ, ㄷ  ③ ㄴ, ㄷ
④ ㄴ, ㄹ  ⑤ ㄷ, ㄹ

**02** ㉠에 들어갈 용어가 갖는 의의로 적절하지 <u>않은</u> 것은?

> 시민은 다양한 방법을 통해 정치 과정에서 자신의 요구를 표출하고 이를 정책에 반영하려고 한다. 이처럼 국가 기관의 정책 결정 과정에 영향을 주고자 하는 시민들의 행위를 ( ㉠ )(이)라고 한다.

① 국민 주권의 원리를 실현한다.
② 신속한 정책 결정이 이루어진다.
③ 시민들의 정치적 효능감이 강화된다.
④ 정책 결정에 대한 정당성이 부여된다.
⑤ 정치권력의 자의적인 정책 결정과 집행을 방지한다.

**03** 갑, 을의 주장에 대한 옳은 설명을 <보기>에서 고른 것은?

> • 갑: 누리 소통망 서비스(SNS)를 통한 실시간 정보와 의견의 공유는 진정한 참여 민주주의를 만들고 있어. 이제 특정 세력이 기존 매체로 여론을 조작하는 시대는 끝난 거야.
> • 을: 하지만 누리 소통망 서비스(SNS)는 클릭 한 번으로 검증되지 않은 정보를 급속도로 확산시키고 있어서 큰 문제가 될 수 있어. 많은 사람들이 이렇게 확산된 루머를 마치 사실인 것처럼 믿게 되지.

보기

> ㄱ. 갑은 누리 소통망 서비스(SNS)를 통한 정치 참여의 문제점을 지적하고 있다.
> ㄴ. 을은 누리 소통망 서비스(SNS)를 통해 왜곡된 사실이 확산될 가능성을 우려하고 있다.
> ㄷ. 갑은 을과 달리 누리 소통망 서비스(SNS)가 갖는 사회적 영향력을 인정한다.
> ㄹ. 을은 갑과 달리 누리 소통망 서비스(SNS)에서 확산되는 정보에 대한 비판적 수용을 강조할 것이다.

① ㄱ, ㄴ  ② ㄱ, ㄷ  ③ ㄴ, ㄷ
④ ㄴ, ㄹ  ⑤ ㄷ, ㄹ

**04** (가), (나)에서 헌법 재판소 결정의 근거가 된 민주 선거의 원칙을 옳게 연결한 것은?

> (가) 헌법 재판소는 단지 해외에 거주한다는 이유만으로 재외 국민에게 선거권을 부여하지 않은 「공직 선거법」에 대해 헌법 불합치 결정을 내렸다.
>
> (나) 헌법 재판소는 국회 의원 선거에서 지지 정당에 대한 별도의 투표 과정 없이 지역구 후보에 대한 투표만으로 정당 득표율을 계산한 후 정당별로 비례 대표 의석을 배분하는 1인 1표제에 대해 헌법 불합치 결정을 내렸다.

| | (가) | (나) |
|---|---|---|
| ① | 보통 선거 | 비밀 선거 |
| ② | 보통 선거 | 직접 선거 |
| ③ | 직접 선거 | 평등 선거 |
| ④ | 평등 선거 | 보통 선거 |
| ⑤ | 평등 선거 | 비밀 선거 |

**05** 다음과 같이 선거구제가 변경될 경우에 나타날 수 있는 문제점으로 가장 적절한 것은?

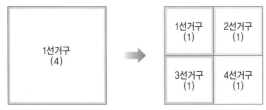

(단, 괄호 안은 선출되는 대표의 수)

① 선거 관리가 어려워질 수 있다.
② 선거 절차와 방법이 복잡해질 수 있다.
③ 유권자의 후보자 파악이 어려워질 수 있다.
④ 군소 정당 후보의 당선 가능성이 낮아질 수 있다.
⑤ 당선자 간 투표 가치의 차등 문제가 발생할 수 있다.

**06** (가), (나)와 같은 대통령 선출 방식에 대한 옳은 설명을 〈보기〉에서 고른 것은?

(가) 직접 선거에 의해 후보자들 중 가장 많은 표를 받은 사람이 대통령으로 선출된다.
(나) 직접 선거 방식에 의한 1차 투표 결과 A 후보 47%, B 후보 46%, C 후보 7%의 득표율을 보여 1등이 과반수 득표를 하지 못하면 A 후보와 B 후보만 두고 다시 투표를 실시하고, 이 중 가장 많은 표를 얻은 사람이 대통령으로 선출된다.

보기
ㄱ. (가)는 (나)보다 선거 절차가 더 복잡하다.
ㄴ. (가)는 절대 다수제, (나)는 단순 다수제를 채택하고 있다.
ㄷ. (나)는 (가)에 비해 당선자의 대표성을 높일 수 있는 제도이다.
ㄹ. (나)는 1차 투표에서의 최다 득표자가 대통령에 당선되지 않을 수도 있다.

① ㄱ, ㄴ　　② ㄱ, ㄹ　　③ ㄴ, ㄷ
④ ㄴ, ㄹ　　⑤ ㄷ, ㄹ

**07** 표는 갑국~병국의 선거 제도를 정리한 것이다. 이에 대한 옳은 진술을 〈보기〉에서 고른 것은?

| 국가 | 선거 제도 | |
| --- | --- | --- |
| | 선거구제 | 대표 결정 방식 |
| 갑국 | 소선거구제 | 단순 다수제 |
| 을국 | 소선거구제 | 절대 다수제 |
| 병국 | 중선거구제 | 비례 대표제 |

보기
ㄱ. 사표의 발생은 갑국보다 병국에서 더 많을 것이다.
ㄴ. 을국이 갑국에 비해 선거 과정이 더 복잡할 것이다.
ㄷ. 병국은 갑국과 을국에 비해 군소 정당의 출현 가능성이 낮을 것이다.
ㄹ. 병국은 갑국과 을국에 비해 정당 득표율과 의석수의 연관성이 높을 것이다.

① ㄱ, ㄴ　　② ㄱ, ㄷ　　③ ㄴ, ㄷ
④ ㄴ, ㄹ　　⑤ ㄷ, ㄹ

**08** 다음 신문 기사의 내용에 대한 추론으로 적절한 것은?

A국의 의회 의원 선거 결과를 보면 제1당인 ○○당은 (가) 권역에서 비례 대표 의석률이 40%, 지역구 의석률이 80%였다. (나) 권역에서는 ○○당의 비례 대표 의석률이 40%, 지역구 의석률이 70%였다. 다른 권역에서도 비슷한 결과가 나타났다. 비례 대표 의원은 권역별 정당 투표로 선출되고, 지역구 의원은 선거구당 1명씩 선출되며 권역별 지역구의 수는 같다.

① A국의 선거 결과 사표가 과다하게 발생할 것이다.
② 다수 대표제는 거대 정당에게 유리하게 작용할 것이다.
③ A국 국민은 의회 의원 선거에서 1인 1표를 행사했을 것이다.
④ 권역별 정당 투표는 지역주의를 심화시키는 데 영향을 미칠 것이다.
⑤ 비례 대표 의석률은 당선자에 대한 지지율을 가늠하는 척도로 작용할 것이다.

**09** 다음 수행 평가에서 모두 옳은 답안을 작성한 학생은?

✏️

**수행 평가**

※ 다음 글을 읽고, 각 문항에 대해 맞으면 ○표, 틀리면 ×표를 하시오.

의원 내각제를 채택하고 있는 ○○국의 이번 t+1대 의회 선거에서 A당이 t대에 비해 20석을 잃게 되어 행정부 수반을 배출하지 못하게 되었고, E당은 의회에 새로 진입하게 되었다. t대 선거에서 B당과 C당은 나머지 의석을 절반씩 차지하였으나, t+1대 선거 결과 전체 의석 345석 중에서 B당이 112석, C당이 37석, D당이 19석, E당이 6석을 얻게 되었다.

(단, 총의석수와 정부 형태는 t대와 t+1대 모두 동일하다.)

| 문항 | 학생 답안 | | | | |
|------|------|------|------|------|------|
| | 갑 | 을 | 병 | 정 | 무 |
| 1 t대 선거에서 A당의 의석수는 191석이었다. | ○ | ○ | ○ | × | × |
| 2 t+1대 선거 결과 연립 내각에 참여하는 정당은 최소 세 개이다. | ○ | ○ | × | ○ | × |
| 3 의석수 변동이 가장 큰 정당은 B당이다. | ○ | × | × | ○ | × |

① 갑　　② 을　　③ 병　　④ 정　　⑤ 무

**10** 다음 헌법 조항이 추구하는 목적으로 적절한 것을 〈보기〉에서 고른 것은?

제116조 ① 선거 운동은 각급 선거 관리 위원회의 관리하에 법률이 정하는 범위 안에서 하되, 균등한 기회가 보장되어야 한다.
② 선거에 관한 경비는 법률이 정하는 경우를 제외하고는 정당 또는 후보자에게 부담시킬 수 없다.

┌ **보기** ┐
ㄱ. 정치 참여 기회를 제한하기 위해서이다.
ㄴ. 선거 운동의 과열을 방지하기 위해서이다.
ㄷ. 군소 정당의 의회 진출 가능성을 낮추기 위해서이다.
ㄹ. 후보자 간 선거 운동의 기회 균등을 보장하기 위해서이나.

① ㄱ, ㄴ　　② ㄱ, ㄷ　　③ ㄴ, ㄷ
④ ㄴ, ㄹ　　⑤ ㄷ, ㄹ

**11** 다음 사례에 대한 설명 및 추론으로 적절하지 <u>않은</u> 것은?

1812년 미국의 매사추세츠주의 게리(Gerry) 지사가 주 상원 의원 선거구를 자신의 소속당에 유리하도록 수정하였다. 이에 따라 게리의 소속당은 5만 164표를 얻어 29명이 당선되었는데, 상대 당은 5만 1,766표를 얻고도 11명의 의원밖에 당선시키지 못하는 결과가 나타났다.

① 선거구가 특정 정당에 유리하게 획정되었다.
② 시민의 의사가 정확히 반영되지 못했을 것이다.
③ 게리의 소속당을 지지한 유권자들의 의사는 과대 대표되었다.
④ 제시된 상황을 방지하기 위해 선거구 법정주의를 시행해야 한다.
⑤ 선거구를 획정할 경우에는 보통 선거의 원칙이 기반이 되어야 한다.

**12** (가)에 들어갈 발표 주제로 가장 적절한 것은?

• 발표 주제: ＿＿＿＿＿(가)＿＿＿＿＿
• 발표문 요약: 정당은 선거에서 계속 유리한 위치를 차지하기 위하여 그들의 이념이나 정책의 의의 등 자신들의 입장을 유권자들에게 홍보합니다. 그러한 과정에서 대중들의 정치에 대한 관심을 집중시키고 대중이 정치에 능동적으로 참여하도록 합니다. 또한 정당은 강연회, 좌담회, 당보 발행 등을 통해 대중들의 정치에 대한 지식과 판단력을 향상시키는 데 기여합니다.

① 정당의 유형
② 정치적 충원
③ 정당의 의사 결정 방식
④ 정당의 정치 사회화 기능
⑤ 정당에 의한 여론의 조직화

**[13~14]** 표는 갑국~병국의 정당별 의석 분포를 나타낸 것이다. 물음에 답하시오.

| 정당＼국가 | 갑국 | 을국 | 병국 |
|---|---|---|---|
| 제1당 | 310 | 251 | 500 |
| 제2당 | 285 | 190 | – |
| 제3당 | 5 | 180 | – |
| 제4당 | – | 29 | – |
| 총의석수 | 600 | 650 | 500 |

**13** 갑국과 을국의 정당 제도에서 일반적으로 나타날 수 있는 정치 상황으로 가장 적절한 것은?

① 갑국은 정권 교체가 불가능하다.
② 을국은 갑국보다 정치적 안정성이 높다.
③ 갑국보다 을국의 정당 제도가 민주적이다.
④ 을국은 갑국보다 정치적 책임 소재가 명확하다.
⑤ 갑국은 을국보다 소수 의견이 정책에 반영되기 어렵다.

**14** 병국의 정당 제도가 갖는 문제점으로 적절하지 않은 것은?

① 정치적 책임 소재가 불분명하다.
② 정권 교체의 가능성이 희박하다.
③ 국민들에게 다양한 정책 대안을 제공하지 못한다.
④ 국민의 여러 가지 의견이 정부 정책에 반영되기 어렵다.
⑤ 정부 정책에 대한 견제와 비판 기능이 보장되지 않는다.

**15** 다음과 같은 문제점을 해결하기 위한 방안으로 가장 적절한 것은?

> 정당 조직 자체가 거대해지고 관료화되면서 당원들의 의견이 무시되거나, 소수 지도자에 의해 정당이 권위적으로 운영되는 문제가 발생하고 있다. 또한 국민의 다양한 의사를 정당이 효과적으로 수렴하여 반영하지 못하고 있다.

① 당비를 확충해야 한다.
② 당원을 확보해야 한다.
③ 당내 민주화를 정착시켜야 한다.
④ 복수 정당제를 도입하여 시행해야 한다.
⑤ 정당 내 지도자의 의사 결정 권한을 확대해야 한다.

**16** 밑줄 친 '새로운 경선 방식'의 영향으로 보기 어려운 것은?

> 권위주의 시대에 우리나라 여당은 일인 지배 정당의 형태를 띠고 있었고, 여당에 대항하는 과정에서 야당도 점차 일인 지배 정당이 되었으며, 당의 대선 후보 선출은 당 대의원만 참여할 수 있었다. 그러나 2002년에는 국민이 직접 정당의 대선 후보를 선출하는 새로운 경선 방식이 도입되면서 대선 후보의 선출 방식에 변화의 흐름이 나타났다.

① 선거에 관한 국민의 관심과 참여가 높아진다.
② 정당이 가지고 있는 고유한 정체성이 강화된다.
③ 경선을 치르는 시간적·경제적 비용이 증가한다.
④ 본선 경쟁력이 있는 사람이 경선에서 유리해진다.
⑤ 당적이 없는 유력 후보의 정당 영입이 용이해진다.

**17** 표는 정치 참여 주체인 ㉠~㉢을 비교한 것이다. (가)에 들어갈 수 있는 질문을 〈보기〉에서 고른 것은? (㉠~㉢은 각각 정당, 이익 집단, 시민 단체 중 하나이다.)

| 항목＼구분 | ㉠ | ㉡ | ㉢ |
|---|---|---|---|
| 국민에 대해 정치적 책임을 지지 않습니까? | 예 | 예 | 아니요 |
| 보편적 이익을 추구합니까? | 예 | 아니요 | 예 |
| (가) | 아니요 | 아니요 | 예 |

보기
ㄱ. 선거에 후보자를 공천합니까?
ㄴ. 직업적 이해 관계를 대변합니까?
ㄷ. 정부나 기업의 후원이 필수적입니까?
ㄹ. 정치권력의 획득을 목적으로 합니까?

① ㄱ, ㄴ  ② ㄱ, ㄹ  ③ ㄴ, ㄷ
④ ㄴ, ㄹ  ⑤ ㄷ, ㄹ

# 개인 생활과 법

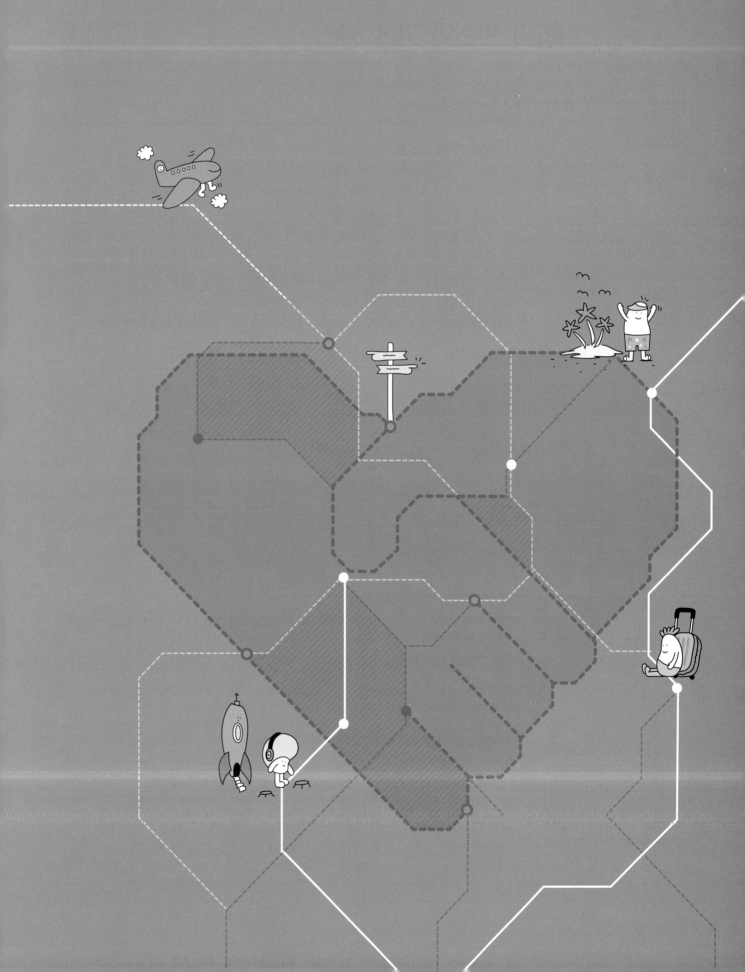

# 01 민법의 의의와 기본 원리

## 이것이 핵심!

**민법의 의의와 기능**

| | |
|---|---|
| 의의 | 개인 간의 법률관계를 규율하는 대표적인 사법 |
| 기능 | • 재산 관계 및 가족 관계 규율<br>• 법의 일반 원칙 제시 |
| 구성 | • 총칙<br>• 재산법(물권법, 채권법)<br>• 가족법(친족법, 상속법) |

**★ 법률관계**
법 규범에 의해 규율되는 생활 관계를 말하며, 기본적으로 권리와 의무의 관계로 나타난다.

## 1 민법의 의의와 기능

### 1. 민법의 의의와 기능 (자료 ①)

(1) **민법**: 사적인 *법률관계에서 발생하는 권리와 의무의 종류 및 내용을 다루는 대표적인 사법(私法) → 개인 간 갈등 및 분쟁 해결을 위한 법적 기준이 됨

(2) **민법의 기능**: 자유로운 법률관계 형성 보장 → 개인 간의 법률관계 조율 및 갈등 해소

① 재산 관계 규율: 개인의 경제 활동, 경제적 권리를 둘러싼 이익과 손해를 합리적으로 조정함

② 가족 관계 규율: 가족과 친족의 문화와 질서를 유지함 ── Q예? 우리 사회의 가족 관계를 안정적으로 지속할 수 있도록 하기 위해서야.

③ 법의 일반 원칙 제시: 법질서 전체에 적용될 수 있는 일반 원칙을 제시함

| 신의 성실의 원칙 | 권리 행사와 의무의 이행에서 신뢰에 어긋나지 않게 성실하게 행동해야 한다는 원칙 |
|---|---|
| 권리 남용 금지의 원칙 | 공공의 복리에 반하는 지나친 권리의 행사는 정당한 것으로 볼 수 없다는 원칙 |

### 2. 민법의 구성

| 총칙 | 민법 전반에 적용되는 기본 원칙 제시 → 권리의 주체, 소멸 시효 등 |
|---|---|
| 재산법 | • 물권법: 소유권, 임차권, 저당권 등 법적으로 보호받는 재산권의 개념과 대상 규정<br>• 채권법: 계약 관계, 불법 행위 등으로 인해 발생하는 권리와 의무의 성격과 내용 규정 |
| 가족법 | • 친족법: 출생, 혼인, 입양 등 가족과 친족의 형성과 역할, 가족 간의 권리와 의무 규정<br>• 상속법: 유언, 상속 등 친족 간의 재산 관계 규정 |

## 이것이 핵심!

**근대 민법의 기본 원리의 수정·보완**

| 기본 원리 | | 수정·보완된 원리 |
|---|---|---|
| 소유권 절대의 원칙 | → | 소유권 공공복리의 원칙 |
| 계약 자유의 원칙 | → | 계약 공정의 원칙 |
| 과실 책임의 원칙 | → | 무과실 책임의 원칙 |

**★ 고의**
자신의 행위가 다른 사람에게 손해를 입힐 것을 알면서도 그 행위를 하는 것

**★ 과실**
행위자가 주의를 게을리함으로써 자신의 행위가 다른 사람에게 손해를 입힐 것을 알지 못하고 그 행위를 하는 것

## 2 민법의 기본 원리

┌ 근대 민법의 기본 원리를 담고 있는 최초의 법전은 1789년 프랑스 혁명 이후 제정된 『나폴레옹 법전』이야.

### 1. 근대 민법의 기본 원리

(1) **근본이념**: 개인주의, 자유주의 ─┬ 개인주의 | 국가나 사회보다 개인이 우선한다는 사상 → 개인의 독립성과 자유 강조

| 개인주의 | 국가나 사회보다 개인이 우선한다는 사상 → 개인의 독립성과 자유 강조 |
|---|---|
| 자유주의 | 개인의 자유를 가장 중요한 가치로 여기는 사상 → 사유 재산권 강조 |

(2) **근대 민법의 기본 원리** (자료 ②)

| 사유 재산권 존중의 원칙<br>(소유권 절대의 원칙) | 개인 소유의 재산에 대해 절대적 지배권을 인정하고, 국가나 다른 개인은 함부로 이를 간섭하거나 제한하지 못한다는 원칙 |
|---|---|
| 사적 자치의 원칙<br>(계약 자유의 원칙) | 개인은 자신의 의사에 따라 자유롭게 계약을 맺어 권리를 취득하거나 의무를 부담하는 법률관계를 형성해 나갈 수 있다는 원칙 |
| 과실 책임의 원칙<br>(자기 책임의 원칙) | 자신의 *고의나 *과실에 따른 위법한 행위로 타인에게 손해를 끼친 경우에만 책임을 진다는 원칙 |

### 2. 근대 민법의 기본 원리에 대한 수정·보완 (교과서 자료)

(1) **수정·보완 배경**: 자본주의의 발전 과정에서 빈부 격차, 환경 오염, 독과점 기업의 횡포 등 사회 문제 발생 → 권리의 사회성과 공공성을 고려하는 방향으로 수정·보완됨

(2) **근대 민법의 수정 원리** ─ 꼭! 근대 민법의 기본 원리는 여전히 사회생활의 기본 원리로 작용하고 있으며, 현대 사회에서는 이 원칙들이 예외가 되는 상황에서 수정·보완을 통해 더욱 폭넓게 권리를 보장받을 수 있어.

| 소유권 공공복리의 원칙 | 개인의 소유권 행사라도 공공복리를 위해 필요한 경우 제한할 수 있다는 원칙 |
|---|---|
| 계약 공정의 원칙 | 사회 질서에 위반하거나 공정성을 잃은 계약은 법적 효력이 인정되지 않는다는 원칙 |
| 무과실 책임의 원칙 | 가해자에게 고의나 과실이 없더라도 타인에게 피해를 준 경우 일정한 요건에 따라 책임을 져야 한다는 원칙 → 제조물 책임, 사업자의 환경 침해 등에 적용됨 |

**자료 1 민법의 기능**

민법도 다른 법과 마찬가지로 행위 규범과 재판 규범의 기능을 하지.

- A는 대학교 등록금이 부족하여 여자 친구인 B에게 천만 원을 빌렸다. 기한이 지나도 A가 돈을 갚지 않자 화가 난 B는 민법에 근거하여 채무 이행을 촉구하였다.
- 집주인인 C는 지은 지 4년 된 주택 천장에 누수가 발생하여 곰팡이가 생기자 건축을 담당한 D 회사에 보수 공사를 요구하였다. D 회사는 부실 공사를 인정하고, 시공사가 5년간 건물 공사 하자에 대한 책임을 지도록 하는 민법 규정에 따라 보수 공사를 진행하였다.

제시된 사례들은 민법이 개인 간의 법률관계에서 발생하는 권리와 의무 등에 대한 내용을 규정하고 있음을 보여 준다. 이처럼 개인 간의 자유로운 법률관계를 형성하도록 지원하는 민법을 통해 개인은 자신의 재산과 권리를 보장받으며 안정적인 사회생활을 영위할 수 있고, 사회는 가족 관계를 비롯한 공동체의 안정과 질서를 유지할 수 있다.

**자료 2 사유 재산권 존중의 원칙**

- 프랑스 인권 선언 제17조 소유권은 신성불가침의 권리이므로 법에서 규정한 공공의 필요성에 의해 명백히 요구되는 경우 이외에는 누구도 소유권을 박탈할 수 없다. 또한, 그러한 경우라고 해도 소유자가 사전에 정당하게 보상을 받는다는 조건을 갖추어야 한다.
- 우리나라 민법 제211조 소유자는 법률의 범위 내에서 그 소유물을 사용, 수익, 처분할 권리가 있다.

제시된 두 조항은 개인의 소유권은 절대적으로 보장받아야 함을 나타내고 있다. 민법은 개인주의와 자유주의의 이념을 바탕으로 개인 소유의 재산에 대한 사적 지배를 인정하고 있다. 이에 따라 국가나 다른 개인은 개인 소유의 재산을 함부로 간섭하거나 제한할 수 없는데, 이를 사유 재산권 존중의 원칙 또는 소유권 절대의 원칙이라고 한다.

**수능이 보이는 교과서 자료 근대 민법의 기본 원리의 수정·보완**

(가) 공항 근처에 땅을 소유한 박 씨는 15층짜리 주상 복합 건물을 신축하려고 하였으나 5층 짜리 건물을 지을 수밖에 없었다. 항공기 이착륙에 문제가 있을 수 있어 고도 제한의 적용을 받았기 때문이다.

(나) 공정 거래 위원회는 연기자 전속 계약에 대한 표준 약관을 발표하였다. 이에 따라 연기자는 기획사와 계약 기간을 설정할 때 7년을 넘기지 않도록 해야 한다.

(다) 김 군은 A 사의 스마트폰이 원인을 알 수 없는 이유로 폭발해 손에 화상을 입었다. A 사는 김 군에게 스마트폰 구입비와 치료비를 배상하였다.

우리 헌법은 "재산권의 행사는 공공복리에 적합하도록 하여야 한다." 라고 하여 소유권 공공복리의 원칙을 규정하고 있어.

(가)는 공익을 위해 개인의 소유권 행사를 일부 제한한 것으로, 소유권 공공복리의 원칙을 적용한 사례이다. (나)는 연기자에게 불리한 계약이 성립되는 것을 방지한 것으로, 계약 공정의 원칙을 적용한 사례이다. (다)는 스마트폰을 만든 A 사가 고의나 과실이 분명하지 않음에도 손해 배상 책임을 진 것으로, 무과실 책임의 원칙이 적용된 사례이다.

---

**자료 하나 더 알고 가자!**

**법의 분류** 범죄의 종류와 그에 대한 형벌을 규정한 법이야.

| 공법 | 헌법, 형법, 행정법, 소송법 등 |
| --- | --- |
| 사법 | 민법, 상법 등 |
| 사회법 | 노동법, 경제법, 사회 보장법 등 |

법은 규율하는 생활 관계에 따라 공법과 사법, 사회법으로 구분할 수 있다. 국가 기관 간, 국가와 개인 간의 공적 생활 관계를 규율하는 법은 공법, 개인과 개인 간의 사적 생활 관계를 규율하는 법은 사법이다. 사회법은 사법적 영역에 공법적 제재를 가할 수 있도록 만든 법이다.

**문제로 확인할까?**

사적 자치의 원칙과 관련한 진술로 옳은 것은?
① 개인은 자유롭게 계약을 맺을 수 있다.
② 공정하지 못한 계약은 법적 효력이 없다.
③ 고의, 과실로 남에게 피해를 입혔을 때에만 책임을 진다.
④ 고의나 과실이 없어도 남에게 피해를 준 경우 책임을 진다.
⑤ 개인의 재산에 대해 국가나 다른 개인이 함부로 간섭하지 못한다.

① 답

**완자쌤의 탐구 강의**

- (가)~(다)와 같이 근대 민법의 기본 원리가 보완된 배경을 서술해 보자.

| (가) | 소유권 절대의 원칙이 사회 구성원 간의 빈부 격차를 심화하자, 소유권 공공복리의 원칙으로 보완한 것이다. |
| --- | --- |
| (나) | 계약 자유의 원칙이 경제적 강자가 경제적 약자에게 불리한 계약을 강제하는 수단으로 변질되자, 계약 공정의 원칙으로 보완한 것이다. |
| (다) | 과실 책임의 원칙이 경제적 강자의 책임 회피 수단이 되자, 무과실 책임의 원칙으로 보완한 것이다. |

함께 보기 119쪽, 1등급 정복하기 2

## STEP 1 핵심 개념 확인하기

정답친해 38쪽

**1** 빈칸에 들어갈 내용을 쓰시오.

(1) (         )은 재산 관계와 가족 관계 등을 규율하는 대표적인 사법이다.

(2) (         )의 원칙이란 권리 행사와 의무 이행 시에 상호 신뢰에 어긋나지 않게 성실하게 행동해야 한다는 것이다.

**2** 민법이 다루는 내용 중 다음 관계와 관련 있는 것을 〈보기〉에서 골라 기호를 쓰시오.

┌─ 보기 ─────────────────────────┐
ㄱ. 유언, 상속                    ㄴ. 계약, 불법 행위
ㄷ. 출생, 혼인, 입양              ㄹ. 임차권, 소유권, 저당권
└──────────────────────────────┘

(1) 가족 관계 (         )

(2) 재산 관계 (         )

**3** 근대 민법의 기본 원리와 그 내용을 옳게 연결하시오.

(1) 과실 책임의 원칙  •        • ㉠ 고의, 과실로 타인에게 손해를 입혔을 때만 책임을 짐

(2) 사적 자치의 원칙  •        • ㉡ 개인의 재산에 대해 국가나 다른 개인이 간섭할 수 없음

(3) 소유권 절대의 원칙 •       • ㉢ 누구나 자신의 의사에 따라 자유롭게 계약을 맺을 수 있음

**4** 다음에서 설명하는 근대 민법의 수정 원리를 〈보기〉에서 골라 기호를 쓰시오.

┌─ 보기 ─────────────────────────┐
ㄱ. 계약 공정의 원칙              ㄴ. 무과실 책임의 원칙
ㄷ. 소유권 공공복리의 원칙
└──────────────────────────────┘

(1) 공공복리를 위해 필요한 경우 법률로써 개인의 소유권을 제한할 수 있다.                                   (         )

(2) 계약 내용이 사회 질서에 위반하거나 현저하게 공정성을 잃은 경우 법적 효력이 발생하지 않는다.        (         )

(3) 가해자에게 고의나 과실이 없더라도 타인에게 피해를 준 경우 일정한 요건에 따라 책임을 져야 한다.   (         )

## STEP 2 내신 만점 공략하기

**01** ㉠에 들어갈 법에 대한 설명으로 옳지 <u>않은</u> 것은?

┌──────────────────────────────┐
│ (  ㉠  )은/는 개인과 개인 사이의 재산 관계나 가족 관계에서 발생하는 권리와 의무의 종류 및 내용에 관한 법이다. │
└──────────────────────────────┘

① 개인 간의 갈등과 분쟁을 심화하는 요인으로 작용한다.

② 사회를 구성하는 각 개인이 자유롭고 평등하다고 전제한다.

③ 해당 법 전반에 적용되는 기본 원칙이 총칙에 명시되어 있다.

④ 혼인, 이혼, 입양, 상속 등에 관한 내용에 대해 규정하고 있다.

⑤ 불법 행위로 인한 개인 간의 법적 분쟁을 해결할 수 있는 기준이 명시되어 있다.

**02** 다음과 같은 체계를 가진 법에 대한 설명으로 옳지 <u>않은</u> 것은?

① 개인 간의 대등한 생활 관계를 규율한다.

② 가족 관계와 재산 관계를 규율하는 법이다.

③ 프랑스 혁명 이후 제정된 『나폴레옹 법전』을 그 시초로 본다.

④ 법 위반자에 대한 강력한 처벌을 통해 사회 질서를 유지하는 기능을 한다.

⑤ 개인과 개인 사이에서 발생하는 권리와 의무의 종류 및 내용을 규정하고 있다.

**03** 밑줄 친 A 법과 B 법에 대한 옳은 설명을 〈보기〉에서 고른 것은?

> 갑은 을과 주차 문제로 말다툼을 벌이다가 을을 때려 상처를 입혔다. 을은 A 법 위반을 이유로 갑에 대한 처벌을 요구하는 고소장을 경찰서에 제출하는 한편, B 법에 근거하여 갑에게 손해 배상을 요구하였다.

**보기**

ㄱ. A 법은 상법과 같은 유형에 속하는 법이다.
ㄴ. A 법은 국가와 국민 간의 관계를 규율한다.
ㄷ. B 법은 과실 책임주의를 원칙으로 한다.
ㄹ. A 법은 사법, B 법은 공법에 해당한다.

① ㄱ, ㄴ    ② ㄱ, ㄷ    ③ ㄴ, ㄷ
④ ㄴ, ㄹ    ⑤ ㄷ, ㄹ

**04** 다음 자료를 통해 알 수 있는 민법의 기능으로 가장 적절한 것은?

> 악취가 난다는 이유로 축산 농가의 차량이 다니지 못하도록 자기 소유의 도로를 파헤쳐 두고, 이는 소유권을 행사한 것이므로 위법성이 없다고 항변하더라도 이 주장은 권리 남용 금지의 원칙에 따라 인정되지 않는다.

① 법질서 전체에 적용될 수 있는 일반 원칙을 제시한다.
② 사회 구성원이 법을 위반했을 경우 재판의 기준으로 작용한다.
③ 개인의 경제적 권리를 둘러싼 이익과 손해를 합리적으로 조정한다.
④ 계약이 원활하게 성립되고 이행될 수 있도록 계약 조건 등을 규정한다.
⑤ 자신의 재산과 권리를 보장받으며 안정적인 사회생활을 누릴 수 있도록 한다.

**05** (가)~(다)는 근대 민법의 기본 원리를 나타낸다. 이에 대한 설명으로 옳은 것은?

> (가) 개인은 자율적인 판단에 기초하여 자유롭게 법률관계를 형성할 수 있다.
> (나) 개인은 자기의 고의나 과실로 다른 사람에게 손해를 입혔을 경우에만 책임을 진다.
> (다) 개인은 개인 소유의 재산에 대해 절대적인 지배권을 가지며, 국가나 다른 개인이 이 권리를 침해해서는 안 된다.

① (가)는 소유권 절대의 원칙이라고 한다.
② (나)는 사회적 강자의 책임 회피 수단으로 악용되기도 하였다.
③ 오늘날 (다)는 폐기되고, 소유권 공공복리의 원칙으로 대체되었다.
④ (나)는 계약 자유의 원칙, (다)는 무과실 책임의 원칙이다.
⑤ (가), (나)와 달리 (다)는 국가나 사회보다 개인이 우선한다는 사상을 바탕으로 하고 있다.

**06** 밑줄 친 부분과 관련 있는 내용을 〈보기〉에서 고른 것은?

> 근대 민법의 기본 원리는 개인의 경제적 자유를 최대한 보장함으로써 사회 전체의 부를 늘리는 데 이바지하였다. 하지만 권리의 불가침성과 절대성을 강조하다 보니 빈부 격차, 환경 오염, 독점 기업의 횡포가 나타나는 등 일정한 한계에 부딪히게 되었다. 그래서 오늘날에는 근대 민법의 기본 원리의 일부를 수정 및 보완하게 되었다.

**보기**

ㄱ. 재산권의 행사는 공공복리에 적합하게 해야 한다.
ㄴ. 고의 또는 과실로 인해 발생한 손해에 대해서만 책임을 진다.
ㄷ. 개인의 소유권에 대해 국가나 다른 개인이 함부로 침해할 수 없다.
ㄹ. 계약 내용이 사회 질서에 위반하거나 공공의 이익을 침해할 경우 법적 효력이 발생하지 않는다.

① ㄱ, ㄴ    ② ㄱ, ㄹ    ③ ㄴ, ㄷ
④ ㄴ, ㄹ    ⑤ ㄷ, ㄹ

**07** (가)~(다)에 대한 옳은 설명을 〈보기〉에서 고른 것은?

| 근대 민법의 원칙 | | 근대 민법 원칙의 수정·보완 |
|---|---|---|
| (가) | → | 소유권 공공복리의 원칙 |
| 계약 자유의 원칙 | → | (나) |
| 과실 책임의 원칙 | → | (다) |

보기
ㄱ. (가)에 의하면 공익을 위해 사유 재산권을 제한할 수 있다.
ㄴ. (나)에 의하면 불공정한 계약은 무효이다.
ㄷ. (다)의 예로 '사업자의 환경 침해'에 대한 배상 책임을 들 수 있다.
ㄹ. (가)와 달리 (나), (다)는 국가 권력의 축소를 요건으로 한다.

① ㄱ, ㄴ      ② ㄱ, ㄷ      ③ ㄴ, ㄷ
④ ㄴ, ㄹ      ⑤ ㄷ, ㄹ

**08** 다음과 같은 계약이 무효인 이유로 가장 적절한 것은?

계 약 서
1. 을(연습생)은 본인의 귀책사유로 계약 해지 시 투자 비용의 3배 금액을 갑(기획사)에게 위약금으로 배상한다.
2. 을은 연습생 계약 만료 후에도 갑과의 전속 계약을 체결해야 하며 이를 거부할 경우 투자 비용의 2배를 반환한다.

① 제삼자의 권리를 침해하였다.
② 실현 불가능한 계약을 하였다.
③ 계약 자유의 원칙을 위반하였다.
④ 재산권의 행사를 지나치게 제한하였다.
⑤ 계약한 내용이 현저하게 공정성을 잃었다.

# 서술형 문제

● 정답친해 39쪽

**01** 다음 글의 밑줄 친 부분의 근거를 법의 일반 원칙 중 하나를 활용하여 서술하시오.

A 씨는 자신이 가진 건물을 B 씨에게 20억 원에 팔기로 계약을 맺었다. 그런데 계약금 등을 치르고 잔금 10억 원만 남아 B 씨가 계약대로 건물을 받을 것으로 믿고 있는 상황에서 갑자기 부동산 가격이 치솟아 건물의 시세가 50억 원이 되었다. 섣불리 거래했다가 큰 손해를 보게 되었다고 생각한 A 씨는 이미 받은 돈의 두 배를 돌려주더라도 계약을 해제하겠다고 주장하였다. 그러나 소송이 제기되더라도 A 씨가 단지 경제적 이득을 보겠다는 이유만으로 계약 해제를 요구한다면 받아들여지지 않을 가능성이 크다.

**02** 기사를 읽고 물음에 답하시오.

○○ 기업이 생산한 A 제품을 10년간 애용해 왔던 소비자 중 많은 사람에게서 유사한 폐 질환이 발견되었다. ○○ 기업의 고의나 과실을 증명할 증거는 없지만, A 제품의 성분 중 폐 질환을 유발하는 물질이 있으며 이 제품을 장기간 이용할 경우 발병 확률이 크게 높아진다는 사실이 확인되었다. 이에 피해자들은 ○○ 기업에 폐 질환에 대한 손해 배상을 청구하기로 했다.
－ △△ 신문, 2017. 9. 28.

(1) 윗글에서 강조하고 있는 민법의 원칙을 쓰시오.

(2) (1)이 등장하게 된 배경을 서술하시오.

**STEP 3** 1등급 정복하기

**1** 다음은 A 법과 B 법의 일부 조항이다. 이를 통해 파악할 수 있는 A 법과 B 법의 특징에 대한 옳은 설명을 〈보기〉에서 고른 것은?

> **〈A 법〉**
>
> 제568조(매매의 효력) ① 매도인은 매수인에 대하여 매매의 목적이 된 권리를 이전하여야 하며 매수인은 매도인에게 그 대금을 지급하여야 한다.
> 제826조(부부간의 의무) ① 부부는 동거하며 서로 부양하고 협조하여야 한다. 그러나 정당한 이유로 일시적으로 동거하지 아니하는 경우에는 서로 인용하여야 한다.

> **〈B 법〉**
>
> 제14조(과실) 정상의 주의를 태만함으로 인하여 죄의 성립 요소인 사실을 인식하지 못한 행위는 법률에 특별한 규정이 있는 경우에 한하여 처벌한다.
> 제313조(신용 훼손) 허위의 사실을 유포하거나 기타 위계로써 사람의 신용을 훼손한 자는 5년 이하의 징역 또는 1천 500만 원 이하의 벌금에 처한다.

**보기**

ㄱ. A 법은 행위 규범의 기능은 수행하지만, 재판 규범의 기능은 수행하지 못한다.
ㄴ. A 법은 가족 관계를 규율하여 가족과 친족의 문화와 질서를 유지하는 기능을 한다.
ㄷ. B 법은 사법적 영역에 공법적 제재를 가할 수 있도록 만든 법에 포함된다.
ㄹ. A 법은 B 법과 달리 사적인 법률관계에서 나타나는 권리와 의무를 다룬다.

① ㄱ, ㄴ          ② ㄱ, ㄹ          ③ ㄴ, ㄷ
④ ㄴ, ㄹ          ⑤ ㄷ, ㄹ

> **법의 분류**
>
> **완자 사전**
> • 매도인
> 어떤 물건을 팔려는 사람
> • 매수인
> 어떤 물건을 사려는 사람

**수능 응용**

**2** (가)에 대한 재판의 결과 (나)와 같은 판결이 내려졌다. 이러한 판결의 근거가 된 민법의 원칙에 대한 설명으로 가장 적절한 것은?

**(가)**

> **〈A 사의 상해 보험 약관〉**
> 제37조(계약의 해지) 보험 가입자는 실종되거나 사망하는 경우에만 계약을 해지할 수 있다. 다만 A 사는 경영상 필요하다고 판단하면 언제든지 계약을 해지할 수 있다.

**(나)**

> **〈법원의 판결문〉**
> A 사의 약관 제37조는 보험사의 해지 요건은 제한이 없지만, 보험 가입자에게는 보험 해지의 선택권이 크게 제약되므로 무효이다.

① 소유권은 공공복리를 위하여 제한될 수 있다.
② 형식적인 계약의 자유에서 나아가 계약의 공정성을 실현한다.
③ 개인은 자기의 자율적 판단에 기초하여 자유롭게 법률관계를 형성할 수 있다.
④ 가해자의 고의나 과실이 없으면 타인에게 손해가 발생하더라도 책임을 지지 않는다.
⑤ 자신의 고의나 과실이 없어도 다른 사람에게 피해를 준 경우 일정한 상황에서는 손해 배상 책임을 질 수 있다.

> **민법의 기본 원리**
>
> **완자샘의 시험 꿀팁**
> 제시된 자료에 적용된 민법의 기본 원리를 묻는 문제가 자주 출제되므로, 근대 민법의 기본 원리와 수정·보완된 내용을 연계하여 파악해 두어야 한다.
>
> **완자 사전**
> • 해지
> 계약 당사자 한쪽의 의사 표시로 계약에 기초한 법률관계가 소멸되는 것

# 재산 관계와 법

## 이것이 핵심!

**계약의 체결 과정**

| 계약의 성립 |
| --- |
| 청약과 승낙의 의사 표시 합치 |

↓

| 계약의 효력 |
| --- |
| 당사자에게 일정한 권리(채권)와 의무(채무) 발생 |

↓

| 계약의 이행 |
| --- |
| 채무 불이행 시 강제 이행, 손해 배상 등의 법적 책임 발생 |

★ **의사 능력과 행위 능력**

| 의사 능력 | 자신이 하는 행동의 의미나 결과를 판단하여 정상적인 의사 결정을 할 수 있는 정신적 능력 |
| --- | --- |
| 행위 능력 | 단독으로 완전하고 유효하게 법률 행위를 할 수 있는 능력 |

★ **채무 불이행**
계약에 따른 의무를 이행하지 않아 상대방에게 손해를 끼치는 것

★ **무효와 취소**

| 무효 | 법률 행위에 어떠한 흠이 있어서 법률 행위의 효력이 처음부터 당연히 발생하지 않음 |
| --- | --- |
| 취소 | 특정인의 취소의 의사 표시가 있어야 효력이 없어지며, 취소한 법률 행위는 처음부터 무효인 것으로 봄 |

★ **제한 능력자**
미성년자, 피한정 후견인 등 민법에 따라 객관적으로 행위 능력이 부족한 것으로 평가를 받은 사람

★ **법정 대리인**
법률의 규정에 따라 어떤 사람의 행위를 대리할 권한을 가진 사람

## ① 계약의 의미와 법적 처리

**1. 계약의 의미와 특징** ┌ 계약서를 쓰지 않고 구두로 한 계약도 당사자들이 계약의 내용을 충분히 이해하고 합의했다면 법적인 효력을 인정받을 수 있어.

(1) **계약**: 일정한 법률 효과를 발생시킬 목적으로 사람들 사이에 이루어지는 합의 또는 약속
예 매매, 임대차, 증여, 용역의 제공, 고용 등

(2) **계약의 특징**: 계약 자유의 원칙에 따라 계약 당사자들이 계약 체결 여부, 계약의 상대방, 계약의 내용이나 방식 등을 원칙적으로 자유롭게 결정할 수 있음

**2. 계약의 성립** 교과서 자료 ┌ 계약을 체결하고 싶다는 의사 표시 ┌ 청약을 받아들이겠다는 의사 표시

(1) **계약의 성립 시점**: 계약 당사자 사이에 청약과 승낙의 의사 표시가 합치된 때

(2) **계약서의 작성** 자료① ┌ 꼭! 계약의 성립 시점은 계약 당사자들이 계약서를 작성한 때가 아닌 계약 당사자들이 계약 내용에 대해 합의한 때라는 것을 주의해야 해.

① **계약서의 용도**: 계약의 내용을 명확히 하고, 다툼이 발생했을 때 증거 자료로 활용 가능

② **계약서에 포함될 내용**: 계약의 당사자, 계약의 대상(목적물), 금액의 지급 방법과 시기, 당사자 간의 특약 사항, 계약 체결 일시 및 장소, 당사자 서명 등

(3) **계약의 성립 요건과 법적 효과** ┌ 어린아이, 만취한 사람은 의사 능력이 없다고 봐.

① **계약의 성립 요건**: 계약 당사자가 *의사 능력과 *행위 능력을 갖고 있어야 함, 계약 내용이 적법하고 실현 가능해야 하며 선량한 풍속이나 기타 사회 질서에 반하지 않아야 함

② **계약의 법적 효과**: 당사자에게 계약에서 정한 권리(채권)와 의무(채무) 발생 → *채무 불이행이 발생할 경우 계약의 해제, 강제 이행, 손해 배상 등의 법적 책임을 질 수 있음

③ **계약의 *무효와 *취소** ┌ 계약을 처음부터 없었던 것으로 하는 의사 표현 ┌ 예 도박이나 범죄를 내용으로 하는 계약, 신체 일부를 포기하는 계약 등

| 계약의 무효 | 의사 능력이 없는 자의 계약, 계약 내용을 실현할 수 없는 계약, 한쪽 당사자에게 지나치게 불공정한 계약, 선량한 풍속과 사회 질서를 위반한 계약 |
| --- | --- |
| 계약의 취소 | *제한 능력자가 단독으로 맺은 계약, 사기나 강요 또는 착오에 의해 맺은 계약 |

**3. 미성년자와의 계약** 자료② ┌ Q₩? 아직 사회 경험이 충분하지 않은 미성년자가 경솔한 계약 체결 등으로 보게 될 손해를 막기 위해서야.

(1) **미성년자의 법적 지위**: 19세 미만인 자로 민법상 제한 능력자에 해당하여 행위 능력이 제한됨

(2) **미성년자의 법률 행위** ┌ 꼭! 미성년자의 경우 친권자가 법정 대리인이 되고, 친권자가 없을 때는 후견인이 법정 대리인이 돼.

① **원칙**: 미성년자는 단독으로 법률 행위를 할 수 없고, *법정 대리인의 동의를 얻어야 함 → 법정 대리인의 동의를 얻지 않은 법률 행위는 본인이나 법정 대리인이 취소 가능

② **미성년자 단독으로 할 수 있는 법률 행위**: 단순히 권리만을 얻거나 의무만을 면하는 행위, 법정 대리인이 범위를 정하여 처분을 허락한 재산(예 용돈)의 처분 행위 등

(3) **미성년자와 거래한 상대방의 보호**

| 확답을 촉구할 권리 | 거래 상대방은 미성년자의 법정 대리인에게 계약의 취소 여부를 확정하도록 요구할 수 있음 |
| --- | --- |
| 철회권 | 거래 상대방은 미성년자의 법정 대리인의 확답(추인)이 있기 전까지 거래의 의사 표시를 철회할 수 있음(단, 거래 당시 미성년자임을 몰랐을 경우만 해당함) |
| 취소권의 배제 | 미성년자가 거래 상대방을 속여 성인인 것처럼 행동하거나 법정 대리인의 동의를 받은 것처럼 믿게 한 경우 취소권이 배제됨 |

┌ Q₩? 거래 상대방을 속여서 계약을 체결해 놓고 미성년자라는 이유로 취소할 수 있게 하면 거래 상대방이 일방적으로 손해를 입기 때문이야.

# 완자 자료 탐구

내 옆의 선생님

**계약의 체결**

**계약의 성립(청약⇄승낙)**

내일 오전 10시까지 ○○고로 홍보물을 배달해 주세요.

네. 그때까지 꼭 배달하겠습니다. 감사합니다.

**계약의 효력 발생**

홍보물을 받을 권리

홍보물을 줄 의무

대금을 지불할 의무

대금을 받을 권리

**계약의 이행**

○○고 축제

**계약의 불이행**

○○고 축제

축제 홍보물 제작과 관련하여 갑이 계약을 체결하고 싶다는 의사 표시(청약)를 하고, 을이 이를 받아들이겠다는 의사 표시(승낙)를 하여 계약이 성립하였다. 이 계약에 의해 갑은 홍보물을 받을 권리를 갖고 대금을 지불할 의무를 지며, 을은 대금을 받을 권리를 갖고 홍보물을 제작해 주어야 할 의무를 진다.

└ 채권과 채무는 계약을 맺은 쌍방 간에 동시에 발생해.

## 완자샘의 탐구 강의

• 사례에서 계약이 성립하는 시점은 언제인지 써 보자.
갑과 을이 전화로 계약 내용을 합의한 때 계약이 이루어진 것으로 볼 수 있다.

• 계약 당사자 간에 계약이 불이행된 경우의 해결 방안을 서술해 보자.
채무자가 계약에 따른 의무를 제대로 이행하지 않는 채무 불이행이 발생할 경우, 손해를 본 채권자는 계약을 해제하거나 법원에 강제 이행을 청구할 수 있고, 채무 불이행에 따른 손해 배상을 요구할 수 있다.

**함께 보기** 129쪽. 1등급 정복하기 1

---

## 자료 ① 계약서의 작성

### 금전 차용 계약서

1. 차용 대금: 금 오천만 원
2. 변제 방식: 2017년 5월부터 2019년 5월까지 매달 말일 금 이백만 원씩 지급(이자는 연 10%로 하며, 원금 지급 시 함께 지급)한다.
3. 특약 사항: B는 이 계약을 공증하는 것에 동의하고, 그를 위하여 필요한 서류를 A에게 제출한다.

2017년 4월 28일

채권자 A (서명) 채무자 B (서명)

### 계약서 작성 시 유의사항

• 계약 내용을 최대한 상세히 적고, 특약 사항(당사자 간에 특별히 합의한 사항)도 반드시 기재한다.
• 계약 날짜 및 계약 당사자를 명확히 적고, 계약 당사자의 자필 서명 또는 도장을 받는다.
• 계약 내용에 대해 공증을 받아두면 차후 분쟁이 발생한 경우 계약 내용을 명확히 입증할 수 있다.

부동산 매매나 임대차 계약 등에서 신중하고 안전한 거래를 위해 계약서를 작성하여 계약의 내용을 명확히 해 두면, 나중에 분쟁이 발생하였을 때 증거 자료로 활용할 수 있다.

## 자료 ② 미성년자의 계약

고등학교 1학년인 갑(17세)은 학원비로 받은 10만 원으로 부모님께 동의를 구하지 않고 게임기를 구매하였다. 며칠 후 갑은 이 계약이 후회되어 취소하고 싶은데 어떻게 해야 할지 고민이다.

사례에서 갑은 19세 이하로 미성년자이다. 미성년자는 민법에서 규정하고 있는 제한 능력자로서 행위 능력이 제한되는데, 미성년자가 부모 등 법정 대리인의 동의 없이 계약을 체결했을 때는 미성년자 본인이나 법정 대리인이 계약을 취소할 수 있다.

└ 미성년자 본인이 취소할 때는 그 취소에 대해 법정 대리인의 동의를 얻을 필요는 없어.

## 자료 하나 더 알고 가자!

### 공증

재산이나 가족 관계에 대한 사실이나 법률관계의 존재를 국가가 공적으로 증명하는 제도이다.

공증은 사실이나 법률관계에 대한 증거를 보전하여 권리자가 쉽게 권리를 실행할 수 있도록 만들어진 제도이다. 분쟁 발생 시 법원에서 유력한 증거로 활용되며, 때로는 재판을 거치지 않고 권리 실현을 가능하게 한다.

## 정리 비법을 알려줄게!

미성년자가 법정 대리인의 동의 없이 계약을 체결한 경우 할 수 있는 조치

| 본인 | 거래 상대방에게 취소 통보 |
|---|---|
| 법정 대리인 | 거래 상대방에게 취소 통보 |
| 거래 상대방 | • 미성년자임을 알았을 경우: 미성년자의 부모에게 계약을 취소할 것인지 확답 요구 가능<br>• 미성년자임을 몰랐을 경우: 미성년자의 법정 대리인의 추인이 있을 때까지 철회권 행사 가능 |

## 2 불법 행위와 손해 배상

### 1. 불법 행위 자료③

**불법 행위와 손해 배상**

**불법 행위**

· 불법 행위: 어떤 사람이 고의 또는 과실로 위법하게 타인에게 손해를 끼치는 행위
· 특수 불법 행위: 타인이나 공동으로 저지른 불법 행위, 사람 또는 물건의 관리 감독 소홀 등에 대해서도 책임을 지도록 하는 것

↓

**손해 배상 책임 발생**

↓

**손해 배상**

· 범위: 재산적 손해뿐만 아니라 정신적 고통까지 배상해야 함
· 방법: 금전 배상이 원칙임

(1) **불법 행위**: 어떤 사람이 고의 또는 과실로 위법하게 다른 사람에게 손해를 끼치는 행위

(2) **불법 행위의 성립 요건** VS 형법에서는 고의가 있는 범죄 행위자를 처벌하고 과실범은 예외적인 경우에만 처벌하는 반면, 민법에서는 고의와 과실 모두 불법 행위를 구성할 수 있어.

| 고의 또는 과실 | 가해자의 행위가 일부러 한 행동이거나 실수로 저지른 행위여야 함 |
|---|---|
| 위법성 | 가해자의 행위가 법이 보호할 가치가 있는 이익을 위법하게 침해해야 함 → *정당방위나 *긴급 피난 등이 인정되면 위법성이 *조각되어 불법 행위가 성립하지 않음 |
| 손해 발생 | 가해자의 행위 때문에 피해자에게 손해가 발생해야 함 → 손해에는 재산적인 손해뿐만 아니라 생명, 자유, 명예 등의 침해에 따른 정신적인 손해도 포함됨 |
| 인과 관계 | 가해자의 위법 행위 때문에 피해자에게 손해가 발생했다는 것이 증명되어야 함 |
| 책임 능력 | 가해자에게 자신의 행위가 불법 행위로서 법률상 책임이 발생한다는 것을 판단할 수 있는 능력이 있어야 함 → 일반적으로 어린아이나 심신 상실자 등은 책임 능력이 없다고 봄 |

### 2. 손해 배상

(1) **손해 배상**: 가해자의 위법한 행위로 발생한 손해를 보전해 주는 것

(2) **손해 배상 책임이 발생하는 행위**: 불법 행위, 채무 불이행 등

(3) **손해 배상 방식** 자료④

① 손해 배상의 범위: 가해 행위와 발생한 손해 사이의 인과 관계를 기초로 하여 정함

② 손해 배상의 방법 ┌─ Q4? 손해의 유형이나 정도에 따라 원상회복이 어려운 경우가 많기 때문이야.

| 금전 배상 | 민법에서는 손해에 대해 금전으로 배상하는 것을 원칙으로 함 → 재산적 손해에 대한 배상, 정신적 고통에 대한 *위자료 지급 |
|---|---|
| 금전 배상 외의 처분 | 타인의 명예를 훼손한 경우 법원은 피해자의 청구에 따라 명예 회복에 필요한 적당한 처분을 내릴 수 있음 예 정정 보도문 게재 등 |

③ 후발 손해 배상의 인정: 배상액 합의 이후 합의 당시에는 예상하지 못한 심각한 손해가 발생하여 합의된 액수와 발생한 손해 사이에 큰 차이가 생겼을 경우 별도의 배상이 인정됨

### 3. 특수 불법 행위 자료⑤

(1) **의미**: 타인이나 공동으로 저지른 불법 행위, 사람 또는 물건의 관리 감독 소홀 등에 대해서도 책임을 지도록 하는 것

(2) **유형**  꼭! 피용자의 불법 행위에 대해 사용자도 책임진다는 것은 피용자가 배상을 못 할 경우를 대비하기 위한 거야. 만일 피용자가 배상하면 사용자는 배상할 책임이 없어져.

| 책임 무능력자의 감독자 책임 | 책임 능력이 없는 미성년자나 심신 상실자가 타인에게 손해를 입힌 경우 이를 감독할 법정 의무가 있는 자가 배상 책임을 짐 |
|---|---|
| 사용자의 배상 책임 | 피용자(직원)가 업무와 관련하여 타인에게 손해를 입힌 경우 사용자(업주)도 피용자의 선임 및 사무 감독상의 과실에 대해 배상 책임을 짐 |
| 공작물 점유자 및 소유자의 배상 책임 | · *공작물 등의 설치 또는 보존상의 하자로 타인에게 손해를 입힌 경우 *점유자가 일차적으로 배상 책임을 짐 → 점유자가 손해 방지를 위한 주의를 다하였음을 증명하면 책임이 면제됨 ─ 점유자에게 과실이 없다는 것을 의미해.<br>· 점유자의 책임이 면제되는 경우 공작물 등의 *소유자가 배상 책임을 짐 → 이 경우 소유자는 과실 여부와 관계없이 책임을 짐 |
| 동물 점유자의 배상 책임 | 동물이 타인에게 손해를 입힌 경우 그 동물의 점유자가 배상 책임을 짐 |
| 공동 불법 행위 책임 | 여러 사람이 공동으로 타인에게 손해를 입힌 경우 연대하여 배상 책임을 짐 |

**★ 정당방위**
다른 사람의 불법 행위로부터 자기 또는 제삼자의 이익을 지키기 위하여 부득이 그 다른 사람에게 손해를 입히는 행위

**★ 긴급 피난**
급박한 위난을 피하기 위하여 부득이하게 다른 사람의 신체나 재산에 손해를 입히는 행위

**★ 조각**
불법 행위라도 일정한 사유에 해당할 경우 위법성이나 책임을 배제하여 불법 행위를 구성하지 않게 하는 것

**★ 위자료**
불법 행위로 발생하는 정신적인 손해에 대한 배상

**★ 공작물**
인공적 작업에 의하여 만들어진 시설이나 장치 예 건축물, 건축물과 분리되어 축조된 담장, 굴뚝, 광고 게시판, 철탑 등

**★ 점유자와 소유자**

| 점유자 | 어떤 물건을 자신의 지배 아래 두고 있는 사람 |
|---|---|
| 소유자 | 어떤 물건을 자신의 것으로 가지고 있는 사람 |

### 자료 ③ 불법 행위의 성립 요건 - 고의 또는 과실

(가) ○○ 마트 사장은 소비자들이 경품 행사에 응모하기 위해 제출한 개인 정보를 당사자의 동의 없이 보험 회사에 판매하였고, 경품 행사에 참여한 소비자들은 광고 전화에 시달렸다.

(나) 나은 씨는 추석을 맞아 반찬 가게에서 나물과 전 등 추석 음식을 구매하였다. 그런데 일부 반찬이 상해 있었고, 그날 저녁 이 음식을 먹은 나은 씨와 가족은 모두 장염에 걸렸다.

(가)에서 사장의 개인 정보 유출 행위는 고의에 의한 것이며, (나)에서 반찬 가게 주인이 상한 반찬을 판매한 행위는 과실에 의한 것으로 볼 수 있다. 고의 또는 과실은 불법 행위의 성립 요건 중 하나로, 위법성, 손해 발생, 가해 행위와 손해 발생 간 상당한 인과 관계, 가해자의 책임 능력까지 인정되면 가해자는 손해 배상 책임을 져야 한다.

### 자료 ④ 손해 배상의 범위

불법 행위로 타인에게 피해를 입혔을 경우 가해자는 금전으로 배상하는 것이 원칙이다. 이 경우 치료비, 당분간 일을 못 해 발생하는 임금 손실분, 장애로 인해 앞으로 예상되는 수입 감소분, 정신적인 고통에 대한 위자료 등을 고려하여 손해 배상금을 산정한다. 피해자가 손해 배상금에 합의했더라도 추후에 예상하지 못했던 중대한 후유증이 발생한 경우에는 별도로 손해 배상을 받을 수도 있다.

### 자료 ⑤ 미성년자의 책임 능력과 감독자 책임

미성년자가 몇 세부터 책임 능력을 갖는지는 법에 규정되어 있지 않아서 판례로 확립되는 경우가 많은데, 대개 중학생 정도면 책임 능력이 있다고 보고 있어.

(가)

A의 어머니이시죠? 댁의 아이가 우리 집 유리창을 깼어요.

A(17세)

(나)

B의 어머니이시죠? 댁의 아이가 우리 집 유리창을 깼어요.

B(6세)

(가)에서 A는 17세로서 자신의 행위에 대한 결과를 인식할 수 있는 책임 능력이 있다. 따라서 A가 한 행위는 불법 행위이다. 다만 A에게 깨진 유리창을 배상할 능력이 없을 경우 피해자는 A의 부모에게 손해 배상을 청구할 수 있다. (나)에서 B는 6세로서 책임 능력이 없으므로 불법 행위가 성립하지 않는다. 다만 B의 부모는 B에 대한 감독을 소홀히 한 책임이 있으므로 책임 무능력자의 감독자로서 손해 배상 책임을 질 수 있다.

└─ B의 부모가 자신이 감독 의무를 게을리하지 않았다는 것을 직접 입증하면 책임이 면제돼.

---

문제 로 확인할까?

불법 행위에 해당하는 것을 〈보기〉에서 고른 것은?

┌─ 보기 ─────────────┐
ㄱ. 심신 상실자의 행위
ㄴ. 가해자가 일부러 한 행위
ㄷ. 피해자에게 정신적 손해를 끼친 행위
ㄹ. 정당방위나 긴급 피난이 인정되는 행위
└─────────────────┘

① ㄱ, ㄴ  ② ㄱ, ㄷ  ③ ㄴ, ㄷ
④ ㄴ, ㄹ  ⑤ ㄷ, ㄹ

ⓒ 🔲

---

### 자료 하나 더 알고 가자!

**후발 손해 배상에 대한 판례**

> 합의 당시 전혀 예상할 수 없었던 손해가 나중에 발생하였고, 그 손해가 중대한 것이라면 추가로 손해 배상을 청구할 수 있다.  – 대법원, 2001. 9. 4. 선고

불법 행위로 인한 손해 배상에 대하여 가해자와 피해자 사이에 합의가 이루어졌다면 다시 배상을 청구할 수 없는 것이 원칙이다. 그러나 나중에 발생한 손해가 중대한 경우에는 추가로 손해 배상을 받을 수 있다.

---

### 정리 비법을 알려줄게!

**미성년자의 불법 행위에 대한 책임**

| | |
|---|---|
| 책임 능력이 있는 미성년자의 행위 | 미성년자 본인이나 부모 등 법정 대리인이 일반 불법 행위에 대한 책임을 심 |
| 책임 능력이 없는 미성년자의 행위 | 부모 등 감독자가 특수 불법 행위에 대한 책임을 짐 |

**1** 다음 설명에 해당하는 용어를 쓰시오.

(1) 일정한 법률 효과를 발생시킬 목적으로 사람들 사이에 이루어지는 합의 또는 약속이다. (　　　　)

(2) 어떤 사람이 고의 또는 과실로 위법하게 다른 사람에게 손해를 끼치는 것을 말한다. (　　　　)

**2** 다음 설명이 맞으면 ○표, 틀리면 ✕표를 하시오.

(1) 청약과 승낙의 의사 표시가 합치되지 않더라도 계약은 성립될 수 있다. (　　　　)

(2) 미성년자가 법률 행위를 할 때에는 원칙적으로 법정 대리인의 동의를 얻어야 한다. (　　　　)

**3** 불법 행위가 성립하기 위해서는 가해자의 위법 행위와 피해자의 손해 사이에 상당한 (　　　　　)가 있어야 한다.

**4** 우리나라 민법은 불법 행위로 인한 손해에 대해 (　　　　) 으로 배상하는 것을 원칙으로 한다.

**5** 다음 사례와 관련 있는 특수 불법 행위의 유형을 〈보기〉에서 골라 기호를 쓰시오.

┌─ 보기 ──────────────────────────┐
ㄱ. 사용자의 배상 책임　　　ㄴ. 공동 불법 행위 책임
ㄷ. 책임 무능력자의 감독자 책임
└──────────────────────────────┘

(1) 6세 아들이 주차장에서 남의 차를 파손하자 아버지가 손해를 배상해 주었다. (　　　　)

(2) 음식점 종업원이 손님에게 뜨거운 국을 쏟아 상해를 입히자 사장이 손해를 배상해 주었다. (　　　　)

(3) 직장 동료들이 음식점에서 말다툼을 하던 옆 손님을 때렸는데 폭행에 가담한 모두가 손해 배상 책임을 졌다. (　　　　)

**6** 다음 괄호 안의 내용 중 알맞은 말에 ○표를 하시오.

(1) 제한 능력자가 법정 대리인의 동의 없이 단독으로 맺은 계약은 원칙적으로 취소할 수 (있다, 없다).

(2) 공작물의 설치 또는 보존상의 하자로 타인에게 손해를 입힌 경우 일차적으로 (점유자, 소유자)가 배상 책임을 진다.

☆중요
**01** 밑줄 친 ㉠~㉣에 대한 설명으로 옳지 않은 것은?

┌──────────────────────────────┐
㉠ 갑은 을에게 전화하여 을이 소유하고 있는 아파트를 3억 원에 사고 싶다고 말했다. 이에 ㉡ 을은 그렇게 하자면서 다음 날 만나서 계약서를 쓰자고 했다. 다음 날 갑과 을은 직접 만나 ㉢ 계약서를 작성했다. 한 달 후에 ㉣ 갑은 을에게 3억 원을 지급하고, 을은 갑에게 아파트의 소유권 이전에 필요한 서류를 건네주었다.
└──────────────────────────────┘

① ㉠은 청약에 해당한다.
② ㉡으로 인해 채권이 발생한다.
③ ㉢에 의해 매매 계약이 성립하였다.
④ ㉢의 직후 갑과 을의 합의로 계약 취소가 가능하다.
⑤ ㉣은 갑이 채무를 이행하는 모습이다.

**02** 다음 내용에 대한 옳은 설명을 〈보기〉에서 고른 것은?

(가)　11시까지 도시락 100개를 ○○ 회사 사무실로 배달해 주시겠어요?　예. 그렇게 하겠습니다.　갑　을

(나)　1시간이나 지났는데 왜 아직 안 오나요?　일손이 모자라서 시간에 맞춰 배달할 수가 없네요.　갑　을

┌─ 보기 ──────────────────────────┐
ㄱ. (가)는 계약서를 작성하지 않았기 때문에 계약으로 볼 수 없다.
ㄴ. (나)의 경우 을의 행위는 채무 불이행에 해당한다.
ㄷ. (나)의 경우 갑은 을에게 손해 배상을 청구할 수 있다.
ㄹ. 갑이 손해 배상을 받기 위해서는 을의 행위가 고의임을 증명해야 한다.
└──────────────────────────────┘

① ㄱ, ㄴ　　② ㄱ, ㄷ　　③ ㄴ, ㄷ
④ ㄴ, ㄹ　　⑤ ㄷ, ㄹ

**03** 다음 자료에 대한 설명으로 옳지 <u>않은</u> 것은?

**금전 차용 계약서**

1. 차용 대금: 금 오천만 원
2. 변제 방식: 2017년 5월부터 2019년 5월까지 매달 말일 금 이백만 원씩 지급한다.
3. 특약 사항: B는 이 계약을 공증하는 것에 동의하고, 그를 위하여 필요한 서류를 A에게 제출한다.

2017년 4월 28일

채권자 A (서명)          채무자 B (서명)

① B에게 의사 능력이 없어도 계약이 성립한다.
② A와 B 모두에게 일정한 권리와 의무가 발생한다.
③ 법적 다툼이 발생하였을 때 증거 자료로 활용할 수 있다.
④ 원칙적으로 A와 B 이외의 사람에게는 적용되지 않는다.
⑤ B는 기일 내에 계약의 내용을 이행하지 않으면 법적 책임을 지게 될 수 있다.

**04** 다음은 무효로 간주되는 계약 조항들이다. 그 이유를 추론한 것으로 옳은 것은?

- 아이를 대신 낳아서 돌려주는 즉시 1억 원을 지급한다.
- 빌려 간 돈을 갚지 않을 경우 채권자와 결혼하기로 약속한다.
- 교통사고와 관련하여 거짓으로 증언을 해 주면 3억 원을 지급한다.

① 실현 불가능한 내용이기 때문이다.
② 선량한 사회 풍속에 위반되기 때문이다.
③ 계약 자유의 원칙을 무시했기 때문이다.
④ 무과실 책임의 원칙을 침해하기 때문이다.
⑤ 당사자 일방에게 지나치게 불리하기 때문이다.

**05** 다음은 인터넷에서 어떤 용어를 검색한 결과이다. (가)에 들어갈 법적 개념을 적용할 수 있는 사례로 옳은 것은?

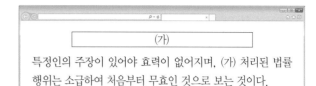

특정인의 주장이 있어야 효력이 없어지며, (가) 처리된 법률 행위는 소급하여 처음부터 무효인 것으로 보는 것이다.

① 갑(6세)은 주택 매매 계약서에 서명하였다.
② 을(15세)은 부모가 준 용돈으로 참고서를 샀다.
③ 병(17세)은 부모의 동의 없이 고가의 화장품을 구입하였다.
④ 정(30세)은 만취 상태에서 거액을 빌려주는 계약을 체결하였다.
⑤ 무(40세)는 일손이 부족해지자 절차에 따라 직원을 채용하였다.

**★중요**
**06** (가), (나)에 해당하는 사례를 〈보기〉에서 골라 옳게 연결한 것은?

(가) 법률 행위에 어떤 흠이 있어서 법률 행위의 효력이 처음부터 발생하지 않는다.
(나) 일단 법적으로 효력이 있는 법률 행위에 대해 일정한 사유를 근거로 하여 처음부터 무효로 하는 것이다.

**보기**

ㄱ. 강요에 의한 계약
ㄴ. 사회 질서를 위반한 계약
ㄷ. 의사 능력이 없는 자의 계약
ㄹ. 미성년자가 단독으로 체결한 계약

| | (가) | (나) | | (가) | (나) |
|---|---|---|---|---|---|
| ① | ㄱ, ㄴ | ㄷ, ㄹ | ② | ㄱ, ㄷ | ㄴ, ㄹ |
| ③ | ㄴ, ㄷ | ㄱ, ㄹ | ④ | ㄴ, ㄹ | ㄱ, ㄷ |
| ⑤ | ㄷ, ㄹ | ㄱ, ㄴ | | | |

**07** 다음 자료에 대한 설명으로 옳지 <u>않은</u> 것은?

> • 갑은 18세의 고등학생이며, 을은 6세의 유치원생, 병은 30세의 회사원이다.
> • A와 B는 각각 행위 능력과 의사 능력 중 하나이다. 갑은 A는 있지만, B가 제한된다. 을은 A가 없으며, B도 제한된다. 병은 A와 B를 모두 갖고 있다.

① A는 자신이 하는 행위의 의미를 판단할 수 있는 능력이다.
② B는 단독으로 유효한 법률 행위를 할 수 있는 능력이다.
③ 갑은 부모의 동의를 얻어 유효한 법률 행위를 할 수 있다.
④ 을이 단독으로 행한 임대차 계약은 원칙적으로 무효이다.
⑤ 병의 부모는 병이 단독으로 체결한 계약을 취소할 수 있다.

**08** 다음 사례에 대한 옳은 법적 판단을 〈보기〉에서 고른 것은?

> **보기**
> ㄱ. 갑은 제한 능력자이므로 단독으로 계약을 체결할 수 있다.
> ㄴ. 갑의 법정 대리인은 을에게 이 계약의 취소를 요구할 수 있다.
> ㄷ. 갑이 미성년자이므로 이 계약의 효력은 처음부터 발생하지 않는다.
> ㄹ. 을은 갑의 법정 대리인에게 계약의 취소 여부를 확답해 달라고 요구할 수 있다.

① ㄱ, ㄴ  ② ㄱ, ㄷ  ③ ㄴ, ㄷ
④ ㄴ, ㄹ  ⑤ ㄷ, ㄹ

**09** 다음 사례에 대한 법적 분석으로 옳은 것은?

> 갑(17세)은 아버지 몰래 집에서 가보로 여기고 있는 도자기를 가지고 나와 300만 원에 을에게 팔았다. 을은 갑이 미성년자임을 알고 갑에게 부모의 동의서를 요구하였으며, 갑은 동의서를 위조하여 을에게 제시하였다. 을은 이를 믿고 도자기를 샀다.

① 갑이 미성년자이므로 이 계약은 무효이다.
② 을은 갑에게 계약의 철회권을 행사할 수 있다.
③ 갑은 의사 능력이 없으므로 이 계약은 무효이다.
④ 갑이 을을 속였으므로 갑의 부모의 취소권이 배제된다.
⑤ 갑은 행위 능력에 제한이 있으므로 이 계약은 취소할 수 있다.

**10** 다음 사례에서 갑의 행위가 불법 행위인지를 판단하기 위해 확인해야 할 사항이 <u>아닌</u> 것은?

> 초등학생인 갑(7세)은 길에서 놀다가 장난삼아 돌을 던졌는데, 이로 인해 주차되어 있던 을의 자동차 유리창이 파손되었다.

① 갑의 행위에 고의 또는 과실이 존재하는가?
② 갑은 을이 입은 피해를 배상할 능력이 있는가?
③ 갑의 행위로 을에게 일정한 손해가 발생하였는가?
④ 갑의 행위가 을의 법적 이익을 위법하게 침해하였는가?
⑤ 갑에게 자기 행위의 결과를 분별할 수 있는 판단 능력이 있는가?

## 11 다음 자료에 대한 설명으로 옳은 것은?

• 마트 사장인 A(30세)는 소비자인 B가 경품 행사에 응모하기 위해 제출한 개인 정보를 동의 없이 보험 회사에 판매하였고, 그 결과 B는 광고 전화에 시달렸다.
• 정수기 업체 사장인 C(21세)는 고객 D가 구매한 정수기를 배달하였다. 그런데 정수기를 설치하는 과정에서 실수로 정수기를 넘어뜨렸고, 이로 인해 옆에 서 있던 D가 떨어지는 물통에 발을 다쳐 병원에서 3주간 치료를 받았다.

① A의 행위는 위법성이 조각되므로 불법 행위가 성립하지 않는다.
② A는 책임 능력이 없으므로 A의 행위는 불법 행위가 성립하지 않는다.
③ C의 행위는 고의성을 띠므로 불법 행위가 성립한다.
④ B에게 손해가 발생하였으므로 A의 행위는 불법 행위가 성립한다.
⑤ D가 주의를 다하지 않은 것이므로 C의 행위는 불법 행위가 성립하지 않는다.

## 12 다음 내용과 관련 있는 용어에 대한 옳은 설명을 〈보기〉에서 고른 것은?

불법 행위, 채무 불이행 등과 같은 위법한 행위로 인하여 다른 사람에게 손해를 입힌 경우 해당 손해를 가해자 측에서 보전해 주는 것을 말한다.

### 보기
ㄱ. 금전으로 배상하는 것을 원칙으로 하고 있다.
ㄴ. 정신적인 손해를 제외하고, 재산상의 손해에 대해서만 배상한다.
ㄷ. 명예 훼손에 따른 손해는 금전 배상 외에 다른 처분으로 배상받을 수 있다.
ㄹ. 배상액 합의 이후에는 합의 시 예측할 수 없었던 손해가 발생하더라도 추가적인 배상 청구가 불가능하다.

① ㄱ, ㄴ      ② ㄱ, ㄷ      ③ ㄴ, ㄷ
④ ㄴ, ㄹ      ⑤ ㄷ, ㄹ

## 13 (가), (나)는 우리나라 민법 조항이다. 이에 대한 옳은 설명을 〈보기〉에서 고른 것은?

(가) 제750조 고의 또는 과실로 인한 위법 행위로 타인에게 손해를 입힌 자는 그 손해를 배상할 책임이 있다.
(나) 제755조 ① 다른 자에게 손해를 입힌 사람이 책임 능력이 없는 경우에는 그를 감독할 법정 의무가 있는 자가 그 손해를 배상할 책임이 있다. 다만, 감독 의무를 게을리하지 아니한 경우에는 그러하지 아니하다.

### 보기
ㄱ. (가)의 손해에 자유의 침해에 따른 손해는 포함되지 않는다.
ㄴ. (나)에 의해 미성년자의 불법 행위에 대한 책임은 인정되지 않는다.
ㄷ. (가)는 일반 불법 행위 책임, (나)는 특수 불법 행위 책임이다.
ㄹ. (가), (나)는 모두 가해 행위와 손해 발생 간의 상당한 인과 관계를 요건으로 한다.

① ㄱ, ㄴ      ② ㄱ, ㄷ      ③ ㄴ, ㄷ
④ ㄴ, ㄹ      ⑤ ㄷ, ㄹ

## 14 다음 질문에 대한 답변을 모두 만족시키는 불법 행위 책임을 지는 사례로 가장 적절한 것은?

| 질문 | 답변 | |
|---|---|---|
| | 예 | 아니요 |
| 1. 민법의 불법 행위 요건을 갖추었나요? | ✔ | |
| 2. 본인이 발생시킨 가해 행위에 대한 책임인가요? | | ✔ |
| 3. 사무 감독상의 과실에 대한 책임인가요? | ✔ | |

① 갑이 대학 동창회에서 술을 마시다가 친구를 때려 상해를 입혔다.
② 을의 유치원생 아들이 장난삼아 돌을 던져 옆집 유리창을 깨뜨렸다.
③ 병이 운영하는 음식점의 종업원이 배달 중 행인을 치어 중상을 입혔다.
④ 정이 인가한 건물에 걸려 있던 창틀이 떨어져 주차되어 있던 차량이 파손되었다.
⑤ 무는 자기의 가방을 날치기하던 소매치기에게 대항하는 과정에서 상처를 입혔다.

**15** (가), (나)에 대한 법적 분석으로 옳지 <u>않은</u> 것은?

> (가) 을은 갑의 건물 2층을 빌려 음식점을 운영하고 있었는데, 어느 날 외벽의 타일이 떨어져 주차된 A의 차량이 파손되었다.
> (나) 병의 커피점에서 일하는 정이 주문을 받고 커피를 배달하다가 손님 B의 노트북 컴퓨터에 쏟아 이를 훼손하였다.

① (가), (나)는 모두 특수 불법 행위 책임에 대한 사례이다.
② (가)에서 갑과 을 모두의 과실이 없다면 갑의 책임이 면제되고 을이 배상 책임을 진다.
③ (가)에서 을이 손해 방지를 위한 주의 의무를 다하였음을 증명하면 손해 배상 책임을 지지 않는다.
④ (나)에서 B는 노트북 컴퓨터 수리비를 병 또는 정에게 청구할 수 있다.
⑤ (나)에서 정의 가해 행위가 불법 행위가 아니라면 병은 B의 손해에 대한 배상 책임이 없다.

**16** 다음은 인터넷 법률 상담의 사례이다. 이에 대해 옳은 답변을 한 사람은?

> ▶ 법률 상담 Q&A
>
> 저는 ○○ 음식점 배달원으로 일하고 있습니다. 며칠 전 A의 집에 음식을 배달하러 갔는데, 그 집에서 기르던 개가 갑자기 달려들어 다리를 물었습니다. 이에 급히 음식 그릇으로 개를 내리쳤는데, 개가 다쳤습니다. 저는 A에게 손해 배상을 요구했으나 A는 개를 치료해 달라며 배상을 거부하고 있습니다.
>
> ▶ 답변하기
>
> ↳ 갑: A에 대해 동물 점유자 책임을 물을 수 있습니다.
> ↳ 을: A에게 고의가 없었으므로 A는 배상 책임을 지지 않습니다.
> ↳ 병: A의 집 앞에 '개 조심'이라는 팻말이 있었다면 A에게는 책임이 없습니다.
> ↳ 정: 귀하가 개를 주의하지 않은 과실이 있으므로 배상을 받을 수 없습니다.
> ↳ 무: 귀하와 A 모두 불법 행위 책임이 동시에 존재하므로 배상 금액도 동일하게 책정되어야 합니다.

① 갑　　② 을　　③ 병　　④ 정　　⑤ 무

서술형 문제

● 정답친해 43쪽

**01** A~D 중 계약이 성립된 시점을 쓰고, 그 근거를 서술하시오.

| A | 갑이 인터넷에 자신의 카메라를 50만 원에 팔겠다고 글을 올림 |
| --- | --- |
| ↓ | |
| B | 을이 전화를 걸어 30만 원에 거래할 것을 제의하자 갑이 동의함 |
| ↓ | |
| C | 을이 전자 우편으로 계약서를 작성해서 보내 줌 |
| ↓ | |
| D | 을이 30만 원을 입금하자 갑이 카메라를 보냄 |

**02** (가)에서 갑의 행위가 불법 행위라고 판단되는 이유를 (나)의 용어를 모두 사용하여 서술하시오.

> (가) 반찬 가게 사장인 갑(40세)은 일하던 중 냉장고의 온도 조절기를 잘못 조작하였다. 이로 인해 일부 반찬이 상하였고, 이 음식을 구매하여 먹은 을과 을의 가족이 장염에 걸렸다.
> (나) 과실, 위법성, 손해, 인과 관계, 책임 능력

**03** 다음 글을 읽고 물음에 답하시오.

> 초등학교 1학년인 A(7세)는 엄마가 식사 준비를 하는 동안 자유 낙하 실험을 한다며 아파트 고층에서 풍선과 골프공을 동시에 떨어뜨렸다. 이로 인해 1층 정원에서 텃밭을 가꾸고 있던 B(50세)가 A가 떨어뜨린 골프공에 맞아 크게 다쳤다.

(1) 위 사례에서 B는 누구에게 손해 배상을 청구할 수 있는지 쓰시오.

(2) (1)과 같이 판단하는 근거를 서술하시오.

## STEP 3 1등급 정복하기

평가원 응용

**1** (가)~(다)에 대한 옳은 법적 판단을 〈보기〉에서 고른 것은?

> 계약의 성립 요건

**완자 사전**

• **채권**
권리자가 의무자에게 계약에 따른 행위를 청구할 수 있는 권리

• **채무**
채권에 따른 행위를 실행할 의무

**보기**

ㄱ. (가)에서 을의 권유는 청약에 해당한다.

ㄴ. (나)에서 갑과 을의 청약과 승낙의 의사 표시가 합치되었다.

ㄷ. (나)에서 갑과 을 모두에게 채권과 채무 관계가 발생한다.

ㄹ. (다)에서 갑은 을에 대해 특수 불법 행위에 따른 책임을 물을 수 있다.

① ㄱ, ㄴ      ② ㄱ, ㄷ      ③ ㄴ, ㄷ

④ ㄴ, ㄹ      ⑤ ㄷ, ㄹ

**2** 그림은 법률 행위의 효과와 관련된 개념을 나타낸다. (가)~(다)에 해당하는 사례를 옳게 연결한 것은?

> 법률 행위의 효과

**완자샘의 시험 꿀팁**

법률 행위의 효과를 구분하는 문제가 자주 출제되므로, 법률 행위의 효과와 관련된 개념을 통합적으로 정리해 두어야 한다.

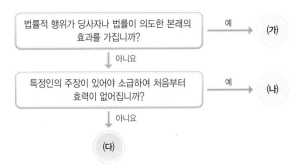

① (가) – 갑(6세)은 집안 서랍에 있던 보석을 전당포에 팔았다.

② (나) – 을(15세)은 부모의 동의서를 위조하여 고가의 가방을 샀다.

③ (나) – 병(30세)은 만취 상태에서 자동차 구매 계약서에 서명하였다.

④ (다) – 정(40세)은 한 달 내에 갚기로 하고 친구에게 도박 자금을 빌렸다.

⑤ (다) – 무(50세)는 미성년자인 아들이 단독으로 체결한 고용 계약을 취소하였다.

**3** 다음 사례에 대한 법적 분석으로 옳은 것은?(단, 갑~정은 모두 미성년자이며, 거래 상대방은 거래 당시에 이들이 미성년자임을 알고 있었다.)

> • 갑은 부모의 동의 없이 용돈으로 학용품을 구입했다.
> • 을은 부모의 동의를 얻어 고가의 오토바이를 구입했다.
> • 병은 고가의 스마트폰을 부모의 동의 없이 단독으로 구입했다.
> • 정은 부모의 동의서를 위조하여 고가의 태블릿 피시를 구입했다.

① 갑의 부모는 학용품 매매 계약을 취소할 수 있다.

② 을의 부모는 오토바이 매매 계약을 취소할 수 있다.

③ 병과 거래한 상대방은 병의 부모에게 계약 철회를 통보할 수 있다.

④ 병은 부모의 동의를 얻어야만 본인이 맺은 매매 계약을 취소할 수 있다.

⑤ 병의 부모는 자녀의 계약을 취소할 수 있지만, 정의 부모는 자녀의 계약을 취소할 수 없다.

> **미성년자의 법률 행위**
>
> **완자쌤의 시험 꿀팁**
>
> 구체적인 사례를 통해 미성년자의 계약이 유효한지를 판단하고 계약 취소의 요건을 묻는 문제가 자주 출제된다.

**4** 다음 재판 과정에서 고려된 법적 쟁점으로 가장 적절한 것은?

> 갑(8세)은 집 근처에 있는 A 아파트 놀이터에서 놀다가 운동 기구에 손가락이 끼어 다치는 사고를 당했다. 갑의 부모는 A 아파트 관리 사무소장을 상대로 손해 배상 청구 소송을 제기했다. 법원은 "아파트 놀이터의 경우 인근 주민 등 아파트 입주민이 아닌 사람들이 놀이터를 이용하는 것은 일반적인 경험상 흔히 예상할 수 있다."라며 "A 아파트가 비록 '외부인 이용 금지' 표지판 등을 설치했더라도 운동 기구가 그 용도에 따라 통상 갖춰야 할 안전성을 갖추지 못한 하자가 있다면 배상 책임을 져야 한다."라고 판결했다.

① 특수 불법 행위에 해당하는가?

② 피고의 행위에 위법성이 존재하는가?

③ 피고에게 책임 능력이 있다고 볼 수 있는가?

④ 피고의 과실에 의해 원고의 손해가 발생하였는가?

⑤ 운동 기구의 하자가 안전성을 침해한다고 볼 수 있는가?

> **불법 행위의 성립 요건**
>
> **완자 사전**
>
> • 위법성
> 법이 보호할 가치가 있는 이익을 위법하게 침해하거나, 법이 금지한 행위를 하는 것
>
> • 과실
> 자신의 행위가 다른 사람에게 손해를 입힐 것을 부주의로 알지 못하고 그 행위를 하는 것

교육청 응용

**5** 밑줄 친 ㉠, ㉡에 대한 법적 판단으로 옳은 것은?

> 특수 불법 행위의 배상 책임

갑(17세)은 을이 운영하는 주유소에서 기름을 넣어 주는 아르바이트를 하였다. 어느 날 병이 이 주유소에 기름을 넣으러 왔는데, ㉠ 병의 차는 휘발유를 사용하는데 갑이 실수로 급유구에 경유를 넣어 버렸다. 이 일로 갑은 을로부터 심한 질책을 당하게 되었는데, 기분이 상한 갑은 ㉡ 인터넷 게시판에 을에 대한 악담과 허위 사실을 올려 을의 명예를 훼손하였다.

① ㉠의 경우, 갑에게 책임 능력이 인정된다면 병은 갑의 부모에게 특수 불법 행위 책임을 물을 수 있다.

② ㉠의 경우, 을은 병에 대해 사용자 배상 책임을 질 수 있다.

③ ㉠의 경우, 병은 갑에 대해 채무 불이행에 근거하여 손해 배상을 요구할 수 있다.

④ ㉡의 경우, 갑은 금전으로만 배상해야 한다.

⑤ 갑은 ㉠에서 일반 불법 행위 책임, ㉡에서 특수 불법 행위 책임을 져야 한다.

**6** 그림의 (가)~(다)에 대한 설명으로 옳은 것은?

> 불법 행위의 유형

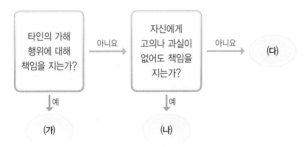

| 한자 사전 |

• 후발 손해
손해 배상에 대한 합의가 이루어지고 난 후에 새롭게 발생한 손해

① 공동 불법 행위자의 손해 배상 책임은 (가)에 해당한다.

② 공작물 점유자의 손해 배상 책임은 (나)에 해당한다.

③ 책임 능력이 있는 미성년자의 손해 배상 책임은 (다)에 해당한다.

④ (나)는 (가), (다)와 달리 근대 민법의 원칙을 강조한 책임이다.

⑤ (가)는 (나), (다)와 달리 후발 손해에 대한 책임을 인정하지 않는다.

# 가족 관계와 법

학 습 목 표
• 혼인의 요건과 이혼의 방식을 이해하고, 혼인과 이혼의 법적 효과를 제시할 수 있다.
• 친자 관계의 유형을 이해하고, 친권의 내용을 설명할 수 있다.

## 이것이 핵심!

**부부간의 법률관계**

| 혼인 | • 의미: 남녀가 부부가 되는 일<br>• 법적 효과: 동거·부양·협조 의무, 일상 가사 대리권 등 발생 |
|---|---|
| 이혼 | • 의미: 부부가 인위적으로 혼인 관계를 끝내는 일<br>• 법적 효과: 재산 분할 청구권, 면접 교섭권 등 발생 |

**★ 법률혼주의**
혼인의 실질적 요건을 갖추었더라도 혼인 신고라는 형식적 요건을 갖추어야만 법적 부부로 인정하는 것

**★ 이혼 숙려 제도**
협의 이혼에서 이혼을 신중하게 결정할 수 있도록 일정 기간(양육할 자녀가 있을 때는 3개월, 자녀가 없을 때는 1개월) 생각할 시간을 가지게 하는 것

## 1 부부간의 법률관계

### 1. 혼인 교과서 자료

(1) **혼인**: 두 남녀가 부부 관계를 맺는 것

(2) **혼인의 성립 요건** ── 예 사기나 협박에 의해 이루어진 결혼은 법적인 효력이 없거나 취소할 수 있어.

꿀! 성년자(19세 이상)는 자신의 의사에 따라 자유롭게 혼인할 수 있으며, 18세 이상의 미성년자는 부모의 동의를 얻어 혼인할 수 있어.

| 실질적 요건 | 당사자 모두 혼인의 의사가 있을 것, 법적으로 혼인 가능한 나이일 것, 법적으로 혼인할 수 없는 친족 관계가 아닐 것, 중혼이 아닐 것 |
|---|---|
| 형식적 요건 | 혼인 신고를 할 것 → *법률혼주의 VS 부부로서 생활하고 있으나 혼인 신고를 하지 않은 사실혼은 친족 관계, 상속권 등이 발생하지 않아. |

(3) **혼인의 법적 효과** 자료①

── 혼인에 의해 형성되는 친족 관계야.

| 새로운 친족 관계 형성 | 부부는 배우자의 지위를 갖게 되며, 배우자의 가족과 인척 관계가 형성됨 |
|---|---|
| 부부간의 동거·부양·협조의 의무 발생 | 부부는 원칙적으로 함께 살면서 서로 부양하고 협조해야 함 → 생계비 공동 부담, 생계를 같이하는 친족 부양 등의 의무가 있음 |
| 일상 가사에 관한 대리권 발생 | 부부의 공동생활에 필요한 일상적인 거래 행위를 서로 대신해서 처리할 수 있음 → 부부가 재산을 따로 소유·관리·처분한다는 원칙(부부 별산제)을 보완함 |

꿀! 누구의 것인지 분명하지 않은 재산은 부부 공동의 것으로 추정하고, 혼인 중 부부가 협력하여 취득한 재산은 명의가 어느 한쪽으로 되어 있어도 부부 공동 재산으로 봐.

### 2. 이혼

(1) **이혼**: 부부가 인위적으로 혼인 관계를 끝내는 일

| 협의 이혼 | • 의미: 당사자 간의 합의로 이루어지는 이혼<br>• 절차: 이혼 의사 확인 신청 → *이혼 숙려 기간 → 법원의 이혼 의사 확인 → 행정 기관에 이혼 신고 |
|---|---|
| 재판상 이혼 | • 의미: 법이 정한 사유가 있는 경우에 법원의 판결로써 강제로 이루어지는 이혼<br>• 절차: 재판상 이혼 청구 → 이혼 조정 → 이혼 소송(판결) → 행정 기관에 이혼 신고 |

(2) **이혼의 법적 효과**: 재산 분할 청구권, 위자료 청구권, 양육권이 없는 부모의 면접 교섭권 발생

── 혼인 중 형성한 부부의 공동 재산에 대한 청산을 의미하기 때문에 이혼에 책임이 있는 당사자도 재산 분할 청구가 가능해.

## 이것이 핵심!

**부모와 자녀 간의 법률관계**

| 친자 관계 | 부모와 자녀 간의 법률관계 → 혈연관계의 자녀(친생자), 입양한 자녀(양자, 친양자)와 친자 관계 형성 |
|---|---|
| 친권 | 부모가 미성년 자녀에 대해 갖는 권리와 의무 → 자녀의 재산 관리권, 법률 행위의 동의·대리권 등 |

**★ 인지**
생부 또는 생모가 자신의 자녀임을 인정함으로써 법률상의 친자 관계를 형성하는 것

**★ 친권 상실 선고**
부모의 친권 남용(자녀 학대, 교육 거부 등), 현저한 비행, 친권을 행사할 수 없는 중대한 사유가 있을 때 가정 법원이 친권 상실을 선고함

## 2 부모와 자녀 간의 법률관계

### 1. 친자 관계와 친권

VS 일반 입양된 경우에는 친생부모와의 친족 관계가 소멸하지 않지만, 친양자로 입양된 경우에는 친생부모와의 친족 관계가 종료돼.

(1) **친자 관계**: 부모와 자녀 간의 법률 관계 → 혈연 또는 입양을 통해 형성됨

| 친생자 | 부모와 혈연관계가 있는 자녀 → 혼인 중의 출생자는 출생한 때부터 친자 관계 발생, 혼인 외의 출생자는 *인지를 통해 친자 관계 인정 |
|---|---|
| 양자 | • 혈연관계는 없으나 입양을 통해 친자 관계가 형성된 자녀 → 양부모의 친생자와 같은 지위를 가짐<br>• 친양자: 법원의 판결을 통해 입양 → 양부모의 혼인 중 출생자로 간주되어 양부모의 성과 본을 따름 |

(2) **친권** ── 자녀에 대한 부모의 권리보다 보호와 양육의 의무로서의 성격이 강해.

① **의미**: 부모가 미성년 자녀에 대해 갖는 신분·재산상의 여러 권리와 의무

② **내용**: 자녀의 재산 관리권, 법률 행위의 동의·대리권, 거소 지정권 등

③ **행사 방식**: 부부 공동 행사 원칙, 이혼 시 친권 행사자 지정, 친권 남용 시 *친권 상실 선고

── 부모 중 한쪽이 친권을 행사할 수 없는 경우에는 다른 한쪽이 행사해.

── 부모가 협의하여 지정하는데, 협의가 되지 않을 때는 법원에서 지정해.

### 2. 유언과 상속 자료②

| 유언 | 법에 정한 형식을 갖추어야 함(요식주의) → 자필 증서, 녹음, 공정 증서, 비밀 증서, 구수 증서에 의한 유언 |
|---|---|
| 상속 | 피상속인이 사망함으로써 그가 남긴 재산상 법률관계가 상속인에게 승계되는 것 → 유언 상속, 법정 상속 |

꿀! 상속 시에는 피상속인의 채무(빚)도 함께 상속돼. 그래서 민법에서는 상속인이 상속받을 재산과 채무를 확인한 후 상속 방법을 선택할 수 있도록 하고 있어.

## 완자 자료 탐구

내 옆의 선생님

수능이 보이는 **교과서 자료**   **혼인과 이혼**

(가) A와 B는 모두 18세이다. A와 B는 결혼식을 올린 뒤 혼인 신고를 하였다.

(나) C(36세)와 D(33세)는 결혼식을 올린 뒤 함께 살고 있지만, 아직 혼인 신고는 하지 않았다.

(다) E(33세)와 F(32세)는 혼인하여 어린 자녀가 있다. E는 F와 성격 차이로 다툼이 잦아지자 이혼을 고민하고 있다.

> 미성년자가 결혼하여 성년으로 의제되면 그 후 이혼, 배우자의 사망 등으로 혼인 관계가 해소되더라도 성년 의제의 효과는 소멸하지 않아.

(가)에서 A와 B는 18세로서 미성년자이지만 혼인 신고를 했으므로 법률혼 관계의 부부이다. 미성년자라도 결혼을 하면 성인으로 인정해 주는데, 이를 '성년 의제'라고 한다. 결혼한 미성년자는 부모의 동의 없이도 단독으로 완전하고 유효한 법률 행위를 할 수 있고, 자신의 자녀에 대해 친권을 행사할 수 있다. (나)에서 C와 D는 부부 공동생활을 하고 있지만 혼인 신고를 하지 않았으므로 사실혼 관계의 부부이다. (다)에서 E와 F가 이혼하기로 합의하면 법원에서 협의 이혼 절차를 밟게 된다. 그러나 어느 한쪽이 이혼에 합의하지 않으면 재판상 이혼 절차를 밟아야 한다. <sub></sub> 예 값비싼 가전제품 구매, 부동산 거래 등

**완자쌤의 탐구 강의**

• A와 B의 성년 의제가 적용되지 않는 범위를 서술하시오.

「청소년 보호법」상 술, 담배의 구매가 금지된다.

• C와 D에게 발생하는 효력과 발생하지 않는 효력을 구분하시오.

| 발생하는 효력 | 동거·부양·협조의 의무, 일상 가사 대리권 등 |
|---|---|
| 발생하지 않는 효력 | 친족 관계, 상속권 등 |

함께 보기 137쪽, 1등급 정복하기 1

---

**자료 1 일상 가사 대리권**

> 예 부부의 공동생활에 필요한 식료품과 의복류 구매, 가옥 임차, 집세·방세 등의 지급, 전기·수도 요금 지급, 세금 납부, 가족의 보건·오락, 자녀의 양육 등

주부인 김 씨는 남편 정 씨의 월급으로 두 자녀와 함께 생활해 왔다. 그런데 자녀들이 점점 자라면서 교육비가 늘고 생활비가 부족해지자 김 씨는 남편 몰래 친구 송 씨로부터 1,000만 원을 빌렸다. 그런데 김 씨가 돈을 갚지 못하자 송 씨는 그녀의 남편 정 씨를 찾아가 대신 빚을 갚으라고 요구하였고, 이에 정 씨는 아내의 빚을 대신 갚아 주었다.

원칙적으로 일상의 가사와 관련해 부부 한 사람이 단독으로 결정한 일이라고 하더라도 그 결정에 대한 책임은 부부가 공동으로 지게 되어 있다. 이를 '일상 가사 연대 책임'이라고 한다. 생활비, 자녀 교육비, 의료비 등은 일상 가사의 범위에 속하므로, 일상 가사와 관련하여 배우자가 진 빚에 대해 다른 배우자가 이를 갚아야 할 의무가 있다.

**자료 하나 더 알고 가자!**

**재판상 이혼 사유**

• 배우자가 부정한 행위를 했을 때
• 배우자가 악의로 다른 일방을 유기한 때
• 배우자 또는 그 직계 존속으로부터 심히 부당한 대우를 받은 때
• 자기의 직계 존속이 배우자로부터 심히 부당한 대우를 받은 때
• 배우자의 생사가 3년 이상 분명하지 않은 때
• 기타 혼인을 계속하기 어려운 중대한 사유가 있을 때

---

**자료 2 법정 상속 순위와 상속분 계산**

> 유언을 따르되 일정 범위의 법정 상속인이 상속 재산 중 일정 비율을 확보할 수 있도록 법적으로 보장해 주는 제도야.

사람이 사망한 경우 법적으로 유효한 유언이 있다면 유류분을 제외하고 상속이 개시된다. 피상속인이 유언을 남기지 않은 경우에는 법률에서 정한 방식에 따라 법정 상속이 이루어진다. 상속 순위는 배우자와 직계 비속(1순위) → 배우자와 직계 존속(2순위) → 형제자매(3순위) → 4촌 이내의 방계 혈족(4순위)순이나. 상속분은 상속자 간에 균등 분할하되, 배우자는 자녀의 상속분에 50%를 더 상속받는다.

**법정 상속 순위**

- 제4순위: 부모, 조부모 등 / 4촌 이내의 방계 혈족
- 제2순위: 직계 존속
- 숙부
- 부 — 모
- 배우자 — 피상속인 — 동생
- 제3순위: 형제자매
- 자녀 A — 자녀 B
- 제1순위: 직계 비속 / 자녀, 손자녀 등

**자료 하나 더 알고 가자!**

**법정 상속 사례**

A 씨는 교통사고를 당하여 유언을 남기지 못하고 사망하였다. 유족으로는 아내와 두 자녀(아들 1명, 딸 1명), 노모가 있고, 재산은 14억 원이다.

A 씨의 직계 비속인 아들과 딸, 배우자인 아내가 공동으로 1순위 상속자이다. A 씨의 재산 14억 원을 아들 : 딸 : 아내가 각각 1 : 1 : 1.5의 비율로 상속받게 되므로, 상속분은 각각 아들 4억 원, 딸 4억 원, 아내 6억 원이다. 노모는 직계 존속으로서 상속 2순위이므로 상속을 받지 못한다.

## STEP 1 핵심 개념 확인하기

정답친해 45쪽

**1 다음 괄호 안의 내용 중 알맞은 말에 ○표를 하시오.**

(1) (혼인, 이혼)은 서로 남남인 두 남녀가 만나 부부 관계를 맺는 것을 말한다.

(2) 우리나라에서는 혼인 신고라는 (실질적, 형식적) 요건을 갖추어야만 법적인 부부로 인정된다.

**2 다음 설명이 맞으면 ○표, 틀리면 ×표를 하시오.**

(1) 혼인 당사자 중 한 사람에게만 혼인의 의사가 있어도 혼인이 성립될 수 있다. (      )

(2) 부부는 공동생활을 위해 필요한 일상 가사를 서로 대신해서 처리할 권리가 없다. (      )

(3) 부부는 생계비를 공동으로 부담하고 생계를 같이하는 친족을 부양할 의무가 있다. (      )

**3 ㉠, ㉡에 들어갈 용어를 각각 쓰시오.**

이혼의 유형에는 당사자 간의 합의로 이루어지는 이혼인 (㉠      )과 법이 정한 사유가 있는 경우에 법원의 판결로써 강제로 이루어지는 이혼인 (㉡      )이 있다.

**4 다음 빈칸에 들어갈 내용을 쓰시오.**

(1) (          )는 부모와 자녀 간의 법률관계를 말하는 것으로, 혈연 또는 입양을 통해 형성된다.

(2) 부모가 미성년인 자녀에 대해 갖는 신분·재산상의 여러 권리와 의무인 (          )은 부부가 공동으로 행사하는 것을 원칙으로 한다.

**5 다음 지위와 그에 대한 설명을 옳게 연결하시오.**

(1) 양자  •          • ㉠ 부모와 혈연관계가 있는 자녀

(2) 친생자 •          • ㉡ 입양을 통해 친자 관계가 형성된 자녀

## STEP 2 내신 만점 공략하기

**01 다음 수행 평가 보고서의 밑줄 친 ㉠~㉤ 중 옳지 않은 것은?**

• 수행 평가 과제: 혼인의 효과에 대해 서술하시오.
혼인을 통해서 부부는 법률상 가족 관계인 ㉠ 친족이 된다. 또한, 부부는 서로 ㉡ 협조하여 생활할 의무를 진다. 부부는 서로 다른 두 인격체의 결합이므로 재산과 관련된 법적 권리도 하나로 합쳐져 혼인 전 각자가 형성한 재산도 ㉢ 부부의 공유 재산이 된다. 또한, 부부와 그 자녀의 공동생활을 위해 필요한 통상적인 거래에 대해서는 어느 한쪽이 결정할 수 있는 ㉣ 일상 가사 대리권도 가진다. 만약 18세의 미성년자가 혼인하였다면 민법상 성년으로 의제되어 ㉤ 단독으로 유효한 법률 행위를 할 수 있게 된다.

① ㉠   ② ㉡   ③ ㉢   ④ ㉣   ⑤ ㉤

**02 다음 사례에서 A와 B의 법적 지위에 대한 설명으로 옳지 않은 것은?**

A(18세)는 대학에 입학하고 몇 달 만에 세 살 연상의 B와 사랑에 빠져 결혼식을 올리고 혼인 신고를 마쳤다. A와 B는 현재 부모님이 마련해 준 아파트에서 함께 생활을 하고 있다.

① A와 B는 동거와 부양의 의무를 진다.
② A는 B와 달리 담배나 술을 구입할 수 없다.
③ A는 B와 달리 부모의 동의를 얻어 혼인했을 것이다.
④ A와 B는 모두 공직 선거에서 투표권을 가진다.
⑤ A가 아파트를 팔기 위해서는 부모님의 동의를 얻어야 한다.

## 03 (가), (나)에 대한 설명으로 옳지 않은 것은?

(가) 사실상 부부 공동생활을 하고 있지만, 혼인 신고를 하지 않은 상태의 부부
(나) 혼인하겠다는 의사의 합치가 있고, 법적으로 혼인이 제한되는 친족 관계가 없으며, 혼인이 가능한 연령의 당사자가 혼인 신고를 한 상태의 부부

① (가)에서는 배우자 간 일상 가사 대리권이 인정된다.
② (나)의 상태에 있는 18세의 미성년자는 성년으로 간주된다.
③ (가)와 달리 (나)는 혼인을 통해 친족 관계가 발생한다.
④ (나)와 달리 (가)는 배우자 간 상속이 이루어지지 않는다.
⑤ (가)는 협의 이혼, (나)는 재판상 이혼으로 혼인 관계를 해소한다.

## 04 (가), (나) 사례에 대한 옳은 법적 판단을 〈보기〉에서 고른 것은?

(가) 갑은 남편 을의 부정행위를 이유로 이혼 소송을 제기하였다. 현재 둘 사이에는 9살 된 아들이 있다.
(나) 병과 정은 10년 전에 혼인하였다. 서로 다른 성격 때문에 불화가 잦아 최근에 이혼하기로 합의하였는데, 둘 사이에는 10살 된 딸이 있다.

보기
ㄱ. (가)에서 을은 이혼의 책임이 있으므로 재산 분할 청구권이 없다.
ㄴ. (나)에서 병과 정은 이혼하기 위해 이혼 숙려 기간을 거쳐야 한다.
ㄷ. (나)에서 병이 딸을 양육할 경우, 정에게 면접 교섭권이 인정된다.
ㄹ. (가)와 달리 (나)에서는 법원을 거치지 않고 이혼 절차가 신행된다.

① ㄱ, ㄴ  ② ㄱ, ㄷ  ③ ㄴ, ㄷ
④ ㄴ, ㄹ  ⑤ ㄷ, ㄹ

## 05 다음은 갑과 을의 이혼 소송에 대한 확정 판결 내용이다. 이에 대한 법적 판단으로 옳지 않은 것은?

| 판결 |
|---|
| 원고: 갑(인적 사항) |
| 피고: 을(인적 사항) |
| 주문 |
| 1. 원고와 피고는 이혼한다. |
| 2. 피고는 원고에게 위자료로 1억 원을 지급한다. |
| 3. 딸 병(10세)에 대한 친권 행사자로 갑을 지정한다. |

① 법원은 이혼의 책임이 을에게 있다고 판단하였다.
② 갑과 을은 3개월의 이혼 숙려 기간을 거쳤을 것이다.
③ 법원의 판결이 확정되었으므로 갑과 을의 이혼이 성립한다.
④ 갑과 을은 이혼 조정 과정에서 합의점을 찾지 못하였을 것이다.
⑤ 을이 사망할 경우 갑과 달리 병은 법정 상속인이 될 것이다.

## 06 다음 자료에 대한 법적 판단으로 옳은 것은?

| 친양자 입양 신고서 | | |
|---|---|---|
| 양친 | 양부 | 양모 |
|  | A | B |
| 친양자 | C(10세) | |
| 친양자의 친생부모 | 부 | 모 |
|  | D | E |
| 재판 확정 일자 | 2019년 3월 2일 ○○ 법원 | |

① C는 A와 B의 혼인 중 출생자로 간주한다.
② A와 B가 사망할 경우 C의 입양은 취소된다.
③ D가 사망할 경우 C는 상속인의 지위를 갖는다.
④ C에 대한 친권은 A, B, D, E가 공동으로 행사한다.
⑤ C가 A의 성과 본으로 바꾸려면 인지 절차를 거쳐야 한다.

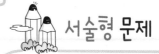 
**07** 밑줄 친 '이것'에 대한 설명으로 옳지 <u>않은</u> 것은?

> 자녀의 재산 관리권, 법률 행위의 동의·대리권 등 부모가 미성년인 자녀에 대해 갖는 신분·재산상의 여러 권리와 의무를 <u>이것</u>이라고 한다.

① 자녀가 성년자가 되거나 혼인하면 소멸한다.
② 친생자뿐만 아니라 양자에 대해서도 발생한다.
③ 오늘날은 권리보다 의무로서의 성격이 더 강하다.
④ 남용할 경우에는 가정 법원이 상실을 선고할 수 있다.
⑤ 부모가 이혼하는 경우에는 원칙적으로 부모가 공동으로 행사할 수 있다.

**01** 밑줄 친 ㉠, ㉡의 내용을 <u>두 가지</u>씩 서술하시오.

> 우리나라에서는 법률혼주의를 채택하고 있으므로 혼인의 실질적 요건을 모두 갖추었더라도 혼인 신고라는 형식적 요건을 갖추어야만 법적인 부부로 인정받아 다양한 법적 의무와 권리가 발생한다. 혼인 신고를 하지 않은 사실상의 혼인 관계는 사실혼이라 하며, 이 경우에는 ㉠ 부부간의 법적 의무와 권리가 발생하는 것도 있고, ㉡ 발생하지 않는 것도 있다.

**02** 다음 법률 상담에 대한 답변을 법적 근거를 들어 서술하시오.

> ▶ 법률 상담 Q&A
>
> 저는 40대 가장입니다. 얼마 전 제가 출장 간 사이에 제 아내가 아이들의 학원비 100만 원을 이웃에게서 빌렸습니다. 저와 한 마디 상의도 없이요. 그 이웃 사람이 아내가 진 빚을 저에게 갚으라고 하는데 제가 갚아야 할 법적 책임이 있나요?

**08** 다음 사례에서 상속 문제에 대한 설명으로 옳은 것은?

> A는 최근 교통사고를 당하여 유언도 없이 사망하였다. 전 부인 B와는 2년 전에 협의 이혼하였고, 이후 현재의 부인 C와 결혼하였다. B와의 사이에 딸 D와 아들 E가 있는데, 현재 B가 양육하고 있다. C와의 사이에는 아들 F가 있고, 시골에는 A의 노모 G가 있다. A의 재산은 9억 원이다.

① C는 2억 원을 상속받는다.
② B와 C가 공동 상속인이 된다.
③ D, E, F의 상속분은 모두 같다.
④ C의 상속분은 F의 상속분보다 적다.
⑤ C가 상속을 포기할 경우 G가 상속인이 된다.

**03** 다음 사례를 읽고 물음에 답하시오.

> 노모 무를 모시고 사는 갑은 을과 혼인한 지 10년째 자녀가 없었고, 갑의 친구인 병에게는 배우자 정과 혼인하여 낳은 자녀 A, B가 있었다. 갑, 을은 병, 정과 합의하여 A를 친양자가 아닌 양자로 입양하였다. 그러던 어느 날 갑과 병은 함께 해외여행을 가게 되었는데 사고로 둘 다 사망하였다. 갑의 재산은 10억 원, 병의 재산은 14억 원이며 둘 다 빚은 없다.
> *위 사례의 혼인은 모두 법률혼임.

(1) 갑과 병의 법정 상속인을 각각 쓰시오.

(2) A가 받게 될 법정 상속분을 근거를 들어 서술하시오.

## STEP 3 1등급 정복하기

**1** (가), (나)와 관련 있는 이혼의 유형에 대한 옳은 설명만을 〈보기〉에서 있는 대로 고른 것은?

> 이혼의 유형

<table>
<tr><td>

(가)

---
**이혼 의사 확인 신청서**

당사자   갑 (인적 사항)
          을 (인적 사항)

신청 취지
위 당사자 사이에는 진의에 따라 이혼하기로 합의하였다.
라는 확인을 구함
                … (생략) …
</td><td>

(나)

---
**이혼 청구의 소**

당사자   갑 (인적 사항)
          을 (인적 사항)

청구의 취지
1. 원고와 피고는 이혼한다.
2. 소송 비용은 피고의 부담으로 한다.
라는 판결을 구함
                … (생략) …
</td></tr>
</table>

**보기**
ㄱ. (가)는 법원에 이혼 신고를 함으로써 효력이 발생한다.
ㄴ. (나)에서 갑은 을에게 혼인 중 공동으로 형성한 재산의 분할을 청구할 수 있다.
ㄷ. (나)는 (가)와 달리 민법에 정한 사유가 있어야 청구할 수 있다.
ㄹ. (가)와 (나)의 절차가 끝나면 부모와 자녀 간의 법적 관계는 소멸한다.

① ㄱ, ㄴ            ② ㄱ, ㄹ            ③ ㄴ, ㄷ
④ ㄱ, ㄷ, ㄹ          ⑤ ㄴ, ㄷ, ㄹ

**교육청 응용**

**2** 다음 사례에 대한 법적 판단으로 옳은 것은?

> 친양자 입양과 상속

**완자쌤의 시험 꿀팁**

사례를 분석하여 법정 상속인의 자격이 있는 사람과 그렇지 않은 사람을 구분하고, 상속자별 상속분까지 계산하는 복합적인 문제가 자주 출제된다.

갑과 을은 법률상 부부이고 그 사이에는 혼인 중의 출생자 A가 있다. 한편 병과 정 역시 법률상 부부이고 그 사이에는 혼인 중의 출생자 C가 있다. 그런데 어느 날 교통사고로 을이 사망하였고, 병과 정은 이혼하였다. 이후 갑과 정이 결혼하여 혼인 신고를 하였고, 병은 홀어머니를 모시고 C와 함께 살고 있다. 갑과 정의 혼인 중에 B가 태어났고, 정은 함께 살고 있던 A를 친양자로 입양하였다.

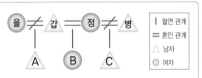

① 갑이 유언 없이 사망할 경우 A는 상속인이 된다.
② 을의 사망으로 갑과 A가 받는 상속분은 같다.
③ A, B, C가 미성년자라면 갑은 이들 모두에 대해 친권을 행사할 수 있다.
④ 병이 2억 5천만 원의 재산을 남긴 채 유언 없이 사망하였다면, C는 1억 원을 상속받는다.
⑤ 정이 10억 원의 재산과 1억 원의 빚을 남긴 채 유언 없이 사망하였다면, 병은 3억 원을 상속받는다.

# 01 민법의 의의와 기본 원리

## 1. 민법의 의의와 기능

(1) ( ❶         ): 사적인 법률관계에서 발생하는 권리와 의무의 종류 및 내용을 다루는 가장 대표적인 사법 → 개인 간 갈등 및 분쟁 해결을 위한 법적 기준이 됨

(2) 민법의 기능

| 재산 관계 규율 | 개인의 경제 활동, 경제적 권리를 둘러싼 이익과 손해를 합리적으로 조정함 |
|---|---|
| 가족 관계 규율 | 가족과 친족의 문화와 질서를 유지함 |
| 법의 일반 원칙 제시 | 신의 성실의 원칙, 권리 남용 금지의 원칙 등 법질서 전체에 적용될 수 있는 일반 원칙을 제시함 |

(3) 민법의 구성

| 총칙 | 민법 전반에 적용되는 기본 원칙 제시 |
|---|---|
| 재산법 | • 물권법: 재산권의 개념과 대상 규정<br>• 채권법: 계약, 불법 행위 등으로 발생하는 권리와 의무 규정 |
| 가족법 | • 친족법: 가족과 친족의 형성, 가족 간의 권리와 의무 규정<br>• 상속법: 유언, 상속 등 친족 간의 재산 관계 규정 |

## 2. 민법의 기본 원리

(1) 근대 민법의 기본 원리

| ( ❷         ) 절대의 원칙 | 개인 소유의 재산에 대해 절대적 지배권을 인정하고, 국가나 다른 개인이 이를 침해해서는 안 된다는 원칙 |
|---|---|
| 계약 자유의 원칙 | 개인은 자신의 의사에 따라 자유롭게 계약을 맺어 법률관계를 형성해 나갈 수 있다는 원칙 |
| 과실 책임의 원칙 | 자신의 고의나 과실에 따른 위법한 행위로 타인에게 손해를 끼친 경우에만 책임을 진다는 원칙 |

(2) 근대 민법의 기본 원리에 대한 수정·보완

| 소유권 공공복리의 원칙 | 개인의 소유권은 보호받지만, 공공복리를 위해 필요한 경우 제한할 수 있다는 원칙 |
|---|---|
| 계약 공정의 원칙 | 계약 내용이 사회 질서에 위반되거나 공정성을 잃은 경우에 법적 효력이 인정되지 않는다는 원칙 |
| ( ❸         ) 책임의 원칙 | 가해자에게 고의나 과실이 없더라도 타인에게 피해를 준 경우 일정한 요건에 따라 책임을 져야 한다는 원칙 → 제조물 책임, 사업자의 환경 침해 등에 적용 |

# 02 재산 관계와 법

## 1. 계약의 의미와 법적 처리

(1) 계약의 의미와 특징

| 의미 | 일정한 법률 효과를 발생시킬 목적으로 사람들 사이에 이루어지는 합의 또는 약속 |
|---|---|
| 특징 | 계약 당사자들이 계약 체결 여부, 계약의 상대방, 계약의 내용이나 방식 등을 원칙적으로 자유롭게 결정할 수 있음 |

(2) 계약의 성립

| 성립 시점 | ( ❹         )과 승낙의 의사 표시가 합치된 때 |
|---|---|
| 성립 요건 | • 계약 당사자에게 의사 능력과 행위 능력이 있어야 함<br>• 계약 내용이 적법하고 실현 가능해야 하며, 선량한 풍속이나 사회 질서에 반하지 않아야 함 |
| 계약의 법적 효과 | 당사자에게 채권과 채무 발생 → 채무 불이행 시 계약의 해제, 강제 이행, 손해 배상 등의 책임 발생 |
| 계약의 무효와 취소 | • 무효: 의사 능력이 없는 자의 계약, 계약 내용을 실현할 수 없는 계약, 한쪽 당사자에게 지나치게 불공정한 계약, 선량한 풍속과 사회 질서를 위반한 계약<br>• 취소 가능: 제한 능력자가 단독으로 맺은 계약, 사기나 강요에 의해 맺은 계약 |

(3) 미성년자와의 계약

① 미성년자의 법적 지위: 19세 미만인 자, 민법상 제한 능력자로 행위 능력이 제한됨

② 미성년자의 법률 행위

| 원칙 | • 미성년자는 단독으로 법률 행위를 할 수 없고, 법정 대리인의 동의를 얻어야 함<br>• 법정 대리인의 동의를 얻지 않은 법률 행위는 본인이나 ( ❺         )이 취소 가능 |
|---|---|
| 단독으로 할 수 있는 법률 행위 | • 단순히 권리만을 얻거나 의무만을 면하는 행위<br>• 법정 대리인이 범위를 정하여 처분을 허락한 재산(용돈 등)의 처분 행위 |

③ 미성년자와 거래한 상대방의 보호

| 확답을 촉구할 권리 | 거래 상대방은 미성년자의 법정 대리인에게 계약의 취소 여부에 대해 확답을 요구할 수 있음 |
|---|---|
| 철회권 | 거래 상대방은 미성년자의 법정 대리인의 추인이 있기 전까지 거래의 의사 표시를 철회할 수 있음 |
| 취소권의 배제 | 미성년자가 거래 상대방을 속여 계약한 경우에는 미성년자 측의 취소권이 배제됨 |

## 2. 불법 행위와 손해 배상

### (1) 불법 행위

① **불법 행위**: 어떤 사람이 고의 또는 과실로 위법하게 다른 사람에게 손해를 끼치는 것

② **불법 행위의 성립 요건**

| 고의 또는 과실 | 가해자의 행위가 일부러 한 행동이거나 실수로 저지른 행위여야 함 |
|---|---|
| 위법성 | 가해자의 행위가 법이 보호할 가치가 있는 이익을 위법하게 침해해야 함 → 정당방위나 긴급 피난 등이 인정될 경우 ( ❻ )이 조각됨 |
| 손해 발생 | 가해자의 행위 때문에 피해자에게 손해가 발생해야 함 → 재산적인 손해뿐만 아니라 정신적인 손해도 포함됨 |
| 인과 관계 | 가해자의 위법 행위 때문에 피해자에게 손해가 발생했다는 것이 증명되어야 함 |
| 책임 능력 | 가해자에게 자신의 행위가 불법 행위로서 법률상 책임이 발생한다는 것을 판단할 수 있는 능력이 있어야 함 |

### (2) 손해 배상

① **손해 배상**: 가해자의 위법한 행위로 발생한 손해를 보전해 주는 것

② **손해 배상 방식**

| 금전 배상 원칙 | 손해에 대해 금전으로 배상하는 것을 원칙으로 함 → 재산적 손해에 대한 배상, 정신적 고통에 대한 ( ❼ ) 지급 |
|---|---|
| 금전 배상 외의 조치 | 타인의 명예를 훼손한 경우 피해자의 청구에 따라 법원이 명예 회복에 적당한 조치를 명령할 수 있음 |
| 후발 손해 배상 | 배상액 합의 후 합의 당시에는 예상하지 못한 심각한 손해가 발생한 경우 별도의 배상이 인정됨 |

### (3) 특수 불법 행위

| ( ❽ )의 감독자 책임 | 책임 능력이 없는 미성년자나 심신 상실자가 타인에게 손해를 입힌 경우 이를 감독할 법정 의무가 있는 자가 배상 책임을 짐 |
|---|---|
| 사용자의 배상 책임 | 피용자가 업무와 관련하여 타인에게 손해를 입힌 경우 사용자가 배상 책임을 짐 |
| 공작물 점유자 및 소유자의 배상 책임 | • 점유자가 일차적으로 배상 책임을 짐<br>• 점유자의 책임이 면제되는 경우 공작물 등의 소유자가 배상 책임을 짐(무과실 책임) |
| 동물 점유자의 배상 책임 | 동물이 타인에게 손해를 입힌 경우 그 동물의 점유자가 배상 책임을 짐 |
| 공동 불법 행위 책임 | 여러 사람이 공동으로 타인에게 손해를 입힌 경우 연대하여 배상 책임을 짐 |

## 03 가족 관계와 법

### 1. 부부간의 법률관계

#### (1) 혼인

① **혼인**: 두 남녀가 부부 관계를 맺는 것

② **혼인의 성립 요건과 법적 효과**

| 성립 요건 | • 실질적 요건: 당사자 모두 혼인 의사가 있을 것, 법적으로 혼인 가능 연령(18세 이상)일 것, 법적으로 혼인할 수 없는 친족 관계가 아닐 것, 중혼이 아닐 것<br>• 형식적 요건: ( ❾ )를 할 것 → 법률혼주의 |
|---|---|
| 법적 효과 | 새로운 친족 관계의 형성, 부부간의 동거·부양·협조 의무 발생, 일상 가사 대리권의 발생 등 |

#### (2) 이혼

① **이혼**: 부부가 인위적으로 혼인 관계를 끝내는 일

② **이혼의 유형과 법적 효과**

| 유형 | • 협의 이혼: 당사자 간의 합의로 이루어지는 이혼<br>• 재판상 이혼: 법원의 판결로써 이루어지는 이혼 |
|---|---|
| 법적 효과 | 재산 분할 청구권, 위자료 청구권, 양육권이 없는 부모의 면접 교섭권 발생 |

### 2. 부모와 자녀 간의 법률관계

#### (1) 친자 관계

| 친생자 | 혼인 중 또는 혼인 외에 출생한 혈연관계의 자녀 → 혼인 외의 출생자는 인지 절차로 친자 관계 인정 |
|---|---|
| 양자 | 입양을 통해 친자 관계가 형성된 자녀 → 양부모의 친생자와 같은 지위를 가짐 |
| 친양자 | 법원의 판결을 통해 입양 → 양부모의 혼인 중 출생자로 간주, 친생부모와의 친족 관계 종료 |

#### (2) 친권

| 의미 | 부모가 미성년인 자녀에 대해 갖는 권리와 의무 |
|---|---|
| 행사 방식 | 부부 공동 행사 원칙, 이혼하는 경우 친권 행사자 지정, 친권 남용 시 가정 법원이 ( ❿ ) 선고 |

#### (3) 유언과 상속

| 유언 | 법에 정한 형식을 갖추어야 함(요식주의) → 자필 증서, 녹음, 공정 증서, 비밀 증서, 구수 증서에 의한 유언 |
|---|---|
| 상속 | 피상속인이 사망함으로써 그가 남긴 재산에 대한 권리와 의무가 상속인에게 승계되는 것 → 유언 상속, 법정 상속 |

정답● ① 과실 ② 손해액 ③ 위법성 ④ 혼인 신고 ⑤ 정당행위 ⑥ 위법성 ⑦ 위자료 ⑧ 책임 무능력자 ⑨ 혼인 신고 ⑩ 친권 상실

IV. 개인 생활과 법  **139**

**01** 다음 사례들에서 추론할 수 있는 내용으로 가장 적절한 것은?

> • A는 대학교 등록금이 부족하여 여자 친구인 B에게 천만 원을 빌렸다. 기한이 지나도 A가 돈을 갚지 않자 화가 난 B는 민법에 근거하여 채무 이행을 촉구하였다.
> • 집주인인 C는 지은 지 4년 된 주택 천장에 누수가 발생하여 곰팡이가 생기자 건축을 담당한 D 회사에 보수 공사를 요구하였다. D 회사는 부실 공사를 인정하고, 시공사가 5년간 건물 공사 하자에 대한 책임을 지도록 하는 민법 규정에 따라 보수 공사를 진행하였다.

① 민법은 가장 대표적인 공법이다.
② 민법은 친족 간의 재산 관계를 규율한다.
③ 다른 법과 달리 민법에는 신의 성실의 원칙이 적용되지 않는다.
④ 채무 불이행이 생기더라도 채권자는 채무자에게 법적 책임을 물을 수 없다.
⑤ 민법은 개인 사이의 법률관계를 조율함으로써 갈등을 해소하는 데 기여한다.

**02** 다음과 같은 시대적 배경을 바탕으로 하여 성립한 근대 민법의 기본 원리에 해당하는 내용이 <u>아닌</u> 것은?

> 근대 유럽의 시민들은 개인의 법률관계를 자신의 의지에 따라 자유롭게 형성할 수 있어야 하고, 다른 사람에게 해를 끼치지 않는 범위 내에서 일반적 행동의 자유를 가질 수 있다고 보았다. 또한 개인의 자유로운 경제 활동의 결과 형성된 재산과 각종 권리가 그 사람의 인격과 분리될 수 없다고 보아 재산권도 불가침의 천부 인권 중 하나라고 생각하였다.

① 개인의 재산에 대한 사적 지배를 인정한다.
② 사회성과 공공성을 고려하여 소유권을 행사한다.
③ 국가나 다른 개인이 개인의 소유권을 간섭할 수 없다.
④ 자신의 고의나 과실이 없을 경우 책임을 지지 않는다.
⑤ 계약 체결 과정에서 누구의 강요와 간섭도 받지 않는다.

**03** 다음은 텔레비전 뉴스의 내용이다. ㉠에 들어갈 내용으로 가장 적절한 것은?

> **대학 병원, 보증인 없으면 입원 못 해**
>
> 서울의 한 대학 병원 입원 창구, 할머니를 입원시키러 온 보호자가 입원 약정서를 작성합니다. 병원 직원이 입원비에 대해 연대 보증을 요구하자 어쩔 수 없이 연대 보증인란을 작성합니다. 지난달 부인을 데리고 병원을 찾은 이 남성은 사흘간 발품을 팔아야 했습니다. 병원 측이 연대 보증인의 조건으로 자기 집을 가진 사람을 요구했기 때문입니다. 자기 집이 없으면 배우자나 친척도 안 된다는 것이었습니다. 전문가들은 병원 측의 이러한 요구는 ( ㉠ )에 어긋난다고 말하고 있습니다.      – 한국방송공사(KBS), 2017. 1. 6.

① 과실 책임의 원칙
② 계약 공정의 원칙
③ 계약 자유의 원칙
④ 소유권 절대의 원칙
⑤ 소유권 공공복리의 원칙

**04** 다음 판결의 근거가 되는 민법의 원리에 대한 설명으로 적절한 것은?

> 본 건에서 압력밥솥이 발화, 폭발하였고 이로 인해 피해자는 화상을 입었다. 이 경우 피해자는 압력밥솥을 정상적으로 사용하였음이 확인되었으므로 제조물의 결함이 원인으로 추정된다. 제조물의 결함이 원인이라면 피해자가 제조업자의 과실을 증명하기는 극히 어려울 것이므로 제조업자가 손해 배상 책임을 지는 것이 손해 배상 제도의 취지에 맞는다고 할 것이다.

① 고의로 타인에게 손해를 끼치면 책임을 진다.
② 개인은 자신의 의사에 따라 자유롭게 법률관계를 형성할 수 있다.
③ 피해자에게 고의나 과실이 없더라도 일정한 요건을 충족하면 책임을 진다.
④ 공공복리를 위해 필요한 경우 국가가 법률로써 개인의 소유권을 제한할 수 있다.
⑤ 사회 질서에 위반되거나 현저하게 공정성을 해치는 계약도 법적 효력이 발생한다.

**05** 다음 사례에서 갑의 행위가 정당하지 않다고 보는 이유로 가장 적절한 것은?

> 갑과 을은 나란히 땅을 가지고 있는 이웃사촌이다. 갑의 땅은 을의 상가 건물 출입구와 연결되어 있었고, 상가를 이용하는 사람들은 대부분 그 출입구로 드나들었다. 어느 날 을과 크게 다툰 갑은 상가 건물 출입구와 닿아 있는 자신의 땅에 출입구를 가리는 담장을 쌓았다. 결국, 상가를 이용하는 사람들은 통행이 불편한 다른 문을 사용할 수밖에 없었다.

① 공정성을 잃은 계약이기 때문
② 개인의 사유 재산을 제한하였기 때문
③ 공공복리에 어긋나게 소유권을 행사하였기 때문
④ 법률관계를 형성하는 과정에 국가가 개입하였기 때문
⑤ 타인에게 실수로 끼친 손해에 대한 책임을 지지 않았기 때문

**06** (가), (나) 사례에 대한 법적 판단으로 옳은 것은?

(가)
내일 오전 10시까지 홍보물을 배달해 주세요.
네. 그때까지 꼭 배달하겠습니다. 감사합니다.

(나)
홍보물을 왜 아직 배달해 주지 않으세요?
미안합니다. 아직 인쇄가 안 되었네요.

① (가)에서 갑의 말은 승낙에 해당한다.
② (가)에서 을의 말은 청약에 해당한다.
③ (가)에서 계약서를 써야 계약이 성립한다.
④ (나)에서 갑은 을에게 계약의 해제를 요구할 수 있다.
⑤ (나)에서 당사자 간에 일정한 권리와 의무가 발생한다.

**07** 다음 자료에 대한 옳은 설명을 〈보기〉에서 고른 것은?

> **계약서**
>
> 갑과 을은 갑의 집 욕실 인테리어 공사를 다음과 같이 시행하기로 합의하였다.
> 1. 공사 대금: 300만 원
> 2. 공사 기간: 2019년 3월 1일 ~ 2019년 3월 30일
>
> **특약 사항**: 을은 공사 후 하자 발생 시 갑에게 1년간 무상 수리를 실시한다.
> … (생략) …
>
> 2019년 2월 20일
>
> 갑 (갑 인)          을 (을 인)

〈보기〉
ㄱ. 을이 공사를 시작하면 계약의 법적 효력이 발생한다.
ㄴ. 갑은 공사를 시행 받을 권리와 공사 대금을 지급할 의무를 갖는다.
ㄷ. 욕실 인테리어 공사가 끝나면 갑과 을의 법률 관계는 소멸한다.
ㄹ. 갑, 을 중 어느 한쪽이 18세의 미성년자이고 법정 대리인의 동의를 받지 않았을 경우 이 계약은 취소할 수 있다.

① ㄱ, ㄴ       ② ㄱ, ㄷ       ③ ㄴ, ㄷ
④ ㄴ, ㄹ       ⑤ ㄷ, ㄹ

**08** (가), (나)의 계약이 갖는 법률 효과로 옳은 것은?

> (가) 35세의 회사원 갑은 도박을 하다가 돈이 떨어지자 친구에게 도박 자금을 빌리면서 돈을 갚지 못할 경우 자기 소유의 땅을 주기로 계약하였다.
> (나) 18세의 대학생 을은 대학 신입생에게는 30%를 할인해 준다는 판촉 광고를 보고 부모의 동의를 받지 않고 노트북 컴퓨터를 구입하였다.

|    | (가) | (나) |
|----|------|------|
| ① | 무효 | 유효 |
| ② | 무효 | 무효 |
| ③ | 무효 | 취소 가능 |
| ④ | 취소 가능 | 유효 |
| ⑤ | 취소 가능 | 취소 가능 |

**09** 밑줄 친 부분에 해당하는 사례를 〈보기〉에서 고른 것은?

> 미성년자가 법률 행위를 하는 데는 원칙적으로 법정 대리인의 동의가 필요하며, 동의를 얻지 않고 한 경우에는 미성년자 본인이나 법정 대리인이 이를 취소할 수 있다. 그러나 우리 민법은 미성년자가 <u>법정 대리인의 동의를 얻지 않고 단독으로 유효한 법률 행위를 할 수 있는 경우</u>를 인정하고 있다.

보기

ㄱ. 부모님 몰래 학원비로 게임기를 산 경우
ㄴ. 음식점에서 한 달간 아르바이트하기로 약정한 경우
ㄷ. 부모님이 주신 용돈으로 참고서를 사고 떡볶이를 사 먹은 경우
ㄹ. 오랫만에 집에 방문한 친척으로부터 30만 원 상당의 선물을 받은 경우

① ㄱ, ㄴ   ② ㄱ, ㄷ   ③ ㄴ, ㄷ
④ ㄴ, ㄹ   ⑤ ㄷ, ㄹ

**10** A~D 중 불법 행위 책임이 있는 사람만을 있는 대로 고른 것은?

> • A의 아들 B(7세)가 아파트 10층에서 장난삼아 던진 돌에 주차되어 있던 차량이 파손되었다.
> • 공원을 산책 중이던 사람이 갑자기 달려든 강아지에게 물려 상처를 입었다. 강아지는 C가 기르는 것이었는데 친구 D가 데리고 나온 것이었다.

① A, C   ② A, D   ③ B, C
④ A, B, D   ⑤ B, C, D

**11** 밑줄 친 용어에 대한 설명으로 옳지 <u>않은</u> 것은?

> 갑은 횡단보도를 건너다가 신호를 무시하고 달려 오던 을의 차에 치여 교통사고를 당하였다. 당시 차를 운전하였던 을은 갑에게 찾아가 <u>손해 배상</u>에 대한 합의를 부탁하였고, 갑은 이에 합의하였다.

① 민법에서는 금전 배상을 원칙으로 한다.
② 불법 행위 등과 같은 위법한 행위로 인하여 발생한다.
③ 재산적 손해와 정신적 고통에 대한 배상을 모두 요구할 수 있다.
④ 손해 배상금을 산정할 때 위자료와 달리 임금 손실분은 고려되지 않는다.
⑤ 가해 행위와 발생한 손해 사이의 인과 관계를 기초로 하여 배상의 범위를 정한다.

**12** 다음 자료에 대한 설명으로 옳은 것은?

> **성혼 선언문**
> 이제 신랑 갑과 신부 을은 그 일가친척과 친지를 모신 자리에서 평생 고락을 함께할 부부가 되기를 굳게 맹세하였습니다. 이에 주례는 이 혼인이 원만하게 이루어진 것을 여러분 앞에 엄숙하게 선언합니다.

① 갑과 을은 이 선언으로 법률상 부부가 된다.
② 갑과 을이 18세라면 이 선언으로 성년자로 간주된다.
③ 갑과 을은 이 선언으로 혼인의 형식적 요건을 갖추게 된다.
④ 을은 이 선언으로 갑의 배우자가 되어 갑의 재산을 상속받을 수 있게 된다.
⑤ 갑과 을은 이 선언 이후에 부부 공동생활을 하면서 서로 부양하고 협조할 의무를 갖는다.

**13** 다음 대화에서 밑줄 친 (가)에 들어갈 내용으로 옳은 것은?

갑

> 부인께서 고가의 보석 목걸이를 구매해 놓고 대금을 납부하지 않았습니다. 부인과 연락이 되지 않으니 남편께서 대신 내 주세요.

을

> _____(가)_____ 따라서 저에게는 목걸이 구매 대금을 대신 납부할 의무가 없습니다.

① 목걸이는 제 명의의 재산이 아닙니다.
② 아내와 저는 이혼 절차를 밟고 있습니다.
③ 저는 목걸이 구매 사실을 전혀 몰랐습니다.
④ 아내와 저는 혼인 신고를 하지 않은 상태입니다.
⑤ 목걸이 구매 행위는 일상 가사에 해당하지 않습니다.

**14** 그림의 A~C에 대한 설명으로 옳은 것은? (단, A~C는 각각 친생자, 양자, 친양자 중 하나이다.)

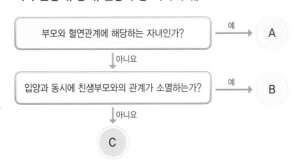

① A는 인지 절차를 거쳐야만 친자 관계가 형성된다.
② B는 친생부모의 사망 시 상속인이 되지 않는다.
③ C는 원칙적으로 양부모의 성과 본을 따른다.
④ 법정 상속 시 A의 상속분은 B의 상속분에서 50%를 가산한다.
⑤ C는 B와 달리 양부모의 혼인 중의 출생자로 간주된다.

**[15~16]** 다음 자료를 보고 물음에 답하시오.

> 갑은 최근 교통사고로 사망하였다. 갑은 전처 을과의 사이에 A를 두었는데 7년 전에 이혼하였고, 이후 병과 혼인하여 B를 낳았다. 병은 정과 이혼하였는데 정과의 사이에 낳은 C는 갑과의 재혼 시 갑이 친양자로 입양하였다. 갑의 재산은 9억 원이다. 한편 갑의 서랍 안에서 모든 재산을 자신의 어머니인 무에게 준다는 내용의 메모가 발견되었는데, 확인 결과 법적 효력이 없었다.

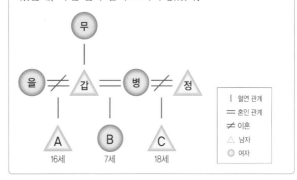

**15** 위 자료의 A~C의 법적 지위에 대한 옳은 설명을 〈보기〉에서 고른 것은?

┌─ 보기 ─────────────────────────
│ ㄱ. A는 자신의 불법 행위에 대해 배상 책임을 지지 않는다.
│ ㄴ. B가 매매 계약서에 서명한다면 그 계약은 무효이다.
│ ㄷ. C가 혼인을 하기 위해서는 정의 동의를 얻어야 한다.
│ ㄹ. A와 C는 모두 갑의 동의를 얻으면 유효한 법률 행위를 할 수 있다.
└──────────────────────────────

① ㄱ, ㄴ    ② ㄱ, ㄷ    ③ ㄴ, ㄷ
④ ㄴ, ㄹ    ⑤ ㄷ, ㄹ

**16** 위 자료에 나타난 상속 문제에 대한 설명으로 옳은 것은?

① A와 C의 법정 상속분은 같다.
② A가 상속을 포기할 경우 을이 상속받는다.
③ 갑의 유언에 의해 무가 9억 원을 상속받는다.
④ B는 무에게 일정액의 유류분을 청구할 수 있다.
⑤ 병의 법정 상속분은 A, B, C의 법정 상속분의 합보다 크다.

# 사회생활과 법

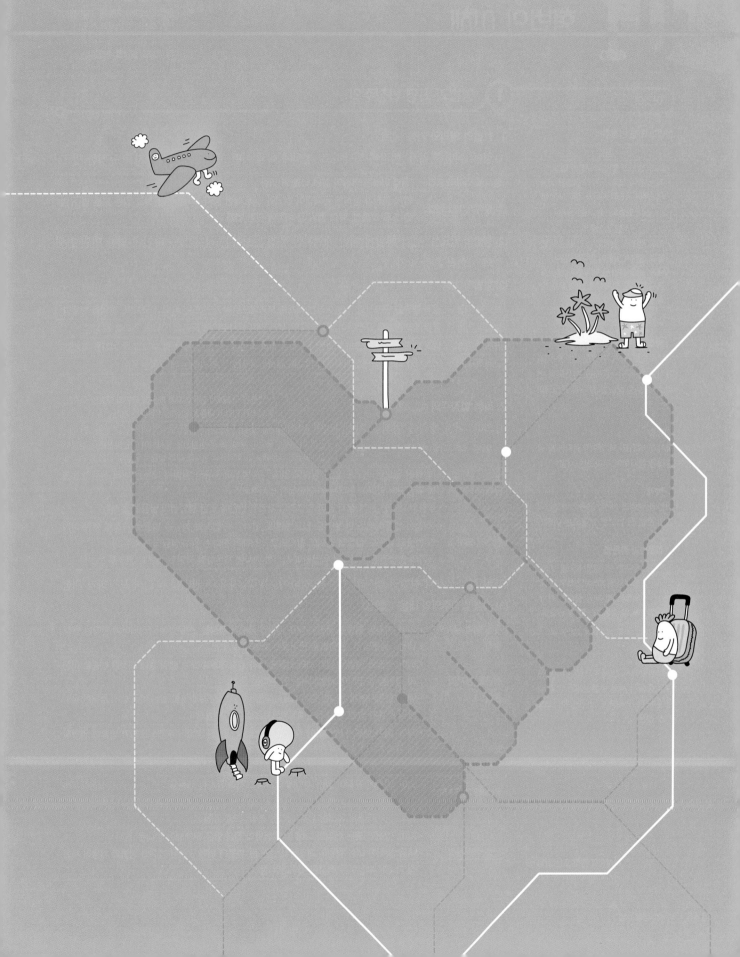

# 01 형법의 이해

학습목표
• 형법의 의의와 기능을 죄형 법정주의를 중심으로 이해할 수 있다.
• 범죄의 성립 요건을 파악하고 형벌의 내용을 설명할 수 있다.

## 이것이 핵심!

**형법과 죄형 법정주의**

| 형법 |
| --- |
| • 의미: 범죄와 형벌을 규정한 법 |
| • 기능: 법익 보호, 국가의 형벌권 남용으로부터 국민의 자유와 권리 보장 등 |

근대 형법의 ♣ 기본 원리

| 죄형 법정주의 |
| --- |
| • 의미: 범죄와 형벌이 미리 성문의 법률로 정해져 있어야 한다는 원칙 |
| • 내용: 관습 형법 금지의 원칙, 소급효 금지의 원칙, 명확성의 원칙, 유추 해석 금지의 원칙, 적정성의 원칙 |

★ **범죄**
일반적으로 국가가 보호하는 이익과 가치를 침해하는 중대한 반사회적 행위로, 형벌을 받도록 법규에 규정되어 있는 것

★ **형벌**
국가가 범죄를 저지른 행위자에게 공권력을 행사하여 부과하는 처벌

★ **법익**
개인의 생명과 재산, 공공의 안전, 국가의 존립 등 법으로 보호되는 이익

★ **성문법과 불문법**

| 성문법 | 일정한 법 제정 절차를 거쳐 문서의 형식으로 만들어진 법 |
| --- | --- |
| 불문법 | 일정한 법 제정 절차를 거치지 않고 형성된 법 예 관습법, 판례법 |

★ **관습법**
사회생활에서 반복적으로 나타나는 관습 중에서 사회 구성원에게 법과 같은 강력한 구속력이 있다는 확신으로 자리 잡은 것

**Why?** 형법 법규의 내용이 추상적이거나 불명확하면 법관이 자의적으로 해석할 수 있기 때문이야.

비례성의 원칙 또는 과잉 금지의 원칙이라고도 해.

## 1. 형법과 죄형 법정주의

### 1. 형법의 의의와 기능 (자료①)

(1) **형법**: 어떤 행위가 *범죄에 해당하고, 범죄에 대해 어떤 *형벌이 부과되는지를 규정한 법

| 형식적 의미의 형법 | '형법'이라는 명칭이 붙은 법률(형법전) |
| --- | --- |
| 실질적 의미의 형법 | 법의 명칭과 형식에 관계없이 범죄와 그에 대한 형사 제재를 규율하고 있는 모든 법 규범 예 도로 교통법, 폭력 행위 등 처벌에 관한 법률 등 |

(2) **형법의 필요성**: 범죄 행위에 대한 개인적인 응징과 보복을 금지함 → 타인에 의한 인권 침해와 사회적 혼란 방지

(3) **형법의 기능**

| 보호적 기능 | 범죄 행위를 규정하고, 형벌이라는 제재를 부과함으로써 개인 또는 사회나 국가의 *법익을 보호함 |
| --- | --- |
| 보장적 기능 | 형벌권의 한계를 규정하여 국가의 자의적인 권력 행사로부터 국민의 자유와 권리를 보장함 |
| 규제적 기능 | 범죄 행위에 대해 형벌이 부과된다는 것을 알려 국민이 안전한 생활을 할 수 있도록 범죄를 예방함 |
| 교화적 기능 | 범죄자가 다시 범죄를 저지르지 않도록 교화하여 사회로 복귀하는 데 도움을 줌 |

### 2. 죄형 법정주의 (자료②)

법률은 국회에서 만들어지기 때문에 국민의 대표인 국회가 범죄와 형벌의 내용을 인정해야 한다는 거야.

(1) **의미**: 어떤 행위를 범죄로 처벌하려면 범죄와 형벌이 반드시 법률로 정해져 있어야 한다는 원칙 → 근대 형법의 기본 원리

근대 이전에는 국왕이 자의적으로 형벌권을 행사하여 국민의 인권이 심각하게 침해되었기 때문에 시민 혁명에서 범죄를 미리 법률로 규정할 것을 요구하였어.

| 근대적 의미 | • "법률이 없으면 범죄도 없고 형벌도 없다." → 범죄의 종류와 형벌의 내용은 미리 성문의 법률에 규정되어 있어야 한다는 원칙(형식적 법치주의) <br> • 법률의 내용을 문제 삼지 않아 입법자의 자의적 판단에 의한 형벌권의 남용을 초래함 |
| --- | --- |
| 현대적 의미 | • "적정한 법률이 없으면 범죄도 없고 형벌도 없다." → 범죄와 형벌을 법률로 규정할 뿐만 아니라 법률의 내용도 실질적 정의에 합치되고 적정해야 한다는 원칙(실질적 법치주의) <br> • 국가의 형벌권뿐만 아니라 입법권의 자의적 행사를 제한하여 국민의 자유와 권리를 보호함 |

(2) **필요성**: 국가의 형벌권 행사의 기준을 정하여 시민의 자유와 권리를 온전히 보장하기 위함

(3) **죄형 법정주의의 내용** (자료③)

| 관습 형법 금지의 원칙 | • 의미: 범죄와 형벌은 국민의 대표 기관인 국회가 제정한 *성문법에 규정되어야 한다는 원칙 <br> • 내용: *불문법인 *관습법을 근거로는 처벌할 수 없음 |
| --- | --- |
| 소급효 금지의 원칙 | • 의미: 범죄와 형벌은 행위 시의 법률에 따라 결정되어야 하며, 행위 후에 제정한 법률로 이전의 행위를 소급하여 처벌해서는 안 된다는 원칙 <br> • 예외: 행위자에게 유리한 경우, 소급 입법이 오히려 정의에 부합하는 경우, 심히 중대한 공익상의 사유가 있는 경우에는 예외적으로 소급효가 적용됨 |
| 명확성의 원칙 | • 의미: 어떤 행위가 범죄이며 각각의 범죄에 대해 어떤 형벌이 부과되는지가 법률에 명확하게 규정되어야 한다는 원칙 <br> • 내용: 범죄와 형벌을 일반 국민이 이해할 수 있도록 공포해야 함 |
| 유추 해석 금지의 원칙 | • 의미: 법률에 규정이 없는 사항에 대하여 그것과 유사한 내용을 가지는 법률을 적용해서는 안 된다는 원칙 <br> • 예외: 행위자에게 유리한 유추 해석은 예외적으로 허용됨 |
| 적정성의 원칙 | • 의미: 범죄가 되는 행위와 그에 따른 형벌의 질과 양은 비례해야 한다는 원칙 <br> • 내용: 범죄에 대한 형벌이 과도해서는 안 됨, 법률에 의해 규정된 범죄와 형벌의 내용이 사회적 가치에 부합하는 적정한 것이어야 함 |

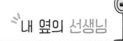

## 자료 ① 형법의 구성

| 제1편 총칙 | > | 형법의 적용 범위 | + | 죄(罪) | + | 형(刑) | + | 기간 |

| 제2편 각칙 | > | 국가적 법익에 관한 죄 | + | 사회적 법익에 관한 죄 | + | 개인적 법익에 관한 죄 |

우리나라의 형법은 1953년에 제정된 이후 큰 폭의 개정 없이 사회 안전과 질서 유지에 기여하며 현재에 이르고 있다. 제1편 총칙에는 모든 범죄와 형벌에 적용되는 일반 원리가 규정되어 있고, 제2편 각칙에는 개별적 범죄와 그에 대한 형벌이 규정되어 있다.

## 자료 ② 장 칼라스 사건과 죄형 법정주의

1760년대 프랑스 툴루즈에서 어느 날 칼라스 집안의 장남이 시신으로 발견되었다. 실제 사인은 자살이었지만 신교도였던 가족들이 구교도인 그를 종교 문제로 살해했다는 주장이 제기되었고, 그의 아버지인 장 칼라스가 범인이라는 의혹이 증폭되었다. 툴루스 당국은 장 칼라스를 체포하였고, 그는 완강히 범행을 부인하였지만, 재판관들은 증거가 불충분함에도 장 칼라스를 수레바퀴에 매달아 고문한 후 처형하였다. 이탈리아의 학자 베카리아는 이 사건에 주목하여 『범죄와 형벌』이라는 책에서 형벌은 입법자에 의하여 법률로 엄밀히 규정되어야 하고, 범죄의 경중과 형벌이 비례해야 한다고 주장하였다. – 인권 오름 사랑방, 『인권 오름』

장 칼라스 사건이 발생한 이유는 권력자가 자의적으로 형벌권을 행사할 수 있었기 때문이다. 이러한 권력자의 형벌권 남용을 제한하기 위하여 죄형 법정주의의 원칙이 확립되면서 자의적인 국가 형벌권의 행사로부터 국민의 자유와 권리를 보장받을 수 있게 되었다.

## 자료 ③ 죄형 법정주의의 원칙 적용

└ 법률 내용이 명확하지 않아.

(가) 헌법 재판소는 가려야 할 곳을 내놓아 다른 사람에게 부끄러운 느낌이나 불쾌감을 준 사람을 처벌하는 「경범죄 처벌법」 조항의 용어가 사람마다 평가의 기준이 다르고 의미를 확정하기도 곤란하다며 위헌 결정을 내렸다.

(다) 헌법 재판소는 반국가 행위자가 검사의 소환에 2회 이상 불응하면 전 재산을 몰수하는 법 규정은 행위에 비해 지나치게 무거운 형벌을 정한 것이라고 판단했다.

(나) 대법원은 흑염소도 양에 해당한다고 보아, 흑염소를 도살한 사람에게 소, 돼지, 말, 양을 위생 처리 시설이 아닌 장소에서 도축하면 처벌하는 법 규정을 적용하여 처벌하는 것은 잘못이라고 판단했다.

(라) 대법원은 게임 머니의 환전, 환전 알선, 재매입 영업 행위를 처벌하는 법규를 그 시행일 이전에 한 행동까지 적용하여 처벌하는 것은 잘못이라고 보았다.

(가)는 범죄에 해당하는 행위를 판단하는 기준과 내용이 법 조항에 구체화되지 않았으므로 명확성의 원칙에, (나)는 규정에 없는 사항에 대하여 유사한 내용의 법률을 적용하였으므로 유추 해석 금지의 원칙에, (다)는 잘못의 크기에 비해 저벌이 과도하므로 석성성의 원칙에, (라)는 행위 이전에 만들어진 법률을 소급하여 적용한 것이므로 소급효 금지의 원칙에 위반한다. 이처럼 오늘날의 죄형 법정주의는 법관이나 입법권의 자의적인 판단으로부터 국민의 자유를 보호하는 것을 목적으로 한다.

---

### 자료 하나 더 알고 가자!

**형법에 규정된 범죄의 종류**

| 국가적 법익에 관한 죄 | 내란죄, 외환죄, 공무 집행 방해죄 등 |
| 사회적 법익에 관한 죄 | 방화죄, 교통 방해죄, 문서·화폐 위조죄 등 |
| 개인적 법익에 관한 죄 | 살인죄, 상해죄, 폭행죄, 협박죄, 강간죄, 절도죄, 강도죄, 사기죄, 횡령죄, 손괴죄 등 |

### 자료 하나 더 알고 가자!

**우리나라 헌법의 죄형 법정주의 규정**

> 헌법 제12조 ① …… 법률과 적법한 절차에 의하지 아니하고는 처벌·보안 처분 또는 강제 노역을 받지 아니한다.
> 헌법 제13조 ① 모든 국민은 행위 시의 법률에 의하여 범죄를 구성하지 아니하는 행위로 소추되지 아니하며, …….

우리나라 헌법은 죄형 법정주의에 입각하여 법률에서 범죄로 규정한 행위만 처벌할 수 있고, 범죄라 하더라도 법률이 정하지 않은 형벌을 가할 수 없도록 하고 있다.

### 문제 로 확인할까?

**죄형 법정주의의 원칙에 대한 설명으로 옳지 않은 것은?**

① 범죄에 대한 형벌이 과도해서는 안 된다.
② 범죄의 성립과 처벌은 행위 시의 법률에 따른다.
③ 법률로 정하지 않은 범죄와 형벌은 인정하지 않는다.
④ 형법 법규의 내용은 추상적으로 제정되어 다양한 해석이 가능하도록 한다.
⑤ 형벌 법규에 처벌 대상으로 명시되어 있지 않다면 유사한 성질의 것이라도 유추하여 적용해서는 안 된다.

㉮ 답

# 01 형법의 이해

## 이것이 핵심!

**범죄의 성립 요건과 제재 수단**

| 범죄의 성립 요건 |
| --- |
| • 구성 요건 해당성<br>• 위법성<br>• 책임성 |

↓

| 범죄 제재 수단 |
| --- |
| • 형벌: 생명형(사형), 자유형(징역, 금고, 구류), 재산형(벌금, 과료, 몰수), 자격형(자격 상실, 자격 정지)<br>• 보안 처분: 보호 관찰, 치료 감호 등 |

**★ 구성 요건**
법률로 정해 놓은 범죄 행위의 내용
⑩ 형법에 규정된 살인죄의 구성 요건은 '사람을 살해한 행위'임

**★ 정역**
교도소에서 강제적으로 종사시키도록 정해진 작업

**★ 그 밖의 보안 처분**

| 사회봉사 명령 | 유죄가 인정된 사람에게 사회봉사를 하도록 명령함 |
| --- | --- |
| 수강 명령 | 유죄가 인정된 의존성·중독성 범죄자 등에게 범죄성 개선을 위한 진단, 상담, 교육을 받도록 명령함 |
| 성범죄자 신상 정보 등록 제도 | 성범죄로 유죄 판결이 확정된 자 등의 신상 정보를 등록하여 관리함 |

**★ 선고 유예와 집행 유예**

| 선고 유예 | 형의 선고를 미루었다가 일정 기간이 지나면 형의 선고가 없었던 것으로 간주하는 것 |
| --- | --- |
| 집행 유예 | 형을 선고하면서 형의 집행을 일정 기간 미루었다가 그 기간이 지나면 형의 선고가 효력을 잃는 것 |

**★ 가석방**
수형자가 복역 성적이 양호하고 뉘우침이 있는 경우 일정한 조건으로 석방하는 것

## 2 범죄와 형벌

**1. 범죄:** 법익을 침해하고 사회의 안전과 질서를 어지럽히는 반사회적 행위 중 국가가 법률로 금지하여 형벌이 부과되는 행위

┗ 형법에 규정된 형벌은 특정한 행위를 제한해야 할 절실한 필요성이 있을 때만 최후의 수단으로 부과되어야 해.

**2. 범죄의 성립 요건** (자료④)

(1) **★구성 요건 해당성:** 범죄가 성립하려면 어떤 행위가 법률에 규정된 구성 요건을 충족해야 함

(2) **위법성** (교과서 자료)

VS 위난을 피하기 위한 목적은 같지만, 정당방위는 현재의 불법에 대해 방위하는 것이고, 긴급 피난은 불법인지 여부를 문제 삼지 않는다는 점에서 차이가 있어.

① **의미:** 법질서 전체의 관점에서 그 행위가 위법하다고 판단할 수 있어야 함

② **위법성 조각 사유:** 예외적으로 위법성을 없애 주는 사유 → 범죄가 성립하지 않음

| 정당방위 | 자기 또는 타인의 법익에 대한 현재의 부당한 침해를 방위하기 위한 상당한 이유가 있는 행위 |
| --- | --- |
| 긴급 피난 | 자기 또는 타인의 법익에 대한 현재의 위난을 피하기 위한 상당한 이유가 있는 행위 |
| 자구 행위 | 법적 절차를 기다릴 수 없는 긴급 상황에서 청구권을 보전하기 위한 상당한 이유가 있는 행위 |
| 피해자의 승낙 | 피해자가 가해자에게 자신에게 손해가 되는 행위를 하도록 허락한 행위 |
| 정당 행위 | 법령 또는 업무로 인한 행위, 기타 사회 상규에 어긋나지 않는 행위 |

(3) **책임**

① **의미:** 위법 행위를 하였다는 데 대하여 행위자가 법적으로 비난받을 가능성

② **책임 조각 및 경감 사유**

| 책임 조각 사유 | 책임을 물을 수 없어 범죄가 성립하지 않는 경우 → 형사 미성년자(14세 미만)의 행위, 심신 장애로 사물을 판단할 능력이 없는 사람의 행위, 폭력이나 협박으로 강요된 행위 등 |
| --- | --- |
| 책임 경감 사유 | 책임은 있지만 형이 감경되는 경우 → 심신 미약자나 청각 및 언어 장애인의 행위 |

**3. 형벌과 보안 처분** (자료⑤)

(1) **형벌**

① **의미:** 국가가 범죄를 저지른 사람에게 공권력을 행사하여 부과하는 제재

② **종류**

VS 유기 징역은 1개월 이상 30년 이하(가중 시 50년까지 연장)의 형기가 정해진 징역인 반면, 무기 징역은 목숨이 다할 때까지 교도소에 있어야 하는 종신형이야.

| 생명형 | 사형: 범죄자의 생명을 박탈함 |
| --- | --- |
| 자유형 | • 징역: 1개월 이상 교도소에 구금하며 ★정역을 부과함(유기 징역, 무기 징역)<br>• 금고: 1개월 이상 교도소에 구금하며, 정역이 없음(유기 금고, 무기 금고)<br>• 구류: 1일 이상 30일 미만 교도소에 구금하며, 정역이 없음 |
| 재산형 | • 벌금과 과료: 일정 금액을 부담하도록 함(벌금 – 5만 원 이상, 과료 – 2천 원 이상 5만 원 미만)<br>• 몰수: 범죄 행위에 제공하였거나 범죄 행위로 취득한 물건의 소유권을 빼앗아 국고에 귀속시킴 |
| 명예형 | • 자격 상실: 사형, 무기 징역, 무기 금고를 선고받은 자에 대하여 일정한 자격을 박탈함<br>• 자격 정지: 자격 상실에서 정한 권리를 일정 기간 정지시킴 |

⑩ 공무원이 될 자격, 공법상의 선거권과 피선거권, 법률로 요건을 정한 공법상의 업무에 관한 자격 등

(2) **보안 처분**

① **의미:** 범죄자의 재범을 방지하고 사회 복귀를 돕기 위한 대안적 제재 수단

꼭! 보안 처분은 예방적 성격의 제재로 형벌과 함께 부과할 수 있어.

② **종류:** 보호 관찰, 치료 감호, ★그 밖의 보안 처분

| 보호 관찰 | 범죄자가 ★선고 유예, ★집행 유예, ★가석방 처분 등을 받은 경우 구금되지 않은 상태에서 사회생활을 하면서 보호 관찰관의 지도·감독을 받도록 함 → 범죄성·비행성 교정 및 재범 방지를 통해 정상적인 사회 복귀를 도움 |
| --- | --- |
| 치료 감호 | 심신 장애가 있거나 알코올, 마약 등에 중독된 상태에서 죄를 저지른 사람에게 형벌을 집행하기 전에 치료 감호 시설에서 보호와 치료를 받도록 함 → 치료 감호 기간도 형벌 기간에 포함됨 |

## 완자 자료 탐구

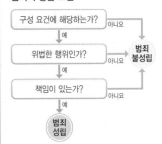

**자료 4** 구성 요건 해당성

> 이처럼 어떠한 행위를 해야 하는 의무가 있는 사람이 법을 위반하여 그 의무를 이행하지 않음으로써 저지를 수 있는 범죄를 부작위범이라고 해.

(가) 회사원 갑은 부서 회식을 마치고 집에 돌아가다가 아파트 승강기에서 층을 잘못 눌러 아랫집을 자신의 집인 줄 알고 들어갔다. 인기척에 안방에서 나온 집주인은 갑에게 집에서 나갈 것을 요청하였지만, 과음한 갑은 날씨가 춥다며 집주인의 요청에 응하지 않았다.

(나) 을은 평소 주차 문제로 사이가 좋지 않았던 A의 집에 돌을 던져 유리창을 파손하였다. 반면, 을의 아들 병은 친구들과 놀이터에서 야구를 하다가 실수로 남의 유리창을 파손하였다.

(가)에서 갑이 집주인의 퇴거 요청을 받고도 나가지 않은 것은 퇴거 불응죄의 구성 요건에 해당하므로 범죄가 될 수 있다. (나)에서 을은 고의로 A의 유리창을 파손했으므로 재물 손괴죄가 된다. 그러나 을의 아들 병이 실수로 남의 유리창을 파손한 것은 과실이므로 민법상 불법 행위 책임은 질 수 있지만, 범죄가 성립하지는 않는다.
└ **Q왜?** 형법은 고의로 한 모든 행위를 처벌하지만, 과실은 예외적으로 처벌하기 때문이야.

**수능이 보이는 교과서 자료** 위법성 조각 사유

| 사례 | 위법성 조각 사유 | |
|---|---|---|
| 갑은 편의점에서 물건을 훔치고 있는 남자를 붙잡아 경찰에 인도하였다. | 정당 행위 | 현행 범인에 대한 체포는 「형사 소송법」 제212조에 근거한 행위이다. |
| 을은 집에 들어온 강도에게 폭행을 당하고 있는 아버지를 구하기 위해 강도를 때려 상해를 입혔다. | 정당방위 | 아버지의 신체에 대한 부당한 침해를 피하기 위한 상당한 이유 있는 행위이다. |
| 병은 자신에게 돌진하는 맹견을 피하기 위해 근처에 있는 가정집으로 뛰어들었다. | 긴급 피난 | 현재의 위급한 상황을 피하기 위한 행위이다. |
| 정은 거액을 갚지 않고 이민을 가려는 채무자가 비행기에 탑승하지 못하도록 붙잡았다. | 자구 행위 | 법적 절차를 기다릴 수 없는 상황에서 자신의 청구권을 보전하기 위한 행위이다. |
| 무는 이웃 주민이 자기 자전거를 마음대로 타라고 하여 이웃집에 들어가서 자전거를 꺼내 왔다. | 피해자의 승낙 | 피해자가 자신에게 손해가 되는 행위를 하도록 허락한 행위이다. |

어떤 행위가 구성 요건에 해당하면 원칙적으로 위법하다고 볼 수 있지만, 제시된 사례들처럼 위법성이 조각되면 구성 요건에 해당하더라도 범죄가 성립하지 않는다.

---

**정리** 비법을 알려줄게!

**범죄의 성립 요건**

```
구성 요건에 해당하는가? ──아니요──┐
        │예                    │
        ▼                      │
위법한 행위인가? ──아니요──────┤   범죄
        │예                    │  불성립
        ▼                      │
책임이 있는가? ──아니요────────┘
        │예
        ▼
      범죄
      성립
```

범죄는 구성 요건 해당성, 위법성, 책임을 모두 갖추어야 성립된다. 세 가지 중 어느 하나라도 충족되지 않으면 범죄가 되지 않으므로 형벌을 부과할 수 없다.

---

**완자샘의** 탐구 강의

• 사례의 갑~무의 행위에 범죄가 성립되는지 여부를 쓰고, 그 이유를 서술하시오.
갑~무의 행위는 범죄의 구성 요건에 해당하지만, 예외적으로 위법성이 조각되는 사유에 해당하기 때문에 범죄가 성립되지 않는다.

**함께 보기** 156쪽, 1등급 정복하기 4

---

**자료 5** 보안 처분의 적용

갑은 성범죄를 저질러 교도소에 복역 중이다. 그런데 「성폭력 범죄의 처벌 등에 관한 특례법」이 제정되어 법원이 갑에게 위치 추적 전자 장치 부착과 신상 공개를 명령하였다. 갑은 이미 확정 판결을 받았는데 보안 처분을 새롭게 부과받은 것은 위헌이라고 주장하였다. 법원은 형벌에 관한 죄형 법정주의는 원칙적으로 보안 처분에는 적용되지 않으므로 위헌이 아니라고 판결하였다.

보안 처분은 범죄자의 재사회화와 사회 질서의 보호를 위한 대안적인 제재 수단으로 형벌이 아니다. 따라서 범죄 행위 이후에 범죄자에게 불리하게 제정되거나 개정된 보안 처분관련 법률은 소급해서 적용할 수 있고, 확정 판결을 받은 사람에게 다시 적용할 수도 있다.
└ 소급효 금지의 원칙이 적용되지 않아.       └ 동일한 범죄에 대해 거듭 처벌하지 않는다는 일사부재리의 원칙이 적용되지 않아.

---

**정리** 비법을 알려줄게!

**형벌과 보안 처분** ── 신체의 자유를 제한하는 형벌이지.

| | |
|---|---|
| 형벌 | • 생명형: 사형<br>• 자유형: 징역, 금고, 구류<br>• 재산형: 벌금, 과료, 몰수<br>• 명예형: 자격 상실, 자격 정지 |
| 보안 처분 | • 보호 관찰    • 치료 감호<br>• 사회봉사 명령    • 수강 명령<br>• 성범죄자 신상 공개 제도 |

# STEP 1 핵심 개념 확인하기

정답친해 51쪽

**1** 빈칸에 들어갈 용어를 쓰시오.

> (　　　　)은 어떠한 행위가 범죄에 해당하고 이에 대해 어떤 형벌을 부과할 것인지를 규정하는 법 규범으로, 개인의 자의적 보복이나 응징을 금지하여 타인에 의한 인권 침해를 방지하는 기능을 한다.

**2** 다음 괄호 안에 들어갈 알맞은 말에 ○표를 하시오.

(1) 죄형 법정주의는 범죄와 형벌이 (성문법, 불문법)에 미리 정해져 있어야 한다는 것이다.

(2) 행위 후에 제정한 법률로 이전의 행위를 처벌하는 것은 (소급효, 유추 해석) 금지의 원칙에 어긋난다.

(3) (명확성, 적정성)의 원칙은 범죄가 되는 행위와 그에 따른 형벌의 질과 양은 비례해야 한다는 원칙이다.

**3** 다음 설명에 해당하는 위법성 조각 사유를 〈보기〉에서 골라 기호를 쓰시오.

> **보기**
> ㄱ. 정당방위　　　ㄴ. 긴급 피난　　　ㄷ. 정당 행위

(1) 법령 또는 업무로 인한 행위나 기타 사회 상규에 어긋나지 않는 행위 　　　　　　　　　　　　　　　　　( 　 )

(2) 자기 또는 타인의 법익에 대한 현재의 위난을 피하기 위한 상당한 이유가 있는 행위 　　　　　　　　　　( 　 )

(3) 자기 또는 타인의 법익에 대한 현재의 부당한 침해를 방위하기 위한 상당한 이유가 있는 행위 　　　　　( 　 )

**4** 우리 형법은 (㉠　　　　)세 미만인 형사 미성년자의 행위, 심신 장애로 사물을 판단할 능력이 없는 사람의 행위 등에 대해서는 (㉡　　　　)을 물을 수 없다고 규정하고 있다.

**5** 다음 설명이 맞으면 ○표, 틀리면 ✕표를 하시오.

(1) 징역은 금고나 구류와 달리 정역이 부과되지 않는다. 　　　　　　　　　　　　　　　　　　　　　　( 　 )

(2) 보호 관찰과 치료 감호는 범죄자의 재범 방지를 위해 마련된 보안 처분에 해당한다. 　　　　　　　　　( 　 )

# STEP 2 내신 만점 공략하기

**01** 다음 조항이 규정된 법에 대한 설명으로 옳지 <u>않은</u> 것은?

> 제127조(공무상 비밀의 누설) 공무원 또는 공무원이었던 자가 법령에 의한 직무상 비밀을 누설한 때에는 2년 이하의 징역이나 금고 또는 5년 이하의 자격 정지에 처한다.
> 제207조(통화의 위조 등) ① 행사할 목적으로 통용하는 대한민국의 화폐, 지폐 또는 은행권을 위조 또는 변조한 자는 무기 또는 2년 이상의 징역에 처한다.

① 범죄로 인한 무질서를 방지한다.
② 범죄에 대한 개인의 자의적 응징을 금지한다.
③ 법으로 보호되는 이익을 해치는 행위를 제재한다.
④ 국민이 보다 안전한 생활을 영위할 수 있도록 한다.
⑤ 국가가 범죄 이외의 행위에 대해 국민을 처벌할 수 있는 근거가 된다.

**02** 갑, 을의 입장에 대한 옳은 설명을 〈보기〉에서 고른 것은?

> 형법은 범죄를 저지르면 형벌이 부과된다는 것을 미리 알려 범죄를 저지르지 못하도록 예방함으로써 사람들이 안정적인 법 생활을 유지할 수 있게 해 줘요.
> 갑

> 형법은 국가로 하여금 법률로 정한 범죄와 형벌만 적용하도록 하여 국가 형벌권의 한계를 명확히 해 주죠.
> 을

> **보기**
> ㄱ. 갑은 형법이 일반 국민을 범죄로부터 보호한다고 본다.
> ㄴ. 갑은 형법이 범죄자의 인권을 보호하는 수단이라는 점을 강조한다.
> ㄷ. 을은 국가 권력에 의한 처벌이 어려울 때 개인적인 보복이 가능하다고 본다.
> ㄹ. 갑과 을의 주장은 죄형 법정주의를 바탕으로 할 때 그 효과를 발휘할 수 있다.

① ㄱ, ㄴ　　　② ㄱ, ㄹ　　　③ ㄴ, ㄷ
④ ㄴ, ㄹ　　　⑤ ㄷ, ㄹ

**03** 교사의 질문에 옳게 답변한 학생만을 있는 대로 고른 것은?

죄형 법정주의에서 이와 같은 명제가 의미하는 것이 무엇인지 이야기해 볼까요?

"적정한 법률이 없으면, 범죄도 없고 형벌도 없다."

형식적인 법률이 존재할 뿐만 아니라 법률 내용의 적정성까지 보장되어야 한다는 주장입니다.

사회적으로 비난받아야 할 행위가 성문법에 없다면 관습법으로 처벌할 수 있다는 의미입니다.

범죄를 규정한 법률이 실질적 정의에 맞지 않더라도 일단은 지켜야 한다는 뜻입니다.

국가의 자의적인 입법권 행사를 막아 국민의 자유와 권리를 실질적으로 보장한다는 것입니다.

갑 을 병 정

① 갑, 을 　　② 갑, 병 　　③ 병, 정
④ 갑, 을, 정 　　⑤ 을, 병, 정

**04** 밑줄 친 '이것'에 부합하는 진술로 적절한 것을 〈보기〉에서 고른 것은?

이것은 어떤 행위를 범죄로 처벌하려면 범죄와 형벌이 반드시 법률로 정해져 있어야 한다는 근대 형법의 기본 원리이다.

보기
ㄱ. 범죄 예방을 위해 형벌은 무조건 무거워야 한다.
ㄴ. 형벌 법규가 없을 경우 비슷한 규정을 적용해야 한다.
ㄷ. 범죄와 형벌은 예측이 가능하도록 명확하게 규정해야 한다.
ㄹ. 범죄를 처벌할 때는 원칙적으로 행위를 할 당시의 법률을 적용해야 한다.

① ㄱ, ㄴ 　　② ㄱ, ㄷ 　　③ ㄴ, ㄷ
④ ㄴ, ㄹ 　　⑤ ㄷ, ㄹ

**05** 다음 내용이 위반한 죄형 법정주의의 원칙으로 옳은 것은?

어느 나라의 형법에는 "나쁜 짓을 한 자는 처벌받는다.", "청소년답지 못한 행동을 하면 엄하게 벌한다."라고 규정되어 있다.

① 명확성의 원칙 　　② 적정성의 원칙
③ 신의 성실의 원칙 　　④ 관습 형법 금지의 원칙
⑤ 유추 해석 금지의 원칙

**06** 다음은 대법원 판례이다. 밑줄 친 부분에 해당하는 원칙으로 옳은 것은?

「축산물 가공 처리법」에는 양을 함부로 도축하면 처벌한다고 규정하고 있지만, 염소에 관한 규정은 없다. '양'과 '염소'는 비슷하지만 같은 동물이라고는 할 수 없다 할 것인즉, 죄형 법정주의의 내용에 미루어서 보면 이 법에서 정한 가축의 하나인 '양'의 개념 속에 '염소'가 당연히 포함되는 것으로 볼 수는 없다.

① 명확성의 원칙 　　② 적정성의 원칙
③ 소급효 금지의 원칙 　　④ 관습 형법 금지의 원칙
⑤ 유추 해석 금지의 원칙

**07** 다음 법 조항에서 공통적으로 강조하는 내용으로 옳은 것은?

헌법 제13조 ① 모든 국민은 행위 시의 법률에 의하여 범죄를 구성하지 아니하는 행위로 소추되지 아니하며, ······.
형법 제조 ① 범죄의 성립과 처벌은 행위 시의 법률에 의한다.

① 법률의 내용은 실질적 정의에 부합해야 한다.
② 범죄와 형벌은 성문의 법률로 규정해야 한다.
③ 국가 형벌권은 자의서으로 행사되어서는 안 된다.
④ 사후 입법으로 이전의 행위를 처벌해서는 안 된다.
⑤ 범죄 행위의 경중과 행위자의 책임은 균형을 갖추어야 한다.

**08** 그림은 범죄의 성립 요건을 나타낸 것이다. (가)~(다)에 대한 옳은 설명을 〈보기〉에서 고른 것은?

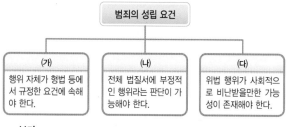

보기
ㄱ. 관습법에 위반된 행위도 (가)에 해당한다.
ㄴ. 긴급 피난, 정당 행위는 (나)를 조각하는 사유이다.
ㄷ. (다)가 인정되지 않는 이유로 심신 장애로 사물을 분별할 수 없는 사람의 행위를 들 수 있다.
ㄹ. (가), (나), (다) 중 어느 하나라도 충족되면 범죄가 성립한다.

① ㄱ, ㄴ    ② ㄱ, ㄷ    ③ ㄴ, ㄷ
④ ㄴ, ㄹ    ⑤ ㄷ, ㄹ

**09** 다음 판결문에서 법원이 밑줄 친 부분과 같이 판단한 근거로 옳은 것은?

> 자정 가까운 시간에 점포를 폐점하면서 제조연월일이 오래된 빵을 점포 밖에 내버려 두었다면 외관상 그 소유를 포기한 물품으로 오인될 수 있으므로 피고인이 그 빵을 가져간 행위를 범죄로 볼 수 없다.

① 피고인의 과실이 크지 않다.
② 피고인의 행위는 자구 행위에 해당한다.
③ 피고인의 행위는 책임 조각 사유에 해당한다.
④ 피고인의 행위와 피해자의 손해 간에 인과 관계가 없다.
⑤ 피고인의 행위는 절도죄의 구성 요건에 해당하지 않는다.

**10** 다음 사례에 대한 법적 판단으로 옳은 것은?

> • 갑은 친구들과 놀이터에서 야구를 하다가 실수로 남의 유리창을 파손하였다.
> • 을은 평소 주차 문제로 사이가 좋지 않았던 A의 집에 돌을 던져 유리창을 파손하였다.

① 갑의 행위는 범죄의 구성 요건에 해당한다.
② 갑은 형사 책임과 민사 책임을 모두 져야 한다.
③ 을의 행위는 재물 손괴죄의 구성 요건에 해당한다.
④ 을은 형사 책임은 지지 않지만, 민사 책임은 져야 한다.
⑤ 갑의 행위와 달리 을의 행위는 부작위범에 해당한다고 볼 수 있다.

**11** 다음 사례에 나타난 갑의 행위를 제시된 법률 규정을 참고하여 옳게 분석한 것은?

> 편의점을 운영하는 갑은 심야에 들어온 강도가 칼을 들고 금고의 돈을 내놓으라며 위협하자 근처에 있던 막대기로 강도를 내려쳐 제압하였는데, 강도는 전치 2주의 상해를 입었다.
>
> 형법 제21조 ① 자기 또는 타인의 법익에 대한 현재의 부당한 침해를 방위하기 위한 행위는 상당한 이유가 있는 때에는 벌하지 아니한다.

① 책임이 조각되지 않으므로 유죄일 가능성이 크다.
② 범죄의 구성 요건을 충족하므로 유죄일 가능성이 크다.
③ 정당 방위로서 위법성이 조각되므로 무죄일 가능성이 크다.
④ 자구 행위로서 위법성이 조각되므로 무죄일 가능성이 크다.
⑤ 범죄의 성립 요건을 모두 충족하므로 유죄일 가능성이 크다.

**12** 밑줄 친 ⊙, ⓒ에 해당하는 행위와 관련 있는 위법성 조각 사유를 옳게 연결한 것은?

> 회사원 A(40세)는 길을 가던 중, 갑이 중학생 을(15세)을 마구 폭행하는 것을 보고 이를 제지하였다. 그러나 갑이 계속 을을 폭행하자 ⊙ A는 갑의 폭행을 그만두게 하려고 갑을 밀치는 과정에서 갑에게 상처를 입혔다. 이에 화가 난 갑이 갑자기 몽둥이로 A를 폭행하였다. 생명에 위협을 느낀 A는 도망갈 곳이 없게 되자 부득이 근처에 있는 가게로 들어가려고 하였다. 그러나 가게 출입문이 잠겨 있고, 다른 방법이 없어서 ⓒ A는 가게 출입문의 유리창을 부수고 가게로 들어가 숨었다.

|   | ⊙ | ⓒ |
|---|------|------|
| ① | 정당방위 | 긴급 피난 |
| ② | 정당방위 | 정당 행위 |
| ③ | 긴급 피난 | 자구 행위 |
| ④ | 자구 행위 | 긴급 피난 |
| ⑤ | 정당 행위 | 정당방위 |

**13** 다음 사례에서 갑, 을의 행위에 대한 옳은 설명을 〈보기〉에서 고른 것은?

> • 경찰관 갑은 버스 정류소에서 승객의 돈 가방을 들고 도망가는 A를 발견하고 붙잡았다.
> • 을은 운전 중 갑자기 중앙선을 넘어 자신의 차를 향해 돌진하는 화물차를 피하고자 급하게 운전대를 돌리는 바람에 행인 B를 치어 다치게 했다.

┌─ 보기 ─────────────────────────────┐
ㄱ. 갑의 행위는 자구 행위이므로 책임이 조각된다.
ㄴ. 을의 행위는 긴급 피난에 해당한다.
ㄷ. 갑은 법령에 따라 A를 체포한 것이므로 위법성이 인정되지 않는다.
ㄹ. 을의 행위는 갑의 행위와 달리 범죄의 구성 요건에 해당하지 않는다.
└────────────────────────────────┘

① ㄱ, ㄴ   ② ㄱ, ㄷ   ③ ㄴ, ㄷ
④ ㄴ, ㄹ   ⑤ ㄷ, ㄹ

**14** 다음 사례에 대한 법적 판단으로 옳은 것은?

> • 갑은 지하철에서 성추행하는 A를 붙잡아 경찰에 넘겼다.
> • 을은 집 앞 편의점에서 과자와 음료수를 훔치다가 붙잡혔다.
> • 병은 흉기로 위협하는 강도에게 저항하다가 강도를 다치게 하였다.
> • 정은 유괴당한 딸의 안전을 위해 유괴범의 요구대로 은행의 금고 열쇠를 넘겨주었다.

① 갑의 행위는 정당방위에 해당한다.
② 을의 행위는 범죄의 구성 요건을 갖추지 못했다.
③ 정의 행위는 책임이 경감될 뿐, 조각되지는 않는다.
④ 갑과 병의 행위는 모두 위법성 조각 사유에 해당한다.
⑤ 병의 행위와 달리 을의 행위는 범죄로 성립하지 않는다.

**15** 그림은 형벌의 종류를 나타낸 것이다. (가), (나)에 들어갈 내용을 〈보기〉에서 골라 옳게 연결한 것은?

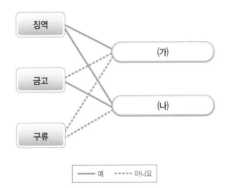

┌─ 보기 ─────────────────────────────┐
ㄱ. 징역이 부과되는가?
ㄴ. 교도소에 구금되는가?
ㄷ. 구금 기간이 1개월 이상인가?
ㄹ. 생명형으로 분류되는 형벌인가?
└────────────────────────────────┘

|   | (가) | (나) |   |   | (가) | (나) |
|---|------|------|---|---|------|------|
| ① | ㄱ | ㄴ | | ② | ㄱ | ㄷ |
| ③ | ㄴ | ㄹ | | ④ | ㄷ | ㄴ |
| ⑤ | ㄹ | ㄱ | | | | |

**16** 다음 처분들의 공통된 취지로 가장 적절한 것은?

> • 갑은 만취한 상태에서 상습적인 절도를 한 혐의로 기소되어 치료 감호 처분을 받았다.
> • 을은 음주 운전으로 벌금형을 선고받고 30시간의 사회봉사 명령을 받았다.

① 범죄자의 재범을 예방하고자 한다.
② 범죄 행위에 대해 엄하게 처벌하고자 한다.
③ 범죄 피해자에 대한 보복 범행을 막고자 한다.
④ 형벌을 통해 일반인의 범죄 동기를 줄이고자 한다.
⑤ 범죄와 형벌 간에 적정한 균형을 유지하고자 한다.

**17** 밑줄 친 '이 제도'에 대한 설명으로 옳은 것은?

> 이 제도는 범죄자가 교도소나 기타의 시설에 구금되지 않고 사회생활을 영위하면서 일정 기간 보호 관찰관의 지도·감독을 받도록 하는 것이다.

① 징역이나 금고보다 가벼운 형벌이다.
② 법원의 판사가 집행 업무를 담당한다.
③ 가석방 대상자에게는 부과할 수 없다.
④ 비행성을 교정하는 데는 적합하지 않다.
⑤ 집행 유예 처분을 받았을 때 부과할 수 있다.

**☆중요**
**18** 밑줄 친 ㉠~㉤에 대한 설명으로 옳지 않은 것은?

> 법원은 ㉠「교통사고 처리 특례법」 위반 혐의로 기소된 A(25세)에게 ㉡금고 8월에 ㉢집행 유예 2년과 벌금 30만 원을 선고하였다. 또 ㉣사회봉사 80시간, 준법 운전 강의 수강 40시간도 각각 명령했다. A 씨는 원동기 장치 자전거 면허를 받지 않은 상황에서 ㉤전동 킥보드 앞부분으로 피해자를 들이받아 전치 12주의 상해를 입혔다.

① ㉠은 실질적 의미의 형법에 해당한다.
② ㉡은 징역을 부과하는 형벌이나.
③ ㉢의 기간을 무사히 넘기면 형 선고의 효력이 상실된다.
④ ㉣은 보안 처분으로서 대안적 제재 수단에 해당한다.
⑤ ㉤은 구성 요건에 해당하는 위법한 행위에 해당한다.

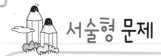

**01** 죄형 법정주의의 의미가 (가)에서 (나)로 변화하게 된 배경과 (나)의 목적을 각각 서술하시오.

| (가) 근대적 의미 | 법률이 없으면 범죄도 없고 형벌도 없다. |
| --- | --- |

| (나) 현대적 의미 | 적정한 법률이 없으면 범죄도 없고 형벌도 없다. |
| --- | --- |

**02** 다음 사례를 읽고 물음에 답하시오.

> (가) 갑은 길을 가던 중 저절로 목줄이 풀린 개가 사납게 달려와 자신의 다리를 물려고 하자 놀란 나머지 어쩔 수 없이 집주인의 허락을 받지 않고 이웃집으로 피신하였다.
> (나) 보석상 점원인 을은 강도가 흉기로 위협하면서 보석상 금고문을 열라고 강요하자 협박에 못 이겨 금고문을 열어 주었다. 을에게 다른 방법은 없었다.

(1) 다음은 (가), (나) 사례에 대한 법적 분석이다. ㉠, ㉡에 해당하는 용어를 각각 쓰시오.

> (가), (나)에서 갑과 을의 행위는 범죄로 성립하지 않는다. 갑의 행위는 구성 요건에는 해당하지만 ( ㉠ )이 조각된다. 을의 행위는 법적으로 비난하기 어려워 ( ㉡ )이 조각된다.

(2) (가), (나)에서 ㉠, ㉡이 조각되는 이유를 각각 서술하시오.

**03** 다음과 같은 제도를 공통으로 지칭하는 용어를 쓰고, 이 제도를 시행하는 목적을 서술하시오.

> • 유죄가 인정된 사람에게 일정 기간 사회봉사를 하도록 명령한다.
> • 교도소에서 가석방되었을 때 보호 관찰관의 지도·감독을 받도록 한다.
> • 유죄가 인정된 의존성·중독성 범죄자 등에게 범죄성 개선을 위한 진단, 상담, 교육을 받도록 명령한다.

## STEP 3 1등급 정복하기

**1** 다음은 어느 나라 형법의 일부 조항이다. 이에 대한 옳은 분석을 〈보기〉에서 고른 것은?

> (가) 범죄의 성립과 처벌은 재판 시의 법률에 의한다.
> (나) 타인의 재물을 절취하는 자는 사형 또는 무기 징역에 처한다.
> (다) 사람들이 많은 장소에서 미풍양속을 해친 사람은 10만 원의 벌금에 처한다.
> (라) 사회적 위험 행위에 대해 본 법에 규정이 없으면 다른 법의 유사한 조항을 적용한다.

> **보기**
> ㄱ. (가)는 소급효 금지의 원칙에 위배될 우려가 있다.
> ㄴ. (나)는 범죄와 형벌 간의 균형이 적정하지 않다.
> ㄷ. (다)와 달리 (라)는 국가 형벌권 행사의 남용이 우려된다.
> ㄹ. (나)~(라)는 모두 명확성의 원칙에 위배된다.

① ㄱ, ㄴ    ② ㄱ, ㄷ    ③ ㄴ, ㄷ
④ ㄴ, ㄹ    ⑤ ㄷ, ㄹ

> **죄형 법정주의**

> **완자샘의 시험 꿀팁**
> 구체적인 사례나 법 조항을 제시하고, 해당 내용에서 위반된 죄형 법정주의의 원칙을 묻는 문제가 자주 출제된다.

**2** 죄형 법정주의와 관련하여 기사의 밑줄 친 부분에서 강조하고 있는 내용으로 적절한 것은?

> 무자격 사무장 등에게 변호사 자격을 빌려주고 명의 대여료를 받은 혐의로 기소된 변호사들이 이러한 행위를 처벌하도록 한 「변호사법」 제34조 제3항 등은 위헌이라며 헌법 소원을 냈지만 기각되었다. 이 조항은 "변호사나 그 사무 직원은 제109조 제1호, 제111조 또는 제112조 제1호에 규정된 자로부터 법률 사건이나 법률 사무의 수임을 알선받거나 이러한 자에게 자기의 명의를 이용하게 하여서는 아니 된다."라는 내용이다. 이를 위반하면 7년 이하의 징역이나 5,000만 원 이하의 벌금에 처해진다. 헌법 재판소는 <u>"심판 대상 조항이 금지하는 '명의 이용'이란 '변호사법이 정하는 자격 요건을 충족하지 못한 자(비변호사)가 소송 등 법률 사무를 취급하는 데 이익을 주고 자신은 금품·향응 또는 그 밖의 이익을 받거나 받을 것을 약속하여 변호사가 변호사로서 권한과 책임이 있는 자신의 이름을 사용하게 허락하는 것'으로 충분히 해석될 수 있다."</u>라고 밝혔다.
> – 법률신문. 2018. 6. 5.

① 범죄에 비해 형벌이 과도해서는 안 된다.
② 범죄와 형벌은 행위 전에 규정되어 있어야 한다.
③ 관습법과 같은 불문의 법으로 행위자를 처벌해서는 안 된다.
④ 범죄와 형벌은 명확하게 규정되어 누구나 알 수 있어야 한다.
⑤ 적정한 조항이 없다고 해서 비슷한 법 규정을 적용해서는 안 된다.

> **죄형 법정주의의 원칙**

> **완자 사전**
> • **관습법**
> 사회생활에서 반복되어 나타나는 관행 중에서 사회 구성원의 법적 확신을 통해 법 규범의 지위를 가지게 된 것

수능 응용

**3** 자료는 범죄가 성립되는 요건과 이를 적용한 형사 재판의 사례를 제시한 것이다. 이에 대한 옳은 법적 판단을 〈보기〉에서 고른 것은?

> 범죄의 성립 요건

**자료 1 범죄의 성립 요건**

구체적 행위가 법률로 정해 놓은 범죄 사실에 해당하는가? → (아니요) → A

↓ 예

법질서 전체의 관점으로 보아 위법이라는 판단이 가능한가? → (아니요) → B

↓ 예

행위자가 사회적으로 비난 받을만한 책임이 있는가? → (아니요) → C

↓ 예

범죄 성립

**자료 2 형사 재판 사례**

| 구분 | 법원의 판단 |
|------|-------------|
| 사례 1 | 이 사건에서 피고인 갑의 행위는 … (중략) … 자신의 물건으로 착각하고 타인의 물건을 가져간 것이다. |
| 사례 2 | 이 사건에서 피고인 을의 행위는 … (중략) … 현재의 위급한 상황을 피하기 위한 행위이다. |

> 보기

ㄱ. 사회적 비난 가능성이 큰 행위라도 A에 해당하면 형벌을 부과할 수 없다.
ㄴ. 피해자의 승낙을 받은 행위는 B에 해당하여 범죄가 성립하지 않는다.
ㄷ. 법원은 갑의 행위가 정당 행위이므로 A에 해당한다고 판단하였다.
ㄹ. 법원은 을의 행위가 C에 해당한다고 판단하더라도 보호 관찰을 내릴 수 있다.

① ㄱ, ㄴ      ② ㄱ, ㄷ      ③ ㄴ, ㄷ
④ ㄴ, ㄹ      ⑤ ㄷ, ㄹ

**4** 다음은 상해죄로 기소된 갑에 대한 재판의 일부이다. 이 재판의 쟁점으로 옳은 것은?

> 위법성의 조각 사유

> **완자샘의 시험 꿀팁**
> 재판에서 쟁점이 되고 있는 범죄의 성립 요건을 찾고, 해당 요건이 조각되는 사유가 있는지를 분석하는 문제가 자주 출제된다.

• 변호인: 피고인은 공원에서 피해자의 공격을 받았을 때 어떤 느낌이었습니까?
• 피고인: 피해자가 갑자기 저의 멱살을 잡고, 흉기로 위협해서 너무나 무서웠습니다.
• 변호인: 그렇다면 피고인이 피해자를 밀쳐서 넘어뜨린 것은 피해자의 2차 공격을 막기 위한 어쩔 수 없는 행동이었겠군요.
• 피고인: 예 그렇습니다. 저도 모르게 살기 위해서 피해자를 밀친 것입니다.
• 재판장: 검사 측, 반대 신문 하시겠습니까?
• 검사: 피고인 갑이 피해자를 밀친 장소가 공원의 외딴곳입니다. 피고인이 피해자를 밀치면 피해자가 아래로 떨어져 크게 다칠 것으로 예상한 것이죠?
• 피고인: 당시 그런 것까지 생각 못 했습니다. 또 그 근처에 낭떠러지가 있다는 것도 알지 못했습니다. 야간이었고 금방이라도 피해자가 저를 죽일 것 같은 공포에 질렸습니다.

① 갑의 행위로 손해가 발생하였는가?
② 갑의 행위는 정당방위가 성립하는가?
③ 갑은 손해를 배상해 줄 능력을 갖고 있는가?
④ 갑에게 행위에 대한 책임을 물을 수 있는가?
⑤ 갑의 행위가 범죄의 구성 요건에 해당하는가?

**5** 그림은 형벌의 종류를 나타낸 것이다. A~E에 대한 설명으로 옳은 것은?(단, A~E는 각각 사형, 징역, 금고, 구류, 몰수 중 하나이다.)

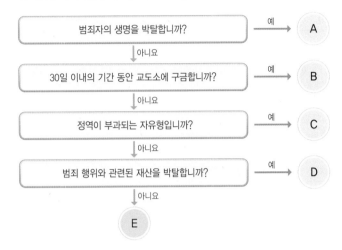

① A를 선고받더라도 공무원이 될 자격은 박탈되지 않는다.
② B는 유기 징역과 무기 징역으로 구분할 수 있다.
③ C는 5만 원 이상으로 부과된다.
④ D에 의해 박탈된 재산은 피해자에게 귀속된다.
⑤ E는 B와 같은 유형의 형벌에 속한다.

**6** 다음 자료의 A, B에 대한 설명으로 옳은 것은?(단, A, B는 각각 형벌, 보안 처분 중 하나이다.)

A는 과거에 놓여 있는 범죄 행위와 과거를 판단 기준으로 하는 책임을 지향한다. 이러한 A의 전제 조건은 범죄자의 장래에 속한 인격 발전을 양형에서 고려할 수 없게 한다. 더욱이 과거 지향적인 A만으로는 법익 보호라는 목적을 달성할 수 없다. 법의 보호를 위해 미래의 범죄 행위에 대한 예방적 조치가 필요하지만, 과거에 저질렀던 범죄 행위에 대해 A를 준다고 해서 미래에 범죄 행위가 줄어든다는 보장이 없다. 따라서 미래의 범죄 행위를 예방하기 위한 대안으로 나온 것이 B이다.

① A는 죄형 법정주의에 근거하고 있지 않다.
② A는 B의 내안직 세재 수단이다.
③ 한 가지 범죄에 A와 B를 동시에 부과할 수 없다.
④ A는 B에 비해 범죄자의 교화 가능성을 중시한다.
⑤ 과료는 A, 치료 감호는 B에 해당한다.

▶ 형벌의 종류

‖ 완자 사전 ‖
• 구금
도망 또는 증거 인멸의 방지를 목적으로 피의자나 피고인을 구치소에 가두어 두는 것

▶ 형벌과 보안 처분

완자쌤의 시험 꿀팁
제시된 내용을 형벌과 보안 처분으로 구분하고, 그 목적과 종류를 비교하는 문제가 자주 출제된다.

‖ 완자 사전 ‖
• 양형
형사 재판에서 법원이 형벌의 종류와 형량을 결정하는 것

# 02 형사 절차와 인권 보장

학 습 목 표
• 형사 절차의 흐름을 이해하고, 각 단계를 설명할 수 있다.
• 형사 절차에서 인권을 보장하는 원칙과 제도를 설명할 수 있다.

## 이것이 핵심!

**형사 절차**

| 수사 |
| --- |
| 고소, 고발 등으로 수사 개시 → 불구속 수사 원칙 |

| 공소 ⬇ 제기 |
| --- |

| 공판 |
| --- |
| 모두 절차와 심리 절차를 거친 후 판사가 유무죄 판결 선고 |

| 유죄 ⬇ 판결 |
| --- |

| 형 집행 |
| --- |
| 검사의 지휘로 형 집행 → 일정한 조건에 따라 가석방 가능 |

✦ **수사**
범인을 발견·확보하고 증거를 수집·보전하는 수사 기관의 활동

✦ **영장**
강제 처분(체포·구속, 압수·수색)을 허가 또는 명령하는 법원의 재판서로 법관(판사)이 발부한다.

✦ **공판**
피고인의 유무죄를 판단하는 형사 재판 절차

✦ **보호 처분**
사회 방위 및 특별 예방적 목적으로 소년범이나 가정 폭력 행위자 등에 대해 가하는 보안 처분으로 보호 관찰, 감호 위탁, 수강 명령, 사회봉사 명령, 소년 의료 보호 시설 위탁, 소년원 송치 등 총 10가지가 있다.

✦ **배심원**
법률 전문가가 아닌 일반 국민 가운데 선출되어 심리나 재판에 참여하고 사실 인정에 대하여 판단을 내리는 사람

## ① 형사 절차의 이해
── 형사 절차는 범죄가 발생하였을 때 이를 수사·심판하고 선고된 형을 집행하는 과정으로, 크게 수사 절차, 공판 절차, 형 집행 절차로 구분되지.

### 1. *수사와 공판 절차

**(1) 수사 절차**

VS 범죄 피해자 또는 그와 일정한 관계에 있는 사람이 수사 기관에 범죄 사실을 신고하는 것을 고소라고 하며, 제3자가 신고하는 것을 고발이라고 해.

| 수사 개시 | 수사 기관은 고소 및 고발, 현행범의 체포, 범인의 자수, 수사 기관의 인지, 범죄 신고 등에 의해 수사를 시작함 → 수사의 대상이 되는 사람을 피의자라고 함 |
| --- | --- |
| 수사 | 수사 기관은 피의자를 신문하거나 목격자나 피해자를 참고인으로 소환하여 조사함 → 불구속 수사가 원칙이나 정당한 사유가 있는 경우 *영장을 발부받아 피의자를 체포·구속할 수 있음 |
| 검찰 송치 | 수사 기관이 피의자와 관련 서류를 검찰에 보냄 |
| 수사 종료 | • 공소를 제기하는 경우: 수사 결과 피의자의 범죄 혐의가 인정되면 검사는 법원에 형사 재판을 요청하는 공소 제기(기소)를 함 ─ 우리나라에서는 기소 독점주의에 따라 원칙적으로 검사만이 기소할 수 있어. <br> • 불기소 처분을 하는 경우: 수사 결과 범죄 혐의가 인정되지 않는 경우, 공소 시효가 지난 경우, 범인의 성품이나 행실 및 동기를 참작하여 기소하지 않는 경우(기소 유예) 등에는 검사가 공소를 제기하지 않고 수사를 종결하는 불기소 처분을 할 수 있음 |

**(2) *공판 절차:** 검사의 공소 제기로 공판 절차가 시작됨 → 피의자는 피고인이 됨

| 모두 절차 | 재판장이 피고인에게 진술 거부권을 알려 주고, 피고인의 성명, 연령 등을 물음(인정 신문) → 검사가 공소 사실을 읽고 피고인이 공소 사실을 인정하는지 확인함 |
| --- | --- |
| 심리 절차 | '증거 조사 → 피고인과 증인에 대한 신문 및 변론 → 구형 → 피고인의 최후 진술' 순으로 진행됨 |
| 판결 선고 | 판사가 유죄의 증거를 얻지 못하면 무죄를 선고하고, 증거를 통해 피고인의 유죄가 입증될 때만 유죄 판결을 내림 ─ 형사 재판에서 양형에 대한 검사의 의견을 말해. |

꼭! 형사 재판에서 재판 당사자는 검사와 피고인이며, 피해자는 재판 당사자가 아니야.

### 2. 형의 선고와 형 집행 절차 자료①

**(1) 형의 선고**

Q? 저지른 죄가 가볍거나 정상 참작이 가능한 범죄자에게 사회 복귀의 길을 열어 주기 위해서야.

① 무죄 선고: 유죄를 인정할 증거가 없거나 범죄가 성립하지 않는 경우 무죄 판결을 내림

② 유죄 선고: 범죄가 인정되면 유죄 판결을 하여 형을 선고함 → 형을 선고할 때 형의 집행을 유예하거나 선고를 유예하는 판결을 내릴 수 있음

| 집행 유예 | 형의 집행을 일정 기간 미루었다가 그 기간이 지나면 형의 선고가 효력을 잃는 것 → 보안 처분을 함께 부과할 수 있음 ─ 형의 선고가 없었던 것과 같은 효력이 있어. |
| --- | --- |
| 선고 유예 | 형의 선고를 일정 기간 미루었다가 그 기간이 지나면 면소된 것으로 간주하는 것 |

**(2) 형 선고에 대한 불복:** 피고인과 검사는 형 선고에 불복 시 상급 법원에 상소할 수 있음
─ 판결의 선고일로부터 7일 이내에 상소를 제기할 수 있어.

**(3) 형 집행 절차**

| 형의 집행 | 형벌이 확정되면 검사의 지휘로 형을 집행함 → 징역, 금고를 선고받은 피고인은 교도소에 수용됨 |
| --- | --- |
| 가석방 | 교도소에 수용된 수형자가 성실히 복역하고 잘못을 뉘우치면 일정한 조건에 따라 형 집행이 완료되기 전에 석방하는 제도 |

─ 무기 징역은 20년, 유기 징역은 형기의 3분의 1이 경과한 후 행정 처분으로 가석방할 수 있어

### 3. 소년 사건과 국민 참여 재판 자료② 자료③

| 소년 사건의 처리 | 19세 미만의 소년이 저지른 범죄에 대해서는 형사 처벌 또는 형사 처분에 대한 특별 조치를 적용하거나 가정(지방) 법원 소년부에서 *보호 처분을 받도록 함 |
| --- | --- |
| 국민 참여 재판 | 일반 국민이 *배심원 또는 예비 배심원으로 형사 재판에 참여하여 사실의 인정과 법령의 적용 및 적절한 형벌의 수준에 관한 의견을 판사에게 제시하는 제도 |

# 완자 자료 탐구

 **내 옆의 선생님**

## 자료 1 형의 선고와 집행

(가) 갑은 음주 운전으로 적발되어 검찰에 송치되었으나 주차된 차를 빼달라는 요구 때문에 불가피하게 차를 이동시킨 점을 고려하여 검사가 기소를 유예하였다.

(나) 을은 음주 운전을 하다가 지나가던 차량을 들이받아 운전자를 다치게 하여 기소되었으며, 형사 재판 결과 징역 3년, 집행 유예 5년, 120시간의 사회봉사를 선고받아 형이 확정되었다.

(다) 병은 음주 운전을 하다가 지나가던 사람을 <u>치어 중상해를 입혀</u> 기소되었으며, 형사 재판 결과 징역 5년을 선고받아 형이 확정되었다.
└ 보안 처분에 해당하는 사회봉사 명령이야.

(가)에서 갑은 형사 피의자로 수사를 받았으나 검사는 갑의 행위에 불가피한 사유가 있는 점 등을 고려하여 기소 유예 처분을 내렸다. (나)에서 을은 재판을 받아 범죄 혐의가 인정되어 징역 3년을 선고받았지만 집행 유예 처분을 함께 받았으므로 교도소에 구금되지 않는다. 이때 유예 기간인 5년 동안 별다른 범죄가 없으면 징역 3년이라는 형 선고의 효력이 상실된다. (다)에서 병은 재판 결과 유죄 판결을 받았고 징역 5년이 선고되어 형이 확정되었으므로, 형이 집행되어 교도소에 구금된다.

## 자료 2 소년 보호 사건의 처리 절차

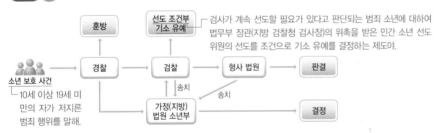

소년 보호 사건에서 범죄 소년의 경우 검사가 조사하여 선도 조건부 기소 유예를 하거나 기소 또는 가정(지방) 법원 소년부 송치 결정을 할 수 있다. 기소하면 형사 법원의 재판을 거쳐 형벌을 받을 수 있고, 가정(지방) 법원 소년부로 송치하면 <u>보호 처분</u>이 결정될 수 있다. 촉법 소년과 우범 소년은 관할 경찰서장이 바로 가정(지방) 법원 소년부로 송치한다. 가정(지방) 법원은 심판을 거쳐 보호 관찰이나 소년원 송치 등의 보호 처분을 내릴 수 있다.

## 자료 3 국민 참여 재판

국민 참여 재판에서 배심원이 피고인의 행위에 대해 유죄 또는 무죄의 판단을 내리는 것이야.

⬆ 국민 참여 재판의 재판정

국민 참여 재판 제도는 국민이 배심원으로 재판에 참여하는 형사 재판 제도이다. 배심원이 인정된 증거를 토대로 유·무죄에 관한 평결을 내리고 담당 재판부와 토의하면서 어느 정도의 형벌을 부과할지에 대한 의견을 밝히면 재판부가 이를 참고하여 판결을 내린다. 이때 배심원의 평결은 권고적 효력만을 가지므로 판사는 배심원의 평결과 다르게 판결할 수 있다.

---

**문제 로 확인할까?**

형사 절차 중 수사 절차에 대한 설명으로 옳은 것은?
① 구속 수사를 원칙으로 한다.
② 고소를 통해서는 개시되지 않는다.
③ 수사의 대상이 되는 사람을 피고인이라고 한다.
④ 판사가 유무죄의 판결을 내리는 과정을 포함한다.
⑤ 피의자의 범죄 혐의가 인정되면 검사는 공소를 제기할 수 있다.

⑤ 目

**자료 하나 더 알고 가자!**

**소년 보호 사건의 대상**

| 촉법 소년 | 형벌 법령에 저촉되는 행위를 한 10세 이상 14세 미만의 소년 → 보호 처분만 가능 |
|---|---|
| 범죄 소년 | 형벌 법령에 저촉되는 행위를 한 14세 이상에서 19세 미만의 소년 → 형벌과 보호 처분을 선택적으로 부과 |
| 우범 소년 | 형벌 법령에 저촉되는 행위를 할 우려가 있는 10세 이상 19세 미만의 소년 중 보호자의 정당한 감독에 복종하지 않거나 이유 없이 가정에서 이탈한 소년 → 보호 처분만 가능 |

보호 처분은 형사 처벌과 달리 전과 기록이 남지 않으며 소년의 장래에 부정적인 영향을 끼치지 않아.

**정리 비법을 알려줄게!**

**국민 참여 재판**

| 시행 | 2008년 이후 |
|---|---|
| 대상 사건 | 지방 법원 합의부(1심) 관할 사건 중 피고인이 원하는 경우 |
| 배심원의 자격 | 20세 이상 국민(일정한 범죄 경력자, 경찰관, 변호사 등은 제한됨) |
| 배심원 평결의 효력 | 권고적 효력만을 가지지만 법원이 배심원 평결과 다른 판결을 내릴 때는 판결문에 그 이유를 기재해야 함 |
| 의의 | 재판의 공정성과 신뢰 향상 |

꼭! 배심원의 의견이 법원을 구속하지는 않지만, 판사는 양형 과정에서 이를 존중해야 해.

**★ 증거 능력**
증거가 엄격한 증명 자료로 이용되기 위해 갖추어야 할 법률상의 자격

**★ 국선 변호인**
법원이 피고인의 이익을 위하여 선임하는 변호인으로, 법률이 정하는 바에 따라 법원이 직권으로 선정하기도 하고 피고인의 청구로 선정하기도 한다.

**★ 영장 제도의 예외**
현행 범인이거나 사형·무기 또는 장기 3년 이상의 징역이나 금고에 해당하는 범죄 사건에서 도피 또는 증거 인멸의 염려가 있을 경우 영장 없이 체포할 수 있다. 그러나 이 경우에도 48시간 이내에 사후 영장을 청구해야 한다.

**★ 구속의 사유**
• 피의자가 죄를 범하였다고 의심할 만한 상당한 이유가 있는 경우
• 일정한 주거가 없는 경우
• 증거 인멸의 염려가 있는 경우
• 도망의 염려가 있는 경우

**★ 형사 보상 제도의 요건**
• 피의자로서 구금된 사람이 무죄의 취지로 불기소 처분을 받은 경우
• 피고인으로서 미결 구금되었던 사람이 무죄 판결을 받은 경우
• 판결이 확정되어 형의 집행을 받은 사람이 재심을 통해 무죄 판결을 받은 경우

---

## 2 형사 절차에서의 인권 보장

### 1. 형사 절차에서의 인권 보장 원칙 [자료 4]

> 꼭! 이 원칙들은 수사 절차와 재판 절차 전반에 걸쳐 보장되지.

| 적법 절차의 원칙 | 공권력에 의한 개인의 자유와 권리 제한은 반드시 법에 정해진 절차에 따라야 한다는 원칙 → 국가 형벌권의 남용으로부터 국민의 인권을 보호하기 위한 것 |
|---|---|
| 무죄 추정의 원칙 | 피의자와 피고인은 유죄 판결이 확정될 때까지는 무죄로 추정된다는 원칙 → 이에 따라 수사와 재판은 불구속 상태에서 하는 것을 원칙으로 함 |
| 진술 거부권 | 피의자나 피고인이 수사 및 형사 재판 절차에서 불리한 진술을 강요당하지 않을 권리 → 진술 거부권을 침해하여 얻은 진술은 ★증거 능력을 인정받지 못함 |
| 변호인의 조력을 받을 권리 | 피의자나 피고인이 국가의 강제적인 형벌권 행사에 대항하여 수사 기관과 대등한 관계에서 자신을 방어할 수 있도록 변호인의 도움을 받을 권리 → 스스로 변호인을 구할 수 없을 때에는 ★국선 변호인의 도움을 받을 수 있음 |

### 2. 수사 및 재판 절차에서의 인권 보장 제도

#### (1) 수사 절차에서의 인권 보장 제도

| ★영장 제도 | 피의자에 대한 체포·구속·압수·수색을 할 때에는 적법한 절차에 따라 법관이 발부한 영장을 제시해야 하는 제도 → 개인의 자유에 대한 과도한 제한 방지 |
|---|---|
| 구속 영장 실질 심사 제도 (구속 전 피의자 심문 제도) | 검사가 구속 영장을 청구한 경우 법관(판사)이 피의자를 직접 심문하여 ★구속 사유가 인정되는지를 판단하는 제도 |
| 체포·구속 적부 심사 제도 | 체포되거나 구속된 피의자가 체포 또는 구속의 적법성과 필요성을 심사해 줄 것을 법원에 청구하는 제도 → 심사 결과 적법하지 않을 경우 피의자를 석방해야 함 |

#### (2) 재판 절차에서의 인권 보장 제도 [자료 5]

> VS 구속 적부 심사는 수사 단계에서 피의자가 신청할 수 있고, 보석은 재판 단계에서 피고인이 신청할 수 있어.

| 증거 재판주의 | 형사 재판에서는 ★증거 능력이 있는 증거만을 사실 인정에 이용하도록 하는 것 → 다른 증거 없이 피고인의 자백만으로는 유죄 판결을 내릴 수 없음 |
|---|---|
| 보석 제도 | 피고인이 구속된 상태에서 재판이 진행될 때 일정한 보석금의 납부를 조건으로 구속의 집행을 정지하고 석방하도록 신청할 수 있음 |
| 상소 제도 | • 피고인이 재판에 불복할 경우 상소 제도를 통해 상급 법원에 다시 재판을 청구할 수 있음<br>• 불이익 변경 금지의 원칙: 피고인만이 항소한 사건에 대하여 원심 판결보다 무거운 형을 선고하지 못한다는 것 |

> Q☆? 피고인이 중한 형으로 바뀔 위험 때문에 상소권을 행사하지 못하는 것을 방지하기 위해서야.

### 3. 범죄 피해자 보호와 형사 구제를 위한 제도 [교과서 자료]

#### (1) 범죄 피해자 보호 제도

> Q☆? 범죄 피해에 대한 손해를 배상받기 위해 소송을 두 번이나 해야 하는 피해자의 불편을 해결하기 위해서야.

| 범죄 피해자 구조 제도 | 범죄 행위로 인해 생명 또는 신체에 피해를 당했음에도 가해자로부터 피해를 배상받지 못한 경우 국가가 피해자 또는 유족에게 일정한 한도의 구조금을 지급하는 제도 |
|---|---|
| 배상 명령 제도 | 형사 재판에서 유죄 판결을 선고할 때 법원이 직접 또는 피해자의 신청에 따라 간편하게 민사상 손해 배상까지 명령할 수 있는 제도 → 상해·폭행·사기 등 일부 사건에만 해당함 |
| 형사 절차 참여권 | 피해자는 수사 진행 상황과 판결 내용을 제공받고, 재판에 출석하여 의견을 진술할 수 있음 |
| 피해자 신변 보호 제도 | 보복을 당할 우려가 있는 피해자에게 보호 시설이나 위치 확인 장치 등을 제공함으로써 피해자의 신변을 보호하는 제도 |

#### (2) 형사 구제 제도

| ★형사 보상 제도 | 형사 피의자 또는 형사 피고인으로서 구금되었다가 법률이 정하는 불기소 처분을 받거나 무죄 판결을 받은 경우 국가에 보상을 청구할 수 있는 제도 |
|---|---|
| 명예 회복 제도 | 형사 재판에서 무죄 판결이 확정된 경우 무죄 판결을 받은 당사자가 청구하면 명예 회복을 위해 해당 사건의 재판서를 1년 동안 법무부 누리집에 게재할 수 있는 제도 |

# 완자 자료 탐구

## 내 옆의 선생님

### [자료 ④] 헌법에 명시된 형사 절차에서의 인권 보장 원칙

제12조 ① 모든 국민은 신체의 자유를 가진다. 누구든지 법률에 의하지 아니하고는 체포·구속·압수·수색 또는 심문을 받지 아니하며, 법률과 적법한 절차에 의하지 아니하고는 처벌·보안 처분 또는 강제 노역을 받지 아니한다.

> Q의? 피고인의 범죄를 증명할 책임은 검사에게 있기 때문이야.

② 모든 국민은 고문을 받지 아니하며, 형사상 자기에게 불리한 진술을 강요당하지 아니한다.
④ 누구든지 체포 또는 구속을 당한 때에는 즉시 변호인의 조력을 받을 권리를 가진다.
제27조 ④ 형사 피고인은 유죄의 판결이 확정될 때까지는 무죄로 추정된다.

우리 헌법 제12조 제1항은 적법 절차의 원칙, 제2항은 진술 거부권, 제4항은 변호인의 조력을 받을 권리, 제27조 제4항은 무죄 추정의 원칙을 규정하고 있다. 이처럼 우리 헌법은 형사 절차에서 피의자나 피고인의 인권을 보호하기 위한 다양한 원칙과 제도를 규정함으로써 국가가 형벌권을 행사할 때 시민의 인권이 침해되지 않도록 하고 있다.

### [자료 ⑤] 자백의 증거 능력

2000년 8월, 한 도시에서 택시 기사가 흉기에 찔려 사망한 사건이 일어났다. 경찰이 사건의 유력한 용의자로 목격자인 15세 A 씨를 지목하고 범인임을 자백하라고 강요하자 그는 이에 못 이겨 자신이 진범이라는 진술서를 작성하였고, 1심에서 15년 형이 선고되었다. A 씨는 살인하지 않았다며 항소했으나 2심 재판도 같은 흐름을 보이자 그는 결국 택시 기사를 살해하였다고 거짓으로 자백하고 10년 형으로 감형받았다. 교도소에서 만기 출소한 A 씨는 사건의 진실을 찾기 위해 재심을 청구하였고, 마침내 억울한 누명을 벗게 되었다.

법원이 재심에서 A 씨에게 무죄 판결을 내린 것은 A 씨의 자백에 증거 능력이 없다고 보았기 때문이다. 형사 사건에서 피고인의 자백만이 유일한 증거이거나 피고인의 자백이 장시간의 구금이나 강요에 의한 것일 때에는 증거 능력을 인정받을 수 없다.

### [수능이 보이는 교과서 자료] 형사 구제와 보상 제도

범인을 찾지 못하고 치료비도 없는데 어떻게 해야 하지?

갑

무죄가 밝혀져서 다행이지만 교도소에 갇혔던 것은 너무 억울해.

을

나는 무죄인데 재판받는 동안 실추된 내 명예는 어떻게 해결하지?

병

갑은 범죄 피해를 입었지만 가해자로부터 피해를 배상받지 못하고 있으므로 국가에 구조금을 청구할 수 있다. 을은 형사 피고인으로 구금되었다가 무죄가 밝혀졌으므로 국가에 형사 보상을 청구할 수 있다. 병도 범죄자로 몰려 명예를 훼손당했으나 무죄로 밝혀졌으므로 무죄 재판서를 법무부 누리집에 게재해 줄 것을 요청할 수 있다.

---

### [자료] 하나 더 알고 가자!

**미란다 사건과 미란다 원칙**

1963년 미국 애리조나주 경찰은 에르네스토 미란다라는 청년을 납치와 강간 혐의로 체포하였다. 수사 과정에서 미란다는 처음에 무죄를 주장하였으나 변호인도 없는 상태에서 쓴 자백 진술서가 인정되어 중형을 선고받았다. 2심도 같은 결과가 나오자 미란다는 연방 대법원에 자신은 헌법에 보장된 '불리한 증언을 하지 않아도 될 권리'와 '변호인의 조력을 받을 권리'를 침해당하였으므로 유죄 판결이 잘못되었다고 상고하였고, 연방 대법원은 이를 받아들여 미란다에게 무죄를 선고하였다.

위 사건 이후 수사 기관이 피의자를 체포 또는 신문할 때 일정한 권리(진술 거부권, 변호인의 조력을 받을 권리 등)를 미리 알려 주어야 하는 의무가 있다는 원칙이 생겼는데, 이를 '미란다 원칙'이라고 한다.

### [문제]로 확인할까?

형사 절차에서 피의자나 피고인의 인권을 보호하기 위한 제도가 아닌 것은?
① 진술 거부권
② 배상 명령 제도
③ 무죄 추정의 원칙
④ 적법 절차의 원칙
⑤ 변호인의 도움을 받을 권리

② 目

### 완자샘의 탐구 강의

• 갑 ~ 병이 활용할 수 있는 형사 구제 및 보상 제도를 구분하여 서술하시오.
갑은 범죄 피해에 대한 보상을 받기 위해 범죄 피해자 구조 제도를, 을은 억울하게 구금되었던 것에 대한 보상을 받기 위해 형사 보상 제도를, 병은 형사 절차에서 훼손된 명예의 회복을 위해 명예 회복 제도를 활용할 수 있다.

[함께 보기] 169쪽, 1등급 정복하기 6

## STEP 1 핵심 개념 확인하기

정답친해 56쪽

**1** 빈칸에 들어갈 내용을 쓰시오.

(1) 형사 사건에서 범죄 혐의가 있어 수사의 대상이 되는 사람을 (          )라고 한다.

(2) 수사 기관은 정당한 사유가 있는 경우 (          )을 법관으로부터 발부받아 피의자를 구속할 수 있다.

(3) 검사는 수사 결과 범죄 혐의를 인정할 만한 증거가 없는 경우에는 (          ) 처분을 통해 사건을 종결한다.

**2** 다음은 공판의 심리 절차이다. ㉠, ㉡에 해당하는 용어를 각각 쓰시오.

증거 조사 → 피고인과 증인에 대한 신문 및 변론 → ( ㉠          ) → 피고인의 ( ㉡          )

**3** 다음 설명이 맞으면 ○표, 틀리면 ×표를 하시오.

(1) 피고인의 유죄가 확정되면 검사의 지휘로 형이 집행된다. (          )

(2) 구속된 피의자는 수사 및 재판 과정에서 변호인의 도움을 받을 수 없다. (          )

(3) 형사 재판에서는 다른 증거 없이 피고인의 자백만으로 유죄 판결을 내릴 수 있다. (          )

**4** 다음 설명에 해당하는 제도를 〈보기〉에서 골라 기호를 쓰시오.

> **보기**
> ㄱ. 배상 명령 제도          ㄴ. 형사 보상 제도
> ㄷ. 구속 적부 심사 제도          ㄹ. 구속 영장 실질 심사 제도

(1) 형사 재판에서 무죄 판결을 받은 당사자가 청구할 수 있다. (          )

(2) 피의자에 대한 구속의 적법성을 법원이 심사하여 적법하지 않으면 석방한다. (          )

(3) 범죄 피해자가 형사 재판에서 간편하게 민사상 손해 배상까지 받을 수 있도록 한다. (          )

(4) 검사에게서 영장 발부를 청구받은 판사가 피의자와 직접 대면하여 그의 입장을 듣고 구속 여부를 결정한다. (          )

## STEP 2 내신 만점 공략하기

**01** 다음 자료에 대한 옳은 설명을 〈보기〉에서 고른 것은?

> **고소장**
>
> 고소인: 갑 / 피고소인: 을
> 고소의 취지: 피고소인을 폭행 혐의로 고소합니다.
> … (중략) …
>
> 2019. 3. 4.
> 위 고소인 갑(서명)
>
> A 경찰서장 귀하

> **보기**
> ㄱ. 갑은 을이 폭행하는 모습을 본 제삼자이다.
> ㄴ. A 경찰서장은 수사 후 을을 기소할 수 있다.
> ㄷ. 을이 기소될 경우 재판의 당사자는 검사와 을이다.
> ㄹ. 이 고소장에 의해 수사가 개시될 경우 을은 피의자가 된다.

① ㄱ, ㄴ          ② ㄱ, ㄷ          ③ ㄴ, ㄷ
④ ㄴ, ㄹ          ⑤ ㄷ, ㄹ

**02** 다음 사례에 대한 법적 판단으로 옳은 것은?

> • 갑은 음주 운전으로 적발되어 검찰에 송치되었으나 주차된 차를 이동시켜 달라는 요구 때문에 불가피하게 운전한 점을 고려하여 검사가 기소를 유예하였다.
> • 을은 음주 운전을 하다가 지나가던 차량을 들이받아 운전자를 다치게 하여 기소되었으며, 형사 재판 결과 징역 3년, 집행 유예 5년을 선고받아 형이 확정되었다.

① 을은 피고소에 가담되지 않는다.
② 을은 갑과 달리 보안 처분을 받았다.
③ 갑은 보석 제도를 활용하여 석방되었다.
④ 갑은 을과 달리 형사 보상을 청구할 수 있다.
⑤ 갑과 을은 모두 음주 운전에 대한 범죄 혐의가 인정되지 않았다.

**03** 그림은 형사 절차의 일부이다. (가)~(라)에 대한 설명으로 옳지 <u>않은</u> 것은?

① (가)에서 경찰은 범인에게 체포 이유를 고지해야 한다.
② (나)에서는 법관이 발부한 영장이 필요하다.
③ (다)의 대상이 되는 사람을 피의자라고 한다.
④ (라)는 우리나라에서 원칙적으로 검사만이 할 수 있다.
⑤ (라) 단계 이후에는 피고인에게 무죄 추정의 원칙이 적용되지 않는다.

**04** 공판 절차에 대한 설명으로 옳지 <u>않은</u> 것은?

① 피고인과 피해자를 당사자로 한다.
② 심리 절차에서는 증거 조사가 진행된다.
③ 모두 절차에서 재판장은 피고인에게 진술 거부권 알려준다.
④ 검사가 공소 사실을 읽고, 피고인이 이를 인정하는 절차를 거친다.
⑤ 판사는 증거를 통해 피고인의 유죄가 입증될 때에만 유죄 판결을 내린다.

**05** 밑줄 친 ㉠~㉤에 대한 설명으로 옳은 것은?

재판의 결과 범죄가 성립하면 유죄 판결을 하여 ㉠ 형을 선고하는데, ㉡ 집행 유예와 ㉢ 선고 유예를 선고하기도 한다. 형벌이 확정되면 ㉣ 형이 집행되어 ㉤ 일부 피고인은 교도소에 수용된다.

① 피고인만이 ㉠에 불복하여 상소할 수 있다.
② ㉡을 선고할 때는 보안 처분을 함께 부과할 수 없다.
③ ㉢은 형의 선고 자체를 일정 기간 미루는 것이다.
④ ㉣은 판사의 지휘를 받아 이루어진다.
⑤ 징역을 선고받은 피고인은 ㉤에 포함되지 않는다.

**06** 다음 사례에 대한 법적 판단으로 옳은 것은?

동네 선후배 사이인 갑(13세), 을(16세), 병(19세)이 상습적으로 절도와 강도를 일삼다가 경찰에 붙잡혔다. 이들은 심야에 편의점에 들어가 물건을 훔치는가 하면 이를 제지하는 직원을 때려 중상을 입히기도 했다.

① 갑은 형사 미성년자이므로 보호 처분을 받을 수 없다.
② 검사가 을을 기소할 경우, 을은 형벌을 받을 수 있다.
③ 검사가 을을 가정 법원 소년부로 송치할 경우 을은 집행 유예를 선고받을 수 있다.
④ 병은 가정 법원 소년부에서 보호 처분을 받을 수 있다.
⑤ 갑, 을, 병은 모두 범죄 소년에 해당한다.

**07** 그림은 우리나라 재판 제도 중 하나의 절차이다. 이에 대한 옳은 설명을 〈보기〉에서 고른 것은?

**보기**

ㄱ. (가)의 배심원은 원칙적으로 19세 이상의 대한민국 국민을 대상으로 한다.
ㄴ. (나)는 지방 법원 합의부에서 이루어진다.
ㄷ. (다)의 평결은 피고인의 유무죄에 관한 것으로 판사는 이를 반드시 따라야 한다.
ㄹ. (가)~(라)의 절차는 피고인이 희망할 때 진행하는 것이 원칙이다.

① ㄱ, ㄴ  　② ㄱ, ㄷ  　③ ㄴ, ㄷ
④ ㄴ, ㄹ  　⑤ ㄷ, ㄹ

**08** 그림은 형사 절차를 나타낸 것이다. 이에 대한 설명으로 옳지 <u>않은</u> 것은?

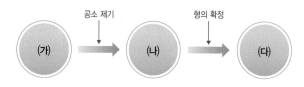

① (가) 단계에서 구속된 피의자는 구속 적부 심사를 통해 석방될 수 없다.
② (나) 단계에서 사실의 인정은 증거에 의하여야 한다.
③ (나) 단계에서 피고인만이 항소한 사건에는 불이익 변경 금지의 원칙이 적용된다.
④ 현행범으로 체포되었더라도 (가), (나) 단계에서 무죄로 추정된다.
⑤ 피고인의 유죄가 확정되더라도 (다) 단계에서 석방될 수 있다.

**09** 다음 헌법 조항을 규정한 목적으로 가장 적절한 것은?

> 제12조 ① 모든 국민은 신체의 자유를 가진다. 누구든지 법률에 의하지 아니하고는 체포·구속·압수·수색 또는 심문을 받지 아니하며, 법률과 적법한 절차에 의하지 아니하고는 처벌·보안 처분 또는 강제 노역을 받지 아니한다.
> ② 모든 국민은 고문을 받지 아니하며, 형사상 자기에게 불리한 진술을 강요당하지 아니한다.

① 수사의 효율성을 높이기 위해
② 민간 형법에 의한 처벌을 강화하기 위해
③ 가해자로부터 배상을 받지 못한 피해자를 지원하기 위해
④ 국가 형벌권의 남용으로부터 국민의 인권을 보장하기 위해
⑤ 재판관의 잘못된 판결을 바로잡을 수 있는 기회를 제공하기 위해

**10** 다음 내용에서 알 수 있는 원칙에 대한 설명으로 옳지 <u>않은</u> 것은?

> 모든 경찰은 피의자 체포 시 다음의 사항을 꼭 알려 주시기 바랍니다.
>
> 1. 저는 경찰 ○○○입니다.
> 2. 당신을 □□법 위반 혐의로 체포하고자 합니다.
> 3. 당신은 불리한 진술을 거부할 수 있습니다.
> 4. 당신은 변호사를 선임할 권리가 있습니다.

① 미란다 원칙이라고 한다.
② 적법 절차의 원칙에 근거한다.
③ 범죄자의 재범을 예방하는 데 기여한다.
④ 피의자의 인권을 보장하기 위해 마련된 원칙이다.
⑤ 피의자에게 일정한 권리를 미리 알려 주어야 할 의무가 있음을 나타낸다.

**11** 그림에 나타난 형사 절차에 대한 설명으로 옳은 것은?

① 위 청구서는 갑이 작성하였을 것이다.
② 판사는 갑에게 구속 사유가 있는지 판단할 것이다.
③ 갑의 폭행 행위에 대한 재판이 진행되고 있을 것이다.
④ 판사가 갑에게 구속 영장을 발부하면 갑은 기소되지 않을 것이다.
⑤ 판사가 갑에게 구속 영장을 발부하지 않으면 수사는 종결될 것이다.

**12** 다음 사례에 대한 법적 판단으로 가장 적절한 것은?

> 갑은 사기 혐의로 수사를 받고 있다. 검사는 갑의 집을 압수·수색하여 범죄 혐의와 관련된 증거를 수집했으나 갑은 여전히 혐의를 부인하고 있다.

① 검사는 도주 우려가 없어도 갑을 구속할 수 있다.
② 수사 과정에서 갑은 모든 사실을 진술할 의무가 있다.
③ 갑은 기소된 직후 법원에 구속 적부 심사를 청구할 수 있다.
④ 갑에게 구속 영장이 발부되더라도 갑은 변호인의 조력을 받을 수 있다.
⑤ 법원에서 갑에 대한 구속 영장이 발부되면 갑은 영장 실질 심사를 청구할 수 있다.

**13** 다음 자료에 대한 옳은 분석을 〈보기〉에서 고른 것은?

| 영장 번호 | 2018-00 | 죄명 | 절도 |
|---|---|---|---|
| 피의자 | | A(이하 생략) | |
| … (중략) … | | | |
| 피의자는 도주 우려가 있다. | | ······ 구속의 사유가 있으므로 피의자를 구금한다. | |

┌─ 보기 ─────────────────────────
ㄱ. A는 구속 적부 심사를 청구할 수 있다.
ㄴ. A는 구속 전 피의자 심문을 거쳤을 것이다.
ㄷ. A는 석방을 위해 가석방 제도를 이용할 수 있다.
ㄹ. 피해자의 요구에 따라 검사가 A에게 구속 영장을 발부하였을 것이다.
└────────────────────────────

① ㄱ, ㄴ    ② ㄱ, ㄷ    ③ ㄴ, ㄷ
④ ㄴ, ㄹ    ⑤ ㄷ, ㄹ

**14** 다음 내용을 활용하여 작성한 보고서의 제목으로 가장 적절한 것은?

> • 구속된 피고인은 일정한 보증금을 납부하는 조건으로 구속의 집행을 정지하고 석방하도록 신청할 수 있다.
> • 법원은 피고인의 유무죄를 판단할 때 위법하게 수집된 증거를 유죄의 증거로 인정하지 않을 뿐 아니라 피고인의 자백만이 유일한 증거인 때에는 이를 유죄의 증거로 삼지 않는다.

① 불구속 수사의 장점
② 형사 구제 제도의 필요성
③ 형사 절차 참여권의 보장 방법
④ 재판 절차에서의 인권 보장을 위한 제도
⑤ 형사 절차에 적용되는 적법 절차의 원칙

**15** ㉠에 들어갈 용어에 대한 설명으로 옳은 것은?

> 검찰은 대출을 빙자해 돈을 챙긴 혐의(사기 등)로 A 씨 등 26명을 구속 기소하였다. 검찰에 따르면 A 씨 등은 필리핀, 베트남, 중국 등에서 전화 대출 사기극을 벌여 1,950명에게서 40억 원의 부당 이득을 챙겼다. A 씨 일당이 검거된 사실이 알려지자 검찰에는 피해자 상담 전화가 하루에도 몇십 건씩 걸려 오고 있다. 검찰은 상담 과정에서 사기 피해가 확인된 100여 명에게 가해자로부터 손해를 배상받을 수 있도록 ( ㉠ ) 신청을 주선하였다.

① 법원이 직접 명령할 수는 없다.
② 국가가 구조금을 지급하는 제도이다.
③ 국민 참여 재판에서 배심원이 명령한다.
④ 불기소 처분을 받은 피의자가 신청한다.
⑤ 범죄 피해자에 대한 신속한 손해 배상을 목적으로 한다.

● 정답친해 59쪽

**16** 그림의 갑, 을이 활용할 수 있는 형사 구제 제도를 옳게 연결한 것은?

갑: 범인을 찾지 못하고 치료비도 없는데 어떻게 해야 하지?

을: 무죄가 밝혀져서 다행이지만 교도소에 갇혔던 것은 너무 억울해.

| | 갑 | 을 |
|---|---|---|
| ① | 명예 회복 제도 | 배상 명령 제도 |
| ② | 명예 회복 제도 | 형사 보상 제도 |
| ③ | 형사 보상 제도 | 범죄 피해자 구조 제도 |
| ④ | 범죄 피해자 구조 제도 | 배상 명령 제도 |
| ⑤ | 범죄 피해자 구조 제도 | 형사 보상 제도 |

**17** 다음은 법무부 누리집에 게시된 내용이다. 이에 대한 설명으로 옳은 것은?

> **판결 공시**
> 사건 번호: ○○ 지방 법원 2018 고정 9419 사기
> 피고인: 갑
> 위 피고인은 사기죄로 기소되었으나 증거 없음을 이유로 무죄의 판결이 선고 확정되었음을 공시함
> 2018년 1월 2일
> ○○ 지방 법원 판사 박△△

① 모든 민·형사 재판에서 활용된다.
② 갑은 배상 명령을 청구할 수 있다.
③ 갑의 명예를 회복하는 데 도움을 준다.
④ 갑은 검사에 대해 손해 배상을 청구할 수 있다.
⑤ 국가는 갑에게 범죄 피해자 구조금을 지급해야 한다.

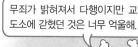
## 서술형 문제

**01** 그림은 형사 재판의 법정이다. 물음에 답하시오.

(1) 위 그림을 통해 알 수 있는 재판의 명칭을 쓰시오.

(2) (1)에서 배심원의 역할을 서술하시오.

**02** (가), (나)에 해당하는 제도를 각각 쓰고, 두 제도의 공통점을 서술하시오.

> (가) 형의 선고 자체를 미루어 두었다가 일정 기간 무사히 경과하면 면소된 것으로 간주하는 제도이다.
> (나) 실형을 선고하면서 일정 기간 그 형의 집행을 유예하였다가 그 기간에 다른 범행 없이 지나면 형의 선고가 효력을 잃어 실형을 집행하지 않는 제도이다.

**03** 다음 헌법 조항에 규정된 권리를 보장하는 목적을 서술하시오.

> 제12조 ④ 누구든지 체포 또는 구속을 당한 때에는 즉시 변호인의 조력을 받을 권리를 가진다. 다만, 형사 피고인이 스스로 변호인을 구할 수 없을 때에는 법률이 정하는 바에 의하여 국가가 변호인을 붙인다.

## STEP 3 1등급 정복하기

**1** (가)~(라)는 갑이 겪은 형사 절차를 나타낸 것이다. 이에 대한 법적 판단으로 옳은 것은?

> 형사 절차

(가) 갑이 회사 자금을 빼돌려서 사용한 혐의(횡령 혐의)로 체포·구속됨

(나) 갑은 구속 적부 심사를 받고 석방됨

(다) 검사가 갑을 횡령 혐의로 기소함

(라) 판사가 갑에게 징역 2년을 선고함

① (가) 단계에서 검사는 갑에 대한 영장 실질 심사를 하였다.
② (나) 단계에서 판사는 검사의 구속 영장 청구를 기각하였다.
③ (나) 단계에서부터 갑은 무죄 추정의 원칙을 적용받는다.
④ (다) 단계에서 갑의 범죄에 대한 입증 책임은 검사에게 있다.
⑤ (라) 단계에서 갑에게는 즉시 징역 2년의 형 집행이 확정된다.

**2** 다음 사례에서 갑~정이 받을 수 있는 법적 처리로 옳은 것은?

> 소년 보호 사건의 처리

> **완자쌤의 시험 꿀팁**
> 미성년자의 범죄 행위와 관련하여 연령에 따라 형벌과 보호 처분 중 어느 것이 가능한지에 대해 소년 보호 사건의 처리 절차와 연결지어 묻는 문제가 자주 출제된다.

| 구분 | 연령 | 사건 내용 |
|------|------|-----------|
| 갑 | 9세 | 옥상에서 벽돌을 떨어뜨렸는데, 지나가던 사람이 이를 맞고 사망함 |
| 을 | 13세 | 아파트 경비원을 폭행하여 상해를 입힘 |
| 병 | 16세 | 편의점 종업원을 흉기로 위협하여 100만 원을 빼앗음 |
| 정 | 19세 | 친구들과 산행 중 담배를 피우다가 산에 불을 내어 상당한 손실을 입힘 |

① 갑은 소년원 송치 처분을 받을 수 있다.
② 검사는 을에 대해 선도 조건부 기소 유예를 내릴 수 있다.
③ 관할 경찰서장은 병을 가정 법원 소년부로 송치해야 한다.
④ 가정 법원 소년부 판사는 정에게 형벌을 내릴 수 있다.
⑤ 가정 법원 소년부 판사의 심판을 받을 수 있는 사람은 을과 병이다.

수능 응용

**3** 기사와 관련된 법적 판단으로 옳지 <u>않은</u> 것은?

> 공무원 갑은 배수 펌프장 정비 사업과 관련해 특정 업체부터 뇌물을 받은 혐의로 기소됐다. 검찰은 "갑이 공무원의 직무에 관해 4,000만 원의 뇌물을 수수했다."라며 기소했으나, 갑은 "돈을 받은 사실이 없다."라며 범행을 부인했다. 국민 참여 재판 배심원 7명은 만장일치로 검찰의 공소 사실에 관해 무죄로 평결했다. 하지만 재판부는 갑에 대해 징역 3년을 선고하였다.
>
> ─ ○○ 신문, 2015. 4. 10.

① 배심원과 검사의 판단이 같았다.
② 지방 법원 합의부에서 재판했을 것이다.
③ 갑이 국민 참여 재판을 신청했을 것이다.
④ 재판부는 배심원의 평결을 받아들이지 않았다.
⑤ 이 판결에 불복할 경우 갑은 고등 법원에 항소할 수 있다.

> **국민 참여 재판**
>
> **완자 사전**
> • 평결
> 국민 참여 재판에서 배심원단이 내리는 결정

수능 응용

**4** 다음은 법률 상담 내용이다. 이에 대한 법적 조언으로 가장 적절한 것은?

> 저의 남편은 퇴근 후 동료들과 가게에서 회식 중, 사소한 시비로 동료를 때려 전치 6주의 상처를 입혔습니다. 당시 가게 주인의 신고로 경찰이 출동하여 현행범으로 체포되었고, 지금 조사를 받고 있습니다. 어제 검사가 구속 영장을 청구했다고 합니다. 앞으로 저의 남편에 대한 법적 절차는 어떻게 진행되며 저희가 할 수 있는 일은 무엇인가요?

① 남편 분이 구속 적부 심사를 청구할 수 있습니다.
② 영장 실질 심사를 통해 불구속 수사를 받을 수도 있습니다.
③ 기소 전에 보석으로 석방되도록 보증금을 준비하시기 바랍니다.
④ 술에 취한 상태라면 범죄가 성립되지 않으니 걱정할 것 없습니다.
⑤ 피해자와 그 가족의 생활을 위한 범죄 피해자 구조금을 마련해 놓아야 합니다.

> **수사 절차에서의 인권 보장**
>
> **완자쌤의 시험 꿀팁**
> 수사 및 재판 절차에서 인권 보장을 위해 마련된 제도들의 특징을 묻는 문제가 자주 출제되므로, 각 제도의 특징을 청구 시점을 기준으로 구분할 수 있어야 한다.

**5** 다음 사건에서 갑, 을, 병에게 일어난 일을 추론한 것으로 적절한 것을 〈보기〉에서 고른 것은?

| |
| --- |
| 갑, 을, 병은 사기 혐의로 수사를 받았다. |

↓

| |
| --- |
| 검사는 을과 병을 기소하였다. |

↓

| |
| --- |
| 갑과 을은 형사 보상을 청구할 수 있지만, 병은 그렇지 않다. |

**보기**

ㄱ. 갑은 구속 상태에서 수사를 받고 기소 유예 처분을 받았을 것이다.
ㄴ. 을은 구속 상태에서 재판을 받고 무죄 확정 판결을 받았을 것이다.
ㄷ. 병은 구속된 상태에서 기소된 후 실형과 함께 집행 유예 판결이 확정되었을 것이다.
ㄹ. 갑과 을은 검사에 대해 형사 보상금을 청구하고, 법원에 명예 회복 절차를 요구하였을 것이다.

① ㄱ, ㄴ          ② ㄱ, ㄷ          ③ ㄴ, ㄷ
④ ㄴ, ㄹ          ⑤ ㄷ, ㄹ

▶ 형사 절차와 인권 보장 제도

**6** 다음 질문에 대해 옳게 답변한 사람은?

**▶ 질문하기**

저는 편의점에서 아르바이트하던 중 강도를 만나 격투를 벌이다가 크게 다쳤습니다. 강도는 며칠 뒤에 체포되어 수사를 받고 있다고 합니다. 병원 치료비가 만만치 않은데 강도는 무일푼이라고 합니다. 저는 어떻게 해야 하나요?

**▶ 답변하기**

└ 갑: 법원에 배상 명령을 신청하세요.
└ 을: 법원에 형사 보상금을 청구하세요.
└ 병: 국가에 범죄 피해자 구조금을 청구하세요.
└ 정: 편의점 사장을 상대로 손해 배상을 청구하세요.
└ 무: 법원에 강도에게 벌금형을 선고해 달라고 요구하세요.

① 갑          ② 을          ③ 병          ④ 정          ⑤ 무

▶ 범죄 피해자 보호와 형사 구제를 위한 제도

**완자샘의 시험 꿀팁**

형사 절차와 관련하여 신청인의 신분과 상황 등을 종합적으로 고려할 때 피해 구제를 위해 활용할 수 있는 제도를 묻는 문제가 자주 출제된다.

# 03 근로자의 권리

## 이것이 핵심!

**노동법의 의의와 등장 배경**

| 의의 | 국가가 노동 문제를 해결하고 근로자를 보호하기 위해 제정한 법 → 근로관계를 규율함 |
|---|---|
| 등장 배경 | 근로자 보호를 위해 국가가 개입하면서 등장함 |

### ★ 사회법
자본주의의 발달 과정에서 발생한 문제를 해결하고자 국가가 개인의 사적 영역에 개입·규제하기 위하여 제정한 법이다. 사회법은 공법과 사법의 중간 영역에 해당하는 법으로 크게 노동법, 경제법, 사회 보장법으로 구분된다.

## 1 노동법의 의의

### 1. 노동법의 의의와 등장 배경

(1) **노동법**: 국가가 노동 문제를 해결하고 근로자를 보호하기 위해 제정한 법

(2) **노동법의 특징**: *사회법의 한 종류로, 근로관계를 규율함

(3) **노동법의 등장 배경**

Q₩? 자유방임주의를 바탕으로 개인의 경제적 자유를 최대한 보장하고 국가의 간섭을 최소화한 결과 이와 같은 부작용이 나타났어.

| 자본주의의 모순 발생 | 노동 문제 발생 | 노동법 등장 |
|---|---|---|
| 계약 자유의 원칙, 자본주의 원리 적용 → 근로자가 저임금 등 열악한 조건의 근로 계약을 맺음 | 근로자와 자본가의 대립, 독과점 기업의 시장 지배 등 여러 사회 문제가 발생 | 근로자의 인간다운 생활과 생존권을 보장하기 위해 국가가 개입하는 과정에서 노동법이 제정 |

계약 자유의 원칙을 수정 또는 제한하는 것을 중시하지.

### 2. 대표적인 노동법

| 근로 기준법 | 근로자의 실질적 지위를 보호하고 기본적 생활을 보장할 목적으로 근로 조건의 최저 기준을 규정함 |
|---|---|
| 노동조합 및 노동관계 조정법 | 노동조합과 사용자 간의 집단적 노사 관계를 규율함 → 근로 3권(노동 삼권)의 보장을 구체적으로 규정함 |

## 이것이 핵심!

**근로자의 권리와 권리 침해의 구제**

**근로자의 권리**
· 개인: 최소한의 근로 조건 보장
· 단체: 근로 3권(단결권, 단체 교섭권, 단체 행동권) 보장

↓

**권리 침해 시의 구제 방법**
· 부당 해고, 부당 노동 행위: 노동 위원회에 구제 신청, 법원에 소 제기 등
· 임금 체불: 고용 노동부에 진정, 법원에 소 제기 등

### ★ 근로자
임금을 목적으로 사용자에게 근로를 제공하는 자. 직업의 종류와 근로 기관에 상관없이 사용자에게 고용되어 일하는 모든 사람이 포함된다.

### ▨ 근로 계약
근로자가 사용자에게 근로를 제공하고 사용자는 이에 대해 임금을 지급할 목적으로 체결된 계약

## 2 법으로 보장되는 근로자의 권리

### 1. 개인인 *근로자의 권리: 최소한의 근로 조건을 보장함 [교과서 자료] [자료①]

| *근로 계약 | 「근로 기준법」에 따라 근로 계약을 맺을 때 임금, 근로 시간, 휴일 등의 사항을 명시하여 서면으로 작성해야 함 → 「근로 기준법」에 규정된 최저 기준에 미달하는 근로 계약 조항은 무효임 |
|---|---|
| 임금 | 근로자에게 직접 통화로 전액을 매월 1회 이상 일정한 날짜를 지정하여 최저 임금 이상으로 지급해야 함 |
| 근로 시간 | 1일 8시간, 1주 40시간을 초과할 수 없음 → 당사자 간 합의 시 1주 12시간 이내 연장 근로 가능 |
| 휴식 시간 | 근로 시간이 4시간일 때 30분 이상, 8시간일 때 1시간 이상을 근로 시간 도중에 주어야 함 |
| 휴일 | 일정 기간 개근한 근로자에게 1주에 1회 이상의 유급 휴일을 주어야 함 |
| 해고 | · 정당한 이유 없이 해고할 수 없고, 30일 이전에 해고를 예고하여야 함<br>· 해고의 사유와 시기를 근로자에게 서면으로 통지하지 않으면 그 해고는 효력이 없음 |

### 2. 단체로서 근로자의 권리: 근로 3권(노동 삼권)인 단결권, 단체 교섭권, 단체 행동권을 보장함
┌ 근로자가 사용자와 대등한 지위에서 근로 조건을 정할 수 있도록 해 주지.

| 단결권 | 근로자들이 자주적으로 노동조합을 조직·운영할 수 있는 권리 |
|---|---|
| 단체 교섭권 | 노동조합이 근로 조건에 관하여 사용자와 교섭할 수 있는 권리 |
| 단체 행동권 | 단체 교섭이 결렬될 경우 근로자가 자신의 주장을 관철하기 위해 쟁의 행위를 할 수 있는 권리 |

### 3. 근로자의 권리 침해 시의 구제 방법 [자료②]
참! 파업, 태업 등의 행위로, 일정한 절차를 거친 정당한 쟁의 행위에 대해서는 노동조합의 민·형사상 책임이 면제돼.

| 부당 노동 행위 | 사용자가 노동조합의 활동을 방해하기 위해 불공정한 방법으로 근로 3권을 침해하는 행위 → 노동 위원회에 구제 신청, 법원에 민사 소송 제기 등을 통해 구제 |
|---|---|
| 부당 해고 | 사용자가 정당한 이유 없이 근로자를 해고하거나 해고 절차를 지키지 않는 것 → 노동 위원회에 구제 신청, 법원에 해고 무효 확인 소송 제기 등을 통해 구제 |
| 임금 체불 | 고용 노동부에 진정, 법원에 민사 소송 제기 등을 통해 구제 |

┈ 예 근로자의 노동조합 결성, 가입, 활동 등을 이유로 근로자를 해고하거나 불이익을 주는 것, 노동조합에 가입하지 않는 것을 고용 조건으로 하는 것, 정당한 사유 없이 단체 교섭을 거부하는 것 등

# 완자 자료 탐구

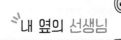

## 내 옆의 선생님

### 수능이 보이는 교과서 자료 | 근로 계약

#### 근로 계약서

갑(사업주)과 을(25세)은 다음과 같이 근로 계약을 체결한다.

1. 근로 계약 기간: 2018년 1월 1일 ~ 2018년 12월 31일
2. 근무 장소: 회사 내 창고
3. 업무의 내용: 창고 정리 및 관리
4. 근로 시간: 9시~19시(휴게 시간: 12시~13시)
5. 근무일/휴일: 월~일 / 매월 10일이 휴일임
6. 임금
   - 시간급: 최저 임금액
   - 임금 지급일: 매월 10일, 25일에 나누어 지급함
   - 지급 방법: 근로자에게 직접 지급함
7. 연차 유급 휴가
   - 「근로 기준법」에서 정하는 바에 따라 부과함

을은 25세로서 성인 근로자이다. 성인 근로자는 1일 8시간 이내 근로가 원칙인데 4항에 따르면 1일 근로 시간이 9시간이므로 법정 근로 시간을 초과했다. 또한 5항에 따르면 휴일이 월 1회로 근로자에게 일주일에 1일 이상 유급 휴일을 주도록 하는 「근로 기준법」 조항을 위반했다. 이와 같이 「근로 기준법」을 위반한 계약 내용은 무효이며, 무효로 된 부분은 「근로 기준법」에서 정하는 기준을 따라야 한다.

#### 완자샘의 탐구 강의

• 근로 계약 체결과 관련한 근로자의 권리에 대해 서술해 보자.

근로 계약을 맺을 때 근로자와 사용자는 대등한 지위에서 자유의사에 따라 근로 조건을 결정하여야 한다. 또한 사용자는 근로 계약을 체결할 때 임금, 근로 시간, 휴일 등의 사항을 명시하여 서면으로 작성하여야 하며, 근로 계약의 내용은 근로 기준법에서 정한 기준에 어긋나서는 안 된다.

함께 보기 175쪽, 1등급 정복하기 1

---

### 자료 ① 연소 근로자의 근로 계약

1. 15세 이상이어야 근로할 수 있다.
2. 부모님 동의서와 나이를 알 수 있는 증명서가 필요하다. <sup>꼭!</sup> 부모가 대신 계약을 체결할 수 없어.
3. 근로 계약서를 반드시 작성한다.
4. 성인과 동일한 최저 임금을 적용받는다.
5. 하루 7시간, 일주일에 35시간 이상 일할 수 없다.
6. 휴일 근무나 초과 근무를 했을 때 50%의 가산 임금을 받는다.
7. 일주일을 개근하고 15시간 이상 일하면 하루의 유급 휴일을 받는다.
8. 위험한 일이나 유해 업종의 일을 할 수 없다.
9. 일하다 다치면 산재 보험으로 치료와 보상을 받을 수 있다.

꼭! 임금을 받지 못한 경우에는 지방 노동 고용 관서 또는 근로 감독관에게 신고할 수 있으며, 형사 고발이나 민사 소송을 제기할 수 있어.

청소년의 근로는 「근로 기준법」, 「청소년 보호법」 등에서 특별히 보호하고 있다. 연소 근로자(15세 이상 18세 미만의 미성년자)는 일하기 전에 법정 대리인의 동의를 얻어 본인이 직접 근로 계약을 체결하여야 한다. 이때 사용자는 청소년이라는 이유로 근로 조건을 낮추어서는 안 되며, 청소년은 성인과 동등한 지위에서 자유의사에 따라 계약을 체결한다.

꼭! 사용자는 18세 미만의 청소년을 도덕상 또는 보건상 유해하거나 위험한 사업에 고용해서는 안 되며, 청소년은 청소년 유해업소나 청소년 고용 금지 업소에서 일할 수 없어.

### 자료 ② 부당 해고 및 부당 노동 행위 구제 절차

| | 3개월 이내 구제 신청 | | 불복 시 10일 이내 재심 신청 | | 불복 시 15일 이내 행정 소송 제기 | |
|---|---|---|---|---|---|---|
| 피해 당사자 | → | 지방 노동 위원회 | → | 중앙 노동 위원회 | → | 법원 |

부당 해고를 당한 근로자와 사용자의 부당 노동 행위로 권리를 침해당한 근로자 또는 노동조합은 노동 위원회에 구제 신청을 할 수 있다. 지방 노동 위원회에 구제 신청을 하였으나 구제를 받지 못한 경우에는 중앙 노동 위원회에 재심을 신청할 수 있고, 중앙 노동 위원회의 재심 판정에도 불복하는 경우에는 법원에 행정 소송을 제기할 수 있다.

### 정리 | 비법을 알려줄게!

성인 근로자의 근로 계약과 비교한 연소 근로자의 근로 계약

| | |
|---|---|
| 공통점 | • 본인이 직접 근로 계약 체결<br>• 독자적인 임금 청구 가능<br>• 최저 임금, 휴식 시간, 휴일 등 동일 기준 적용 |
| 차이점 | • 근로 계약 체결 시 법정 대리인의 동의 필요<br>• 근로 시간은 1일 7시간, 1주 35시간 초과 불가 → 당사자 간 합의 시 1주 5시간 이내 연장 근로 가능<br>• 원칙적으로 야간 및 휴일 근로 불가 |

### 문제 로 확인할까?

근로자의 권리가 침해된 사례가 아닌 것은?

① 부당 해고
② 임금 체불
③ 부당 노동 행위
④ 근로 계약서 작성
⑤ 최저 임금 미준수

⑦ 답

## STEP 1 핵심 개념 확인하기

정답친해 61쪽

**1** 다음 설명에 해당하는 노동법의 종류를 쓰시오.

(1) 근로자의 기본적 생활을 보장하기 위해 근로 조건의 최저 기준을 규정한다. (           )

(2) 노동조합과 사용자 사이의 집단적 노사 관계를 규율하며, 근로 3권의 보장을 구체적으로 규정한다. (           )

**2** 다음 설명이 맞으면 ○표, 틀리면 ×표를 하시오.

(1) 근로 시간이 8시간인 경우 휴식 시간은 1시간 이상이어야 한다. (           )

(2) 「근로 기준법」에 규정된 최저 기준을 초과하는 근로 계약 조항은 무효이다. (           )

(3) 해고의 사유와 시기를 근로자에게 서면으로 통지하지 않으면 그 해고는 효력이 없다. (           )

**3** 다음 설명과 관련 있는 근로자의 권리를 〈보기〉에서 골라 기호를 쓰시오.

보기
ㄱ. 단결권          ㄴ. 단체 교섭권          ㄷ. 단체 행동권

(1) 노동조합은 근로 조건의 유지 및 개선에 관하여 사용자와 집단으로 교섭할 수 있다. (           )

(2) 근로자는 근로 조건의 유지 및 향상을 위하여 노동조합을 결성하거나 노동조합에 가입하여 활동할 수 있다. (           )

(3) 근로자와 사용자 간에 분쟁이 발생하면 근로자는 자신의 의견을 관철하기 위해 일정한 절차를 거쳐 쟁의 행위를 할 수 있다. (           )

**4** 다음에서 설명하는 용어를 쓰시오.

- 사용자가 근로자의 노동조합 가입이나 탈퇴를 고용 조건으로 삼는 행위
- 사용자가 근로자의 노동조합 가입이나 단체 행동 등을 이유로 근로자를 해고하거나 불이익을 주는 행위

**5** 부당 해고를 당한 근로자는 (           )에 구제 신청을 하거나 법원에 해고 무효 확인 소송을 제기할 수 있다.

## STEP 2 내신 만점 공략하기

**01** A, B 법의 공통점으로 옳은 것을 〈보기〉에서 고른 것은?

> A 법 제3조(근로 조건의 기준) 이 법에서 정하는 근로 조건은 최저 기준이므로 근로관계 당사자는 이 기준을 이유로 근로 조건을 낮출 수 없다.
> B 법 제43조(사용자의 채용 제한) ① 사용자는 쟁의 행위 기간 중 그 쟁의 행위로 중단된 업무의 수행을 위하여 당해 사업과 관계없는 자를 채용 또는 대체할 수 없다.

보기
ㄱ. 자본주의 원리를 적극적으로 실현하기 위해 제정된 법이다.
ㄴ. 근로자의 인간다운 생활과 생존권을 보장하려는 목적으로 등장하였다.
ㄷ. 개인 간의 영역에 국가가 개입하여 계약 자유의 원칙을 수정 또는 제한하는 것을 중시한다.
ㄹ. 사용자가 근로자에 비해 유리한 위치에서 근로 계약을 맺을 수 있도록 근로관계를 규율한다.

① ㄱ, ㄴ          ② ㄱ, ㄷ          ③ ㄴ, ㄷ
④ ㄴ, ㄹ          ⑤ ㄷ, ㄹ

**02** 밑줄 친 '이 법'에서 규정하는 내용으로 적절하지 <u>않은</u> 것은?

> 이 법은 헌법에 의하여 근로 조건의 기준을 정함으로써 근로자의 기본적 생활을 보장 및 향상시키며 균형 있는 국민 경제의 발전을 도모함을 목적으로 한다.

① 근로 시간은 하루에 8시간 이내가 원칙이다.
② 휴식 시간은 반드시 근로 시간 도중에 주어야 한다.
③ 임금은 통화로 근로자에게 직접 전액을 지급해야 한다.
④ 연소 근로자의 근로 계약은 법정 대리인이 대신 체결해야 한다.
⑤ 일정 기간 개근한 근로자에게는 1주 1회 이상의 유급 휴일을 주어야 한다.

**03** ㉠에 들어갈 법에 대한 설명으로 옳은 것은?

- ( ㉠ )은 노동조합과 사용자 간의 집단적 노사 관계를 규율하는 법이다.
- ( ㉠ )은 사용자가 노동조합의 활동을 방해하기 위해 불공정한 방법으로 근로 3권을 침해하는 행위를 부당 노동 행위로 규정하여 금지한다.

① 근로 조건의 최저 기준을 보장한다.
② 법정 최저 임금을 규정하는 근거가 된다.
③ 근로자의 경제적 지위를 낮추는 부작용이 있다.
④ 국가가 노동 문제를 해결하기 위해 제정한 법에 속하지 않는다.
⑤ 단결권, 단체 교섭권, 단체 행동권의 보장을 구체적으로 규정한다.

**04** (가), (나)에 해당하는 권리를 옳게 연결한 것은?

(가) 근로자가 법에 정해진 일정한 절차를 거쳐 태업, 파업 등을 할 권리
(나) 근로자가 자주적 단결체인 노동조합을 설립하고 이에 가입하여 활동할 권리

|  | (가) | (나) |
|---|---|---|
| ① | 단결권 | 단체 교섭권 |
| ② | 단결권 | 단체 행동권 |
| ③ | 단체 교섭권 | 단결권 |
| ④ | 단체 행동권 | 단결권 |
| ⑤ | 단체 행동권 | 단체 교섭권 |

**05** 밑줄 친 ㉠~㉤ 중에서 현행 법령을 준수하지 않은 것은?

갑(16세)은 부모의 동의를 얻어 주유소 사장과 ㉠ 직접 근로 계약을 체결하였다. 갑은 ㉡ 하루 6시간씩 근로하였으나 일이 많은 날은 상호 협의하에 ㉢ 1시간의 연장 근로를 하였으며, 4시간 일하면 ㉣ 30분의 휴식 시간을 가졌다. 주유소 사장은 갑이 아직 어리다는 이유로 매월 일정한 날짜에 ㉤ 임금을 갑의 부모에게 지급하였다.

① ㉠  ② ㉡  ③ ㉢  ④ ㉣  ⑤ ㉤

☆중요
**06** 다음 중 근로자의 권리를 침해받은 사람을 고른 것은? (단, 갑~정은 모두 17세이다.)

휴일에 출근하여 근무를 하고 20%의 가산 임금을 받았어요.

갑

을
어리다는 이유로 최저 임금보다 낮은 임금을 받았어요.

일손이 부족해서 저의 동의하에 하루 30분씩 주 3회 연장 근로를 하고 있어요.

병

정
근로 계약서를 쓸 때 부모님의 동의를 받아오라고 했어요.

① 갑, 을     ② 갑, 병     ③ 을, 병
④ 을, 정     ⑤ 병, 정

**07** 밑줄 친 ㉠~㉣에 대한 옳은 설명을 〈보기〉에서 고른 것은?

갑은 5년 전 ○○ 회사에 입사 후 ㉠ 노동조합에 가입하여 활동하였다. 최근 노동조합은 ㉡ 근로 조건의 개선을 요구하였지만, 오히려 회사는 ㉢ 정당한 사유 없이 단체 교섭을 거부하였다. 이에 노동조합은 적법한 절차를 거쳐 파업에 돌입하였고, 회사는 아무런 상의 없이 갑에게 사무직에서 영업직으로 ㉣ 직종을 변경하여 지방으로 발령을 내었다.

보기
ㄱ. ㉠은 단체 행동권의 행사에 해당한다.
ㄴ. ㉡에는 회사 경영권 문제도 포함된다.
ㄷ. ㉢은 부당 노동 행위로 볼 수 있다.
ㄹ. ㉣에 대해 갑은 노동 위원회에 구제 신청을 할 수 있다.

① ㄱ, ㄴ     ② ㄱ, ㄷ     ③ ㄴ, ㄷ
④ ㄴ, ㄹ     ⑤ ㄷ, ㄹ

**08** 다음 사례에 대한 법적 판단으로 옳은 것은?

> • 갑은 노동조합의 간부로서 최근의 파업에서 주도적인 역할을 하다가 회사에 큰 손해를 끼쳤다는 이유로 해고를 당하였다.
> • 을은 택배회사에서 1년간 일하였는데 사장은 최근 회사 사정이 어려워 고령자 순으로 해고자를 정했다며 해고 사유에 대한 서면 통지 없이 을을 해고했다.

① 갑의 사용자는 단체 교섭권을 침해하였다.
② 갑은 권리 구제를 위해 민사 소송을 제기할 수 없다.
③ 을에 대한 해고의 위법 여부는 「노동조합 및 노동관계 조정법」에 근거한다.
④ 노동 위원회를 통한 구제 신청은 갑, 을 모두 가능하다.
⑤ 을에 대한 해고와 달리 갑에 대한 해고는 부당 노동 행위로 볼 수 없다.

**09** 그림은 부당 해고의 구제 절차를 나타낸 것이다. 밑줄 친 ㉠~㉣에 대한 옳은 설명만을 〈보기〉에서 있는 대로 고른 것은?

**보기**
ㄱ. 이틀 전에 문자 메시지로 근로자를 해고한 것은 ㉠에 해당한다.
ㄴ. ㉡을 통한 구제 신청은 근로자 개인뿐 아니라 노동조합도 가능하다.
ㄷ. 근로자는 ㉡, ㉢을 거치지 않고 바로 해고 무효 확인 소송을 제기할 수 있다.
ㄹ. ㉢의 재심 판정에 불복할 경우에는 ㉣에 행정 소송을 제기할 수 없다.

① ㄱ, ㄴ
② ㄱ, ㄷ
③ ㄴ, ㄹ
④ ㄱ, ㄷ, ㄹ
⑤ ㄴ, ㄷ, ㄹ

---

## 서술형 문제

**01** 다음 설명에 해당하는 법을 쓰고, 그 등장 배경을 서술하시오.

> • 근로관계를 규율하는 법이다.
> • 공법과 사법의 중간 영역에 해당하는 제3의 법 영역인 사회법에 포함된다.
> • 「근로 기준법」, 「노동조합 및 노동관계 조정법」 등을 포함한다.

**02** 다음 내용을 읽고 물음에 답하시오.

> (가) 근로자는 노동조합을 결성하거나 노동조합에 가입하여 활동할 수 있다.
> (나) 근로자는 노동조합을 통하여 사용자 측과 교섭하여 근로 조건의 유지 및 개선 사항을 결정할 수 있다.
> (다) 단체 교섭이 결렬될 경우 근로자는 자신의 주장을 관철할 목적으로 법에 정해진 일정한 절차를 거쳐 파업, 태업 등의 쟁의 행위를 할 수 있다.

(1) (가)~(다)에 해당하는 권리를 각각 쓰시오.

(2) (가)~(다)에 해당하는 권리를 법으로 보장하는 목적을 서술하시오.

**03** 다음 글의 밑줄 친 주장에 대한 근거를 세 가지 이상 서술하시오.

> A는 ○○ 대리점에서 일해왔는데 언제부터인지 상습이 근로 시간을 초과해서 일을 시키고 그 시간에 대한 임금을 주지 않았다. A는 이것이 부당한 것 같아 사장에게 이러한 점을 고쳐 주었으면 좋겠다고 말했다. 그런데 그날 밤 사장은 그만 나오라는 전화로 해고를 통보했다. A는 자신이 부당하게 해고당했다고 생각하고 있다.

## STEP 3 1등급 정복하기

수능 응용

**1** 다음 자료에 대한 옳은 법적 판단을 〈보기〉에서 고른 것은?

> **근로 계약서**
>
> 사업주 갑(음식점 사장)과 을(근로자, 17세 남자)은 다음과 같이 근로 계약을 체결한다.
> 1. 계약 기간: 2018년 1월 1일부터 2월 28일까지
> 2. 근로 시간: 9시~17시까지(휴게 시간 12~13시)
> 3. 근무일: 매주 월~금(유급 휴일 토, 일)
> 4. 임금: 시간당 10,000원(연장 근로 시 임금의 50%를 연장 근로 수당으로 지급)
> 5. 업무: □□ 음식점 주차 관리
>
> … (생략) …

보기
ㄱ. 을은 법정 대리인의 동의 없이 임금을 청구할 수 없다.
ㄴ. 을은 이 계약을 법정 대리인의 동의를 얻어 본인이 직접 체결했을 것이다.
ㄷ. 을이 근무일에 하루 8시간 일했다면 하루 임금으로 85,000원을 받아야 한다.
ㄹ. 을은 근로 시간이 관계 법령을 위반하였다는 이유로 갑에게 계약을 다시 체결할 것을 요구할 수 있다.

① ㄱ, ㄴ        ② ㄱ, ㄷ        ③ ㄴ, ㄷ
④ ㄴ, ㄹ        ⑤ ㄷ, ㄹ

> **연소 근로자의 근로 계약**
>
> **완자쌤의 시험 꿀팁**
> 연소 근로자의 근로 계약과 성인 근로자의 근로 계약 내용을 비교하는 문제가 자주 출제되고 있다.

**2** 다음 사례에 대한 법적 판단으로 옳은 것은?

> 회사로부터 해고를 당한 갑은 이를 ㉠ 부당 노동 행위로 보고 ㉡ 지방 노동 위원회에 구제 신청을 하였다. 지방 노동 위원회는 조사와 심문 절차를 거쳐 해고 처분이 정당하다고 하였고, 갑은 ㉢ 중앙 노동 위원회에 재심을 청구하였다. 그러나 이번에도 판정 결과가 자신의 생각과 다르게 나오자 갑은 중앙 노동 위원회 위원장을 상대로 ㉣ 소송을 제기하였다. 이에 ㉤ 1심 법원은 회사의 해고 처분이 부당하다는 원고의 청구를 기각하였다.

① 갑은 ㉠의 근거로 자신의 노동조합 활동을 제시했을 것이다.
② ㉡과 ㉢은 갑이 근로 3권을 침해당하였다고 보았다.
③ ㉣은 해고 무효 확인 소송에 해당한다.
④ 갑은 ㉡과 ㉢을 거치지 않고 바로 ㉣을 제기할 수 있다.
⑤ ㉤은 해고 처분의 정당성을 ㉢과 다르게 판단하였다.

> **부당 노동 행위**
>
> **완자쌤의 시험 꿀팁**
> 부당 노동 행위의 의미와 부당 노동 행위로 권리를 침해당했을 때의 구제 방법을 묻는 문제가 자주 출제된다.
>
> **완자 사전**
> • 기각
> 법원이 소의 형식적인 요건은 갖추었으나, 그 내용이 이유가 없다고 판단하여 소송을 종료하는 일

## 01 형법의 이해

### 1. 형법과 죄형 법정주의

(1) 형법

① 의미: 범죄와 형벌에 대해 규정하고 있는 법

② 기능: 법익 보호, 국가의 형벌권 남용 방지 등

(2) 죄형 법정주의

① 의미: 어떤 행위를 범죄로 처벌하려면 범죄와 형벌이 반드시 (❶        )로 정해져 있어야 한다는 원칙

② 죄형 법정주의의 내용

| 관습 형법 금지의 원칙 | 범죄와 형벌은 국민의 대표 기관인 국회가 제정한 성문법에 규정되어 있어야 한다는 원칙 |
|---|---|
| 소급효 금지의 원칙 | 행위 후에 제정한 법률로 이전의 행위를 소급하여 처벌해서는 안 된다는 원칙 |
| (❷        ) 의 원칙 | 범죄와 이에 대한 형벌이 법률에 명확하게 규정되어야 한다는 원칙 |
| 유추 해석 금지의 원칙 | 법률에 규정이 없는 사항에 대하여 유사한 내용의 법률을 적용해서는 안 된다는 원칙 |
| 적정성의 원칙 | 범죄가 되는 행위와 그에 따른 형벌의 질과 양은 비례해야 한다는 원칙 |

### 2. 범죄와 형벌

(1) 범죄의 성립 요건

① 구성 요건 해당성: 범죄가 성립하려면 어떤 행위가 법률에서 규정하고 있는 구성 요건을 충족해야 함

② 위법성

| 의미 | 법질서 전체의 관점에서 그 행위가 위법하다고 판단되어야 함 |
|---|---|
| 조각 사유 | • 정당방위: 자기 또는 타인의 법익에 대한 현재의 부당한 침해를 방위하기 위한 상당한 이유가 있는 행위<br>• 긴급 피난: 자기 또는 타인의 법익에 대한 현재의 위난을 피하기 위한 상당한 이유가 있는 행위<br>• (❸        ): 법적 절차를 기다릴 수 없는 긴급 상황에서 청구권을 보전하기 위한 상당한 이유가 있는 행위<br>• 피해자의 승낙: 피해자가 가해자에게 자신에게 손해가 되는 행위를 하도록 허락한 행위<br>• 정당 행위: 법령 또는 업무로 인한 행위, 기타 사회 상규에 어긋나지 않는 행위 |

③ 책임

| 의미 | 위법 행위에 대해 행위자가 법적으로 비난받을 가능성 |
|---|---|
| 조각 사유 | 행위에 대한 책임을 물을 수 없음 → 형사 미성년자(14세 미만)나 심신 장애로 사물을 판단할 능력이 없는 사람의 행위 등 |
| 감경 사유 | 행위에 대한 책임은 있지만 형이 감경되는 경우 → 심신 미약자의 행위, 청각 및 언어 장애인의 행위 |

(2) 형벌과 보안 처분

| 형벌 | • 국가가 범죄자에게 공권력을 행사하여 부과하는 제재<br>• 생명형(사형), 자유형(징역, 금고, 구류), 재산형(벌금, 과료, 몰수), 명예형(자격 상실, 자격 정지) |
|---|---|
| 보안 처분 | 범죄자의 재범을 방지하고 사회 복귀를 돕기 위한 대안적 제재 수단 ⓔ 보호 관찰, 치료 감호 등 |

## 02 형사 절차와 인권 보장

### 1. 형사 절차의 이해

(1) 수사 절차

| 수사 개시 | 고소 및 고발, 체포, 자수 등에 의해 수사가 개시됨 |
|---|---|
| 수사 | 수사 기관이 피의자를 신문하거나 목격자 또는 피해자를 조사함 → (❹        ) 수사를 원칙으로 함 |
| 검찰 송치 | 수사 기관이 피의자와 관련 서류를 검찰에 보냄 |
| 수사 종료 | 공소 제기(기소) 또는 불기소 처분으로 수사가 종결됨 |

(2) (❺        ) 절차: 인정 신문 및 공소 사실 확인 → 증거 조사 → 피고인과 증인에 대한 신문 및 변론 → 구형 → 피고인의 최후 진술 → 판결 선고

(3) 형의 선고와 형 집행 절차

| 형의 선고 | • 무죄 선고: 유죄의 증거가 없거나 범죄가 성립하지 않는 경우에 선고함<br>• 유죄 선고: 범죄가 인정되면 유죄 판결을 하여 형을 선고함 → 집행 유예나 선고 유예 가능 |
|---|---|
| 형 집행 절차 | 형벌이 확정되면 검사의 지휘로 형을 집행함 |

(4) 소년 사건과 국민 참여 재판

| 소년 사건의 처리 | 10세 미만의 소년이 저지른 범죄에 대해서는 형벌과 치료에 대한 특별 조치를 적용하거나 가정(지방) 법원 소년부에서 보호 처분을 받도록 함 |
|---|---|
| 국민 참여 재판 | 일반 국민이 배심원으로 형사 재판에 참여하여 사실의 인정과 형벌의 수준에 관한 의견을 제시하는 제도 |

## 2. 형사 절차에서의 인권 보장

### (1) 형사 절차에서의 인권 보장 원칙

| | |
|---|---|
| (❻           )의 원칙 | 공권력에 의한 개인의 자유와 권리 제한은 반드시 법에 정해진 절차에 따라야 한다는 원칙 |
| 무죄 추정의 원칙 | 피의자와 피고인은 유죄 판결이 확정될 때까지는 무죄로 추정된다는 원칙 |
| 진술 거부권 | 피의자나 피고인이 수사 및 형사 재판 절차에서 불리한 진술을 강요당하지 않을 권리 |
| 변호인의 조력을 받을 권리 | 피의자나 피고인이 수사 기관과 대등한 관계에서 자신을 방어할 수 있도록 변호인의 조력을 받을 권리 |

### (2) 수사 및 재판 절차에서의 인권 보장 제도

| | |
|---|---|
| 영장 제도 | 피의자에 대한 체포·구속·압수·수색을 할 때 적법한 절차에 따라 법관이 발부한 영장을 제시해야하는 제도 |
| 구속 영장 실질 심사 제도 | 검사가 구속 영장을 청구한 경우 법관이 피의자를 직접 심문하여 구속 사유가 인정되는지를 판단하는 제도 |
| 체포·구속 적부 심사 제도 | 체포되거나 구속된 피의자가 체포 또는 구속의 적법성과 필요성을 심사해 줄 것을 법원에 청구하는 제도 |
| 증거 재판주의 | 형사 재판에서는 증거 능력이 있는 증거만을 사실 인정에 이용하도록 하는 것 |
| (❼           ) 제도 | 피고인이 구속된 상태에서 재판이 진행될 때 일정한 보석금의 납부를 조건으로 구속의 집행을 정지하고 석방하도록 신청할 수 있는 제도 |
| 상소 제도 | 피고인이 재판 결과에 불복할 경우 상소 제도를 통해 상급 법원에 다시 재판을 청구할 수 있음 → 불이익 변경 금지의 원칙 적용 |

### (3) 범죄 피해자 보호 제도

| | |
|---|---|
| 범죄 피해자 구조 제도 | 범죄 피해를 당했음에도 가해자로부터 피해를 배상받지 못하는 경우 국가가 피해자 또는 유족에게 일정한 한도의 구조금을 지급하는 제도 |
| 배상 명령 제도 | 형사 재판에서 유죄 판결을 선고할 때 법원이 직접 또는 피해자의 신청에 따라 간편하게 민사상 손해 배상을 명령할 수 있는 제도 |

### (4) 형사 구제 제도

| | |
|---|---|
| 형사 보상 제도 | 형사 피의자 또는 형사 피고인으로서 구금되었다가 (❽           )을 받거나 무죄 판결을 받은 경우 국가에 보상을 청구할 수 있는 제도 |
| 명예 회복 제도 | 형사 재판에서 무죄 판결이 확정된 경우 무죄 판결을 받은 당사자가 청구하면 해당 사건의 재판서를 1년 동안 법무부 누리집에 게재할 수 있는 제도 |

## 03 근로자의 권리

### 1. 노동법의 의의

(1) **노동법**: 국가가 노동 문제를 해결하고 근로자를 보호하기 위해 제정한 법 → 근로관계를 규율함

(2) **노동법의 등장 배경**: 자본주의의 발전 과정에서 각종 노동 문제 발생 → 근로자의 인간다운 삶을 보장하기 위해 국가가 국민 생활에 개입하면서 등장

(3) **대표적인 노동법**

| | |
|---|---|
| (❾           ) | 근로 조건의 최저 기준 규정 |
| 노동조합 및 노동관계 조정법 | 노동조합과 사용자 간의 집단적 노사 관계 규율, 근로 3권(단결권, 단체 교섭권, 단체 행동권) 보장 규정 |

### 2. 법으로 보장되는 근로자의 권리

(1) **개인인 근로자의 권리**: 최소한의 근로 조건 보장

| | |
|---|---|
| 근로 계약 | 「근로 기준법」에 규정된 최저 기준에 미달하는 근로 계약 조항은 무효임 |
| 임금 | 근로자에게 직접 통화로 전액을 매월 1회 이상 일정한 날짜를 지정하여 최저 임금 이상으로 지급 |
| 근로 시간 | 원칙적으로 1일 8시간, 1주 40시간을 초과할 수 없음 |
| 휴식 시간 | 근로 시간이 4시간일 때 30분 이상, 8시간일 때 1시간 이상을 근로 시간 도중에 부여 |
| 휴일 | 일정 기간 개근할 경우 1주에 1회 이상 유급 휴일을 부여 |
| 해고 | 정당한 이유 없이 해고 불가, 30일 이전에 해고 예고, 해고 사유와 시기를 근로자에게 서면으로 통지 |

(2) **단체로서 근로자의 권리**: 근로 3권(노동 삼권) 보장

| | |
|---|---|
| 단결권 | 근로자들이 노동조합을 조직·운영할 권리 |
| 단체 교섭권 | 노동조합이 근로 조건에 관해 사용자와 교섭할 권리 |
| 단체 행동권 | 단체 교섭 결렬 시 근로자가 자신의 주장을 관철하기 위해 쟁의 행위를 할 권리 |

(3) **근로자의 권리 침해 시의 구제 방법**

| | |
|---|---|
| (❿           ) | • 의미: 사용자가 근로 3권을 침해하는 행위<br>• 구제 방법: 노동 위원회에 구제 신청, 법원에 민사 소송 제기 등 |
| 부당 해고 | • 의미: 사용자가 정당한 이유 없이 근로자를 해고하거나 해고 절차를 시키지 않는 것<br>• 구제 방법: 노동 위원회에 구제 신청, 법원에 해고 무효 확인 소송 제기 등 |

대단원

## 실력 굳히기

**01** 다음과 같은 조항을 포함하는 법의 기능으로 적절한 것을 〈보기〉에서 고른 것은?

> 제185조(일반 교통 방해) 육로, 수로 또는 교량을 손괴 또는 불통하게 하거나 기타 방법으로 교통을 방해한 자는 10년 이하의 징역 또는 1천 500만 원 이하의 벌금에 처한다.
> 제330조(야간 주거 침입 절도) 야간에 사람의 주거, 간수하는 저택, 건조물이나 선박 또는 점유하는 방실에 침입하여 타인의 재물을 절취한 자는 10년 이하의 징역에 처한다.

┌ **보기** ┐
ㄱ. 개인의 법익을 보호한다.
ㄴ. 수사와 재판이 이루어지는 과정을 규정한다.
ㄷ. 국가가 자의적으로 형벌을 부여하지 못하도록 한다.
ㄹ. 사적 법률관계 중 재산 관계와 가족 관계를 규율한다.
└───────┘

① ㄱ, ㄴ  ② ㄱ, ㄷ  ③ ㄴ, ㄷ
④ ㄴ, ㄹ  ⑤ ㄷ, ㄹ

**02** 다음과 같은 헌법 재판소의 결정의 근거가 되는 죄형 법정주의의 원칙으로 옳은 것은?

> 「경범죄 처벌법」 제3조 제1항에는 '여러 사람의 눈에 뜨이는 곳에서 공공연하게 알몸을 지나치게 노출하거나 가려야 할 곳을 내놓아 다른 사람에게 부끄러운 느낌이나 불쾌감을 준 사람'을 벌금 등의 형으로 처벌하도록 규정하고 있다. 그러나 이 규정에서 '부끄러운 느낌이나 불쾌감'은 주관적이고 정서적인 부분이고, 부끄러운 느낌이나 불쾌감을 주는 신체 부위 역시 사람마다 다르며 '지나치게'와 '가려야 할 곳'의 의미도 쉽게 확정할 수 없으므로 이 조항은 위헌이다.

① 명확성의 원칙      ② 적정성의 원칙
③ 소급효 금지의 원칙  ④ 관습 형법 금지의 원칙
⑤ 유추 해석 금지의 원칙

**03** 다음 교사의 질문에 가장 적절한 답변을 한 학생은?

> **(가)**
> • 형법의 기본 원리
> • 법률이 없으면 범죄도 없고, 형벌도 없다.
> • 국가의 형벌권 남용 방지
>   → 국민의 자유와 권리 보장

(가)의 내용을 구체적으로 발표해 볼까요?

① 갑: 행위와 관련한 법이 없으면 비슷한 법 규정을 적용해야 합니다.
② 을: 범죄의 구성 요건과 형벌의 내용은 법관이 정하도록 해야 합니다.
③ 병: 작은 범죄에 대해서도 무겁게 처벌을 하여 범죄를 예방해야 합니다.
④ 정: 형벌 법규는 형평성 유지를 위해 적용 시기에 제한을 두지 않아야 합니다.
⑤ 무: 전통적인 관습법에서 인정하는 범죄와 형벌로 행위자를 처벌해서는 안 됩니다.

**04** (가), (나)와 관련 있는 죄형 법정주의의 원칙을 옳게 연결한 것은?

> (가) 대법원은 게임 머니의 환전, 환전 알선, 재매입 영업 행위를 처벌하는 법규를 그 시행일 이전에 한 행동까지 적용하여 처벌하는 것은 잘못이라고 보았다.
> (나) 헌법 재판소는 반국가 행위자가 검사의 소환에 2회 이상 불응하면 전 재산을 몰수하는 법 규정은 행위에 비해 지나치게 무거운 형벌을 정한 것이라고 판단했다.

| | (가) | (나) |
|---|---|---|
| ① | 명확성의 원칙 | 소급효 금지의 원칙 |
| ② | 적정성의 원칙 | 관습 형법 금지의 원칙 |
| ③ | 소급효 금지의 원칙 | 적정성의 원칙 |
| ④ | 소급효 금지의 원칙 | 명확성의 원칙 |
| ⑤ | 관습 형법 금지의 원칙 | 적정성의 원칙 |

**05** 그림은 범죄의 성립 요건을 나타낸 것이다. (가)~(라)의 사례로 옳은 것을 〈보기〉에서 고른 것은?

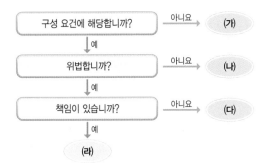

┌─ **보기** ─────────────────────────────────┐
ㄱ. (가) – 군인이 전투에서 적을 사살한 행위
ㄴ. (나) – 자신에게 덤벼드는 개를 다치게 한 행위
ㄷ. (다) – 심각한 심신 장애를 지닌 환자의 절도 행위
ㄹ. (라) – 10세 어린이가 다른 사람을 폭행한 행위
└──────────────────────────────────────┘

① ㄱ, ㄴ    ② ㄱ, ㄷ    ③ ㄴ, ㄷ
④ ㄴ, ㄹ    ⑤ ㄷ, ㄹ

**06** 다음은 형사 재판의 과정이다. (가)에 들어갈 내용으로 가장 적절한 것은?

- 검사: 피고인 갑은 지난 3월 25일에 ○○ 도로변에 주차된 을의 자동차를 훔친 일이 있지요?
- 피고인: 훔친 것은 아니고 급히 사용했을 뿐입니다.
- 변호인: 주인의 허락을 얻지 않고 급히 사용할 사유가 있었습니까?
- 피고인: 예, 저희 아버지가 길에서 갑자기 쓰러지셔서 병원에 가야 하는데 주변에 다른 교통수단이 전혀 없었습니다. 그때 마침 시동이 걸려 있는 을의 자동차가 있어서 잠시 사용한 것입니다.
- 변호인: 판사님, 피고인 갑의 진술로 보았을 때 피고인의 행위는 _____ (가)

① 정당방위가 성립합니다.
② 비난받을 만한 가능성이 없습니다.
③ 범죄의 구성 요건에 해당하지 않습니다.
④ 긴급 피난에 해당하여 위법성이 없습니다.
⑤ 정당 행위에 해당하여 책임을 물을 수 없습니다.

**07** 다음 사례의 갑, 을의 행위에 대한 옳은 설명을 〈보기〉에서 고른 것은?

- 갑(12세)은 옥상에서 장난삼아 물건을 아래로 던졌는데, 행인이 이를 맞고 사망하였다.
- 을(35세)은 도둑이 들어오는 소리에 잠을 깼다. 도둑은 훔칠 물건이 별로 없자 조용히 나가고 있었는데, 을이 집에 있던 화분으로 도둑을 내리쳐 중상을 입혔다.

┌─ **보기** ─────────────────────────────────┐
ㄱ. 갑과 달리 을의 행위는 책임이 조각된다.
ㄴ. 갑은 형벌을 받지 않지만, 을은 형벌을 받을 수 있다.
ㄷ. 갑의 행위는 범죄이지만, 을의 행위는 범죄가 아니다.
ㄹ. 갑과 을의 행위는 모두 범죄의 구성 요건에 해당한다.
└──────────────────────────────────────┘

① ㄱ, ㄴ    ② ㄱ, ㄷ    ③ ㄴ, ㄷ
④ ㄴ, ㄹ    ⑤ ㄷ, ㄹ

**08** 다음은 형법의 일부 조항이다. 밑줄 친 ㉠~㉾에 대한 설명으로 옳지 <u>않은</u> 것은?

제250조(살인) ① 사람을 살해한 자는 ㉠ <u>사형</u>, 무기 또는 5년 이상의 ㉡ <u>징역</u>에 처한다.
제257조(상해) ① 사람의 신체를 상해한 자는 7년 이하의 징역, 10년 이하의 ㉢ <u>자격 정지</u> 또는 1천만 원 이하의 ㉣ <u>벌금</u>에 처한다.
제260조(폭행) ① 사람의 신체에 대하여 폭행을 가한 자는 2년 이하의 징역, 500만 원 이하의 벌금, ㉤ <u>구류</u> 또는 ㉥ <u>과료</u>에 처한다.

① ㉠은 범죄자의 생명을 박탈하는 형벌이다.
② ㉥은 범죄자의 재사회화를 돕기 위한 보안 처분에 해당한다.
③ ㉡은 자유형, ㉢은 명예형에 해당한다.
④ ㉣은 ㉥보다 큰 금액을 부담하도록 한다.
⑤ ㉡과 ㉤은 구금 기간을 기준으로 구분할 수 있다.

**09** 다음 사례에 대한 분석으로 옳은 것은?

법원은 이웃에게 흉기를 휘두르고 폭행한 갑에게 징역 6월에 집행 유예 2년, 벌금 50만 원을 선고했다. 갑은 층간 소음 문제로 위층에 거주하는 을과 다투다 감정이 격화되어 골프채로 을을 위협하고, 다툼을 말리던 을의 부인을 머리로 받아 전치 3주의 상해를 입힌 혐의로 기소되었다. 갑과 다투는 과정에서 을도 갑의 멱살을 잡고, 얼굴을 때려 전치 2주의 부상을 입힌 혐의로 함께 기소되었다. 법원은 을에 대해서는 "갑에게 대항하는 과정에서 우발적으로 폭력을 행사한 점, 부인이 다쳐 피해가 적지 않은 점 등을 고려해 선고를 유예한다."라고 밝혔다.

① 갑은 6개월간 교도소에서 복역해야 한다.
② 법원은 을의 행위를 정당방위로 보았다.
③ 을에 대한 형의 선고는 유예 기간이 지나면 면소된다.
④ 갑이 낸 벌금은 을에게 전달된다.
⑤ 갑은 유죄, 을은 무죄에 해당한다.

**10** 다음 사례에 대한 옳은 법적 판단을 〈보기〉에서 고른 것은?

운전 중 전화 통화를 하다가 횡단보도를 건너던 9살 여자 어린이를 치어 숨지게 한 혐의로 재판에 넘겨진 갑에게 금고형이 선고되었다. 법원은 「교통사고 처리 특례법」 위반 혐의로 기소된 갑에게 금고 1년 6월에 집행 유예 2년을 선고하면서 80시간의 준법 운전 강의 수강도 명령했다.

보기
ㄱ. 갑은 집행 유예 판결에 불복하여 상소할 수 있다.
ㄴ. 갑은 1년 6개월 동안 교도소에 구금되지만, 노역에 종사하지는 않는다.
ㄷ. 법원은 갑의 재범을 방지하기 위해 대안적 제재 수단인 보안 처분을 부과하였다.
ㄹ. 갑은 2년의 유예 기간 내에 범죄를 저지르지 않으면 80시간의 준법 운전 강의를 수강하지 않아도 된다.

① ㄱ, ㄴ     ② ㄱ, ㄷ     ③ ㄴ, ㄷ
④ ㄴ, ㄹ     ⑤ ㄷ, ㄹ

**11** 그림은 형사 절차의 일부이다. 이에 대한 설명으로 옳은 것은?

(가) 기소 → (나) 심리 → (다) 선고

① (가)는 피고인에 대한 판사의 구속 영장 실질 심사를 전제로 한다.
② (가) 이후 구속된 피고인은 구속의 적법성을 심사해 줄 것을 요청할 수 있다.
③ (나)에서 피고인은 자신이 무죄임을 입증할 책임이 있다.
④ (나)에서 피고인은 자신에게 불리한 진술이라도 거부할 수 없다.
⑤ (다)에서 판사는 자백만이 피고인에게 불리한 유일한 증거일 때에는 유죄를 선고할 수 없다.

**12** (가)에 들어갈 법적 조언으로 옳은 것은?

▶ 법률 상담 Q&A
제 아들 갑(12세)과 아들의 선배 을(14세)과 병(19세)이 남의 차량에 불을 질러 전소시킨 혐의로 현재 경찰서에서 수사를 받고 있습니다. 이 경우 법적으로 어떻게 처리됩니까?

▶ 답변하기
_____(가)

① 갑은 우범 소년이므로 보호 처분을 받지 않습니다.
② 을은 징역형을 선고받으면 소년원에 송치됩니다.
③ 병은 검사가 가정 법원 소년부에 보내면 형벌을 받을 수 있습니다.
④ 갑과 달리 을은 검사에 의해 선도 조건부 기소 유예 처분을 받을 수 있습니다.
⑤ 갑, 을과 달리 병은 형사 재판에서 형벌을 선고받을 수 있습니다.

**13** 다음 사례에서 강조하는 내용으로 가장 적절한 것은?

> 승진 청탁 명목으로 부하 직원으로부터 1,000만 원의 뇌물을 받은 혐의로 기소된 공무원 갑이 검찰 수사에서 진술 거부권을 고지받지 못했음을 이유로 무죄 선고를 받았다. 재판부는 판결문에서 "갑은 수사 당시 피의자의 지위에 있어 수사 기관으로서는 진술 거부권을 고지해야 했다."라며 '진술 거부권을 고지하지 않고 작성된 진술서는 위법하게 수집된 것이어서 증거 능력이 없는 것'이라고 지적했다.

① 미란다 원칙의 위반은 유죄 판결의 근거가 된다.
② 공권력의 행사는 법에 정해진 절차를 따를 때만 유효하다.
③ 위법하게 수집된 증거라도 재판에서는 유죄의 증거로 인정된다.
④ 수사 절차에서는 피의자의 진술 거부권이 법적으로 보장되지 않는다.
⑤ 불기소 처분을 받은 형사 피의자는 국가를 상대로 금전적인 보상을 청구할 수 있다.

**14** 다음은 노동 관련 법인 A 법과 B 법의 구성을 나타낸 것이다. 이에 대한 설명으로 옳은 것은?

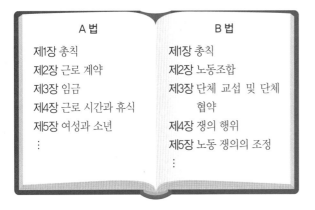

| A 법 | B 법 |
|---|---|
| 제1장 총칙 | 제1장 총칙 |
| 제2장 근로 계약 | 제2장 노동조합 |
| 제3장 임금 | 제3장 단체 교섭 및 단체 협약 |
| 제4장 근로 시간과 휴식 | 제4장 쟁의 행위 |
| 제5장 여성과 소년 | 제5장 노동 쟁의의 조정 |
| ⋮ | ⋮ |

① A 법은 근로 3권의 보장을 규정하고 있다.
② A 법에 미달하는 근로 계약 조항은 유효하다.
③ B 법에 따라 근로 계약을 맺을 때 근로 조건을 명시하여 서면으로 작성해야 한다.
④ A 법은 B 법에 비해 개별적인 근로관계를 다루고 있다.
⑤ B 법은 A 법과 달리 계약의 자유에 제한을 가하고 있다.

**15** 다음 자료에 대한 법적 분석으로 옳은 것은?

> **근로 계약서**
>
> 사업주 갑(편의점 사장)과 근로자 을(25세)은 다음과 같이 근로 계약을 체결한다.
> • 담당 업무: 편의점 관리 및 판매
> • 임금: 시간당 10,000원(연장 근로 시간에 대해서는 50% 가산하여 지급)
> • 휴일: 매월 10일, 15일(일주일 이상 근무 시)
> … (생략) …

① 을은 부모의 동의 없이 근로 계약을 체결할 수 없다.
② 을은 연장 근로를 포함하여 1주 52시간을 초과하여 일할 수 없다.
③ 갑은 을이 업무를 시작하기 전에 미리 1시간의 휴식 시간을 주어야 한다.
④ 근로 기준법에 어긋나는 계약 사항이 있으므로 근로 계약서 전체가 무효이다.
⑤ 을은 근로 계약서를 썼으므로 갑이 정당한 이유 없이 해고하더라도 노동 위원회에 권리 구제를 신청할 수 없다.

**16** (가), (나)에 해당하는 내용을 잘못 연결한 것은?

> **부당 노동 행위**
> 1. 의미: 사용자가 노동조합 활동을 방해할 목적으로 근로 3권을 침해하는 행위
> 2. 사례: _____(가)_____
> 3. 구제 방법: _____(나)_____

① (가)-노동조합에서 탈퇴한 직원에게만 상여금을 지급하는 경우
② (가)-임금 협상은 교섭 대상이 아니라는 이유로 노동조합의 교섭 요구를 거절하는 경우
③ (나)-노동조합이 지방 노동 위원회에 구제 신청을 하는 것
④ (나)-노동 위원회를 거치지 않고 법원에 민사 소송을 제기하는 것
⑤ (나)-중앙 노동 위원회가 근로자의 주장을 받아들이지 않을 경우 형사 소송을 제기하는 것

# 국제 관계와 한반도

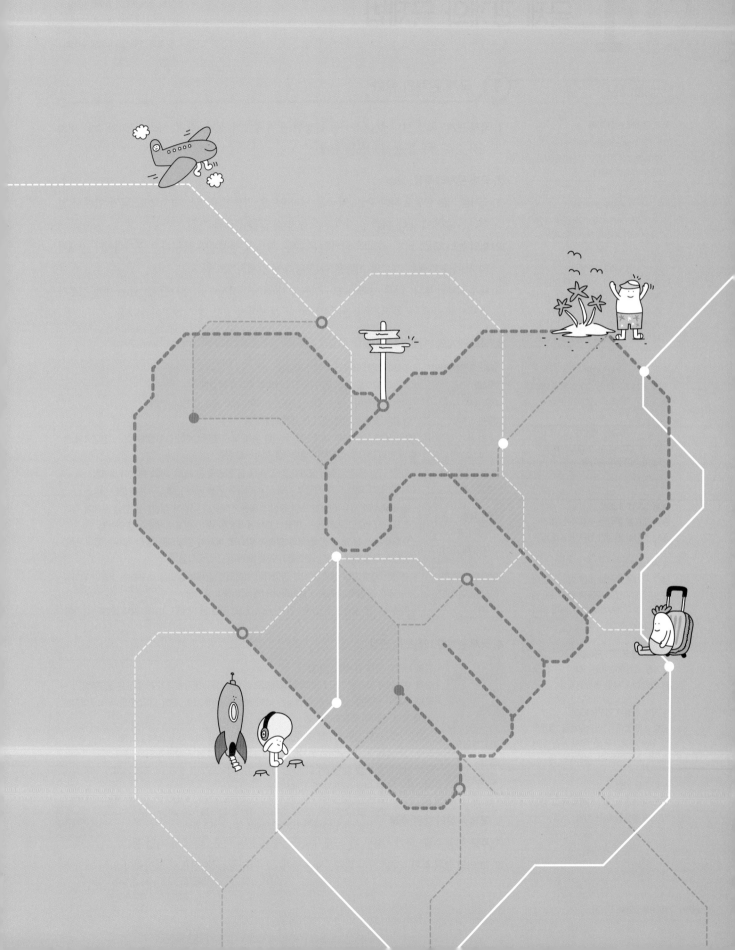

# 01 국제 관계와 국제법

## 이것이 핵심!

**국제 관계의 변천 과정**

| 베스트팔렌 조약 |
|---|
| 주권과 영토를 가진 국가가 국제 사회의 행위 주체로 등장함 |

↓

| 제국주의 시대 |
|---|
| 유럽 열강의 식민지 확보 경쟁으로 유럽의 주권 국가 체제가 전 세계로 확산됨 |

↓

| 제1, 2차 세계대전 |
|---|
| · 제1차 세계 대전 이후 국제 연맹이 창설되었으나 실질적 영향력을 행사하지 못함<br>· 제2차 세계 대전 이후 전쟁 방지와 국제 평화를 위해 국제 연합이 창설됨 |

↓

| 냉전 체제 |
|---|
| 미국 중심의 자유 진영과 소련 중심의 공산 진영 대립으로 냉전이 시작됨 |

↓

| 탈냉전, 세계화 |
|---|
| 국가 간 협력과 교류가 증가하며 국가 간 상호 의존성이 증가함 |

 **베스트팔렌 조약**
종교 개혁을 둘러싼 구교와 신교 간의 30년 전쟁을 끝내기 위해 체결된 조약

 **제3세계**
냉전 시기에 미국과 소련 어느 진영에도 가담하지 않고 비동맹 중립 노선을 추구한 아시아와 아프리카 등의 여러 국가를 총칭한다.

 **정부 간 국제기구(IGO)**
국가를 회원으로 하는 국제기구 ⑩ 국제 연합(UN), 유럽 연합(EU) 등

 **국제 비정부 기구(INGO)**
개별 시민들이나 민간단체를 회원으로 하는 국제기구 ⑩ 국제 사면 위원회(AI), 국경 없는 의사회(MSF) 등

★ **다국적 기업**
세계 각지에 공장과 지사를 두고 생산 및 판매 활동을 하는 기업

## ① 국제 관계의 변화

**1. 국제 관계**: 국제 사회에서 국가 등 다양한 행위 주체가 정치, 경제, 사회, 문화와 같은 영역에서 상호 작용을 통해 만드는 관계

**2. 국제 관계의 특성**

(1) **국가를 기본 단위로 하여 구성**: 각국은 원칙적으로 평등한 주권을 가지므로, 국가 안에서 일어나는 문제에 관해 다른 국가의 간섭을 받지 않을 권리를 가짐

(2) **힘의 논리 작용**: 국제 사회의 국가들은 주권 평등의 원칙에도 불구하고 군사력이나 경제력의 차이를 앞세워 자국의 이익을 다른 나라에 강제하기도 함

(3) **세계 정부의 부재**: 국제 사회에는 구성원을 대상으로 강제력을 행사할 수 있는 세계 정부가 존재하지 않음 → 주권 국가 간에 갈등이나 분쟁이 발생할 경우 해결이 어려움 ──

> **vs** 국내 사회에서는 강제력을 지닌 정부가 국민 간의 다툼을 해결하고 법과 질서를 유지해.

**3. 국제 관계의 변천 과정** [자료①]

| 베스트팔렌 조약 (1648) | · 종교에 대한 국가의 우위가 확립됨<br>· 주권과 영토를 가진 국가가 국제 사회의 주체로 등장함 |
|---|---|
| 제국주의 시대 (19세기 후반) | · 유럽 열강들이 식민지 확보 경쟁을 벌이며 제1차 세계 대전이 발발함<br>· 유럽의 주권 국가 체제가 전 세계로 확산됨 |
| 제1차 세계 대전 (1914~1918) | 제1차 세계 대전 이후 세계 평화 유지를 위해 국제 연맹(LN)이 창설됨(1920) → 강대국의 불참과 탈퇴 등으로 실질적인 영향력을 행사하지 못함 |
| 제2차 세계 대전 (1939~1945) | · 일본, 독일 등 전체주의 국가와 영국, 미국 등 연합국 간 제2차 세계 대전이 발발함<br>· 제2차 세계 대전 이후 전쟁 방지와 국제 평화를 위해 국제 연합(UN)이 창설됨(1945) |
| 냉전 체제 (20세기 중반~ 1990년대 초반) | · 미국 중심의 자유 진영과 소련 중심의 공산 진영으로 나뉘어 대립하는 양극 체제가 자리 잡으면서 냉전이 시작됨 → 미국의 트루먼 독트린(1947) 발표로 냉전이 본격화됨<br>· 제3세계의 등장, 공산 진영의 결속력 약화로 서서히 완화되던 냉전 체제는 몰타 선언(1989), 독일 통일(1990), 구소련의 해체(1991) 등으로 종식됨 |
| 탈냉전, 세계화 (1990년대 중반 이후) | · 다양한 국제 사회 행위 주체의 영향력이 확대되고 경제적 실리를 추구하는 경향이 강화됨 → 국가 간 협력과 교류가 증가하며 상호 의존성이 증가함 ── 국제 사회가 다극 체제로 재편되었어.<br>· 이념에 따른 갈등은 줄었지만 민족, 종교, 영토, 자원 등 다양한 이유로 국제 분쟁이 증가함 |

**4. 국제 관계를 바라보는 관점**

| 현실주의적 관점 [자료②] | · 힘의 논리로 국제 관계를 설명함<br>· 국제 사회에서 국가는 자국의 이익을 경쟁적으로 추구하기 때문에 국가 간 갈등은 필연적임<br>· 국제 사회의 평화를 실현하기 위해서는 국제 사회의 여러 세력 간에 힘의 균형이 이루어지는 '세력 균형' 전략이 필요하다고 봄 |
|---|---|
| 자유주의적 관점 [자료③] | · 국제 관계의 평화 실현을 위해 국제법, 국제기구 등의 국제 제도가 필요하다고 봄<br>· 국제 사회에서 국가는 국민의 복지를 추구하고 서로 협력하는 존재라고 인식함<br>· 국제 사회의 평화를 실현하기 위해서는 어느 한 국가가 공격을 받을 때 국제 사회가 이에 함께 저항하는 '집단 안보' 체제가 필요하다고 봄 |

**5. 국제 사회의 행위 주체**

> **꼭!** 국가 간 인위적 장벽이 제거되고 세계 경제의 상호 의존성이 심화하면서 다국적 기업의 영향력은 점차 커지고 있어.

(1) **주요 행위 주체**: 국가, ★정부 간 국제기구, ★국제 비정부 기구, ★다국적 기업 등

(2) **그 밖의 행위 주체**: 지방 자치 단체, 시민 단체, 소수 인종, 국제적으로 영향력이 있는 개인 등

> ⑩ 강대국의 전직 국가 원수, 국제 연합의 전직 사무총장 등

완자 자료 탐구  내 옆의 선생님

↑ 베스트팔렌 조약(1648)

↑ 트루먼 독트린(1947)

↑ 몰타 선언(1989)

1648년 베스트팔렌 조약에 참가한 국가들이 주권 평등, 국내 문제 불간섭 등의 원칙에 합의하는 것을 계기로 형성되기 시작한 주권 국가 중심의 국제 사회는 제1·2차 세계 대전을 거쳐 냉전 체제에 접어들었다. 공산화 위협에 직면한 나라에 대한 경제적·군사적 지원을 내용으로 하는 트루먼 독트린으로 인해 심화하던 냉전 체제는 제3세계의 부상과 닉슨 독트린으로 점차 완화하였고, 미국과 소련이 동서 협력을 선언한 몰타 선언 이후에 종식되었다. 최근에는 탈냉전, 세계화 시대를 맞아 국가 간 협력과 교류가 증가하는 한편 민족, 종교, 영토, 자원 등을 이유로 국제 분쟁 역시 증가하고 있다.

자료 2 국제 관계를 바라보는 현실주의적 관점

> 현실주의적 관점은 제2차 세계 대전 이후 냉전이 지속되면서 국제 정치의 지배적인 견해로 자리 잡았다. 홉스의 인간관에 기초한 현실주의는 인간은 이기적이고 국가 간에는 갈등과 무정부 상태가 일반적이라고 가정한다. 현실주의에 따르면 전쟁은 필연적이다. 따라서 국가는 힘을 길러 자신을 지키고 자국의 이익을 추구하여야 한다.
> – 박재영, 「국제 정치 패러다임」

현실주의적 관점은 국제 관계를 힘의 논리로 설명하며, 인간과 국가는 이기적인 존재라고 전제한다. 또한 국제 사회는 각국이 자국의 이익을 경쟁적으로 추구하는 무대에 불과하다고 보기 때문에 국제 평화를 위해서는 국제 사회의 여러 세력 간에 힘의 균형을 이루는 '세력 균형' 전략이 필요하다고 본다.

자료 3 국제 관계를 바라보는 자유주의적 관점

> 자유주의적 관점은 국제 관계의 평화 실현을 위한 방안으로 국제법, 국제기구 등의 국제 제도가 필요하다고 본다. 또한 국가가 안보를 추구하고 서로 경쟁하는 존재라기보다는 국민의 복지를 추구하고 서로 협력하는 존재라고 인식한다. 따라서 국제 체제에서 정치력뿐 아니라 경제력과 기술력에 특히 주목하고 이것이 국가 간 정치적 상호 의존을 촉진한다고 본다.
> – 박재영, 「국제 정치 패러다임」

자유주의적 관점은 국제 관계에서 국가 간의 협력이 가능하다고 보며, 인간과 국가가 이성적인 존재이므로 이기적 욕망을 제어하고 공동의 이익을 추구할 수 있다고 본다. 또한 개별 국가의 안보 위협에 대해 국제 사회가 집단 대응하는 '집단 안보' 전략을 통해 국제 사회의 평화를 이룰 수 있음을 강조한다.

VS 전쟁을 필연적이라고 보는 현실주의와 달리 자유주의는 잘못된 제도나 구조를 제거함으로써 전쟁을 막을 수 있다고 보고 있어.

---

자료 하나 더 알고 가자!

냉전 체제의 형성과 종식

| 냉전 체제 형성 | • 미국의 봉쇄 정책: 트루먼 독트린 및 북대서양 조약 기구 결성 등<br>• 소련의 팽창 정책: 바르샤바 조약 기구 결성 등 |
|---|---|
| 냉전 체제 완화 | • 닉슨 독트린: 아시아 지역에 대한 미국의 군사적 개입 자제 선언<br>• 미국과 중국의 수교<br>• 제3세계 비동맹 국가들의 등장 |
| 냉전 체제 종식 | • 몰타 선언: 냉전 체제 종식 선언<br>• 동유럽의 공산주의 포기, 독일의 통일, 구소련의 해체 |

문제 로 확인할까?

국제 관계를 바라보는 현실주의적 관점에 대한 설명으로 옳지 않은 것은?
① 국제기구의 역할을 중시한다.
② 홉스의 인간관이 사상적 배경이다.
③ 국가 간 상호 의존 관계를 간과한다.
④ 개별 국가는 자국의 이익을 우선시한다고 주장한다.
⑤ 세력 균형 전략을 통한 국가의 안전 보장을 강조한다.

① 답

정리 비법을 알려줄게!

현실주의적 관점과 자유주의적 관점

| 구분 | 현실주의 | 자유주의 |
|---|---|---|
| 국제 상태 | 무정부 상태 | 도덕, 법률, 제도 존재 |
| 행위자 | 국가 | 국가, 국제기구, 정당 등 |
| 규칙 요인 | 본능, 권력, 힘 | 국가 간 상호 의존 |
| 핵심어 | 군사, 안보, 권력, 억압 | 자유, 평화, 질서, 협동 |

**6. 세계화에 따른 국제 관계의 변화** ─ Qe? 세계 여러 국가가 정치, 경제, 사회, 문화 등 다양한 분야에서 서로 영향을 주고받기 때문이야.

(1) **세계화**: 국제 사회가 국경을 초월하여 하나의 지구촌으로 통합되어 가는 현상

(2) **국제 관계의 변화 양상** ─ 세계화 현상과 더불어 유럽 연합(EU), 북미 자유 무역 협정(NAFTA) 같은 지역 블록화 현상도 나타나고 있어.

① 국내 정치와 국제 정치의 구별이 약화됨에 따라 국가 간 상호 의존성이 심화함 자료④

② 정부뿐만 아니라 지역 사회, 국제적 시민 단체 등으로 국제 사회의 행위 주체가 다양해짐

③ 행위 주체 간의 상호 신뢰와 협력이 중요해지면서 국제법과 같은 국제 규범의 역할이 확대됨

---

### 이것이 핵심!

**국제법의 법원**

| | |
|---|---|
| 조약 | • 문서화된 법적 구속력을 가진 약속<br>• 당사국 간에만 효력을 가짐 |
| 국제 관습법 | • 국제 관행이 법 규범으로 승인되어 효력을 가지게 된 규범<br>• 국제 사회의 모든 국가에 대해 포괄적 구속력을 가짐 |
| 법의 일반 원칙 | 문명국들이 공통으로 승인하여 따르는 국내법에 수용된 법의 보편적인 원칙 |

★ **국제법의 효력에 관한 헌법 조항**
제6조 ① 헌법에 의하여 체결·공포된 조약과 일반적으로 승인된 국제 법규는 국내법과 같은 효력을 가진다.

★ **법원(法源)**
법이 적용될 수 있는 근거로서 법의 존재 형식

★ **권리 남용 금지의 원칙**
권리 행사의 실질적인 내용이 권리의 본래 목적이나 공공성에 반하면 안 된다는 원칙

★ **손해 배상 책임의 원칙**
국제적인 위법 행위를 저지른 국가는 그 피해에 대하여 배상 의무를 지게 된다는 원칙

꼭! 협정, 헌장, 협약, 의정서, 규정, 규약 등으로도 불리며, 국내에 시 효력을 가지기 위해서는 별도의 입법 절차를 거쳐야 해.

---

## ② 국제법의 의의와 한계

### 1. 국제법의 의미와 효력

(1) **국제법**: 국제 사회 행위 주체들의 관계를 규율하고 국제 질서를 유지하는 규범 → 과거에는 주로 국가 간의 관계를 규율했지만 오늘날에는 그 적용 영역이 확대되고 있음

(2) *국제법의 효력: 헌법에 의하여 체결·공포된 조약과 일반적으로 승인된 국제 법규는 국내법 인 법률과 같은 효력을 가짐
─ 개인, 다국적 기업, 국제기구 등으로 확대되고 있어.

### 2. 국제법의 의의

(1) **분쟁 해결 수단 제공**: 국가 간에 영토, 무역, 자원 등과 관련한 분쟁이 발생하는 경우 국제법을 활용하면 보다 평화적으로 분쟁을 해결할 수 있음

(2) **국제 사회의 협력 유도**: 인권이나 환경 문제의 해결과 같이 국제 사회의 공동 노력이 필요한 경우, 국제법은 공동의 행위 기준을 세우고 여러 국가의 참여를 이끌어냄

(3) **행동 규범과 판단 기준 제시**: 서로 다른 법과 문화를 지닌 행위 주체들의 공통 규범으로서 행동 규범과 판단 기준을 제시하여 세계 시민의 일상적 삶에 편리함을 제공함 ─
예! 통신에 관한 국제 표준이 제정되어 다른 나라에 있는 사람과 휴대 전화로 통화할 수 있는 것, 우리나라에서 취득한 자동차 운전면허로 다른 나라에서 자동차를 운전하는 것 등

### 3. 국제법의 *법원 교과서 자료

| | |
|---|---|
| 조약 | • 의미: 국가 간, 국제기구와 국가 간, 국제기구 간에 체결하는 법적 구속력을 가진 약속<br>• 의의: 주로 문서 형식의 합의로서 조약을 체결한 당사국을 구속함 → 일반적으로 서로에게 일정한 행위를 하거나 하지 않을 것을 내용으로 함<br>• 종류: 양자 조약(당사국이 둘인 경우), 다자 조약(당사국이 셋 이상인 경우)<br>• 사례: 한미 상호 방위 조약, 한중 어업 협정, 교토 의정서 등 |
| 국제 관습법 | • 의미: 국제 사회의 반복적인 관행이 법 규범으로 승인되어 효력을 가지게 된 규범<br>• 의의: 문서화된 법이 아니므로 별도의 체결 절차 없이도 국제 사회의 다른 국가에 법적 구속력이 발생함  VS 조약과 달리 원칙적으로 국제 사회의 모든 국가에 대해 구속력을 가져.<br>• 사례: 외교관 특권과 면제, 전쟁 포로에 대한 인도적 대우, 국내 문제 불간섭 원칙 등 |
| 법의 일반 원칙 | • 의미: 문명국들이 공통적으로 승인하여 따르는 국내법에 수용된 법의 보편적인 원칙<br>• 의의: 국제 분쟁 발생 시 조약이나 국제 관습법이 없을 때 재판의 준거로 활용됨<br>• 사례: 신의 성실의 원칙, *권리 남용 금지의 원칙, *손해 배상 책임의 원칙 등 |

꼭! 이밖에도 판례나 국제법 학자의 학설 등이 국제법적 판단의 보조 수단으로 활용되며, 새로운 국제법이 성립하는 계기가 되기도 해.

### 4. 국제법의 한계

(1) **입법 전담 기관의 부재**: 고유한 입법 기구가 없어 국제 사회 전반에 적용할 수 있는 국제법을 제정하기 어려움

(2) **재판 규범으로서의 한계**: 국제 사법 재판소는 양 당사자가 동의해야 재판을 할 수 있으며, 판결을 이행하지 않아도 강제할 방법이 없어 실효성이 떨어짐 자료⑤

# 완자 자료 탐구

내 옆의 선생님

## 자료 ④ 세계화에 따른 국제 관계의 변화

— 국제기구로서 대표적인 지역 블록화 사례야.

유럽 의회는 유럽 연합(EU)의 각 회원국에 등록된 휴대 전화를 다른 회원국에서 로밍을 하여 사용할 때 부과하는 수수료를 폐지하는 법원을 통과시켰다. 이에 따라 유럽 연합 내 로밍 수수료 폐지는 각 회원국이 승인 절차만 남겨 놓게 되었다. 로밍 수수료가 폐지되면 유럽 연합 회원국 내에서는 추가 수수료 부담 없이 휴대 전화로 자유롭게 통화하거나 인터넷을 사용할 수 있어 유럽 연합의 사회적 통합에 기여할 것이라는 기대가 높아지고 있다. — 「KBS뉴스」, 2017. 4. 6.

제시된 사례는 유럽 연합(EU)의 국가들이 정보 통신과 경제적 영역에서 하나의 국가처럼 통합되어 가는 모습을 나타내고 있다. 오늘날 교통·통신의 발달과 자본, 상품 등의 이동이 자유로워지는 개방화 흐름에 따라 국제 사회는 세계화 시대에 접어들게 되었다. 세계화에 따라 국가 간 협력과 교류가 증가하며 국제 사회의 상호 의존성은 점차 심화하고 있다.

**정리 비법을 알려줄게!**

### 세계화와 국제 관계의 변화 양상

| | |
|---|---|
| 정치 영역 | 국제 정치와 국내 정치의 상호 의존성이 확대되고 다양한 국제기구 등 등장함 |
| 경제 영역 | 전 세계가 하나의 시장으로 통합되고 다국적 기업이 성장함 |
| 사회·문화 영역 | 다양한 문화 교류로 문화 향유의 기회가 확대되는 한편 선진국 문화가 일방적으로 확산됨 |

## 수능이 보이는 교과서 자료 ▸ 북해 대륙붕 사건 – 조약과 국제 관습법

1958년 57개국은 「대륙붕에 관한 협약」을 채택하였다. 이 협약에 따르면 대륙붕의 경계는 연안국 간의 합의에 따라 결정되며, 합의가 안 되는 경우 특수한 사정이 없다면 '등거리 원칙'을 따라야 한다. 북해 동남부 해안은 주로 네덜란드, 독일, 덴마크의 연안으로 이루어져 있는데 이들 국가 간 대륙붕 경계 확정 협상이 결렬되자 각 국가는 다음과 같이 주장하였다.

| 독일의 주장 | 덴마크, 네덜란드 측 주장 |
|---|---|
| 독일은 대륙붕에 관한 협약에 가입하지 않았으므로 등거리 원칙에 구속되지 않는다. | 등거리 원칙은 국제 관습법이므로 독일이 협약에 가입하지 않았더라도 이 원칙에 따라야 한다. |

제시된 사례에서 대륙붕 경계 확정과 관련하여 독일은 자국이 협약에 가입하지 않았으므로 등거리 원칙에 구속되지 않는다고 주장하고 있다. 조약은 원칙적으로 조약을 체결한 당사국 간에만 구속력을 지니기 때문이다. 한편 네덜란드와 덴마크는 등거리 원칙이 국제 관습법임을 주장하고 있다. 이는 국제 관습법이 조약과 달리 원칙적으로 모든 국가에 대해 포괄적 구속력을 갖기 때문이다.

**완자샘의 탐구 강의**

• 대륙붕 경계 확정과 관련하여 독일과 덴마크, 네덜란드가 각각 어떤 국제법의 법원을 중시하는지 써 보자.

| 독일 | 조약 |
|---|---|
| 덴마크, 네덜란드 | 국제 관습법 |

• 조약과 국제 관습법의 차이점을 서술해 보자.

조약은 체결 당사국 간에 법적 구속력을 가진 약인 반면, 국제 관습법은 원칙적으로 모든 국가에 대해 구속력을 가진다.

함께 보기 193쪽. 1등급 정복하기 4

## 자료 ⑤ 국제법의 한계

일본 고래잡이(포경) 선단이 국제 사회의 지속적인 포경 중단 요구와 비판에도 불구하고 남극해에서 멸종 위기종인 밍크고래 333마리를 포획하였다. 국제 사회는 1986년부터 국제 포경 규제 협약에 따라 멸종 위기에 놓인 고래의 상업적 포경 활동을 금지하고 있다. 그러나 일본은 고래의 생태와 해양 생태 등을 연구한다고 주장하며 고래잡이를 계속하고 있다. — 「MBN」, 2017. 4. 2.

일본의 고래잡이는 국제 포경 규제 협약에 위반되는 것이지만 일본은 고래잡이를 지속하고 있다. 이는 국제법인 협약이 재판 규범으로서 한계가 있어 당사국이 모두 동의해야 국제 사법 재판소에서 재판을 할 수 있으며, 국제 사법 재판소의 판결을 이행하지 않아도 강제적 집행 수단이 존재하지 않아 실효성이 떨어지기 때문이다.

**자료 하나 더 알고 가자!**

### 국내법과 국제법

| 구분 | 국내법 | 국제법 |
|---|---|---|
| 법 제정 | 입법 기관 (입법부) | 당사국 합의 등 |
| 법 적용 기관 | 사법 기관 (사법부) | 국제 사법 재판소 |

# STEP 1 핵심 개념 확인하기

정답친해 67쪽

**1** 다음 설명이 맞으면 ○표, 틀리면 ✕표를 하시오.

(1) 국제 사회는 주권 국가를 기본 단위로 하여 구성된다.
( )

(2) 국제 사회에는 강대국을 중심으로 한 세계 정부가 존재한다.
( )

(3) 국제 사회에서 각국은 군사력이나 경제력의 차이에 따라 권리를 행사하는 데 차이가 있다.
( )

**2** 국제 관계의 변천 과정을 시대순으로 나열하시오.

| ㄱ. 몰타 선언 | ㄴ. 트루먼 독트린 |
| ㄷ. 베스트팔렌 조약 | ㄹ. 국제 연합(UN) 창설 |

**3** 다음 빈칸에 들어갈 내용을 쓰시오.

(1) 국제 사회를 각국이 자국의 이익을 경쟁적으로 추구하는 무정부 상태로 보는 관점은 ( ) 관점이다.

(2) 국제 관계의 평화 실현을 위해 국제법, 국제기구 등의 국제 제도가 필요하다고 보는 관점은 ( ) 관점이다.

**4** ㉠, ㉡에 들어갈 용어를 각각 쓰시오.

국제 사회 행위 주체들의 관계를 규율하고 국제 질서를 유지하는 규범을 (㉠ )(이)라고 한다. 우리나라는 이 규범을 국내법인 (㉡ )과 같은 효력을 가진다고 규정하고 있다.

**5** 다음 내용에 해당하는 국제법의 법원을 〈보기〉에서 골라 기호를 쓰시오.

| 보기 |
| ㄱ. 조약    ㄴ. 국제 관습법    ㄷ. 법의 일반 원칙 |

(1) 국제 사회의 반복적인 관행이 법 규범으로 승인되어 효력을 가지게 된 규범
( )

(2) 문명국들이 공통적으로 승인하여 따르는 국내법에 수용된 법의 보편적인 원칙
( )

(3) 국가 간, 국제기구와 국가 간, 국제기구 간에 체결하는 법적 구속력을 가진 약속
( )

# STEP 2 내신 만점 공략하기

**01** ㉠에 대한 옳은 설명을 〈보기〉에서 고른 것은?

( ㉠ )은/는 국제 사회에서 국가 등 다양한 행위 주체가 정치, 경제, 사회, 문화와 같은 영역에서 상호 작용을 통해 만드는 관계를 의미한다.

| 보기 |
| ㄱ. 분쟁을 조정하는 중앙 정부가 존재한다. |
| ㄴ. 국가만이 유일한 행위 주체가 될 수 있다. |
| ㄷ. 국제 사회의 평화를 위해 협력하기도 한다. |
| ㄹ. 주권 평등의 원칙이 엄격하게 지켜지지 않는다. |

① ㄱ, ㄴ    ② ㄱ, ㄷ    ③ ㄴ, ㄷ
④ ㄴ, ㄹ    ⑤ ㄷ, ㄹ

**02** (가)~(마)는 국제 관계의 변천 과정을 나타낸 것이다. 이에 대한 설명으로 옳은 것은?

① (가)로 인해 주권 국가 중심의 국제 질서가 형성되기 시작하였다.

② (나)는 전쟁을 방지하기 위해 국제 연합(UN)이 창설되는 계기가 되었다.

③ (다)는 국가에 대한 종교의 우위가 확립되는 계기가 되었다.

④ (라) 시기에 이념에 따른 갈등은 감소한 반면 영토, 자원 등 다양한 이유에 따른 분쟁은 증가하였다.

⑤ (마) 시기 이후 국제 연맹(LN)이 창설되었으나 강대국의 불참과 탈퇴로 실질적인 영향력을 행사하지 못하였다.

**03** (가)~(다)는 국제 관계의 변천 과정에서 나타난 주요 선언이다. 이에 대한 설명으로 옳지 <u>않은</u> 것은?

> (가) 미국은 공산주의 세력의 위협을 받고 있는 국가를 경제적·군사적으로 지원해야 한다.
> (나) 미국과 소련은 양국 간의 군사적 대결 관계를 경제적 협력 관계로 전환하기 위해 노력한다.
> (다) 아시아에 대한 미국의 군사적 개입을 피하고, 아시아 국가의 안보는 스스로 책임지는 것을 원칙으로 한다.

① (가)는 미국과 소련을 중심으로 한 국제 사회의 대립을 심화시켰다.
② (나) 이후 각국은 정치적 이념보다는 경제적 실리를 중시하게 되었다.
③ (다) 이후 국제 사회의 양극 체제가 점차 약화되었다.
④ (가)와 (나) 사이에 국제 연합(UN)이 창설되었다.
⑤ '(가)-(다)-(나)'의 순서로 선언이 발표되었다.

**04** 다음 대화에서 을이 국제 관계를 바라보는 관점에 대한 설명으로 옳은 것은?

> 국제 사회는 각국이 자국의 이익을 경쟁적으로 추구하는 무대와 같기 때문에 전쟁과 같은 국가 간 갈등은 필연적이야.
>
> 갑

> 아니야. 국제 사회의 갈등은 잘못된 제도나 구조를 제거함으로써 막을 수 있어.
>
> 을

① 냉전 체제를 설명하기에 용이하다.
② 국제법과 같은 제도의 역할을 중요시한다.
③ 국가가 이기적인 행위 주체임을 전제로 한다.
④ 자연 상태에 대한 홉스의 입장을 바탕으로 한다.
⑤ 국가 간 상호 의존적 관계의 형성은 불가능하다고 본다.

**05** 다음은 서술형 평가와 학생 답안이다. 학생 답안의 밑줄 친 ㉠~㉤ 중 옳지 <u>않은</u> 것은?

**서술형 평가**

· 문제: (가), (나)는 국제 관계를 바라보는 관점이다. 두 관점을 비교하여 서술하시오.

> (가) 인간은 기본적으로 이기적이고 인간이 모여 만든 국가 역시 자국의 이익을 추구한다.
> (나) 인간은 이성을 가진 존재이므로 이기적 욕망을 제어하고 공동의 이익을 추구할 수 있다.

· 학생 답안: ㉠ (가)는 국제 사회를 힘의 논리로 설명하며, ㉡ 국제 사회의 평화를 실현하기 위해 국가 간 세력 균형이 이루어져야 한다고 보는 관점이다. 한편 ㉢ (나)는 국제 사회를 보편적인 선(善)과 윤리의 관점에서 설명하며 ㉣ 국가 간 상호 협력을 통해 국제 사회의 평화를 이룰 수 있다고 본다. ㉤ (가)와 (나)는 모두 국제 사회가 무정부 상태가 아니라고 보는 공통점을 가진다.

① ㉠    ② ㉡    ③ ㉢    ④ ㉣    ⑤ ㉤

**06** ㉠~㉢에 대한 옳은 설명을 〈보기〉에서 고른 것은?

> 오늘날 국제 관계에서는 국가를 비롯한 다양한 국제 사회의 행위 주체들이 활동하고 있다. 대표적으로 ㉠ 정부 간 국제기구, ㉡ 국제 비정부 기구, ㉢ 다국적 기업 등이 있으며 이밖에도 국가 내부에 존재하는 소수 민족이나 시민 단체 등과 같은 국가 내부 행위자와 국제적으로 영향력 있는 개인도 국제 관계에 적극적으로 참여하고 있다.

**보기**

ㄱ. ㉠의 예로 국제 연합을 들 수 있다.
ㄴ. ㉡은 개인이나 민간단체를 회원으로 한다.
ㄷ. 국가 간 인위적 장벽의 강화로 ㉢의 영향력은 점차 감소하는 추세이다.
ㄹ. ㉡, ㉢은 ㉠과 달리 초국가적 행위 주체에 해당한다.

① ㄱ, ㄴ    ② ㄱ, ㄷ    ③ ㄴ, ㄷ
④ ㄴ, ㄹ    ⑤ ㄷ, ㄹ

**07** 밑줄 친 '이 현상'의 영향으로 적절하지 <u>않은</u> 것은?

> 오늘날 세계 여러 국가가 정치, 경제, 사회, 문화 등 다양한 분야에서 서로 영향을 주고받으면서 국제 사회가 국경을 초월하여 하나의 지구촌으로 통합되어 가는 <u>이 현상</u>이 촉진되고 있다.

① 국제 사회의 행위 주체가 다양해지고 있다.
② 국제기구에 의해 새로운 질서가 형성되고 있다.
③ 국내 정치와 국제 정치의 구분이 뚜렷해지고 있다.
④ 과거에 비해 국제법을 통한 규율이 증대하고 있다.
⑤ 국가 간 다양한 형태의 경제 통합이 이루어지고 있다.

**08** 다음은 학생이 수업 시간에 정리한 노트의 일부이다. (가)에 들어갈 내용으로 적절한 것만을 〈보기〉에서 있는 대로 고른 것은?

> **국제법의 의미와 특징**
> 1. 의미: 국제 질서를 유지하는 규범
> 2. 특징: _____(가)_____

> **보기**
> ㄱ. 국가 간의 관계만을 규율 대상으로 한다.
> ㄴ. 공동의 행위 기준을 세워 국세 사회의 협력을 유도한다.
> ㄷ. 국가 간 분쟁을 평화적으로 해결하는 수단으로 활용된다.
> ㄹ. 서로 다른 문화를 지닌 행위 주체들에게 공통 규범을 제시한다.

① ㄱ, ㄴ     ② ㄱ, ㄷ    ③ ㄴ, ㄷ
④ ㄱ, ㄴ, ㄹ    ⑤ ㄴ, ㄷ, ㄹ

**09** 다음 내용을 포함하는 국제법의 법원에 대한 설명으로 옳은 것은?

> • 국제적인 위법 행위를 저지른 국가는 그 피해에 대해 배상 의무를 져야 한다.
> • 외형적으로는 정당한 권리의 행사에 비치더라도 권리 행사의 실질적인 내용이 권리의 본래 목적이나 공공성에 반하면 안된다.

① 주로 명문화된 문서의 형식으로 존재한다.
② 국내 문제 불간섭의 원칙도 이에 해당한다.
③ 국제 사법 재판소의 재판 규범으로 작용한다.
④ 국내에 적용하려면 별도의 입법 절차를 거쳐야 한다.
⑤ 오랜 기간 반복되어 온 관행이 법적 인식을 얻은 것이다.

**10** 그림은 국제법의 법원을 구분한 것이다. 이에 대한 옳은 설명을 〈보기〉에서 고른 것은?(단, ㉠~㉢은 각각 조약, 국제 관습법, 법의 일반 원칙 중 하나이다.)

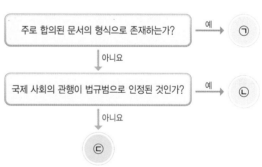

> **보기**
> ㄱ. ㉠의 예로 국가 간 자유 무역 협정(FTA)을 들 수 있다.
> ㄴ. ㉡의 예로 신의 성실의 원칙을 들 수 있다.
> ㄷ. ㉢이 국내에 적용되기 위해서는 국회의 승인 절차를 거쳐야 한다.
> ㄹ. ㉠, ㉡은 국내법인 법률과 동등한 효력을 가진다.

① ㄱ, ㄴ     ② ㄱ, ㄹ    ③ ㄴ, ㄷ
④ ㄴ, ㄹ    ⑤ ㄷ, ㄹ

**11** 다음은 국제 사법 재판소 규정의 일부이다. (가)~(다)에 대한 설명으로 옳지 <u>않은</u> 것은?

> 제38조 ① 재판소는 본 재판소에 회부된 분쟁을 국제법에 따라 재판하는 것을 임무로 하며, 다음을 적용한다.
> (가) 분쟁국에 의하여 명백히 인정된 규칙을 확립하고 있는 일반 또는 특별한 국제 협약
> (나) 법으로 수락된 일반 관행의 증거로서의 국제 관습
> (다) 문명국에 의하여 인정된 법의 일반 원칙

① (가)는 원칙적으로 이를 승인한 국가에만 법적 구속력이 발생한다.
② (나)는 국제 사회에서 포괄적인 구속력을 가진다.
③ (나)가 여러 나라에 의해 문서로 합의되면 (가)가 될 수 있다.
④ 외교관의 면책 특권은 (다)의 사례이다.
⑤ 국제 사법 재판소는 (가)와 (나)가 존재하지 않을 경우 (다)를 보충적으로 적용한다.

**12** 다음 사례를 통해 알 수 있는 국제법의 한계로 가장 적절한 것은?

> 국제 사회는 1986년부터 국제 포경 규제 협약에 따라 멸종 위기에 놓인 고래의 상업적 포경 활동을 금지하고 있다. 또한 국제 사법 재판소가 2014년 일본의 남극해 포경을 금지하는 판결을 내렸음에도 불구하고 일본은 고래의 생태와 해양 생태 등을 연구한다고 주장하며 고래잡이를 계속하고 있다.

① 국내법과 같은 입법 기구가 없다.
② 모든 국가에 적용될 규범을 제정하기 어렵다.
③ 제정된 법을 강제할 집행 기구나 수단이 없다.
④ 체결 당사국에 대해서만 법적 구속력을 가진다.
⑤ 국내법과 충돌할 경우 우선순위를 정하기 어렵다.

# 서술형 문제

● 정답친해 69쪽

**01** 다음과 같은 상황이 초래한 국제 사회의 모습을 서술하시오.

> 미국은 공산화 위협에 직면한 나라에 대한 경제적·군사적 원조를 내용으로 하는 트루먼 독트린(1947)을 발표하였으며, 군사 동맹인 북대서양 조약 기구를 창설하였다. 소련 등 공산주의 진영은 이에 대항하는 군사 동맹으로 바르샤바 조약 기구를 조직하였다.

**02** 다음 글을 통해 파악할 수 있는 국제법의 의의를 서술하시오.

> 우리나라에서 취득한 자동차 운전면허로 세계 여러 나라에서 자동차를 운전할 수 있고, 우리나라에서 만든 저작물에 대한 권리를 외국에서도 보호받을 수 있는 것은 모두 관련 국제법이 있기 때문이다.

**03** 다음 내용을 읽고 물음에 답하시오.

> (가) 한중 어업 협정, 교토 의정서, 국제 인권 규약
> (나) 외교관 특권과 면제, 전쟁 포로에 대한 인도적 대우, 국내 문제 불간섭 원칙

(1) (가), (나)는 각각 국제법의 법원 중 어떤 것에 해당하는지 쓰시오.

(2) (가), (나)의 차이점을 '존재 형식'과 '적용 범위'를 중심으로 서술하시오.

**1** 교사의 질문에 대해 옳게 답변한 학생은?

> 국제 관계의 변천 과정에서 나타난 주요 선언
>
> | | |
> |---|---|
> | 1648년 | ㉠ 베스트팔렌 조약 |
> | 1947년 | ㉡ 트루먼 독트린 |
> | 1969년 | ㉢ 닉슨 독트린 |
> | 1989년 | ㉣ 몰타 선언 |

각각의 선언으로 인해 국제 관계에 나타난 변화에 대해 이야기해 볼까요?

① 갑: ㉠이 체결되면서 제3세계 국가들이 국제 사회의 행위 주체로 등장하기 시작했어요.

② 을: ㉡으로 인해 자유 진영과 공산 진영이 대립하는 양극 체제가 확고히 자리 잡았어요.

③ 병: 공산화 위협에 직면한 나라에 대한 경제적·군사적 원조를 내용으로 하는 ㉢이 선언된 이후 미국과 소련의 이념 대립이 완화되기 시작했어요.

④ 정: ㉣이 발표된 이후 국제 사회는 세계 평화를 위해 국제 연맹의 한계점을 보완한 국제 연합을 창설했어요.

⑤ 무: ㉡과 ㉢은 모두 냉전의 심화에 기여한 선언들이에요.

> **국제 관계의 변천 과정**
>
> **완자샘의 시험 꿀팁**
>
> 국제 관계의 변천 과정에서 일어난 사건과 선언이 냉전 체제의 형성, 완화, 종식에 어떠한 영향을 미쳤는지 묻는 문제가 주로 출제된다.

**2** (가), (나)는 국제 관계를 바라보는 두 관점이다. 이에 대한 옳은 설명을 <보기>에서 고른 것은?

> (가) 인간은 악하고 이기적인 존재이다. 따라서 국제 관계에 있어서도 자국의 이익만을 극대화하려는 정책으로 인하여 상호 대립과 분쟁이 발생한다. 하지만 세력 균형 전략을 통해 전쟁을 방지할 수 있다.
>
> (나) 인간은 선하고 이타적인 존재이다. 이러한 인간들이 모인 국제 관계에 있어서도 상호 원조와 협력이 가능하다. 국가 간의 대화를 통해 국가 간의 갈등을 최소화한다면 평화로운 세계를 만들 수 있다.

**보기**

ㄱ. (가)는 국제 사회에서 국제 비정부 기구의 역할을 중시한다.

ㄴ. (나)는 집단 안보 전략이 국제 평화를 보장할 것이라고 본다.

ㄷ. (가)는 (나)와 달리 국제 사회에서 권력관계보다 상호 협력 관계를 중시한다.

ㄹ. (나)는 (가)와 달리 냉전 체제에서의 군비 경쟁을 설명하기에 적절하지 않다.

① ㄱ, ㄴ  ② ㄱ, ㄷ  ③ ㄴ, ㄷ

④ ㄴ, ㄹ  ⑤ ㄷ, ㄹ

> **국제 관계를 바라보는 관점**
>
> **완자 사전**
>
> • 세력 균형 전략
> 외부 세력이 침략 의도를 갖지 못하도록 힘의 균형이 존재해야 국가 안보가 가능하다는 입장에서 군사력 증강을 중시하는 전략
>
> • 집단 안보 전략
> 국제 규범을 집행할 국제기구를 두고 공동으로 침략국을 응징함으로써 국제 평화를 실현할 수 있다는 전략

**3** 밑줄 친 ㉠, ㉡에 대한 옳은 설명만을 〈보기〉에서 있는 대로 고른 것은?

▶ 국제법과 국내법

> 우리나라는 길이를 표시하고 이해할 때 mm, cm, m, km 등의 미터라는 단위를 사용한다. 우리나라뿐만 아니라 대부분의 국가에서도 이와 같은 단위를 사용하는데 이러한 배경에는 ㉠ '미터 협약'이 있다. 산업화의 진전으로 나라별로 다른 측정 단위를 국제적으로 통일할 필요가 있다는 인식이 높아짐에 따라 1875년 프랑스 파리에서는 17개국 대표들이 모여 '미터 협약'에 합의하였다. 이러한 흐름에 따라 우리나라도 1959년 국제 미터 협약에 가입하였고, 이후 ㉡ '계량에 관한 법률'을 제정하여 도량 단위를 통일하여 사용하고 있다.

보기
ㄱ. 우리나라의 경우 ㉠의 체결·비준권은 대통령이 가진다.
ㄴ. ㉡을 강제적으로 집행할 수 있는 기구는 존재하지 않는다.
ㄷ. 우리나라에서 ㉠이 헌법에 의하여 체결·공포되면 ㉡과 동등한 효력을 가진다.
ㄹ. ㉠은 ㉡과 달리 국제 사법 재판소의 판결의 준거로 활용될 수 있다.

① ㄱ, ㄴ          ② ㄴ, ㄷ          ③ ㄷ, ㄹ
④ ㄱ, ㄴ, ㄹ        ⑤ ㄱ, ㄷ, ㄹ

수능 응용

**4** 국제법의 법원 A, B에 대한 설명으로 옳지 <u>않은</u> 것은?(단, A와 B는 각각 국제 관습법, 조약 중 하나이다.)

▶ 국제법의 법원

완자샘의 시험 꿀팁

국제법 중 조약과 국제 관습법의 적용 범위를 비교하여 묻는 문제가 자주 출제된다.

> 난민은 인종, 종교, 국적, 정치적 의견 또는 특정 사회 집단의 구성원 신분 등의 불합리한 이유로 박해를 받아 다른 나라로 탈출해 온 사람들을 말한다. 이들이 본국으로 돌아갈 경우 심한 박해를 받을 것은 당연하므로 '이들이 들어온 국가는 난민을 보호해야 한다'는 것은 국제 사회에서 오래된 관행으로서 A로 인정되어 왔다. 이후 세계 대전 등의 영향으로 난민의 수가 급증하고 난민 보호에 관한 구체적인 규정을 확립할 필요성이 대두되면서 1951년 제네바 난민 협약, 1967년 난민 의정서 등을 통해 난민 보호 문제가 또 다른 국제법의 법원인 B로 발전하게 되었다.

① A는 국제 사회에서 포괄적 구속력이 있다.
② B는 원칙적으로 이를 승인한 국가에만 법적 구속력이 발생한다.
③ A는 B와 달리 국제 사법 재판소에서 재판 규범으로 인정하지 않는다.
④ B는 A와 달리 당사국 간 명시적인 합의 절차를 거쳐야만 성립된다.
⑤ A와 B 모두 강제적으로 집행할 국제기구가 없다는 특징을 갖고 있다.

# 02~03 국제 문제와 국제기구 ~ 우리나라의 국제 관계와 외교 정책

**학습 목표**
- 국제기구가 수행하는 역할과 활동을 설명할 수 있다.
- 외교적 관점에서 한반도를 둘러싼 국제 질서를 분석할 수 있다.

## 이것이 핵심!

**국제 연합과 국제 사법 재판소**

| 국제 연합 | • 목적: 세계 평화와 안전 유지, 국가 간 우호와 협력 증진 등<br>• 한계: 상임 이사국의 잦은 거부권 행사로 의사 결정 지연 등 |
|---|---|
| 국제 사법 재판소 | • 역할: 국제법에 따라 국가 간의 분쟁 해결<br>• 한계: 국내 법원에 비해 강제적 관할권이 없고 판결의 구속력이 약함 |

**★ 테러**
특정 목적을 가진 개인 또는 단체가 폭력을 사용하여 적이나 상대편을 위협하거나 공포에 빠뜨리는 행위

**★ 남북문제**
경제 성장이 앞선 북반구의 국가와 뒤처진 남반구 국가 간의 경제적 격차에서 생기는 정치적·경제적 문제를 통틀어 이르는 말

**★ 지구 온난화**
온실가스 배출 증가로 인해 지구 표면의 평균 기온이 가파르게 상승하는 현상

**★ 절차 사항과 실질 사항**
국제 연합 헌장에는 절차 사항과 실질 사항이 명시되어 있지 않지만, 과거의 예로 보면 토의 순서의 결정, 새로운 의제의 삽입, 회의 참석국의 초대 등은 절차 문제로 처리되었다.

**★ 사무국**
국제 연합 및 산하 기구의 운영에 대한 사무를 담당하는 기관

**★ 경제 사회 이사회**
인류 전반의 생활 수준 향상을 목적으로 경제, 사회, 교육, 문화, 보건, 식량 등 국제 사회의 다양한 문제를 연구하는 기관

**★ 국제 연합 산하 기구**
경제 환경, 인권 등 나양의 국제 문제를 해결하기 위해 활동하는 국제 연합 산하의 전문 기구 ⓔ 국제 연합 개발 계획(UNDP), 국제 연합 환경 계획(UNEP) 등

## ① 국제 문제와 국제기구

### 1. 국제 문제

**(1) 국제 문제의 양상**

ⓔ 원자 폭탄, 방사성 물질 무기, 생화학 무기 등

| 안보 문제 | 종교·민족·인종·자원을 둘러싼 국지적 분쟁과 ★테러 증가, 대량 살상 무기 증가 |
|---|---|
| 경제 문제 | 선진국과 개발 도상국 간 경제적 불평등 심화(ⓔ 남북문제), 저개발 국가의 기아 문제 |
| 환경 문제 | 경제 발전 과정에서 자원 고갈, 환경 오염 심화(산성비, 오존층 파괴, ★지구 온난화, 폐기물 문제) → 전 지구적 문제이지만 자국의 이익 우선 추구로 문제 해결이 쉽지 않음 |
| 인권 문제 | 열악한 환경에서 낮은 임금으로 일하는 여성, 아동 노동, 내전으로 인한 난민, 표현의 자유를 보장받지 못하는 몇몇 국가의 시민 등 사회적 약자의 인권이 보장되지 않아 나타나는 문제 |

**(2) 국제 문제의 특징과 해결 방안** 교과서 자료

빈곤이 심한 국가들은 잦은 내전으로 삶의 터전이 파괴된 경우가 많아.

| 특징 | 국제 문제는 국경을 초월하여 발생하며, 전 지구적으로 영향을 끼침 → 어느 한 국가의 노력만으로 해결하기 어렵기 때문에 국가 간 상호 협력이 필요함 |
|---|---|
| 해결 방안 | • 국제법을 통한 해결: 기후 변화 협약, 난민의 지위에 관한 협약 등 국제법에 근거하여 협력함<br>• 국제기구를 통한 해결: 국제기구를 강화하여 협력을 제도화하고, 공조 체제를 구축해야 함<br>• 외교 활동을 통한 해결: 특정 문제와 관련하여 한 국가가 상대국에 자국의 입장을 이해시켜 협력을 구함으로써 해당 문제를 평화적으로 해결함 |

분쟁 당사국의 협상이나 제3자의 도움을 통해 해결책을 마련하는 방식으로 가장 평화적인 국제 분쟁 해결 방식이야.

### 2. 국제 문제 해결을 위한 국제기구의 역할

**(1) 국제기구**: 국제 사회에서 공통의 목적을 위한 공식적 조직과 규정을 가진 조직체 → 국제 문제 해결을 통한 세계 평화 유지, 세계 경제의 안정적 발전, 지구 환경 보호, 인권 신장 추구

**(2) 국제 연합**

총 회원국의 2/3 이상의 찬성으로 의결해.

| 설립 목적 | 국제 사회의 평화와 안전 유지, 국가 간 우호와 협력 증진 등 |
|---|---|
| 총회 | • 모든 회원국이 참여하는 최고 의사 결정 기관(주권 평등의 원칙에 따라 1국 1표로 표결)<br>• 총회의 의결은 권고적 효력만 있을 뿐 법적 구속력은 없음 → 국제 사회의 합의된 규범으로서 존중받아야 한다는 도덕적 권위를 가짐 |
| 안전 보장 이사회 자료① | • 5개의 상임 이사국(미국, 영국, 프랑스, 러시아, 중국)과 10개의 비상임 이사국으로 구성된 실질적 의사 결정 기관 <br>매년 5개국씩 총회에서 선출되며 임기는 2년으로 연임할 수 없어.<br>• 15개 이사국 중 9개국 이상의 찬성으로 의결하는데, ★절차 사항이 아닌 ★실질 사항의 경우에는 상임 이사국 중 한 국가라도 거부권을 행사하면 안건이 부결됨<br>• 경제·외교적 제재나 군사적 개입 등과 같이 국제 분쟁 해결을 위해 필요한 수단의 사용 여부를 결정함 |
| 기타 기관 | 국제 사법 재판소, ★사무국, ★경제 사회 이사회, 신탁 통치 이사회, ★국제 연합 산하 기구 |
| 한계 | • 상임 이사국의 잦은 거부권 행사로 중요한 의사 결정이 지연됨<br>• 회원국들이 분담금을 제대로 내지 않아 재정적인 어려움을 겪고 있음<br>• 중요한 국제 문제가 국제 연합이 배제된 채 각국 대표 간의 협상으로 해결되고 있음 |

국제 연합은 각 회원국의 경제 수준과 지불 능력을 고려하여 분담금을 책정하고 있어.

**(3) 국제 사법 재판소** 자료②

Q왜? 국제 연합의 권고안이 현실적으로 구속력을 가지지 못하기 때문이야.

| 역할 | 국제 연합의 주요 사법 기관 → 국제법에 따라 국가 간의 분쟁을 해결하고, 총회와 안전 보장 이사회 등이 법적 질의에 대해 권고적 외견을 제시함 <br>국제기구나 개인은 재판의 당사자가 될 수 없어. |
|---|---|
| 구성 | 국제 연합(UN) 총회와 안전 보장 이사회에서 선출한 국적이 다른 15인의 법관으로 구성 |
| 판결 | 출석 재판관 과반수 찬성으로 결정하며, 판결은 당해 사건에만 효력이 있어 다음 사건을 구속하지 못함 |
| 한계 | • 원칙적으로 강제적 관할권이 없어 분쟁 당사국 모두가 동의한 사건에 대해서만 처리할 수 있음<br>• 재판 당사국이 판결에 따르지 않을 경우 현실적으로 이를 제재할 방법이 없음 |

판결에 따르지 않는 당사국에게 안전 보장 이사회에서 조치를 할 수 있지만 실효성은 없어.

**수능이 보이는 교과서 자료** **환경 문제로 알아보는 국제 문제의 특징**

「파리 기후 변화 협약」은 산업화 이전 수준 대비 지구 평균 온도가 2℃ 이상 상승하지 않도록 온실가스 배출량을 단계적으로 감축하는 내용을 담고 있다. 2015년 총회에 참석한 195개 국가는 2020년부터 2100년까지 5년마다 자발적 감축 목표를 설정하여 실천하기로 하였다. 이 협약은 주요 온실가스 배출국인 미국과 중국이 협약에 참여하여 실질적인 효과가 있을 것이라는 기대가 높았다. 그러나 2017년 미국 대통령은 "파리 협약은 중국, 인도, 유럽 등에 비해 미국에 불리하게 체결되었다."라고 주장하며 미국이 협약을 준수하기 어려움을 시사하였다.

지구 온난화 문제는 전 지구적 기후 재앙으로 인류의 생존을 위협할 수 있다. 이에 따라 국제 사회는 지구 온난화가 더 이상 개별 국가의 문제가 아니라 전 지구적인 문제임을 받아들이고 해결책을 모색하고 있다. 그러나 개별 국가들이 지구 환경 보호보다 자국의 이익을 우선시하는 경우가 많아 국제 사회의 협력이 쉽지 않다.

**완자샘의 탐구 강의**

• 파리 기후 변화 협약의 목적을 국제 문제의 특징과 관련 지어 서술해 보자. 환경 문제와 같은 국제 문제는 국경을 초월하여 발생하며 전 지구적으로 영향을 미친다. 그러나 국제 사회에는 국제 문제를 관리하고 규제할 강제성을 가진 기구가 없기 때문에 국제 문제를 해결하기 위해서는 파리 기후 변화 협약과 같은 국가 간 상호 협력이 필요하다.

함께 보기 203쪽, 1등급 정복하기 1

---

**자료 1** **안전 보장 이사회 상임 이사국의 거부권 행사**

시리아의 화학 무기 공격을 규탄하고 신속한 진상 조사를 요구하는 안전 보장 이사회의 결의안 채택이 러시아의 반대로 계속 무산되고 있다. 시리아 내전 발발 이후, 국제 연합은 시리아 독재 정권에 대한 조사나 제재에 관한 결의안 채택을 여러 차례 추진하였으나 그때마다 러시아의 반대로 추진하지 못하고 있다.
– 「뉴시스」, 2017. 4. 13.

안전 보장 이사회는 국제 평화와 안보 유지를 목적으로 하는 국제 연합의 실질적 의사 결정 기관이다. 안전 보장 이사회에서 경제 제재나 군사 개입 등과 같은 중요 안건을 의결하기 위해서는 15개 이사국 중 9개국 이상의 동의가 필요하다. 하지만 5개의 상임 이사국은 거부권을 가지고 있기 때문에, 상임 이사국의 이해관계에 반하는 안건은 의결되기 어렵다. 이와 같은 강대국의 거부권 행사는 국제 연합(UN)이 강대국의 이해관계에 좌우될 수 있음을 보여 준다.

---

**자료 2** **국제 사법 재판소의 한계**

일본은 지금까지 총 3차례(1954, 1962, 2012)에 걸쳐 독도 영유권을 국제 사법 재판소의 판단에 맡기자고 우리 정부에 요구하였다. 그러나 우리 정부는 독도가 역사·지리·국제법적으로 명백한 우리 영토이며, 따라서 독도에 대한 영유권 분쟁은 없다는 태도를 유지하고 있다. 다시 말해 우리 정부가 국제 사법 재판소의 강제적 재판 관할권을 유보하였기 때문에 우리 정부의 동의 없이는 독도 영유권에 관한 재판은 열리지 않는 것이다.
– 「시사인」, 2012. 8. 28.

국제 사법 재판소는 강제적 관할권이 없어 원칙적으로 분쟁 당사국 모두가 합의한 사건에 대해서만 재판할 권리를 가진다. 또한 국제 사법 재판소는 판결에 불복하는 당사국을 직접 제재할 방법이 없어 재판의 결과를 강제적으로 집행하기 어렵다는 한계를 가진다.

**문제로 확인알까?**

국제 연합 안전 보장 이사회에 대한 설명으로 옳지 않은 것은?
① 국제 연합의 실질적인 의사 결정 기관이다.
② 상임 이사국은 미국, 중국, 영국, 프랑스, 러시아이다.
③ 비상임 이사국은 총회에서 선출되며 임기는 2년이다.
④ 특정 국가에 대한 경제적, 군사적 조치를 취할 수 있다.
⑤ 의결 과정에서 모든 회원국 간 동등한 지위를 보장한다.

⑤ 답

**정리 비법을 알려줄게!**

**국제 사법 재판소**

| 역할 | 국가 간의 법적 분쟁을 국제법에 따라 해결함 → 정치적 분쟁은 제외됨 |
|---|---|
| 관할 사건의 범위 | 분쟁 당사국이 합의하여 규정에 따라 분쟁 해결을 요청한 사건 → 당사국의 합의가 없는 사건은 관할권 강제 불가 |
| 재판 당사국 | 국제 연합의 회원국 또는 비회원국 |
| 판결의 구속력 | 판결 당사국에만 효력이 미침, 1심으로 종결됨 |
| 판결 불이행 시 제재 | 직접 제재가 어려움 → 분쟁 재발 우려 |

이것이 핵심!

**우리나라의 국제 관계와 외교 정책**

| 우리나라의 국제 관계 | 주변 국가들과 여러 분야에서 협력하는 동시에 안보, 무역, 역사 등 여러 측면에서 갈등과 분쟁을 겪고 있음 |
|---|---|
| 우리나라 외교 정책의 과제 | • 한반도 평화 정착, 주변국과 동맹 유지<br>• 무역 및 기술 교류, 국제기구 참여 확대<br>• 민간 외교 확대, 국제법 활용 등 |

★ **공적 개발 원조(ODA)**
선진국이 개발 도상국의 경제 발전과 사회 복지 증진을 목표로 무상 또는 유상으로 자금, 기술, 물품 등을 지원하는 활동

★ **국제 개발 협력**
선진국과 개발 도상국 간 개발 도상국과 개발 도상국 간 또는 개발 도상국 내에 존재하는 개발 및 빈부의 격차를 줄이고, 개발 도상국의 빈곤 문제를 해결하여 인간의 기본권을 지키려는 국제 사회의 노력과 행동

★ **무역 수지**
일정 기간 외국과의 무역에서 발생한 상품 수출액과 상품 수입액의 차이

★ **동북공정**
중국 국경 내 동북 지역에서 나타났던 고대 국가들의 역사가 중국 역사의 일부임을 주장하기 위해 진행된 중국의 역사 연구 사업

# ② 우리나라의 국제 관계와 외교 정책

## 1. 우리나라의 국제 관계

### (1) 우리나라 국제 관계의 변화 〔자료 ③〕

Qn? 우리나라는 아시아 대륙과 태평양을 잇는 접점으로 대륙과 해양에 진출하기 쉬운 위치에 있기 때문에 주변국의 침략이 끊임없이 이어졌던 거야.

| 분단 이전 | • 대륙과 해양이 만나는 전략적 요충지로 외세의 침입이 잦았음<br>• 일제 강점기(1910~1945) → 광복(1945) → 분단 → 6·25 전쟁(1950) → 휴전 협정(1953) |
|---|---|
| 분단 이후 | • 광복 이후 미국 등 여러 나라로부터 *공적 개발 원조(ODA)를 받아 경제 성장을 이루고, 1996년 경제 협력 개발 기구(OECD)에 가입함<br>• 개발 원조 위원회(DAC) 회원국 지위를 획득함 → 공적 개발 원조를 받던 나라에서 지원해 주는 나라로 성장함<br>• *국제 개발 협력에 참여하여 전 세계적으로 많은 국가와 다양한 분야에서 영향을 주고받고 있음 |

### (2) 우리나라의 국제 관계와 국제 분쟁: 주변 국가들과 여러 분야에서 협력하는 동시에 안보, 무역, 역사 등 여러 측면에서 크고 작은 갈등과 분쟁을 겪고 있음 〔자료 ④〕

| 안보 | • 미국은 중국을 견제하기 위해 우리나라, 일본 등 우방국과의 협력을 강화하고 있으며, 중국은 한반도를 미국의 영향력으로부터 차단하기 위해 한반도의 상황 변화를 주시하고 있음<br>• 북한의 핵 개발로 인해 한반도를 둘러싼 국가 간 군사적 긴장 심화 → 국제 연합과 같은 국제기구가 경제적으로 제재하는 한편 우리나라가 이를 주도적으로 해결하기 위한 방안을 모색하고 있음 |
|---|---|
| 무역 | 자유 무역 협정(FTA) 체결로 동아시아 국가 간의 무역이 확대되는 한편 각국의 취약 산업이 타격을 받거나 양국 간 *무역 수지의 불균형이 심화하여 국가 간 무역 갈등이 나타나고 있음 |
| 역사 | • 일본의 독도 영유권 주장 및 침략 전쟁 정당화와 일본군 '위안부' 문제에 대한 국가 차원의 책임 회피, '동해' 명칭 표기 분쟁 등 → 과거사 왜곡으로 동아시아 국가 간의 신뢰 구축이 저해됨<br>• 중국은 *동북공정을 통해 고조선 및 고구려, 발해가 중국의 역사라는 왜곡된 주장을 펼침 |

꼭! 독도는 역사적·지리적·국제법적으로 명백한 우리나라의 고유 영토로서 외교 협상이나 사법적 해결의 대상이 될 수 없어.

## 2. 바람직한 외교 정책

### (1) 외교와 외교 정책

Qn 국가 안전 보장, 경제적 이익 등

① 외교: 한 국가가 자국의 이익을 위하여 국제 사회에서 평화적인 방법으로 펼치는 모든 대외 활동

② 외교 정책: 외교를 통해 자국의 이익 증진을 목적으로 시행하는 정책

### (2) 외교 정책의 영향

| 제대로 수행할 경우 | 자국의 대외적 위상이 상승하고, 정치적·경제적 이익을 획득할 수 있음 |
|---|---|
| 제대로 수행하지 못할 경우 | 국제 사회에서 고립으로 이어질 수 있으며, 국익에 손실이 발생할 수 있음 |

### (3) 외교 정책의 중요성: 국제 분쟁을 해결하고 국제 사회의 평화를 유지하는 데 이바지할 수 있으므로 국가 내부적 상황과 국가 간의 관계 등 다양한 요인을 고려하여 신중하게 결정해야 함

### (4) 우리나라 외교 정책의 과제

| 한반도의 평화 정착 | 북한의 핵 개발과 군사적 도발을 막고, 대화와 협력을 통해 남북 관계를 개선해야 함 |
|---|---|
| 주변국과 동맹 유지 | 미국, 일본, 중국, 러시아 등 여러 주변 국가와 이해관계를 조정하고 긴밀히 협력해야 함 |
| 무역 및 기술 교류 | 대외 통상 활동을 통해 경제 성장을 이루고 기술 교류를 통해 국가 경쟁력을 강화해야 함 |
| 국제기구 활동 참여 | 국제기구를 통하여 군사 비용 축소, 대량 살상 무기 개발 금지, 환경 보호, 빈곤과 질병 퇴치, 인권 신장 등 국제 문제 해결에 적극적으로 참여해야 함 |
| 민간 외교 자원 활용 〔자료 ⑤〕 | 정부의 공식적 외교뿐만 아니라 문화, 예술, 환경, 스포츠 등 다양한 분야에서 민간 외교 자원을 적극적으로 활용해야 함 〔Qn 시민 단체, 다국적 기업, 지방 자치 단체 등〕 |
| 국제법의 활용 | 국제법은 국제 사회의 합의에 바탕을 둔 것이므로 강대국도 함부로 무시할 수 없는 권위를 지님 → 한반도 주변 강대국들을 상대로 우리의 주장을 효과적으로 펼칠 수 있음 |

## 완자 자료 탐구

### 내 옆의 선생님

**자료 ③ 우리나라 국제 관계의 변화**

| 시기 | 내용 |
|---|---|
| 1950년대 | 냉전 체제의 심화 → 국가 안보를 위해 반공 외교, 미국 중심 외교 정책에 치중함 |
| 1960년대 | 제3세계 비동맹 국가들의 성장에 맞추어 외교 대상 국가를 확대함 |
| 1970년대 | 냉전 체제 완화 → 공산권 외교 강화, 일부 사회주의 국가들에 문호를 개방함 |
| 1980년대 | 북방 외교 → 평화 통일 기반을 조성하고, 한반도의 평화를 안정적으로 관리하기 위해 소련, 중국, 동유럽 국가 등 사회주의 국가들과 관계 개선을 추진함 |
| 1990년대 | 실리 외교 → 중국과 수교, 세계 무역 기구(WTO) 가입, 자유 무역 협정(FTA) 체결 |
| 2000년대 이후 | 공공 외교, 기여 외교, 인권 외교, 다자 외교 등 외교 방법의 다원화 |

우리나라는 남북 분단과 냉전이라는 특수한 상황 속에서 오랜 기간 국가 안보를 최우선으로 추구하는 외교를 중시해 왔다. 이후 냉전 체제가 완화됨에 따라 사회주의 국가들과의 관계 개선을 추진하는 북방 외교를 추진하였고, 탈냉전 시대가 도래한 1990년대 이후에는 실리 중심의 외교를 전개하였다. 오늘날에는 월드컵과 올림픽 유치, 문화 외교 활성화 등 변화하는 국제 질서에 맞추어 외교 분야를 다양화하고 있다.

**자료 ④ 우리나라와 중국 간의 국제 분쟁**

제9차 한·중 어업 문제 협력 회의에서 우리 정부는 서해 북방 한계선(NLL) 인근 및 한강 하구 수역에서 중국 어선의 불법 조업 문제가 지속되었다는 점을 집중적으로 제기하고, 이에 대한 중국 당국의 실효적이고 가시적인 대책 마련을 촉구하였다. 특히 우리 정부는 불법 조업을 근원적으로 차단하기 위해 금어기 준수 및 불법 어획물 유통 차단, 중국 단속선 상시 배치 증강, 불법 조업 어획물 운반 차단 등의 조치를 추가로 실시하거나 강화할 것을 요구하였다.

제시된 사례는 우리나라와 중국 간의 국제 분쟁 사례에 해당한다. 국제 분쟁은 서로의 이해관계가 대립하여 일어나기 때문에 이를 해결하는 과정에서 국가 주권이 충돌하는 문제가 발생할 수 있다. 이를 방지하기 위해서는 개별 국가의 주권을 존중하면서 분쟁을 해결할 수 있는 외교적 해결 방법을 통해 문제를 해결하는 것이 가장 바람직하다.

> 꼭! 국제 분쟁을 해결하는 방법으로는 분쟁 당사국이 협상을 통해 해결책을 마련하는 외교적 해결 방법과 국제 사법 기관에 제소하여 분쟁을 해결하는 사법적 해결 방식이 있어.

**자료 ⑤ 공공 외교**

공공 외교는 정부 간 소통과 협상 과정을 일컫는 전통적 의미의 외교와 달리 문화·예술, 지식, 미디어 등 다양한 수단과 통로를 활용하여 외국 대중에게 직접 다가가 그들의 마음을 사고 감동을 주어 긍정적인 국가 이미지를 만들어 나가는 것을 목표로 한다. 즉, 공공 외교는 다른 나라 국민과의 직접적인 소통을 통해 공감대를 확산하고 신뢰를 확보함으로써 국제 사회에서 우리나라의 영향력을 높이는 활동이다.

– 외교부 누리집, 2017.

공공 외교를 성공적으로 수행하기 위해서는 다양한 수준의 행위자가 상대 국가의 행위자와 네트워크를 형성하고 유지하는 가운데, 서로에 대한 이해를 증진하고 이를 통해 상호 교류와 협력을 강화해야 한다.

---

**문제로 확인할까?**

우리나라의 국제 관계에 대한 설명으로 옳은 것은?

① 1950년대 – 사회주의 국가와 적극적으로 수교하였다.
② 1960년대 – 제3세계 국가들로 외교 대상 국가를 확대하였다.
③ 1970년대 – 국가 안보를 위해 반공 외교를 최우선으로 펼쳤다.
④ 1980년대 – 공공 외교, 다자 외교 등으로 외교 방법이 다원화되었다.
⑤ 1990년대 – 냉전 체제의 완화에 따라 공산권 국가와의 외교를 강화하였다.

② 답

**자료 하나 더 알고 가자!**

**동아시아의 영토 분쟁**

• 쿠릴 열도: 러시아 캄차카 반도와 일본의 홋카이도 사이에 있는 여러 섬 중네 개의 섬을 두고 일본과 러시아가 서로 영유권을 주장하고 있다.
• 센카쿠 열도(댜오위다오): 동중국해 서남부에 있는 다섯 개의 무인도와 세 개의 암초로 구성된 센카쿠 열도를 둘러싸고 일본과 중국이 영토 분쟁을 벌이고 있다.

최근의 국제 분쟁은 주로 영토, 경제, 에너지, 환경, 자원 등 이권과 관련된 영역에서 일어나고 있다.

**자료 하나 더 알고 가자!**

**세계화 시대의 다양한 외교 전략**

| | |
|---|---|
| 다자 외교 | 셋 이상의 국가가 특정 의제에 관해 이해관계를 조정하고 협력 방안을 찾아가는 외교 활동으로, 세계화 시대에 초국가적 혹은 지역적 문제들이 증가하면서 그 증가성이 더욱 부각되고 있음 |
| 기여 외교 | 개발 도상 국가에 대해 적극적인 대외 원조를 하고 원조 관련 제도와 정책을 꾸준히 개선하며 국가의 위상을 높임 |
| 인권 외교 | 여성, 아동, 장애인, 난민 등 취약 계층의 인권 보호와 증진을 위해 노력함 |

## STEP 1 핵심 개념 확인하기

**1** 다음 괄호 안의 내용 중 알맞은 말에 ○표를 하시오.

(1) 국제 문제는 (전 지구, 특정 지역)에 영향을 미친다.

(2) 기후 변화 협약을 통해 환경 문제를 해결하려는 노력은 (국제법, 국제기구)을/를 통한 노력에 해당한다.

**2** 다음에서 설명하는 국제 연합의 기관을 〈보기〉에서 골라 기호를 쓰시오.

보기
ㄱ. 총회        ㄴ. 국제 사법 재판소        ㄷ. 안전 보장 이사회

(1) 국제 연합의 주요 사법 기관으로서 국제법에 따라 국가 간 분쟁을 해결한다.                    (      )

(2) 국제 연합의 최고 의사 결정 기관으로서 주권 평등의 원칙에 따라 1국 1표를 행사한다.              (      )

(3) 국제 평화와 안전 유지를 목적으로 하는 기관으로 5개의 상임 이사국과 10개의 비상임 이사국으로 구성된다.
                                                        (      )

**3** 다음 설명이 맞으면 ○표, 틀리면 ×표를 하시오.

(1) 우리나라는 공적 개발 원조를 지원해 주는 나라에서 받는 나라로 성장하였다.                    (      )

(2) 우리나라는 대륙과 해양이 만나는 전략적 요충지로 잦은 외세의 침입을 겪었다.                  (      )

(3) 일본은 우리나라의 고조선, 고구려 및 발해의 역사를 자국의 역사로 왜곡하며 우리나라와 역사적 갈등을 겪고 있다.
                                                        (      )

**4** 다음 빈칸에 들어갈 내용을 쓰시오.

(1) (          )는 한 국가가 자국의 이익을 위해 국제 사회에서 평화적 방법으로 펼치는 대외 활동을 말한다.

(2) 국제 사회의 합의에 바탕을 둔 (          )은 외국을 상대로 우리의 주장을 펼칠 때 효과적으로 사용할 수 있다.

(3) 오늘날에는 정부의 공식적 외교뿐만 아니라 시민 단체, 다국적 기업 등을 활용한 (          )의 중요성이 커지고 있다.

## STEP 2 내신 만점 공략하기

**01** 다음 중 오늘날 국제 문제의 양상으로 보기 어려운 것은?

① 민족, 인종, 종교를 둘러싼 국지적인 분쟁이 증가하고 있다.

② 자유주의 진영과 공산주의 진영 간의 이념 대립이 격화하고 있다.

③ 선진국과 개발 도상국 간의 경제적 격차 심화로 갈등이 발생하고 있다.

④ 산성비, 오존층 파괴, 지구 온난화 심화 등으로 환경 오염이 심각한 수준에 이르렀다.

⑤ 아동 노동, 내전으로 인한 난민 등 사회적 약자의 인권이 보장되지 않아 발생하는 인권 문제가 주목받고 있다.

**02 ☆중요** 다음과 같은 문제의 특징을 〈보기〉에서 고른 것은?

• 프랑스, 벨기에 등 유럽 곳곳에서 테러 조직이 일으킨 테러로 수많은 민간인이 희생되었다.
• 시리아 내전이 악화하면서 수백만 명의 시리아인이 자국에서 인권을 보장받지 못해 난민이 되었다. 이들 난민의 수용과 보호 문제는 국제적인 문제가 되었다.

보기
ㄱ. 국경을 초월하여 발생하므로 특정 국가만의 문제로 볼 수 없다.
ㄴ. 개별 국가의 노력만으로는 해결하기 어려우므로 국제 협력이 필요하다.
ㄷ. 자국의 안보를 위해 상대국과 경쟁적으로 군비를 늘리는 것이 문제의 원인이다.
ㄹ. 국제 사법 재판소와 같은 사법 기관의 판결에 의해 해결하는 것이 가장 신속하고 공정하다.

① ㄱ, ㄴ        ② ㄱ, ㄷ        ③ ㄴ, ㄷ
④ ㄴ, ㄹ        ⑤ ㄷ, ㄹ

**03** 다음 사례에서 활용된 국제 문제의 해결 방안으로 가장 적절한 것은?

> 환경부는 미세 먼지 등 동북아시아 환경 현안을 논의하기 위한 '제20차 한·중·일 환경 장관 회의'가 2018년 6월 중국 쑤저우에서 열린다고 밝혔다. 지난 1999년 우리나라의 제안으로 시작된 이 회의는 매년 3국이 교대로 개최하고 있다. 이번 회의에서 3국 장관은 대기 질 개선 노력을 포함한 주요 환경 정책을 직접 소개하고 동북아 차원의 환경 현안 대응을 위한 협력 방안을 논의한다.

① 국제법을 통한 해결
② 국제기구를 통한 해결
③ 국제 여론을 통한 해결
④ 외교 활동을 통한 해결
⑤ 제3국의 중재를 통한 해결

**04** 밑줄 친 ㉠~㉤에 대한 설명으로 옳은 것은?

> **국제 연합의 구성**
> – ㉠ 총회              – ㉡ 경제 사회 이사회
> – ㉢ 국제 사법 재판소   – ㉣ 안전 보장 이사회
> – ㉤ 국제 연합 산하 기구

① ㉠은 이 기구의 실질적 의사 결정 기관이다.
② ㉡은 분쟁 국가에 경제적 제재를 가할 수 있다.
③ 국제적으로 영향력이 있는 개인은 ㉢에서 열리는 재판의 당사자가 될 수 없다.
④ ㉣에서의 모든 의사 결정은 과반수 동의로 이루어진다.
⑤ ㉤의 예로 국제 사면 위원회를 들 수 있다.

**05** 그림은 국제 연합의 주요 기관을 구분한 것이다. (가), (나)에 대한 옳은 설명을 〈보기〉에서 고른 것은?

**보기**
ㄱ. (가)는 총회와 달리 국가 간 표결의 가치가 동등하다.
ㄴ. (나)에는 국제 연합 회원국만이 재판을 신청할 수 있다.
ㄷ. (나)는 국가 간의 분쟁에 대하여 당사국의 합의에 의한 제소로 재판 관할권을 갖는다.
ㄹ. (가)는 (나)의 재판관을 선출할 수 있는 권한을 가진다.

① ㄱ, ㄴ      ② ㄱ, ㄷ      ③ ㄴ, ㄷ
④ ㄴ, ㄹ      ⑤ ㄷ, ㄹ

**06** 다음 기사를 통해 알 수 있는 국제 연합의 한계로 가장 적절한 것은?

> 시리아의 화학 무기 공격을 규탄하고 신속한 진상 조사를 요구하는 국제 연합(UN) 안전 보장 이사회의 결의안 채택이 러시아의 반대로 또 무산되었다. 러시아가 시리아에 관한 안전 보장 이사회 결의안 채택을 막은 것은 이번이 여덟 번째이며, 화학 무기 폭격 사태가 발생한 이후 두 번째이다.
> – 「뉴시스」, 2017. 4. 13.

① 상임 이사국의 잦은 거부권 행사로 의사 결정이 지연된다.
② 강대국이 독자적으로 당사국에게 압력을 행사하기도 한다.
③ 국제 연합의 결정이 실질적인 법적 구속력을 갖지 못한다.
④ 분쟁 당사국이 국제 연합의 결정을 무시하는 경향이 있다.
⑤ 회원국들이 분담금을 내지 않아 재정적으로 어려움을 겪는다.

**07** ㉠에 대한 설명으로 옳지 <u>않은</u> 것은?

> ( ㉠ )은/는 국제 사회에서 발생한 분쟁에 대하여 사법적 판단을 내리는 역할을 담당한다. ( ㉠ )의 판결은 현실적으로 구속력이 없다는 비판을 받기도 하지만 분쟁 당사국들이 모두 판결을 수용할 경우 국제 분쟁을 국제법에 근거하여 평화적으로 해결할 수 있다는 장점이 있다.

① 출석 재판관 과반수의 찬성으로 의결한다.
② 서로 다른 국적을 가진 15인의 재판관으로 구성된다.
③ 재판관은 국제 연합 총회와 안전 보장 이사회에서 각각 선출된다.
④ 국가 및 정부 간 국제기구와 국제 비정부 기구 모두 재판을 청구할 수 있다.
⑤ 문명국에 의해 승인된 법의 일반 원칙, 저명한 국제법 학자의 학설도 재판에 적용될 수 있다.

**08** 다음 자료에 대한 옳은 분석 및 추론을 〈보기〉에서 고른 것은?

> 2012년 11월 국제 사법 재판소는 △△섬을 둘러싼 A국과 B국의 영유권 분쟁에서 결국 A국의 손을 들어주었다. 국제 사법 재판소는 1928년 양국이 체결했던 조약을 근거로 △△섬의 소유권이 A국에 있다고 판단하였다.

**보기**
ㄱ. A국과 B국이 합의하여 국제 사법 재판소에 제소했을 것이다.
ㄴ. 앞으로 A국과 B국의 영토 분쟁이 발생할 경우 이 판결이 그대로 적용될 것이다.
ㄷ. B국이 판결을 따르지 않을 경우 국제 사법 재판소가 강제적으로 판결을 이행시킬 수 있다.
ㄹ. 1928년의 조약이 없었더라면 국제 사법 재판소는 국제 관습법을 근거로 판결했을 것이다.

① ㄱ, ㄴ    ② ㄱ, ㄹ    ③ ㄴ, ㄷ
④ ㄴ, ㄹ    ⑤ ㄷ, ㄹ

**09** 다음과 같은 상황이 우리나라의 국제 관계에 미친 영향으로 가장 적절한 것은?

> 우리나라는 아시아 대륙의 동쪽 끝 동북아시아에 위치하여 아시아 대륙과 태평양을 잇는 접점으로서 대륙과 해양으로 진출하기 쉬운 위치에 있다. 이 때문에 예로부터 전략적 요충지로서의 성격을 지녔다.

① 오래전부터 외세의 침입이 잦았다.
② 국제 정세의 변화에 큰 영향을 받지 않았다.
③ 주변 국가로부터 공적 개발 원조를 받아 성장하였다.
④ 안정된 정치적 바탕 위에서 문화 발전을 이룰 수 있었다.
⑤ 서양 문물을 일찍 받아들여 경제 발전을 앞당길 수 있었다.

**10** 다음 자료와 관련한 우리나라의 외교 정책에 대한 설명으로 옳은 것은?

(외교부, 2017)
**⬆ 대한민국의 주요 수교국과 수교 시기**

① 1940년대 후반에는 지리적으로 가까운 국가들과만 교류하였다.
② 1950년대에는 정치적 이념보다는 경제적 실리를 중심으로 외교 정책을 펼쳤다.
③ 1960년대에는 일부 사회주의 국가들에도 문호를 개방하였다.
④ 1980년대 후반에는 한반도의 평화 정착을 위해 북방 외교를 추진하였다.
⑤ 1990년대에는 제3세계 비동맹 국가들의 성장에 맞추어 외교 대상 국가를 확대하였다.

**11** 다음 학습 활동 과제를 적절하게 수행하지 <u>못한</u> 모둠은?

> 학습 활동 과제: 오늘날 우리나라와 주변 국가의 국제 분쟁 관련 자료 조사하기
> • 1모둠: 북한   • 2모둠: 중국   • 3모둠: 일본

① 1모둠: 북한의 핵 확산 금지 조약 탈퇴 선언에 대한 신문 기사
② 1모둠: 미사일 발사 실험에 반대하는 전 세계의 비핵화 요구를 게재한 한국 신문
③ 2모둠: 서해안 불법 조업 문제에 대해 중국을 옹호하는 중국 신문의 사설
④ 3모둠: '동해' 명칭 표기 분쟁에 대해 다룬 역사 다큐멘터리
⑤ 3모둠: 센카쿠 열도의 영유권이 한국에 있다고 주장하는 한국 학자의 인터뷰

**12** 밑줄 친 부분에 해당하는 내용을 〈보기〉에서 고른 것은?

> 20세기 후반 냉전 체제가 무너지면서 이념 대립이 완화되고, 세계화의 진행으로 세계 각국의 교류가 확대되었다. 이러한 흐름 속에서 동아시아 각국은 정치적·경제적으로 긴밀한 협력 관계를 맺게 되었다. 하지만 한편으로는 자국의 실리를 추구하는 민족주의가 강화되면서 <u>역사 인식을 둘러싼 갈등</u>이 발생하기도 하였다.

〈보기〉

ㄱ. 중국은 고구려와 발해를 중국의 지방 정권 중 하나라고 주장한다.
ㄴ. 중국의 동북공정 사업은 일본의 대륙 침략 야욕을 저지하기 위한 것이다.
ㄷ. 일본은 역사 교과서에서 과거 아시아 국가들에 대한 식민 지배와 침략 전쟁을 정당화하고 있다.
ㄹ. 일본은 국제법적으로 명백한 우리 영토인 쿠릴 열도의 영유권을 두고 우리나라와 분쟁을 겪고 있다.

① ㄱ, ㄴ      ② ㄱ, ㄷ      ③ ㄴ, ㄷ
④ ㄴ, ㄹ      ⑤ ㄷ, ㄹ

**13** (가), (나)와 같은 외교 활동의 특징에 대한 설명으로 옳은 것은?

> (가) 다음 달 개최되는 20개국(G20) 정상 회의에서는 우리나라 대통령을 비롯한 각국 정상들이 모여 경제, 환경 등 다양한 문제를 논의할 예정이다.
> (나) 고등학생인 갑은 학교에서 동아리를 만들어 동아리 친구들과 함께 동북공정 문제를 외국 학생들에게 바르게 알리기 위한 홍보 자료를 만들기로 하였다.

① 오늘날 외교 활동은 (가)에 국한되어 있다.
② (나)는 국제 분쟁의 사법적 해결 방법에 해당한다.
③ (가)는 (나)에 비해 민간 차원의 공감대를 형성하기 쉽다.
④ (나)는 (가)와 달리 외교관과 같은 정부 관계자가 중심이 되어 활동한다.
⑤ (가)와 (나)의 성공적인 수행을 통해 자국의 이익 증진에 기여할 수 있다.

**14** 다음 글에서 강조하는 외교 방식으로 옳은 것은?

> 최근 우리나라는 첨단 전자 제품을 생산하면서 동시에 문화적 감수성을 지닌 국가로서 인정받고 있다. 이른바 한류로 통칭하는 드라마, 영화, 음식, 케이팝(K-Pop) 등 우리나라 대중문화는 소프트파워에 크게 기여하고 있다. 한류의 주인공들은 동북아시아의 이웃 국가들과의 민감한 관계를 개선하는 외교적인 역할을 하고 있다. 일본 총리가 우리나라 배우를 초대하거나 우리나라 대통령이 해외를 방문할 때 가수를 동반하는 것이 그 사례이다.

① 공공 외교      ② 기여 외교      ③ 다자 외교
④ 실리 외교      ⑤ 인권 외교

**15** 우리나라 외교 정책의 과제에 대한 설명으로 옳지 않은 것은?

① 수출과 같은 대외 경제 활동을 통해 경제 성장을 추구해야 한다.
② 미국, 중국, 일본, 러시아 등 주변국과 긴밀한 동맹을 유지해야 한다.
③ 민간 외교 활동의 비중을 줄이고 정부의 공식적 외교 활동을 확대해야 한다.
④ 국제기구 활동에 참여하여 환경 보호, 인권 신장 등 국제 문제 해결에 힘써야 한다.
⑤ 대화와 협력을 통해 남북 관계를 개선함으로써 한반도의 평화 정착을 위해 노력해야 한다.

**16** 다음 사례를 통해 파악할 수 있는 우리나라 외교 정책의 방향으로 가장 적절한 것은?

> 유네스코 지정 세계 문화유산인 캄보디아의 앙코르 와트는 1972년 전쟁으로 폐쇄되었다가 1990년대 중반 다시 세계 여행객들에게 개방되었다. 하지만 전쟁으로 곳곳이 훼손되고 수많은 불상이 조각나거나 외국으로 유출되었다. 이에 앙코르 와트의 복원을 위해 프랑스, 독일, 일본, 인도, 미국 등 17개국이 힘을 모으고 있다. 우리 정부도 무상 원조 전담 기관인 한국 국제 협력단(KOICA)을 통해 앙코르 유적 중의 하나인 프레아피투 사원의 복원 사업을 본격적으로 시작하였다.

① 우리의 경제 발전에 도움이 되는 실리 외교에 치중한다.
② 한반도의 평화를 위해 주변국과의 안보 외교를 강화한다.
③ 선진국과의 기술 교류를 통하여 국가 경쟁력을 강화한다.
④ 국제 분쟁 발생 시 국제법에 근거하여 우리의 주장을 펼친다.
⑤ 국제 개발 협력에 참여하여 한국의 위상을 높이고 기술력을 알린다.

## 서술형 문제

● 정답친해 73쪽

**01** 다음 자료를 통해 추론할 수 있는 국제 문제의 특징을 두 가지 이상 서술하시오.

> 온실가스로 인한 지구 평균 온도 상승으로 인해 해수면 상승과 전 지구적 기후 변화 문제가 발생하자 이에 대처하기 위해 2015년 195개 국가는 「파리 기후 변화 협약」을 체결하고 2100년까지 5년마다 자발적 감축 목표를 설정하여 실천하기로 하였다.

**02** 다음 글을 읽고 물음에 답하시오.

> ( ㉠ )의 역할은 국가 간의 분쟁에 대해 사법적 판단을 내리고 총회와 안전 보장 이사회 등의 법적 질의에 대해 권고적 의견을 제시하는 것이다.

(1) ㉠에 해당하는 기관을 쓰시오.

(2) (1)의 한계를 두 가지 이상 서술하시오.

**03** 다음 사례에 나타난 외교 정책의 영향과 중요성을 서술하시오.

> 2002년 이란의 핵무기 개발 의혹이 폭로되면서 국제 사회는 이란산 원유 수입을 금지하는 조치를 취했고, 그 결과 이란은 석유 수출 길이 막히면서 경제적으로 큰 어려움을 겪었다. 2015년 이란과 주요 6개국 협상단은 이란이 핵물질 생산을 줄여가는 조건으로 경제 제재를 해제하기로 하였다. 이에 따라 이란은 경제적인 이익을 얻고, 국제 사회는 핵 위협의 완화로 세계 평화 유지에 한걸음 더 나아가게 되었다.

## STEP 3 1등급 정복하기

**1** 다음 사례에서 도출할 수 있는 내용으로 가장 적절한 것은?

> 공해 수출이란 석면과 같은 유해 물질을 취급하는 공장이나 기술 또는 전자 폐기물, 핵 폐기물 등의 오염 물질을 선진국에서 개발 도상국으로 이전하는 국가 간 교역 행위를 말한다. 선진국의 기업들은 최신 기술의 설비는 자국 내에 유지하지만, 섬유, 화학, 금속, 기계 등 오래된 제조 설비들은 개발 도상국으로 이주하였다. 이는 개발 도상국의 과다한 자원과 에너지 소비에 영향을 미쳤으며, 다양한 직업병과 환경 오염 문제의 원인이 되었다.

① 국제 문제가 영향을 미치는 범위가 점차 축소되고 있다.
② 국제 문제 해결을 위한 국가의 역할이 점차 약화되고 있다.
③ 국제 연대를 통한 국제 문제 해결의 필요성이 강조되고 있다.
④ 각국은 국제 문제의 해결을 위해 자국의 경제 개발을 포기하고 있다.
⑤ 각국이 자국이 이익을 우선시하는 경향으로 인해 국제 문제가 심화되고 있다.

▶ 국제 문제

**평가원 응용**

**2** (가), (나)는 주요 국제기구에서의 의결 방식이다. 이에 대한 옳은 설명을 〈보기〉에서 고른 것은?

| 구분 | 투표권 배분 기준 | 표결 방식 |
|------|----------------|-----------|
| (가) | 1국 1표 | 총 회원국의 2/3 이상의 찬성 |
| (나) | 1국 1표 | 모든 상임 이사국의 찬성 투표를 포함한 9개국 이상의 찬성 |

**보기**

ㄱ. (가)는 주권 평등의 원칙이 적용된다.
ㄴ. (가)를 통해 의결된 사항은 국제 사회의 합의된 규범으로서 법적 구속력을 가진다.
ㄷ. (가)는 (나)에 비해 강대국이 영향력을 발휘하기 유리한 방식이다.
ㄹ. (나)는 (가)와 달리 국제 관계를 바라보는 현실수의석 관섬에 부합한다.

① ㄱ, ㄴ        ② ㄱ, ㄹ        ③ ㄴ, ㄷ
④ ㄴ, ㄹ        ⑤ ㄷ, ㄹ

▶ 국제 연합의 주요 기관

**완자샘의 시험 꿀팁**

국제기구들의 의사 결정 방식에 국제 관계를 바라보는 관점 중 어떤 관점이 반영된 것인지 묻는 문제가 자주 출제된다.

**3** 국제 연합의 주요 기관인 ㉠~㉢에 대한 설명으로 옳은 것은?

> • ( ㉠ )은/는 재판소 관할권을 승인하는 회원국들 간의 분쟁에 대해 국제법에 따른 판결을 내릴 수 있다.
> • ( ㉡ )은/는 국제 연합의 최고 의결 기관으로서 국제 연합의 활동 범위에 속하는 문제에 대해 토의, 권고하는 권한을 지닌다.
> • ( ㉢ )은/는 국제 평화와 안전 유지에 일차적 책임을 지며, 분쟁 지역에 평화 유지군을 파견할 수 있다. ( ㉢ )의 결정은 국제 연합 회원국들에 대해 강제성을 지닌다.

① ㉠에 제소할 수 있는 주체는 국제 연합의 회원국으로 제한된다.
② ㉡은 강대국이 지니는 힘의 우위를 인정하고 있다.
③ ㉢은 국제 연합의 모든 회원국들로 구성되어 있다.
④ ㉢은 ㉠과 마찬가지로 결정에 불복하는 국가에 강력한 제재를 가할 수 있다.
⑤ ㉡, ㉢은 법적 문제에 대해 ㉠에 의견을 요청할 수 있다.

> ▶ 국제 연합의 주요 기관
>
> **완자샘의 시험 꿀팁** 
> 국제 연합의 주요 기관인 총회, 안전 보장 이사회, 국제 사법 재판소와 관련된 문제가 자주 출제된다.

**4** 다음과 같은 갈등을 해결하기 위한 우리나라의 대응 방안으로 가장 적절한 것은?

○ 이어도 위치

이어도는 제주도에서 서남쪽으로 149km에 있는 수중 암초이다. 이어도 인근 수역은 황금 어장이며 중국이나 동남아시아, 유럽 등 각지로 항해하는 주요 항로이다. 우리나라는 이곳에 2003년 해양 과학 기지를 건설하여 연구를 진행하고 있다. 그런데 이어도는 한국과 중국의 배타적 경제 수역(EEZ)이 겹치는 곳이어서 영유권을 두고 양국 간의 갈등이 끊이지 않고 있다. 우리나라는 두 나라의 수역이 겹칠 경우, 그 중간 지점을 기준으로 한다는 중간선의 원칙(국제 관습법)에 따라 이어도가 우리 관할 지역이라고 주장하고 있다.

① 국제 연합(UN)에 이 문제를 중재해 줄 것을 요청한다.
② 국제 사법 재판소에 제소하여 그 판결에 따르도록 한다.
③ 한국과 중국이 공동으로 영유권을 행사하도록 협상한다.
④ 국제 사회가 합의한 국제법적 근거를 제시하여 중국을 설득한다.
⑤ 중국과의 외교 관계를 단절하고 무력을 행사하여 영토를 수호한다.

> ▶ 국제 분쟁의 해결 방안
>
> **완자 사전**
> • 배타적 경제 수역(EEZ)
> 영해 기선으로부터 200해리까지의 바다에서 영해를 제외한 수역. 연안국은 해양 자원의 탐사, 개발, 이용, 보전, 관리 등에 관한 주권적 권리가 보장된다.

**5** 다음 사례에 나타난 외교 방식에 대한 설명으로 옳지 <u>않은</u> 것은?

> 반크는 'Voluntary Agency Network of Korea'의 약자로 1999년 1월 인터넷에서 전 세계 외국인에게 우리나라를 바르게 알리기 위해 설립되었다. 반크는 우리나라에 대한 잘못된 정보에 대한 알림과 함께 교정 권고까지 폭넓은 활동을 하고 있으며, 『직지심체요절』홍보와 일본의 방위백서 소개 등 다양한 활동을 하고 있는데, 그중 동해와 독도의 국제 표기를 수정하려는 활동이 가장 잘 알려져 있다.

① 민간 차원의 외교 활동이다.
② 소프트파워를 주요 내용으로 한다.
③ 국가의 대외적 위상 제고에 기여한다.
④ 상대국과의 협상을 주요 전략으로 한다.
⑤ 외국 국민과의 직접적인 소통을 통한 방식이다.

> ▶ 다양한 외교 방식
>
> | 한자 사전 |
> • **소프트파워(soft power)**
> 군사력이나 경제력과 같은 하드 파워(hard power)에 대응하는 개념으로, 강제력보다는 매력을 통해, 명령보다는 자발적 동의를 통해 다른 행위자에게 영향을 미치는 능력

**6** 우리나라 외교 정책의 바람직한 방향에 대해 발표한 학생만을 있는 대로 고른 것은?

> ▶ 우리나라 외교 정책의 과제

갑: 북한과의 교류를 단절해야 합니다. 북한의 핵 개발에 대한 사과를 얻어낸 이후에야 대화를 시작해야 합니다.

을: 무역 비중이 큰 중국과 미국을 중심으로 외교 활동을 전개해야 합니다. 우리에게 경제적인 도움을 줄 수 있는 나라에 외교 역량을 집중해야 합니다.

병: 재난 구조, 환경 보호, 빈곤과 질병 퇴치, 인권 신장 등 국제기구를 통한 국제 문제 해결에 적극적으로 참여하여 한국의 기여도를 높여야 합니다.

정: 국가 간 갈등에서 국제법을 외교적 해결의 수단으로 활용해야 합니다. 국제법은 국제 사회에서 합의된 것으로 강대국도 무시할 수 없는 권위를 가지기 때문입니다.

무: 민간 차원의 외교 활동은 전문성이 부족하므로 국제 사회에서 우리나라의 위상을 추락시키는 경우가 많습니다. 따라서 외교 활동은 정부 차원에서만 이루어져야 합니다.

① 갑, 을                ② 을, 병                ③ 병, 정
④ 을, 병, 정            ⑤ 병, 정, 무

## 01 국제 관계와 국제법

### 1. 국제 관계의 변화

(1) **국제 관계:** 국제 사회에서 국가 등 다양한 행위 주체가 정치, 경제, 사회, 문화와 같은 영역에서 상호 작용을 통해 만드는 관계

(2) **국제 관계의 특성:** 국가를 기본 단위로 하여 구성, 힘의 논리 작용, 세계 정부의 부재 등

(3) **국제 관계의 변천 과정**

| ( ❶ )<br>(1648) | • 종교에 대한 국가의 우위가 확립됨<br>• 주권과 영토를 가진 국가가 국제 사회의 주체로 등장함 |
| --- | --- |
| 제국주의 시대<br>(19세기 후반) | • 유럽 열강들이 식민지 확보 경쟁을 벌이며 제1차 세계 대전이 발발함<br>• 유럽의 주권 국가 체제가 전 세계로 확산됨 |
| 제1차 세계 대전<br>(1914~1918) | 제1차 세계 대전 이후 세계 평화 유지를 위해 국제 연맹(LN)이 창설됨(1920) |
| 제2차 세계 대전<br>(1939~1945) | • 일본, 독일 등 전체주의 국가와 영국, 미국 등 연합국 간 제2차 세계 대전이 발발함<br>• 제2차 세계 대전 이후 전쟁 방지와 국제 평화를 위해 국제 연합(UN)이 창설됨(1945) |
| 냉전 체제<br>(20세기 중반~<br>1990년대 초반) | • 자유 진영과 공산 진영으로 나뉘어 대립하는 양극 체제가 자리 잡으면서 냉전이 시작됨<br>• 몰타 선언(1989), 독일 통일(1990), 구소련의 해체(1991) 등으로 냉전 체제가 종식됨 |
| 탈냉전, 세계화<br>(1990년대 중반<br>이후) | • 다양한 국제 사회 행위 주체의 영향력이 확대되고 경제적 실리를 추구하는 경향이 강화됨<br>• 이념에 따른 갈등은 감소한 반면, 민족, 종교, 영토, 자원 등 다양한 이유로 발생하는 분쟁은 증가함 |

(4) **국제 관계를 바라보는 관점**

| ( ❷ )<br>관점 | • 힘의 논리로 국제 관계를 설명함<br>• 국제 사회에서 국가는 자국의 이익을 경쟁적으로 추구하기 때문에 국가 간 갈등은 필연적임<br>• 국제 사회의 평화를 실현하려면 '세력 균형' 전략이 필요하다고 봄 |
| --- | --- |
| 자유주의적<br>관점 | • 국제 관계의 평화 실현을 위해 국제법, 국제기구 등의 국제 제도가 필요하다고 봄<br>• 국제 사회에서 국가는 국민의 복지를 추구하고 서로 협력하는 존재라고 인식함<br>• 국제 사회의 평화를 실현하기 위해서는 '집단 안보' 체제가 필요하다고 봄 |

(5) **국제 사회의 행위 주체**

① 주요 행위 주체: 국가, 정부 간 국제기구, 국제 비정부 기구, 다국적 기업 등

② 그 밖의 행위 주체: 지방 자치 단체, 시민 단체, 소수 인종, 국제적으로 영향력이 있는 개인 등

(6) **세계화에 따른 국제 관계의 변화**

| ( ❸ ) | 국제 사회가 국경을 초월하여 하나의 지구촌으로 통합되어 가는 현상 |
| --- | --- |
| 영향 | • 국가 간 상호 의존성이 심화함<br>• 국제 사회의 행위 주체가 다양해짐<br>• 국제법과 같은 국제 규범의 역할이 확대됨 |

### 2. 국제법의 의의와 한계

(1) **국제법의 의미와 효력**

| 의미 | 국제 사회 행위 주체들의 관계를 규율하고 국제 질서를 유지하는 규범 → 과거에는 주로 국가 간의 관계를 규율했지만 오늘날에는 그 적용 영역이 확대되고 있음 |
| --- | --- |
| 효력 | 헌법에 의하여 체결·공포된 조약과 일반적으로 승인된 국제 법규는 국내법인 법률과 같은 효력을 가짐 |

(2) **국제법의 의의:** 분쟁 해결 수단 제공, 국제 사회의 협력 유도, 행동 규범과 판단 기준 제시 등

(3) **국제법의 법원**

| ( ❹ ) | • 의미: 국가 간, 국제기구와 국가 간, 국제기구 간에 체결하는 법적 구속력을 가진 약속<br>• 의의: 주로 문서 형식의 합의로서 조약을 체결한 당사국을 구속함 → 일반적으로 서로에게 일정한 행위를 하거나 하지 않을 것을 내용으로 함 |
| --- | --- |
| 국제 관습법 | • 의미: 국제 사회의 반복적인 관행이 법 규범으로 승인되어 효력을 가지게 된 규범<br>• 의의: 문서화된 법이 아니므로 별도의 체결 절차 없이도 국제 사회의 다른 국가에 법적 구속력이 발생함 |
| 법의 일반 원칙 | • 의미: 문명국들이 공통적으로 승인하여 따르는 국내법에 수용된 법의 보편적인 원칙<br>• 의의: 국제 분쟁 발생 시 조약이나 국제 관습법이 없을 때 재판의 준거로 활용됨 |

(4) **국제법의 한계**

① 고유한 ( ❺ ) 기구가 없어 국제 사회 전반에 적용할 수 있는 국제법을 제정하기 어려움

② 국제 사법 재판소의 판결을 이행하지 않아도 강제할 방법이 없어 실효성이 떨어짐

## 02 국제 문제와 국제기구

### 1. 국제 문제

#### (1) 국제 문제의 양상

| ( ❻ ) | 종교, 인종, 자원 등을 이유로 한 국지적 전쟁, 테러 증가, 대량 살상 무기의 증가 등 |
|---|---|
| 경제 문제 | • 국가 간 빈부 격차 심화<br>• 저개발 국가의 기아 문제 심각 |
| 환경 문제 | • 자원 고갈, 환경 오염 심화(산성비, 오존층 파괴, 지구 온난화, 폐기물 문제 등)<br>• 자국의 이익 우선 추구로 문제 해결이 쉽지 않음 |
| 인권 문제 | 여성, 아동, 난민 등 사회적 약자의 인권이 보장되지 않음 |

#### (2) 국제 문제의 특징과 해결 방안

| 특징 | • 국경을 초월하여 발생하며 전 지구적으로 영향을 끼침<br>• 강제성을 가지고 국제 문제를 규제, 관리할 기구가 없음 |
|---|---|
| 해결<br>방안 | • 국가 간 상호 협력이 필요함<br>• 국제법, 국제기구, 외교 활동을 통해 해결해야 함 |

### 2. 국제 문제 문제 해결을 위한 국제기구의 역할

#### (1) 국제 연합

| 설립 목적 | 국제 사회의 평화와 안전 유지, 국가 간 우호와 협력 증진 등 |
|---|---|
| 총회 | • 형식상 최고 의결 기관(1국 1표로 표결)<br>• 의결은 권고적 효력만 가짐, 법적 구속력은 없음 |
| 안전 보장<br>이사회 | • 15개 이사국 중 9개국 이상의 찬성으로 의결 → 실질 사항의 경우 ( ❼ ) (미국, 영국, 프랑스, 러시아, 중국) 중 한 국가라도 거부권을 행사하면 부결됨<br>• 실질적 의사 결정 기구: 침략국에 대한 경제·외교적 제재나 군사적 개입 결정 등 |
| 한계 | • 상임 이사국의 거부권 행사 시 중요한 의사 결정이 지연되거나 좌절됨<br>• 중요한 국제 문제가 국제 연합이 배제된 채 각국 대표들 간의 협상으로 해결되고 있음 |

#### (2) 국제 사법 재판소

| 역할 | 국제 연합의 사법 기관 → 국제법에 따라 국가 간의 분쟁을 해결 |
|---|---|
| 구성 | 총회와 안전 보장 이사회에서 선출한 15인의 법관으로 구성 |
| 한계 | • ( ❽ )이 없어 분쟁 당사국 모두가 동의한 사건에 대해서만 처리 가능<br>• 당사국의 재판 결과 불이행에 대한 제재 권한이 없음 |

## 03 우리나라의 국제 관계와 외교 정책

### 1. 우리나라의 국제 관계

#### (1) 우리나라 국제 관계의 변화

| 분단 이전 | • 전략적 요충지로 외세의 침입이 잦았음<br>• 일제 강점기 → 광복 → 분단 → 6·25 전쟁 → 휴전 |
|---|---|
| 분단 이후 | • 광복 이후 ❾ )를 받아 경제 성장을 이룸<br>• 국제 개발 협력에 참여하여 전 세계적으로 많은 국가와 다양한 분야에서 영향을 주고받음 |

#### (2) 우리나라의 국제 관계와 국제 분쟁: 주변 국가들과 여러 분야에서 협력하는 동시에 안보, 무역, 역사 등 여러 측면에서 크고 작은 갈등과 분쟁을 겪고 있음

### 2. 바람직한 외교 정책

#### (1) 외교와 외교 정책

| ( ❿ ) | 한 국가가 자국의 이익을 위하여 국제 사회에서 평화적인 방법으로 펼치는 모든 대외 활동 |
|---|---|
| 외교 정책 | 외교를 통해 자국의 이익 증진을 목적으로 시행하는 정책 |

#### (2) 외교 정책의 영향

| 제대로 수행할 경우 | 자국의 대외적 위상 상승, 정치적·경제적 이익 |
|---|---|
| 제대로 수행하지<br>못할 경우 | 국제 사회에서 고립, 국익에 손실 발생 |

#### (3) 외교 정책의 중요성: 국제 분쟁을 해결하고 국제 사회의 평화를 유지하는 데 이바지할 수 있음

#### (4) 우리나라 외교 정책의 과제

| 한반도의<br>평화 정착 | 대내외적으로 지속적인 대화와 협력을 통해 남북 관계를 개선해야 함 |
|---|---|
| 주변국과<br>동맹 유지 | 미국, 일본, 중국, 러시아 등을 비롯하여 여러 국가와 긴밀하게 협력해야 함 |
| 무역 및 기술<br>교류 | 대외 경제 활동과 무역 확대를 통한 지속적 경제 성장 추구, 기술 교류를 통한 국가 경쟁력 강화 |
| 국제기구<br>활동 참여 | 국제기구를 통한 국제 문제 해결에 적극적으로 참여하면서 한국의 기여도를 높여야 함 |
| 민간 외교<br>자원 활용 | 정부의 공식적 외교뿐만 아니라 다양한 분야에서 민간 외교 자원의 적극적 활용 |
| 국제법의 활용 | 국제법을 활용하여 한반도 주변 강대국들을 상대로 우리의 주장을 펼침 |

● 정답 ● ① 매드크로케어 ② 국제사회의 ③ 시에라 ④ 교육 ⑤ 경제 ⑥ 안보 문제 ⑦ 강제적 관할권 ⑧ 강제적 관할권 ⑨ 국제 개발 협력 ⑩ 외교

VI. 국제 관계와 한반도 **207**

**01** 다음 사례에서 파악할 수 있는 국제 사회의 특징으로 가장 적절한 것은?

> A국은 세계 식품 시장에서 큰 손으로 떠오른 지 오래다. A국 국민이 뭔가에 입맛을 들이면 남아나는 게 없다는 말이 나올 정도다. 육식에서 해산물로 눈길을 돌리면서 참치·굴·연어의 국제 시세가 해마다 뛰고 있다. 이제 식품 수출국들은 A국의 눈치를 살펴야 할 판이다.

① 국제 비정부 기구가 국제 사회를 주도하고 있다.
② 국제 관계는 국가 간의 국력의 차이가 반영된다.
③ 국제법상 중앙 정부의 기능을 하는 국가가 존재한다.
④ 국제 질서는 보편적인 국제 규범에 의해 통제가 가능하다.
⑤ 사법 기관의 판단이 필요한 국제 문제가 점점 늘어나고 있다.

**02** (가)~(다)에 대한 옳은 설명을 〈보기〉에서 고른 것은?

| (가) | (나) | (다) |
|------|------|------|
| 트루먼 독트린 | 닉슨 독트린 | 몰타 선언 |

**보기**
ㄱ. (가)에 의해 다극 체제가 형성되었다.
ㄴ. (나)는 그리스와 튀르키예에 대한 경제적 원조 약속을 포함한다.
ㄷ. (다)에 의해 미국과 소련 중심의 냉전 체제가 종식되었다.
ㄹ. (나)와 (다) 시기를 거치면서 이념보다 경제적 실리 추구가 중시되었다.

① ㄱ, ㄴ   ② ㄱ, ㄷ   ③ ㄴ, ㄷ
④ ㄴ, ㄹ   ⑤ ㄷ, ㄹ

**03** (가), (나)에 대한 설명으로 옳은 것은?

> (가) 30년 전쟁을 종결하기 위하여 유럽 각국은 베스트팔렌 조약을 맺었다.
> (나) 국제 사회의 평화 유지와 협력을 위하여 국제 연합(UN)이 창설되었다.

① (가)로 인해 제국주의 시대가 막을 내렸다.
② (가)는 종교에 대한 국가의 우위를 확립하는 데 기여하였다.
③ (나)는 제1차 세계 대전 이후 전쟁을 방지하기 위해 창설되었다.
④ (나)는 유럽의 주권 국가 체제가 전 세계로 확산되는 계기가 되었다.
⑤ (가)와 (나) 사이에 냉전 체제가 등장하였다.

**04** 다음은 학생이 수업 시간에 정리한 노트의 일부이다. (가), (나)에 대한 옳은 설명을 〈보기〉에서 고른 것은?

| 국제 관계를 바라보는 관점 ||
|------|------|
| 구분 | 내용 |
| (가) | 각국은 국제기구를 통해 서로 협력함으로써 국제 평화를 유지할 수 있다. |
| (나) | 국제 정치의 본질은 자국의 이익을 우선하는 국가들 간에 나타나는 힘의 투쟁이다. |

**보기**
ㄱ. (가)는 국제 사회가 인류의 보편적 가치를 추구한다고 본다.
ㄴ. (나)는 국제 사회를 무정부적 상태로 간주한다.
ㄷ. (가)는 (나)와 달리 국가 간 동맹을 통한 세력 균형이 자국의 안보를 보장한다고 본다.
ㄹ. (나)는 (가)와 달리 외교 정책 수단으로 위협보다 설득과 타협을 중시한다.

① ㄱ, ㄴ   ② ㄱ, ㄷ   ③ ㄴ, ㄷ
④ ㄴ, ㄹ   ⑤ ㄷ, ㄹ

**05** 다음 그림의 A~C에 해당하는 질문을 옳게 연결한 것을 〈보기〉에서 고른 것은?

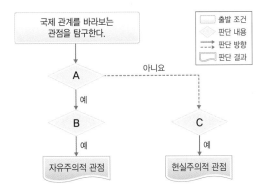

**보기**

ㄱ. A – 세력 균형을 통해 전쟁을 방지할 수 있는가?

ㄴ. B – 국제 사회에서 국제기구의 역할을 강조하는가?

ㄷ. B – 집단 안보 전략을 통해 국제 평화를 실현할 수 있는가?

ㄹ. C – 국가는 이성적 판단을 할 수 있음을 전제로 하는가?

① ㄱ, ㄴ　　② ㄱ, ㄷ　　③ ㄴ, ㄷ

④ ㄴ, ㄹ　　⑤ ㄷ, ㄹ

**06** 다음은 최근의 신문 기사 제목들이다. 이를 통해 알 수 있는 오늘날 국제 관계의 특징으로 가장 적절한 것은?

- 제주 예멘 난민 수용 반대 61%, 테러·범죄 때문 55%
- 미국 중국 간 무역 분쟁 2라운드 돌입 … '추가 관세' 예고
- 과테말라, 벨리즈와 영토 분쟁 국제 사법 재판소에 제소 결정
- 카탈루냐 "스코틀랜드 모델로" … 분리 독립 투표 재추진 시사

① 정치적 이념을 둘러싼 갈등이 심화되고 있다.

② 세계화 반대 세력의 국제적 연대가 모색되고 있다.

③ 제3세계 비동맹 국가들의 국제적 지위가 향상되고 있다.

④ 이념적 갈등을 대신하는 다양한 형태의 갈등이 증가하고 있다.

⑤ 국제기구의 도움을 받아 분쟁을 해결하려는 움직임이 나타나고 있다.

**07** 밑줄 친 ㉠~㉢에 대한 옳은 설명을 〈보기〉에서 고른 것은?

외교 사절은 직무의 효율적 수행을 보장하기 위하여 특권이 인정되는데, 그중 한 가지가 공관 및 신체의 불가침이다. 이에 따라 외교 공간에 동의 없이 들어가거나 외교 사절의 체포, 억류는 불가능하다. 이러한 외교관의 특권은 ㉠ 국제 관습법으로 오랫동안 보장받다가 1961년 ㉡ 외교 관계에 관한 빈 협약으로 성문화되었다. 실제 1979년 이란 주재 미국 대사관 인질 사건에서 ㉢ 국제 사법 재판소는 외교 특권은 협약을 체결하지 않은 국가라도 지켜야 할 의무가 있다고 판결했다. 이 판결로 인해 외교 특권에 관한 국제법 법리는 더욱 강화되었다.

**보기**

ㄱ. ㉠은 체결 당사국에게만 적용된다.

ㄴ. ㉡은 다자 조약에 해당한다.

ㄷ. ㉢은 외교 특권을 국제법의 법원으로 인정하였다.

ㄹ. 우리나라의 경우 ㉠은 대통령이, ㉡은 국회가 체결할 수 있는 권한을 가진다.

① ㄱ, ㄴ　　② ㄱ, ㄷ　　③ ㄴ, ㄷ

④ ㄴ, ㄹ　　⑤ ㄷ, ㄹ

**08** (가)~(다)는 서로 다른 국제법 법원의 일부이다. 이에 대한 설명으로 옳지 <u>않은</u> 것은?

(가) 원칙적으로 자국 외의 다른 국가에 간섭하지 않는다.

(나) 권리와 의무의 이행은 신의에 좇아 성실하게 해야 한다.

(다) 한국과 A국 정부는 범죄인 인도 조약을 체결하고, …

① (가)는 국제 관행이 법으로 승인된 것이다.

② (나)는 체결 당사국에만 효력이 인정된다.

③ 우리나라에서 (가)의 체결권은 대통령에게 있다.

④ (가)와 (나)는 별도의 체결 절차 없이 효력이 인정된다.

⑤ (다)는 (가), (나)보다 국제 분쟁을 해결할 때에 우선 적용된다.

**09** 다음 글을 통해 알 수 있는 국제 문제의 특징으로 가장 적절한 것은?

2018년 7월 미국은 360억 달러 상당의 중국 수입 제품에 대해 25%의 관세율을 부과하였고, 이에 반발한 중국이 동등한 규모의 맞불 조치를 취하면서 무역 전쟁이 본격화되었다. 또한 9월에는 양국이 2,000억 달러 규모의 상대국 수입품에 5~10%의 추가 관세를 부과하면서 무역 전쟁이 확대되었다. 우리나라의 중국에 대한 수출 의존도가 특히 높은 상황임을 고려할 때, 미국과 중국의 무역 전쟁은 중국의 성장률 하락에 따른 대중 수출 감소, 세계 무역 침체에 따른 수출 감소 등의 여파로 우리 경제에 영향을 미칠 전망이다.
- 한국 경제 연구원, 「미·중 무역 전쟁과 죄수의 딜레마」

① 당사자의 양보가 자주 발생한다.
② 중앙 정부의 공권력 행사가 쉽다.
③ 당사자의 협상으로 쉽게 해결된다.
④ 강력한 제재가 가해지는 경우가 많다.
⑤ 당사국 이외에도 영향을 끼치는 범위가 넓다.

**10** 다음 사례에 나타난 국제 문제 해결의 시사점으로 가장 적절한 것은?

「파리 기후 변화 협약」은 2020년에 만료되는 교토 의정서를 대체할 새로운 국제 기후 변화 방지 대책이다. 산업화 이전 수준 대비 지구 평균 온도가 2℃ 이상 상승하지 않도록 온실가스 배출량을 단계적으로 감축하는 내용을 담고 있다. 파리 기후 변화 협약이 발효되면서 총회에 참석한 195개 국가는 2100년까지 5년마다 자발적 감축 목표를 설정하는 등 적극적 대응에 나서고 있다. 특히 2021년 이후에는 전 세계가 본격적으로 배출권 거래제에 참여할 것으로 예상된다.

① 자국의 이익을 최우선으로 고려해야 한다.
② 물리적 강제력을 동원한 해결이 필요하다.
③ 비정부 기구가 주도적인 역할을 해야 한다.
④ 국제법을 통하여 국가 간 협력을 도모해야 한다.
⑤ 당사국 이외의 제3자에 의한 해결이 바람직하다.

**11** 밑줄 친 '이 국제기구'의 한계에 해당하는 내용을 〈보기〉에서 고른 것은?

이 국제기구는 전쟁 방지와 국제 평화 실현 및 국가 간의 협력과 우호 증진을 목적으로 한다. 산하에 총회와 안전 보장 이사회, 국제 사법 재판소 및 다양한 기구로 구성된다.

보기
ㄱ. 일부 강대국의 이해관계에 따라 중요한 의사 결정이 이루어지기도 한다.
ㄴ. 모든 회원국에 분담금을 획일적으로 책정하여 저개발 국가의 재정적 어려움이 커지고 있다.
ㄷ. 국제적으로 중요한 문제가 해당 기구가 배제된 채 당사국과 관련 국가들의 협상으로 해결되고 있다.
ㄹ. 안전 보장 이사회의 상임 이사국이 너무 자주 변경되어 국제 문제 해결에서 전문성을 발휘하기 어렵다.

① ㄱ, ㄴ
② ㄱ, ㄷ
③ ㄴ, ㄷ
④ ㄴ, ㄹ
⑤ ㄷ, ㄹ

**12** 다음은 인터넷에서 어떤 용어를 검색한 결과이다. (가)에 들어갈 기관에 대한 설명으로 옳은 것은?

(가)

국가 간의 분쟁을 심판하는 국제 연합의 기관이다. 재판관은 15명인데, 공정한 재판을 위해 국적이 서로 다른 재판관을 선출한다.

① 국제 연합(UN) 회원국만이 제소할 수 있다.
② 재판관은 국제 연합(UN) 사무국에서 선정한다.
③ 판결을 강제 집행하는 기관이 별도로 존재한다.
④ 국제 관습법을 적용하여 판결을 내릴 수도 있다.
⑤ 분쟁 당사국의 별도 동의가 없어도 관할권이 인정된다.

**13** 오늘날 우리나라와 주변 국가의 관계에 대한 설명으로 옳은 것은?

① 자유 무역 협정 체결의 증가로 국내 취약 산업이 타격을 받고 있다.
② 미국과 일본은 한반도를 전략적 요충지로 여기며 서로 견제하고 있다.
③ 러시아는 우리나라와 센카쿠 열도를 둘러싸고 영토 분쟁을 겪고 있다.
④ 일본은 서해안 불법 어선 출몰과 관련하여 우리나라와 갈등을 겪고 있다.
⑤ 우리나라는 일본의 독도 영유권 주장에 대해 국제 사법 재판소에 제소하려고 한다.

**14** 다음 자료를 보고 우리나라의 국제적 위상이나 외교 방향에 대해 추론한 내용으로 옳지 <u>않은</u> 것은?

세계 지도를 보면 우리나라는 동북아시아에서 중국과 러시아, 일본 사이에 위치하여 아시아 대륙과 태평양을 연결하는 전략적 위치에 있음을 알 수 있다.

① 주변 국가들의 끊임없는 침략이 이어졌을 것이다.
② 다자간 안보 협력 체제의 필요성이 제기되고 있을 것이다.
③ 내수 경제에 집중하여 국제 사회의 영향력을 줄여나가야 한다.
④ 동아시아 각국의 국제 분쟁에서 중재자 역할을 수행할 수 있다.
⑤ 주변 국가들과 다양한 교류를 통해 평화 분위기를 조성해야 한다.

**15** 다음과 같은 역사적 사실에 대한 우리의 대응 방안으로 적절하지 <u>않은</u> 것은?

일본 정부는 침략 전쟁 과정에서 당시 일본의 식민지였던 조선과 타이완의 여성들을 포함하여 중국, 필리핀 등의 여성들을 일본군 '위안부'로 강제 동원하였다. 1990년대 초, 한국에서 피해자들의 공개 증언이 잇따르면서, 일본 국내외에서 비판 여론이 일어나 고노 관방 장관이 공식 사과를 하였지만, 현재 일본 정권은 일본군 '위안부'에 대한 강제성을 부정하고 있다.

① 일본 정부에 공식 문서로 항의한다.
② 역사적인 자료에서 정확한 근거를 찾는다.
③ 국제 사회에 정확한 사실을 적극 홍보한다.
④ 제3국에 중재를 의뢰하여 그 결정에 따른다.
⑤ 피해 국가와 연대하여 사실 관계를 조사한다.

**16** 다음 사례가 우리나라의 외교 정책에 주는 교훈으로 가장 적절한 것은?

993년(성종 12년)에 거란이 고려를 침입하여 고려가 송나라와만 외교 관계를 맺고 있는 것을 문제 삼았다. 이에 왕의 특사로 파견된 서희는 거란군의 소손녕에게 "고려도 거란과 국교를 맺고 싶으나 압록강 주변을 여진이 점거하여 어렵다."라고 하였다. 이에 거란은 국교를 맺는다는 조건으로 여진을 축출하고, 고려가 압록강 일대를 차지하는 것에 동의하고 물러갔다. 이로 인해 고려는 국난을 극복하고 새로운 영토(강동 6주)까지 획득하였다.

① 공식적인 외교 활동보다는 민간 외교가 훨씬 효율적이다.
② 상대국 국민과 직접 소통함으로써 공감대를 형성해야 한다.
③ 상대국과 협상하기에 앞서 주변 국가에 도움을 요청해야 한다.
④ 외교 협상에서 자국의 이익만을 고려할 때 성공할 가능성이 높다.
⑤ 외교에서 협상을 통해 상대국을 설득하거나 타협하는 것이 중요하다.

Memo

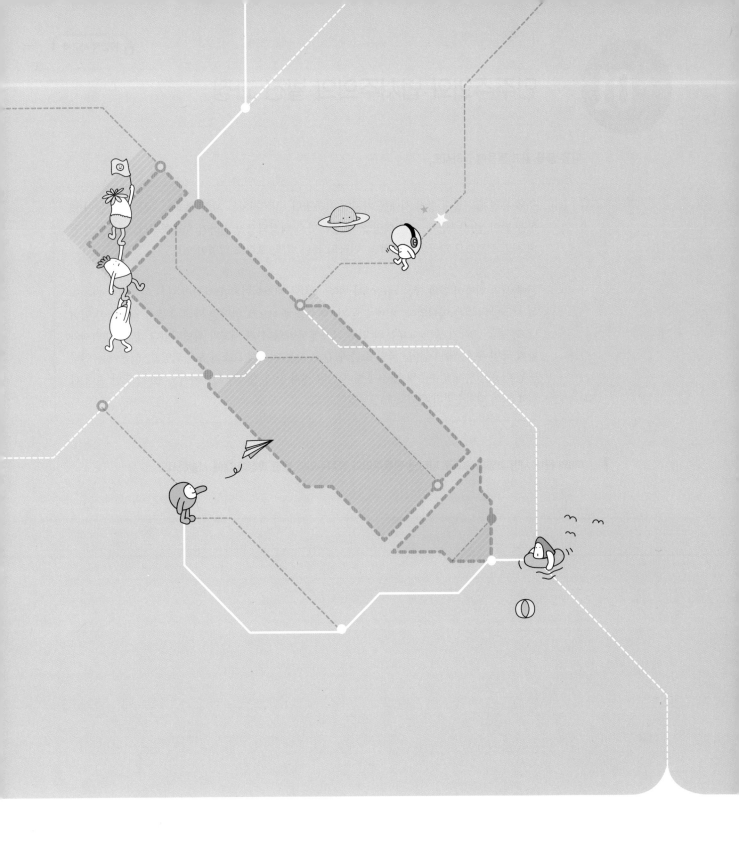

# 논술형 문제

›› 정답친해 77쪽

# 주제 01 민주주의와 법치주의의 발전 과정

다음 글을 읽고 물음에 답하시오.

(가) 중세 봉건제와 절대 왕정 시대를 거치며 사라졌던 민주 정치는 사회 계약설, 계몽사상 등의 영향을 받아 일어난 근대 시민 혁명을 계기로 다시 형성되고 발전하기 시작하였다. 대표적인 근대 시민 혁명으로 영국의 명예혁명, 미국의 독립 혁명, 프랑스 혁명이 있다.

(나) 근대 시민 혁명의 결과 많은 나라에서 민주 정치가 시작되었지만 사회의 모든 구성원이 참정권을 보장받은 것은 아니었다. 이에 노동자, 여성을 중심으로 참정권 확대 운동이 끊임없이 일어났고, 결국 20세기 중반 대부분의 민주 국가에서 보통 선거 제도가 확립되었다. 한편 대의제와 함께 국민 투표, 국민 발안, 국민 소환과 같은 직접 민주제 요소가 도입되었고, 최근에는 인터넷을 이용한 전자 민주주의 등을 통해 시민의 정치 참여 기회가 확대되기도 했다. 또한 현대 사회에 와서 법치주의의 의미도 확장되었다.

**1** (가)의 근대 시민 혁명의 결과로 나타난 민주주의와 법치주의의 발전 과정에 대해 서술하시오.

........................................................................................

........................................................................................

........................................................................................

**2** (나)의 밑줄 친 부분의 의미를 형식적 법치주의와 실질적 법치주의를 포함하여 서술하시오.

........................................................................................

........................................................................................

........................................................................................

주제 **02**

# 기본권의 제한과 한계

다음 글을 읽고 물음에 답하시오.

(가) 법원 앞에서의 ㉠ 집회·시위의 자유를 일괄적으로 제한하는 것은 헌법에 어긋난다는 헌법 재판소 결정이 나왔다. 헌법 재판소는 "법원 인근에서의 집회라 할지라도 사법 행정과 관련된 의사 표시 전달을 목적으로 한 집회 등 법관의 독립이나 구체적 사건의 재판에 영향을 미칠 우려가 없는 재판도 있다."라면서 "입법자로서는 집회의 자유를 과도하게 제한할 가능성이 완화될 수 있도록 법원 인근의 집회·시위가 허용될 가능성을 열어 둬야 한다."라고 밝혔다.

(나) 성범죄로 금고 이상의 형의 집행 유예가 확정된 택시 운전자에 대해서는 택시 운전 자격을 필수적으로 취소하도록 한 「여객 자동차 운수 사업법」은 헌법에 어긋나지 않는다는 헌법 재판소 결정이 나왔다. 이 법은 택시 운전 자격을 취득한 사람이 강제 추행 등 성범죄로 금고 이상 형의 집행 유예를 선고받은 경우 자격을 취소하도록 하고 있다. 헌법 재판소는 "택시를 이용하는 국민을 성범죄 등으로부터 보호하고 여객 운송 서비스 이용에 대한 불안감을 해소하며, 도로 교통에 관한 공공의 안전을 확보하려는 입법 목적은 정당하고 운전 자격의 필요적 취소라는 수단의 적합성도 인정된다."라고 밝혔다.

**1** (가)의 밑줄 친 ㉠이 해당하는 기본권의 유형과 그 성격을 서술하시오.

..................................................................................................................................

..................................................................................................................................

..................................................................................................................................

**2** (가), (나)의 사례를 통해 국민의 기본권을 제한할 경우에 필요한 요건, 형식, 제한의 한계 등을 서술하시오.

..................................................................................................................................

..................................................................................................................................

..................................................................................................................................

주제 **03**

# 정부 형태의 특징

(가)는 갑국의 헌법 조항 중 일부이다. 이를 통해 갑국의 정부 형태를 그 근거와 함께 쓰고, (나)에서 정부 형태를 변경하려는 이유를 밑줄 친 '단점'과 관련하여 논술하시오. (단, 갑국의 현행 정부 형태와 변경하려는 정부 형태는 모두 전형적인 정부 형태이다.)

---

(가)  제20조 입법권은 의회에 속한다.

제21조 ① 의회는 국민의 보통·평등·직접·비밀 선거에 의하여 선출된 의회 의원으로 구성된다.

제22조 의회 의원은 내각의 각료를 겸직할 수 없다.

제33조 ② 의회에서 의결한 법률안에 이의가 있을 때에는 대통령은 제1항의 기간 내에 이의서를 붙여 의회로 환부하고, 그 재의를 요구할 수 있다.

제56조 ① 대통령은 국가의 원수이며, 외국에 대하여 국가를 대표한다.

② 행정권은 대통령을 수반으로 하는 정부에 속한다.

제57조 ① 대통령은 국민의 보통·평등·직접·비밀 선거에 의하여 선출된다.

(나)

△△ 신문                                              ○○○○년

**갑국 의회, 정부 형태 변경 논의 중**

갑국 의회는 현재의 정부 형태가 가진 을 해결하기 위해 새로운 정부 형태로 변경하는 사안에 대해 논의하고 있다.

---

# 헌법 재판소의 역할

(가)는 위헌 법률 심판 제청 신청서, (나)는 헌법 재판소 결정문 중 일부이다. (나)의 헌법 재판 유형을 쓰고, 그 근거를 논술하시오. ((가), (나)의 과정을 바탕으로 논술하시오.)

(가)

### 위헌 법률 심판 제청 신청

사건 2014고합○○○○ 공직선거법 위반
피고 갑
위 사건에 관하여 피고는 아래와 같이 위헌 법률 심판 제청을 신청합니다.

신 청 취 지
공직선거법 제□□조가 헌법에 위반된다.

신 청 이 유
···(중략)···

△△ 지방 법원 귀중

(나)

### 헌법 재판소
### 결정

사건 △△ 지방 법원 2014고합○○○○ 공직선거
　법 위반
청구인 갑

주 문
공직선거법 제□□조는 헌법에 위반된다.

이 유
1. 사건 개요
······ 청구인은 ······ 헌법 재판소법 제68조 제2항
에 따른 이 사건 헌법 소원 심판을 청구하였다.
···(중략)···
재판관 ······

# 선거 제도

다음은 갑국의 의회 의원 선거 결과이다. 물음에 답하시오.

**(가) 정당 후보자별 득표수**

(단위: 백 명)

| 구분 | 제1선거구 | 제2선거구 | 제100선거구 |
|---|---|---|---|
| A당 후보자 | 600 | 500 당선 | 200 |
| B당 후보자 | 700 당선 | 400 | 150 |
| C당 후보자 | 300 | 250 | 250 |
| D당 후보자 | 150 | 100 | 100 |
| E당 후보자 | 50 | 150 | 300 당선 |
| 유효 투표수 | 1,800 | 1,400 | 1,000 |
| 유권자 수 | 3,000 | 2,500 | 2,000 |

**(나) 정당별 의석 분포**

(단위: 석)

| 구분 | 총의석수 | 지역구 의석수 | 비례 대표 의석수 | 비례 대표 정당 투표 득표율(%) |
|---|---|---|---|---|
| A당 | 52 | 31 | 21 | 40 |
| B당 | 54 | 39 | 15 | 30 |
| C당 | 30 | 20 | 10 | 20 |
| D당 | 11 | 7 | 4 | 8 |
| E당 | 3 | 3 | 0 | 2 |
| 합계 | 150 | 100 | 50 | 100 |

**1** (가)를 통해 알 수 있는 갑국의 선거구 제도와 이 제도의 장·단점을 서술하시오.

.........................................................................................................................................................

.........................................................................................................................................................

.........................................................................................................................................................

**2** (가), (나)를 통해 갑국이 비례 대표제를 도입함으로써 어떤 문제를 해결하려는지를 비례 대표제의 성격을 포함시켜 서술하시오.

.........................................................................................................................................................

.........................................................................................................................................................

.........................................................................................................................................................

# 주제 06 정치 참여 주체

다음 자료를 보고 물음에 답하시오.

---

**(가)**

| A | B |
|---|---|
| 아래와 같이 전당 대회를 개최합니다.<br><br>• 안건: 대표 및 최고 위원 선출<br>• 참석자: 대의원 | 아래와 같이 결과 발표회를 개최합니다.<br><br>• 안건 : 국회 국정 감사 모니터링 결과 발표<br>• 참석자 : 참여를 원하는 모든 시민 |

**(나)** 오늘날 사람들은 텔레비전, 신문, 인터넷 등을 통해 새로운 정보들을 습득하게 된다. 이러한 과정에서 사람들은 자신이 선호하는 매체를 선택한 후, 적극적으로 정보를 취사선택하여 합리적으로 판단한다고 생각할 수 있다. 그러나 대중 매체를 통해 접하게 되는 정보는 해당 매체가 취사선택한다고 해석한 것에 불과할 수 있다. 매체에서 중요하다고 판단하여 보도한 사건은 사회적 논의 대상이 되지만 보도하지 않은 사건은 그렇게 되지 않을 수 있다. 오히려 사회적으로 중요한 사건이 대중 매체에 보도되지 않거나 아주 작게 보도될 수 있다.

---

**1** (가)에서 정치 참여 주체 A, B의 공통점과 차이점을 서술하시오.

.................................................................................................................................

.................................................................................................................................

.................................................................................................................................

**2** (나)를 통해 언론을 대하는 시민의 올바른 태도에 대해 서술하시오.

.................................................................................................................................

.................................................................................................................................

.................................................................................................................................

주제 **07**

# 근대 민법의 기본 원리와 수정 배경

**다음은 손해 배상 책임과 관련한 법 조항이다. 읽고 물음에 답하시오.**

> (가) 민법 제750조(불법 행위의 내용) 고의 또는 과실로 인한 위법 행위로 타인에게 손해를 가한 자는 그 손해를 배상할 책임이 있다.
>
> (나) 제조물 책임법 제3조 ① 제조업자는 제조물의 결함으로 생명·신체 또는 재산에 손해(그 제조물에 대하여만 발생한 손해는 제외한다)를 입은 자에게 그 손해를 배상하여야 한다.
> ② 제1항에도 불구하고 제조업자가 제조물의 결함을 알면서도 그 결함에 대하여 필요한 조치를 취하지 아니한 결과로 생명 또는 신체에 중대한 손해를 입은 자가 있는 경우에는 그자에게 발생한 손해의 3배를 넘지 아니하는 범위에서 배상 책임을 진다. …….

**1** (가)에서 손해 배상 책임을 발생시키는 행위의 성립 요건을 서술하시오.

**2** (가)에 나타난 근대 민법의 기본 원리가 (나)로 수정·보완된 배경과 이로 인해 나타날 수 있는 결과를 논술하시오.

정보 활용 능력 ✛ 문제 해결 능력

# 가족 관계를 규율하는 법

**다음 사례를 읽고 물음에 답하시오.**

(가)   대학생 갑(19세)은 미팅에서 만난 동갑내기 여학생인 을을 보고 첫눈에 반하여 사랑하게 되었다. 둘은 결혼을 약속했고, 부모님께 결혼시켜 달라고 했으나 부모님이 반대하자 친구 몇 명만 참석한 가운데 결혼식을 올리고 혼인 신고까지 마쳤다. 둘은 뒤늦게 을의 부모님이 마련해 준 집에서 부부 공동생활을 하고 있다.

(나)   병과 정은 결혼한 지 10년이 지났지만, 아이가 생기지 않자 절친한 친구인 A의 아들 B를 친양자로 입양하였다. 그런데 몇 개월 뒤 A가 유언 없이 사망했다. A의 부인은 오래전에 사망했고, 다른 자식 없이 A의 노모 혼자만 남은 상태이다.

**1** (가)에서 갑과 을의 혼인에 법적 효력이 있는지 근거를 들어 설명하고, 갑과 을이 재산에 대해 어떤 권한을 행사할 수 있는지 서술하시오.

**2** (나)에서 A의 사망으로 인한 상속 문제를 B의 법적 지위와 관련지어 논술하시오.

주제 **09**

# 형사 절차에서의 인권 보장 제도

다음 자료를 보고 물음에 답하시오.

| (가) |
| --- |
| **청구 취지**<br>"피의자 갑의 석방을 명한다."라는 결정을 구합니다.<br><br>**청구 이유**<br>1. 피의자는 이 사건 피해자와 다투다가 우발적으로 피해자를 때려 6주간의 치료를 요하는 상해를 입힌 사실은 있으나, 그 후 그 상처는 완치되고 치료비도 모두 피의자가 부담하였습니다.<br>〈이하 생략〉 |

| (나) |
| --- |
| **청구 취지**<br>"피고인 을의 석방을 명한다."라는 결정을 바랍니다.<br><br>**청구 이유**<br>1. 피고인은 수사가 종결되어 증거 인멸의 우려도 없으며, 4인 가족의 세대주로서 주거가 분명하여 도망할 우려도 없습니다.<br>〈이하 생략〉 |

**1** (가), (나)와 관련 있는 제도를 쓰고, 그 차이점을 중심으로 서술하시오.

..............................................................................................................................................................

..............................................................................................................................................................

..............................................................................................................................................................

**2** (가), (나)와 관련 있는 제도가 마련된 공통적인 취지를 논술하시오.

..............................................................................................................................................................

..............................................................................................................................................................

..............................................................................................................................................................

주제 **10**

# 부당 해고의 구제 방법

**다음 글을 읽고 물음에 답하시오.**

(가) 갑은 5년 전 A 회사에 입사하면서 노동조합에 가입하지 않는 조건으로 근로 계약을 체결하였지만, 입사 후 노동조합에 가입하여 활동하였다. 최근 노동조합은 근로 조건의 개선을 요구하였지만 오히려 회사는 정당한 사유 없이 단체 교섭을 거부하였고, 노동조합에 가입했다는 이유로 갑에게 해고를 통보하였다. 갑은 그동안 업무상 징계 없이 매년 높은 점수를 받으면서 근무해 왔다.

(나) 을은 B 회사에서 10년째 홍보 업무를 담당하고 있다. 그런데 을은 지난 주말 저녁 아무런 예고도 없이 인사 담당자로부터 해고되었으니 당장 월요일부터 출근하지 말라는 내용의 문자 메시지를 받았다. 메시지에는 왜 해고되었는지에 대한 아무런 설명도 없었다.

**1** (가), (나)에서 현행 법령에 위반되는 점을 지적하여 서술하시오.

**2** (가), (나)에서 갑, 을이 자신의 권리를 찾기 위한 방법을 서술하시오.

주제 **11** 우리나라를 둘러싼 국제 관계

다음 글을 읽고 물음에 답하시오.

> (가) 한반도와 일본 열도 사이에 있는 바다의 국제적 통용 명칭을 둘러싸고 우리나라와 일본의 의견
> 이 대립하고 있다. '동해'는 한국인이 2,000년 이상 사용해 오고 있는 고유의 명칭이지만, 우리
> 나라는 한·일 양국이 서로 다른 명칭을 사용하고 있는 현실과 '일본해' 단독 표기의 부당성을
> 고려할 때 '동해'와 '일본해' 두 명칭을 함께 사용해야 한다는 입장이다. 반면, 일본은 '일본해'
> 이외의 어떠한 명칭도 수용할 수 없다는 입장을 내세우고 있어 우리나라와 갈등을 빚고 있다.
> – 동북아 역사 재단 누리집, 2019.
>
> (나) 최근 한반도를 둘러싼 안보 상황은 복잡하게 전개되고 있다. 한반도와 동아시아를 전략적 요충
> 지로 여기고 있는 미국은 급부상하고 있는 중국의 영향력을 견제하기 위해 우리나라, 일본 등
> 우방국과의 군사적 협력을 강화하고 있다. 중국 역시 한반도를 미국의 영향력을 차단하는 전략
> 적 완충 지대로 인식하여 한반도의 상황 변화를 주시하고 있다.

**1** (가)를 통해 알 수 있는 국제 분쟁의 특징을 국내 분쟁과 비교하여 서술하시오.

**2** (나)를 비탕으로 우리나라가 지향해야 할 외교 정책의 방향을 논술하시오.

. 완벽한 자율학습서 .

완자

완자네 새주소

# 자율학습시
# 비상구

정확한 **답**과 **친절한 해설**

# 정답친해로
# 53

정답친해로
오삼~

## 정 치 와 법

**책 속의 가접 별책** (특허 제 0557442호)
'정답친해'는 본책에서 쉽게 분리할 수 있도록 제작되었으므로
유통 과정에서 분리될 수 있으나 파본이 아닌 정상제품입니다.

visang

# 자율학습시
# 비상구
# 정답친해로
# 53

정확한 **답**과 **친절한** 해설

## 정치와 법

# I. 민주주의와 헌법

## 01 정치와 법

**STEP 1** 핵심 개념 확인하기     014쪽

**1** 정치   **2** (1) 좁은 (2) 법 (3) 현대   **3** (1) – © (2) – ⊙ (3) – ©
**4** ⊙ 형식적 © 실질적   **5** (1) ㄱ (2) ㄴ (3) ㄷ

**STEP 2** 내신 만점 공략하기     014~017쪽

| 01 ④ | 02 ③ | 03 ④ | 04 ② | 05 ⑤ | 06 ③ | 07 ② |
|------|------|------|------|------|------|------|
| 08 ⑤ | 09 ③ | 10 ① | 11 ③ | 12 ⑤ | | |

### 01 정치의 의미

(가)는 정치를 국가 특유의 현상으로 이해한 것이고, (나)는 정치를 국가를 포함한 모든 사회 집단에서 발생하는 현상으로 이해한 것이다. 즉 (가)는 좁은 의미의 정치이고, (나)는 넓은 의미의 정치에 해당한다. ①, ② 좁은 의미의 정치에 해당한다. ③ 넓은 의미의 정치에 해당한다. ⑤ 학교 학급 회의를 통한 학급 문제 해결 과정은 국가의 통치 작용이 아니므로 넓은 의미의 정치에 해당한다.
**┃ 바로 알기 ┃** ④ 다원화된 현대 사회의 갈등 해결 양상을 설명하는 데 적합한 정치의 의미는 넓은 의미의 정치이다.

**완자 정리 노트**    정치를 보는 관점

| 좁은 의미의 정치 | • 정치권력의 획득·유지·행사 과정과 관련된 활동<br>• 예 선거나 투표 참여, 대통령의 국정 운영 등 |
|---|---|
| 넓은 의미의 정치 | • 사회 구성원 간의 이해관계의 대립과 갈등을 합리적으로 조정·해결하는 과정<br>• 예 학급 회의를 통한 학급 문제 해결 등 |

### 02 정치의 기능

사람들이 저마다 원하는 바를 얻고자 ┐
행동하기 때문에 필연적으로 발생하지. ┘

그림은 노점상 문제를 둘러싸고 나타나는 사회적 갈등을 ○○시가 합리적으로 조정하여 해결하는 과정을 나타낸다. ㄴ. 정치는 구성원이 원하는 것, 바람직한 것을 찾아 공동체에 제시하여 이에 대한 합의를 이끌어 내고, 공동체가 이를 위해 나아갈 수 있도록 권력을 형성·분배·행사한다. ㄷ. 정치는 사회적 희소가치를 합리적으로 배분할 수 있는 규칙과 제도를 만들어 사회적 갈등을 해소한다.
**┃ 바로 알기 ┃** ㄱ. ○○시와 노점상 간에 협약을 체결했으므로 ○○시가 독점적으로 의사를 결정한 것은 아니다. ㄹ. 노점상 문제가 반사회적인 것은 아니며, 당사자와 합의를 통해 문제를 해결하였다.

### 03 정의의 적용 사례

A는 평균적 정의, B는 배분적 정의이다. ㄱ. 동일한 근로 시간이라도 야간 근로자는 주간 근로자보다 더 힘든 환경에서 일하는 상황이므로 임금을 더 주는 것은 배분적 정의에 해당한다. ㄴ. 누구든지 손해를 끼치면 배상하게 하는 것은 일체의 차별적 대우를 부정하는 것이므로 평균적 정의에 해당한다. ㄷ. 매출액 상승에 기여한 것에 대해 그에 상응한 대우를 해 주는 것은 배분적 정의에 해당한다. ㄹ. 19세 이상의 모든 국민에게 투표권을 부여하는 것은 누구나 차별 없이 대우하는 것이므로 평균적 정의에 해당한다.

### 04 법의 이념

공소 시효 제도는 시간이 많이 지남에 따라 생겨난 사실 상태를 존중하여 법적 안정성을 도모하는 것을 목적으로 한다. 그러나 살인 사건의 범인이 잡히지 않은 상태에서 공소 시효가 만료되어 범인을 잡아도 처벌할 수 없다면 정의가 훼손될 수 있다. 따라서 살인죄의 경우에는 공소 시효를 폐지하는 것이 정의의 이념에 부합한다고 판단하여 형사 소송법을 개정한 것이다. 결국 법적 안정성을 지나치게 강조하면 정의가 훼손될 수 있으므로 법적 안정성은 정의의 틀 안에서 추구되어야 함을 알 수 있다.
**┃ 바로 알기 ┃** ① 제시된 사례에서는 법의 이념 중 정의와 법적 안정성이 충돌하고 있다. ③ 합목적성을 강조한 표현이다. ④ 법은 시대와 사회의 변화에 적절히 맞추어야 함을 강조하는 것은 합목적성에 해당한다. ⑤ 법적 안정성을 중시한 표현이다.

### 05 고대 아테네의 민주 정치

고대 아테네에서는 시민들이 민회에 모여 법을 제정하거나 중요한 일을 직접 결정하였고, 모든 시민이 정치에 참여할 수 있었다. 그러나 시민은 성인 남자로 한정되어 여자, 노예, 외국인은 정치에서 제외되었다. ⑤ 아테네에서는 모든 시민이 정치에 참여하는 직접 민주 정치가 행해졌으므로 통치자와 피치자가 일치하였다.
**┃ 바로 알기 ┃** ① 추첨제와 윤번제는 참여의 기회를 공평하게 하자는 취지이므로 대표자의 전문성을 중시한 것은 아니다. ② 고대 아테네에서는 헌법을 국가의 통치 기반으로 활용하지 않고, 모든 시민이 민회에 모여서 의사를 결정하여 정책을 집행하였다. ③ 고대 아테네에서 시민은 자유민인 성인 남성에 한정되었고, 여성, 노예, 외국인 등은 시민의 자격이 없었다. 따라서 공동체 구성원 모두가 정치에 참여한 것이 아니었다. ④ 고대 아테네에서는 민회를 중심으로 직접 민주 정치가 행해졌다. 의회를 중심으로 한 대의 민주 정치가 시행된 것은 근대 민주 정치 시기이다.

**완자 정리 노트**    고대 아테네의 민주 정치

| 특징 | • 민주 정치의 기원<br>• 시민들에 의한 직접 민주 정치 |
|---|---|
| 한계 | • 제한된 민주 정치: 성인 남자만 시민의 자격을 가짐(노예, 여성, 외국인은 제외됨)<br>• 중우 정치 가능성 |
| 주요 기구 | 민회, 평의회, 재판소 |

## 06 근대 시민 혁명

제시된 사건은 순서대로 영국의 명예혁명, 미국의 독립 혁명, 프랑스 혁명으로 대표적인 근대 시민 혁명이다. ㄴ. 시민 혁명은 천부 인권 사상, 계몽사상, 사회 계약설 등의 영향을 받아 시민이 전제 정치에 저항한 사건이다. ㄷ. 시민 혁명의 결과 대의 민주제와 법치주의가 확립되어 근대 민주 정치가 등장하는 계기가 마련되었다.

**바로 알기** ㄱ. 근대의 의회 민주 정치는 간접 민주 정치에 해당한다. ㄹ. 전자 민주주의는 대의제의 한계를 보완하고 시민의 정치 참여를 확대하기 위해 현대 민주 정치에서 등장하였다.

## 07 근대 시민 혁명의 사상적 배경

㉠은 계몽사상, ㉡은 천부 인권 사상이다. 계몽사상은 합리적인 이성의 힘으로 편견과 오류를 극복하고 사회적 모순과 부조리를 바로잡을 수 있다는 사상이다. 천부 인권 사상은 인권은 태어나면서부터 하늘이 부여한 것으로 누구에게도 양도하거나 빼앗길 수 없다는 사상이다.

## 08 사회 계약설

(가)는 홉스, (나)는 로크의 사회 계약설이다. ⑤ 사회 계약설은 인간이 자연권을 보장받기 위해서는 계약을 통해 국가를 구성해야 한다는 사상이다. 따라서 (가), (나)는 모두 국가는 시민의 자연권 보호를 위한 수단임을 강조하고 있다.

**바로 알기** ① 저항권 사상은 로크가 주장하였다. ② 국가가 국민의 직접적 의사에 의해 운영되어야 한다고 본 학자는 루소이다. ③ 홉스는 자연권을 통치자에게 전부 양도해야 한다고 주장한다. ④ 절대 군주제를 옹호하는 데 유용한 것은 홉스의 주장이다.

**완자 정리 노트** 홉스와 로크, 루소의 사회 계약설

| 구분 | 홉스 | 로크 | 루소 |
|---|---|---|---|
| 자연 상태 | 만인에 대한 만인의 투쟁 상태 | 자연법이 지배하는 상태이나 권리 보장이 불확실함 | 자유롭고 평화롭지만, 개인의 삶을 온전하게 보장하기 어려운 상태 |
| 자연권 | 통치자에게 전부 양도 | 통치자에게 일부 위임, 저항권 인정 | 양도 불가 → 일반 의지에 의한 정치 공동체 구성 |
| 정치 체제 | 절대 군주제 | 입헌 군주제 | 민주 공화정 |

## 09 차티스트 운동

제시된 '이 운동'은 1830~40년대에 영국에서 윌리엄 러벳이 기초한 인민헌장을 토대로 노동자들이 보통 선거권 획득을 위해 전개한 차티스트 운동이다. ③ 차티스트 운동은 선거를 통해 의회에서 노동자 계급의 이익을 실현하고자 한 운동이었다. 이 운동 이후 노동자, 농민, 여성의 선거권이 차례대로 인정되면서 소수의 특권이었던 정치 참여가 다수에게로 확대되어 오늘날과 같은 대중 민주주의를 이루는 계기가 되었다.

**바로 알기** ①, ②, ⑤ 차티스트 운동은 노동자 계급의 참정권 확대 운동이다. ④ 정치적 무관심은 현대 대의 민주제의 한계로, 이를 보완하기 위해 국민 투표, 국민 발안, 국민 소환 등의 직접 민주 정치 요소를 도입하여 시행하고 있다.

## 10 직접 민주 정치 요소

제시된 제도는 순서대로 국민 발안, 국민 투표, 국민 소환이다. ㄱ, ㄴ. 국민 발안, 국민 투표, 국민 소환은 공통적으로 국민이 직접 정치에 참여하는 직접 민주 정치 방식을 통해 대표에 의해 정책 결정이나 집행이 왜곡되는 것을 방지하고, 시민의 정치적 무관심을 해소함으로써 대의제의 한계를 보완하기 위한 제도이다.

**바로 알기** ㄷ. 국가에 의한 인권 침해를 방지하기 위한 제도에는 죄형 법정주의, 적법 절차의 원리 등이 있다. ㄹ. 국민 발안, 국민 투표, 국민 소환 등은 대의제가 국민의 의사를 정확히 반영하지 못하는 문제를 해결하기 위하여 활용하는 직접 민주 정치 요소이므로 사회적 갈등을 빠르게 해결하기보다는 국민의 의사를 반영하여 근본적으로 해결하려는 방법이다.

## 11 법치주의

제시된 자료의 ㉠은 법률, ㉡은 절대 군주, ㉢은 형식적 법치주의, ㉣은 실질적 법치주의이다. ㄴ. 법치주의는 절대 군주의 전제 정치를 제한하기 위해 등장하였다. ㄷ. 형식적 법치주의는 통치의 합법성만을 중시하고, 실질적 법치주의는 통치의 합법성과 정당성을 중시한다.

**바로 알기** ㄱ. 법치주의가 실현되면 법률에 규정되지 않은 내용에 대해서는 국가가 강제력을 행사할 수 없으며, 모든 국민은 법에 근거한 국가의 통치만 받게 된다. 따라서 법치주의는 사람의 지배가 아닌 법의 지배를 의미한다. ㄹ. 독재자의 통치권을 강화하는 수단으로 악용된 것은 형식적 법치주의이다.

## 12 민주주의와 법치주의의 관계

1896년에 미국의 대법원은 인종 차별법이 정당하다고 판단하였다. 당시에는 인권 의식이 아직 신장되지 못했을 때이고, 형식적 법치주의 입장에서는 문제되지 않았기 때문이다. 그러나 점차 시민의 인권 의식이 신장함으로써 인종 차별이 잘못된 것이라는 인식을 갖게 되었다. 결국 의회가 인종 차별 금지법을 제정함으로써 민주주의와 법치주의가 상호 보완적인 관계를 유지할 수 있게 되었다.

**바로 알기** ① 민주주의보다 법치주의가 우선하면 법 만능주의로 치달아 오히려 국민의 인권이 침해될 수 있다. ② 법치주의보다 민주주의가 우선하면 법이 민주주의의 이념을 제도적으로 뒷받침하지 못하게 된다. ③ 민주주의를 통해 법치주의가 더욱 확고하게 발전할 수 있다. ④ 법치주의와 민주주의는 긴장 관계에 있지만 상호 공존하는 것이 바람직하다.

 **서술형 문제**

017쪽

**01 주제:** 정치를 보는 관점

(예시 답안) 제시된 내용은 넓은 의미에서 정치를 바라보는 관점이다. 넓은 의미에서 정치는 국가를 포함한 모든 집단에서 나타나는 것으로, 사회 구성원 간의 이해관계의 대립과 갈등을 합리적으로 조정하고 해결하는 활동을 의미한다.

**채점 기준**

| 상 | 넓은 의미의 정치라고 쓰고, 그 의미를 정확히 서술한 경우 |
|---|---|
| 하 | 넓은 의미의 정치라고 썼으나, 그 의미를 미흡하게 서술한 경우 |

**02 주제:** 법의 이념

(1) ㉠ 합목적성, ㉡ 법적 안정성

(2) (예시 답안) 법적 안정성을 유지하기 위해서는 법의 내용이 명확히 규정되어야 하고, 실현 가능성이 있어야 하며, 법이 쉽게 폐지되거나 변경되지 않아야 하고, 국민의 법의식에 부합해야 한다.

**채점 기준**

| 상 | 법의 내용의 명확성, 실현 가능성, 낮은 변동성, 국민의 법의식과 합치 중에서 세 가지 이상을 정확히 서술한 경우 |
|---|---|
| 중 | 법의 내용의 명확성, 실현 가능성, 낮은 변동성, 국민의 법의식과 합치 중에서 두 가지만 서술한 경우 |
| 하 | 법의 내용의 명확성, 실현 가능성, 낮은 변동성, 국민의 법의식과 합치 중에서 한 가지만 서술한 경우 |

**03 주제:** 형식적 법치주의와 실질적 법치주의

(예시 답안) 갑은 법 제정 절차나 합법성만을 강조하는 형식적 법치주의를 강조하고, 을은 법의 형식적 측면의 합법성뿐만 아니라 법의 목적이나 내용의 정당성도 강조하고 있으므로 실질적 법치주의를 강조하고 있다.

**채점 기준**

| 상 | 갑, 을이 강조하는 법치주의를 구분하고 각각의 특징을 비교하여 정확히 서술한 경우 |
|---|---|
| 하 | 갑, 을이 강조하는 법치주의를 옳게 구분하였지만, 각각의 특징을 미흡하게 서술한 경우 |

**9TEP 3 1듀급 정부하기**

018쪽~019쪽

1 ②    2 ③    3 ②    4 ①

**1 정치를 보는 관점**

갑은 정치를 국가 권력과 관련된 활동에서만 나타난다고 보고 있으므로 좁은 의미에서 정치를 바라보고 있다. 을은 학교에서 일어

나는 의견 대립과 같이 사회 구성원 간에 일어나는 이해관계의 조정 과정을 정치로 보고 있으므로 넓은 의미에서 정치를 바라보고 있다.

**바로 알기** ① 정치를 모든 사회 집단에 존재하는 현상으로 보고 있는 것은 을의 입장이다. ③ 갑은 정치를 국가만의 권력 활동에 한정하지만, 을은 정치를 모든 사회 집단의 이해관계를 조정하는 과정으로 이해하므로 을이 정치를 보는 관점은 갑이 정치를 보는 관점을 포함한다. ④ 강제력을 독점하는 국가의 특수성을 강조하는 것은 갑의 입장이다. ⑤ 국가 성립 이전의 정치 현상을 설명하기 용이한 것은 을의 입장이다.

**2 사회 계약설**

제시된 이론은 로크의 사회 계약설이다. ㄴ. 로크는 자연 상태가 매우 불안정하므로 이 상태를 제거하기 위하여 계약에 의해 국가를 인위적으로 만들었다고 주장한다. ㄷ. 로크는 정부가 시민에게 위임받은 권한을 남용할 경우 시민이 정부를 재구성할 수 있는 저항권을 갖고 있다고 주장하였다.

**바로 알기** ㄱ. 국가 권력이 주권자의 일반 의지에 의해 행사되어야 한다고 주장한 근대 사상가는 루소이다. ㄹ. 로크는 불안정한 자연 상태를 극복하기 위해서는 개인들 간의 계약에 의해 국가를 만들고 개인의 주권 일부를 국가에 위임해야 한다고 주장하였다. 주권을 국가에 전부 양도해야 한다고 주장한 근대 사상가는 홉스이다.

**3 프랑스 인권 선언**

① 제1조에서 천부 인권을 규정하고 있으므로 자연권의 보장이 국가의 기본적인 임무임을 인정하고 있다. ③ 제16조에서 권력 분립을 규정하고 있으므로 국가 권력 간에는 견제와 균형이 유지되어야 함을 알 수 있다. ④ 제3조에 국민 주권주의가 규정되어 있다. ⑤ 제4조에 법치주의를 규정하고 있다.

**바로 알기** ② 제2조에서 재산권은 침해할 수 없는 권리로 규정하고 있으므로 공공복리를 위해서라도 제한할 수 없다.

**4 법치주의**

(가)는 형식적 법치주의, (나)는 실질적 법치주의에 해당한다. ① 형식적 법치주의는 독재 정치를 정당화하는 수단으로 악용되기도 한다. 대표적인 경우가 히틀러의 수권법이다.

**바로 알기** ② 우리나라의 위헌 법률 심판 제도는 국민의 자유와 권리를 보호함으로써 실질적 법치주의를 추구하는 제도이다. ③ 형식적 법치주의와 실질적 법치주의 모두 사람에 의한 지배를 부정한다. ④ 형식적 법치주의와 실질적 법치주의 모두 국가 작용이 법에 의해 이루어져야 함을 강조한다. ⑤ 법의 목적과 내용이 정의에 부합해야 한다고 보는 것은 실질적 법치주의이다.

우리 헌법에는 법치주의에 대한 명문 규정은 없으나 성문 헌법주의, 기본권 보장의 선언, 권력 분립의 원리 채택, 위헌 법률 심판 제도의 채택 등으로 실질적 법치주의를 추구하고 있어.

# 02 헌법의 의의와 기본 원리

## 01 헌법의 특징

헌법은 국가의 근본법으로서 국가의 통치 조직과 통치 작용의 원리를 규정하고, 국민의 기본권을 보장하는 국가의 최고법이다. 법률이나 명령, 조례·규칙 등은 헌법의 하위 법 규범으로써 헌법에 위배될 경우에는 법적 효력을 가지지 못한다. 이는 헌법이 모든 법령과 정책의 근거가 되는 최고 규범임을 의미한다.

**바로 알기** ①, ②, ③, ④ 모두 헌법의 특징에 해당하지만, 제시된 자료와는 거리가 있다.

## 02 입헌주의의 의미

①, ②, ③, ④ 입헌주의는 헌법을 통해 국가 권력을 통제함으로써 국민의 자유와 권리를 보장하기 위한 통치 원리로, 권력 분립주의, 법치주의를 중시하며, 의회 제도나 국민 투표 등의 방법을 통하여 국민 자치 또는 국민 주권주의를 구현하고자 한다. 따라서 기본권의 보장, 권력 분립, 법치주의는 입헌주의의 본질적 요건이라고 할 수 있다.

**바로 알기** ⑤ 복지 국가 헌법은 국민의 인간다운 생활을 위하여 필요한 범위 안에서 재산권의 제한과 의무를 부과하지만, 재산권의 절대적 제한은 국민의 자유와 권리를 침해하는 것이기 때문에 입헌주의에 어긋난다.

## 03 헌법의 의미 변천

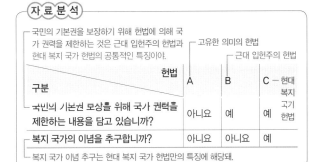

자료 분석

국민의 기본권을 보장하기 위해 헌법에 의해 국가 권력을 제한하는 것은 근대 입헌주의 헌법과 현대 복지 국가 헌법의 공통적인 특징이야.

┌ 고유한 의미의 헌법
│ ┌ 근대 입헌주의 헌법

| 구분 | 헌법 A | B | C – 현대 복지 헌법 |
|---|---|---|---|
| 국민의 기본권 보장을 위해 국가 권력을 제한하는 내용을 담고 있습니까? | 아니요 | 예 | 예 |
| 복지 국가의 이념을 추구합니까? | 아니요 | 아니요 | 예 |

복지 국가 이념 추구는 현대 복지 국가 헌법만의 특징에 해당돼.

④ 현대 복지 국가 헌법은 실질적 평등과 사회권의 보장을 강조한다. 근대 입헌주의 헌법은 형식적 평등과 자유권을 강조한다.

**바로 알기** ① 입헌주의가 중시되는 것은 근대 입헌주의 헌법과 현대 복지 국가 헌법의 특징이다. ② 바이마르 헌법은 현대 복지 국가 헌법의 대표적인 사례이다. ③ 근대 입헌주의 헌법에서보다 현대 복지 국가 헌법에서 국가의 역할이 더 적극적이다. ⑤ 고유한 의미의 헌법, 근대 입헌주의 헌법, 현대 복지 국가 헌법 모두 국가 통치 기관의 존립 근거가 된다.

## 04 근대 입헌주의 헌법과 현대 복지 국가 헌법

㉠은 근대 입헌주의 헌법, ㉡은 현대 복지 국가 헌법이다. ② 근대 입헌주의 헌법은 국가 통치 기관의 존립 근거가 되었던 고유한 의미의 헌법을 넘어 국가 권력으로부터 시민의 자유와 재산권을 보장하는 데 중점을 두었다. 이를 위해 국민의 기본권 보장, 권력 분립과 법치주의를 성문화하여 국가 권력의 남용을 제한하였다.

**바로 알기** ① 근대 입헌주의 헌법은 형식적 평등을 추구하였고, 현대 복지 국가 헌법은 실질적 평등을 추구하였다. ③ 국가 통치 기관에 대한 규정은 고유한 의미의 헌법부터 현대 복지 국가 헌법에 이르기까지 모든 헌법이 공통으로 담고 있는 내용이다. ④ ㉡은 자본주의의 모순을 극복하기 위해 등장한 현대 복지 국가 헌법이다. ⑤ 현대 복지 국가 헌법은 근대 입헌주의 헌법과 달리 사회권의 보장을 강조하였다.

## 05 헌법의 조직 수권 기능

제시된 헌법 조항을 통해 헌법은 국가의 권력이 어느 기관에 귀속되는지를 규정한 조직 수권 규범임을 알 수 있다.

**완자 정리 노트** 헌법의 기능

| 국가 창설 | 국가 성립에 필요한 국민의 자격, 영토 범위, 국가 권력의 소재 및 행사 절차 등을 규정함 |
|---|---|
| 기본권 보장 | 국민의 자유와 권리를 명시하여 국민의 기본권을 보장함 |
| 조직 수권 규범 | 국가 기관을 구성하고(조직 규범), 각 기관에 일정한 권한을 부여함(수권 규범) |
| 공동체 유지·통합 | 헌법이 지향하는 가치와 질서에 따라 사회적 갈등을 극복하고 사회 통합을 실현함 |
| 정치적 평화 실현 | 정치권력의 행사 방법과 절차 및 한계 등을 규정하여 공동체의 평화를 실현함 |

## 06 헌법의 공동체 통합 기능

제시된 사례는 헌법 재판을 통해 민주주의와 법치주의가 구현되어 사회적 합의점을 도출한 것이다. 이와 같이 헌법은 사회적인 대립과 갈등이 심각할 때 이를 해결할 수 있는 척도로서 기능하여 사회 통합을 실현한다.

## 07 국민 주권주의 실현 방안

제시된 대화에서 교사가 질문한 헌법의 기본 원리는 국민 주권주의이다. 국민 주권주의는 주권이 국민에게 있고, 모든 국가 권력의 근거가 국민에게 있다는 원리이다. 국민 주권주의를 실현하기 위한 방안에는 참정권 보장, 국민 투표제, 복수 정당제, 지방 자치제, 민주 선거 원칙에 따른 공정 선거 제도, 언론·출판·집회·결사의 자유 보장 등이 있다.

**바로 알기** ㄱ. 권력 분립과 사법권의 독립은 자유 민주주의의 실현 방안이다. ㄹ. 공정한 경제 활동을 위한 국가의 적극 개입은 복지 국가의 원리와 관련 있다.

**완자 정리 노트**　　우리 헌법의 기본 원리와 실현 방안

| 국민 주권주의 | 참정권 보장, 국민 투표제, 민주 선거 원칙에 따른 공정 선거 제도, 언론·출판·집회·결사의 자유 보장, 복수 정당제, 지방 자치제 등 |
|---|---|
| 자유 민주주의 | 법치주의, 적법 절차의 원리, 권력 분립과 사법권의 독립, 복수 정당제를 기반으로 하는 자유로운 정당 활동, 상향식 의사 결정 과정, 각종 기본권 보장 등 |
| 복지 국가의 원리 | 인간다운 생활을 할 권리 등의 사회권 보장, 사회 보장 제도의 시행, 최저 임금제 채택, 소득 재분배 정책 등 |
| 국제 평화주의 | 침략 전쟁 부인, 국제법 존중, 상호주의에 따른 외국인의 지위 존중, 국제 평화 유지 활동 등 |
| 문화 국가의 원리 | 종교·학문·예술 활동의 자유 보장, 평생 교육 진흥, 무상 의무 교육 시행, 교육의 정치적 중립성 보장 등 |
| 평화 통일 지향 | 평화 통일 정책 수립과 실천, 평화 통일을 위한 대통령의 의무 규정, 민주 평화 통일 자문 회의 설치, 남북 교류 협력 추진, 남북 간 대화 추진 등 |

## 08 헌법의 기본 원리

헌법의 기본 원리 중 (가)는 자유 민주주의, (나)는 복지 국가의 원리이다. ②, ③ 자유 민주주의는 자유주의와 민주주의가 결합한 정치 원리이다. 자유주의는 개인주의를 바탕으로 개인의 자유 존중을 근본 가치로 삼고 국가 개입을 최소화한다는 정치 원리이며, 민주주의는 국가 권력의 창출과 통치 과정이 국민적 합의에 근거하여 정당성을 가져야 한다는 정치 원리이다. 자유 민주주의는 법치주의, 적법 절차의 원리, 권력 분립과 사법권의 독립, 복수 정당제를 기반으로 하는 자유로운 정당 활동, 상향식 의사 결정 과정, 각종 기본권의 보장 등을 통해 실현될 수 있다. ④, ⑤ 복지 국가의 원리는 빈부 격차나 독과점의 출현, 경제 공황 등 자본주의의 문제점을 해결하기 위한 국가의 적극적인 역할이 요청되면서 등장하였다. 복지 국가의 원리는 인간다운 생활을 할 권리 등의 사회권 보장, 사회 보장 제도의 시행, 최저 임금제 채택, 소득 재분배 정책 등을 통해 실현될 수 있다.

**바로 알기** ① 공공 부조 제도 시행의 근거로 작용하는 것은 복지 국가의 원리이다. └ 생활 유지 능력이 없거나 생활이 어려운 자에게 국가 및 지방 자치 단체의 비용 부담으로 필요한 보호를 행하며 이들의 최저 생활의 보장과 자립 촉진을 목적으로 하는 경제적 보호 제도

## 09 국제 평화주의 실현 방안

제시된 기사는 국내 외국인의 지위를 보장하지 않은 사례를 보여 주고 있는데, 이를 통해 헌법의 기본 원리 중 국제 평화주의가 위배되었음을 알 수 있다. ㄷ, ㄹ. 국제 평화주의는 국제 질서를 존중하고 세계 평화와 인류의 번영을 위해 노력해야 한다는 원리이다. 그 실현 방안으로 조약과 국제 관습법 등 국제법의 존중, 침략 전쟁 부인, 상호주의 원칙에 따른 외국인의 지위 보장, 국제 평화 유지 활동 참여, 국제 구호 활동, 국제기구 참여 등이 있다.

**바로 알기** ㄱ. 적법 절차의 원리 준수는 자유 민주주의의 실현 방안이다. ㄴ. 언론·출판·집회·결사의 자유 보장은 국민 주권주의의 실현 방안이다.

## 서술형 문제

024쪽

### 01 주제: 헌법의 기능

**예시 답안** 헌법은 국가 성립 요소와 국가 기반 등을 규정하여 국가를 구성하고 조직하는 국가 창설의 토대가 된다.

**채점 기준**

| 상 | 헌법에 국가 성립 요소, 국가 기반 규정 등의 내용이 포함되어 헌법이 국가 창설의 토대가 된다고 정확히 서술한 경우 |
|---|---|
| 하 | 헌법이 국가 창설의 토대가 된다고만 서술한 경우 |

### 02 주제: 복지 국가의 원리 실현 방안

**예시 답안** 복지 국가의 원리. 복지 국가의 원리를 실현하는 방안에는 사회권의 보장, 사회 보장 제도의 시행, 최저 임금제 채택, 소득 재분배 정책 등이 있다.

**채점 기준**

| 상 | 복지 국가의 원리라고 쓰고, 그 실현 방안을 두 가지 이상 정확히 서술한 경우 |
|---|---|
| 중 | 복지 국가의 원리라고 쓰고, 그 실현 방안을 한 가지만 서술한 경우 |
| 하 | 복지 국가의 원리라고만 쓴 경우 |

### 03 주제: 헌법의 기본 원리와 실현 방안

(1) (가) 문화 국가의 원리, (나) 평화 통일 지향

(2) **예시 답안** 문화 국가의 원리의 실현 방안에는 종교·학문·예술 활동의 자유 보장, 평생 교육 진흥, 무상 의무 교육 시행, 교육의 정치적 중립성 보장 등이 있고, 평화 통일 지향의 실현 방안에는 평화 통일 정책 수립과 실천, 평화 통일을 위한 대통령의 의무 규정, 민주 평화 통일 자문 회의 설치, 남북 교류 협력 추진, 긴장 완화를 위한 남북 간 대화 추진 등이 있다.

**채점 기준**

| 상 | 문화 국가의 원리와 평화 통일 지향의 실현 방안을 각각 두 가지 이상 정확히 서술한 경우 |
|---|---|
| 하 | 문화 국가의 원리와 평화 통일 지향의 실현 방안을 각각 한 가지만 서술한 경우 |

1 ③    2 ④

## 1 헌법 전문에 나타난 헌법의 기본 원리 실현 방안

**자료 분석**

<table><tr><td>문화 국가의 원리</td><td>대한민국 헌법 전문</td><td>평화 통일 지향</td><td>자유 민주주의</td></tr></table>

㉠ 유구한 역사와 전통에 빛나는 우리 대한 국민은 3·1 운동으로 건립된 대한민국 임시 정부의 법통과 불의에 항거한 4·19 민주 이념을 계승하고, 조국의 민주 개혁과 평화적 통일의 사명에 입각하여 정의·인도와 동포애로써 민족의 단결을 공고히 하고, 모든 사회적 폐습과 불의를 타파하며, ㉡ 자율과 조화를 바탕으로 자유 민주적 기본 질서를 더욱 확고히 하여 정치·경제·사회·문화의 모든 영역에 있어서 각인의 기회를 균등히 하고, 능력을 최고도로 발휘하게 하며, 자유와 권리에 따르는 책임과 의무를 완수하게 하여, ㉢ 안으로는 국민 생활의 균등한 향상을 기하고 ㉣ 밖으로는 항구적인 세계 평화와 인류 공영에 이바지함으로써 …(중략)… ㉤ 1948년 7월 12일에 제정되고 8차에 걸쳐 개정된 헌법을 이제 국회의 의결을 거쳐 국민 투표에 의하여 개정한다.
(국제 평화주의 / 국민 주권주의 / 복지 국가의 원리)

① 종교·학문·예술 활동의 자유 보장은 문화 국가의 원리의 실현 방안이다. ② 자유로운 정당 활동 보장은 자유 민주주의의 실현 방안이다. ④ 상호주의에 따른 외국인의 지위 보장은 국제 평화주의의 실현 방안이다. ⑤ 언론·출판·집회·결사의 자유 보장은 국민 주권주의의 실현 방안이다.

**바로 알기** ③ ㉢은 복지 국가의 원리와 관련된다. 국민에 대한 평생 교육의 진흥은 문화 국가의 원리의 실현 방안에 해당한다.

## 2 헌법의 기본 원리

(가)는 자유 민주주의, (나)는 복지 국가의 원리이다. A는 자유 민주주의의 실현 방안이고, B는 복지 국가 원리의 실현 방안이다. ㄱ. 자유 민주주의는 자유주의와 민주주의가 결합된 정치 원리로 국민의 자유와 권리를 보호하고, 대표자들이 국민 주권주의에 입각해서 통치하는 원리이다. ㄴ. 국민의 기본적 생활을 국가가 보장해 주는 원리는 복지 국가의 원리에 대한 설명이다. ㄹ. '국가가 치매를 비롯한 각종 질병으로 일상생활에 어려움을 겪고 있는 노인을 지원하는 제도'는 복지 국가의 원리의 실현 방안에 해당한다.

**바로 알기** ㄷ. '국가가 저소득층을 비롯한 주거 약자에게 안정적인 주거 환경을 우선적으로 보장하는 제도'는 복지 국가의 원리의 실현 방안에 해당한다.

---

# 03 기본권의 내용과 제한

1 (1) 기본권 (2) 실정법 (3) 인간의 존엄과 가치    2 (1) 사회권 (2) 참정권 (3) 청구권 (4) 상대적    3 (1) × (2) ○ (3) × (4) ○
4 (1) ㄱ, ㄹ (2) ㄴ, ㄷ, ㅁ

01 ⑤  02 ④  03 ③  04 ⑤  05 ④  06 ②  07 ②
08 ④  09 ③  10 ⑤  11 ②  12 ⑤

## 01 인간의 존엄과 가치 및 행복 추구권

**자료 분석**

(인간을 수단이 아닌 목적적 존재로 보는 입장으로, 우리 헌법이 지향하는 최고의 가치 규범이야.)

제10조 모든 국민은 인간으로서의 존엄과 가치를 가지며, 행복을 추구할 권리를 가진다. 국가는 개인이 가지는 불가침의 기본적 인권을 확인하고 이를 보장할 의무를 진다. (자연법상 권리임을 알 수 있어.)

제시된 헌법 조항은 우리나라 헌법 제10조로 인간으로서의 존엄과 가치, 행복 추구권을 규정하고 이를 보장하는 것이 국가의 의무임을 제시하고 있다. ㄷ. 인간의 존엄과 가치는 우리 헌법이 지향하는 최고의 가치 규범이다. ㄹ. 인간의 존엄과 가치 및 행복 추구권 규정을 둔 이유는 인간을 목적적 존재로 보기 때문이다.

**바로 알기** ㄱ. 기본권 제한의 원칙을 규정한 것은 헌법 제37조 제2항이다. ㄴ. 인간의 존엄과 가치, 행복 추구권은 헌법에 규정이 없어도 당연히 인정되는 자연법상의 권리로 본다.

## 02 자유권

경찰이 범죄 용의자를 체포할 때에는 체포 및 구속의 이유와 변호인의 도움을 받을 권리가 있음을 알려 주어야 한다. 이와 같이 국가가 개인의 신체적 자유를 제한할 때에는 반드시 헌법과 법률에 정해진 절차인 적법 절차에 따라야 한다. 신체의 자유는 모든 자유권의 근간이 되는 핵심적인 기본권으로, 우리 헌법에서는 이를 보다 확실히 보장하기 위해 죄형 법정주의, 고문 금지, 영장 제도, 묵비권, 구속 적부 심사제, 형벌 불소급의 원칙, 일사부재리의 원칙, 형사 피고인의 무죄 추정 원칙 등을 비롯한 여러 가지 제도적 장치를 두고 있다.

**바로 알기** ①은 평등권, ②는 사회권, ③은 참정권, ⑤는 청원권으로 청구권에 해당한다.

| 의미 | 개인의 자유로운 생활 영역에 대해 국가 권력의 간섭이나 침해를 받지 않을 권리 |
|---|---|
| 성격 | • 국가 권력의 간섭이나 침해를 배제함으로써 누릴 수 있는 소극적·방어적 권리<br>• 헌법에 열거되지 않아도 보장되는 포괄적 권리<br>• 역사가 가장 오래된 기본권 |
| 종류 | • 신체의 자유: 불법적인 체포·감금을 당하지 않고 신체의 안전을 보장받으며 국가 권력의 간섭 없이 자율적으로 활동할 수 있는 자유<br>• 정신적 자유: 양심의 자유, 종교의 자유, 학문과 예술의 자유, 언론·출판·집회·결사의 자유 등<br>• 사회·경제적 자유: 거주·이전의 자유, 직업 선택의 자유, 사생활의 비밀과 자유, 재산권의 보장 등 |

## 03 평등권

우리 헌법상 상대적·실질적 평등은 차이에 따른 합리적 차별을 인정하는 것이다. ㄴ. 판매 실적에 따라 상여금을 차등 지급하는 것은 합리적 차별에 해당한다. ㄷ. 농어촌 출신 학생은 도시 지역 학생에 비해 열악한 교육 환경에 있으므로 우대 혜택을 주는 것은 합리적 차별에 해당한다.

┃ 바로 알기 ┃ ㄱ, ㄹ. 유권자에게 투표권을 1표씩 획일적으로 부여하거나, 수행 평가에서 모든 학생들에게 기본 점수를 동등하게 주는 것은 절대적·획일적 평등의 사례에 해당한다.

## 04 참정권

근대 시민 혁명 이후 시민으로서의 자격을 판단하는 기준은 납세 의무의 이행이었고, 이를 이행하지 않은 사람에게 부여되지 않는 권리는 선거에 참여할 수 있는 권리, 즉 참정권이었다. ⑤ 참정권은 국민이 국가의 의사 결정 과정에 참여할 수 있는 권리이다.

┃ 바로 알기 ┃ ①은 평등권, ②는 청구권, ③은 자유권이다. ④ 국가에 대해 적극적인 조치를 요구할 수 있는 권리는 사회권과 청구권이다.

## 05 사회권

무상 의무 교육(제31조 제3항), 근로권(제32조 제3항), 재해 예방과 안전을 위한 국가의 의무(제34조 제6항), 환경권(제35조 제1항)은 모두 사회권과 관련된다. 사회권은 20세기 들어 자본주의의 모순을 해결하기 위해 복지 국가 이념이 등장하면서 발달한 권리로, 현대 국가는 사회권의 보장을 통해 빈부 격차 완화, 인간다운 삶의 실현 등 실질적 평등을 실현하고, 사회적 통합을 달성하고자 한다.

┃ 바로 알기 ┃ ④ 국민 주권의 원리를 구현하는 기본권은 참정권이다.

## 06 자유권과 사회권

(가)는 자유권, (나)는 사회권이다. 자유권은 국가의 간섭이나 침해를 배제함으로써 누릴 수 있는 소극적 권리이며, 사회권은 국가에 대하여 인간다운 생활의 보장을 요구할 수 있는 적극적 권리이다. 자유권에는 신체의 자유, 정신적 자유, 사회·경제적 자유 등이 해당된다. 사회권에는 인간다운 생활을 할 권리, 교육을 받을 권리, 근로의 권리, 노동 삼권, 환경권 등이 해당된다.

┃ 바로 알기 ┃ ① 선거권은 참정권에 해당한다. ③ 행복 추구권은 모든 개별적인 기본권의 내용을 담은 포괄적 권리이고, 공무 담임권은 참정권에 해당한다. ④ 형사 보상 청구권은 청구권에 해당한다. ⑤ 인간의 존엄과 가치는 헌법이 지향하는 최고 가치이다.

## 07 청구권

㉠은 범죄 피해자 구조 청구권으로, 청구권에 해당한다. 청구권은 수단적·절차적 기본권이며, 국가가 일정한 법적 조치를 통해 보장해야만 그 권리의 실현이 가능하므로 실정법적 성격을 가진다. 실정법적 권리는 국가의 존재를 전제로 인정되는 권리이다.

┃ 바로 알기 ┃ ㄴ. 기본권 중에서 역사가 가장 오래된 권리는 자유권이다. ㄹ. 다른 기본권 보장을 위한 전제 조건이 되는 권리는 평등권이다.

## 08 기본권의 유형

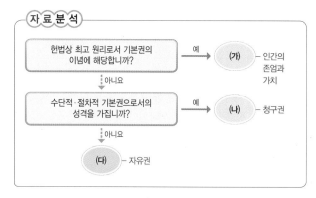

ㄱ. 인간의 존엄과 가치는 헌법이 지향하는 최고 가치로, 국가 권력 행사의 기준이 된다. ㄴ. 청구권에는 청원권, 재판 청구권, 국가 배상 청구권 등이 포함된다. ㄹ. 개별 기본권들은 헌법이 지향하는 최고 가치인 인간의 존엄과 가치의 실현을 추구한다.

┃ 바로 알기 ┃ ㄷ. 자유권은 헌법에 일일이 열거되지 않아도 보장되는 포괄적 권리이다.

## 09 기본권의 특징

기본권 중에서 가장 최근에 등장한 현대적 권리야.

(가)는 평등권, (나)는 참정권, (다)는 사회권에 해당한다. ③ 사회권은 20세기 들어 자본주의의 모순을 해결하기 위해 복지 국가 이념에 등장하면서 발달하였으며, 독일 바이마르 헌법에서 최초로 보장하였다.

┃ 바로 알기 ┃ ① 평등권에서 의미하는 평등은 성별, 재능, 재산, 교육 등과 같은 선천적·후천적 차이와 합리적 차별을 인정하는 상대적·비례적 평등이다. ② 시대와 장소에 관계 없이 보장되는 권리는 인간으로서의 존엄과 가치 및 행복 추구권이다. ④ 다른 기본권 보장을 위한 수단적 성격의 기본권인 청구권을 제외한 다른 기본권들은 그 자체가 권리의 목적으로서의 성격

을 갖는다. 따라서 평등권과 참정권 모두 그 자체가 권리의 목적으로서의 성격을 갖는다. ⑤ 사회권에만 해당하는 설명이다.

## 10 기본권 제한의 한계

제시된 사례에서 정부는 댐 건설이라는 공공복리를 위해 개인의 재산권을 제한하고 있다. 개인의 기본권은 원칙적으로 보장되어야 하지만 국가 안전 보장, 질서 유지, 공공복리를 위해 제한될 수 있다. 그러나 제한되더라도 기본권의 본질적 내용은 침해할 수 없다.

**▮ 바로 알기 ▮** ⑤ 제시된 사례는 수몰되는 집과 땅에 대해 국가가 정당한 보상을 해 주는 경우이므로 갑이 기본권의 본질적인 내용을 침해받았다고 보기 어렵다.

## 11 기본권의 제한

ㄱ. 법률안에 찬성하는 쪽은 병역 비리 근절이라는 공익을 위해 개인의 사생활 보호라는 기본권의 제한은 불가피하다고 보고 있다.
ㄷ. 법률안에 반대하는 쪽은 사생활의 비밀 보호라는 자유권을 중시하고 있다.

**▮ 바로 알기 ▮** ㄴ. 법률안에 찬성하는 쪽은 정보 공개를 통해 달성하게 될 공익이 사생활의 보호라는 사익보다 더 크다고 보고 있다. 따라서 정보 공개가 과잉 금지의 원칙에 어긋난다고 판단하지 않을 것이다. ㄹ. 법률안에 반대하는 쪽이 어떠한 경우에도 개인의 기본권은 제한될 수 없다고 보는지 여부는 제시된 글만으로 알 수 없다.

## 12 현대적 의무

제시된 헌법 조항들은 근로의 의무, 환경 보전의 의무, 재산권 행사의 공공복리 적합 의무, 교육의 의무를 나타낸다. 이러한 의무는 현대 국가가 복지 국가를 지향하면서 국가의 역할이 늘어남에 따라 발생한 현대적 의무이다. ⑤ 현대적 의무는 사회권의 권리 행사에 수반되는 의무로, 의무인 동시에 권리에 해당한다.

**▮ 바로 알기 ▮** ①, ④ 납세의 의무, 국방의 의무가 해당된다. ② 현대적 의무는 20세기에 들어와서 새로 규정되었다. ③ 현대적 의무는 사회권에 대응하기 위한 의무이다.

**완자 정리 노트** 국민의 의무

| 고전적 의무 | 납세의 의무 | 법률의 규정에 따라 세금을 내야 할 의무 |
| --- | --- | --- |
| | 국방의 의무 | 국가의 독립 유지와 영토 보존을 위해 국민이 부담하는 국토방위의 의무 |
| 현대적 의무 | 교육의 의무 | 모든 국민이 자녀에게 초등 교육과 법률이 정하는 교육을 받게 할 의무 |
| | 근로의 의무 | 근로 활동을 통해 자신의 생존을 확보하고 국가의 부 증식에 이바지할 의무 |
| | 재산권 행사의 공공복리 적합 의무 | 사회 전체의 공익을 해치지 않고 공공복리에 적합하도록 재산권을 행사할 의무 |
| | 환경 보전의 의무 | 환경 보호를 위해 노력해야 할 의무 |

# 서술형 문제

033쪽

## 01 주제: 기본권의 유형

(1) (가) 사회권, (나) 참정권, (다) 청구권
(2) **예시 답안** 사회권과 청구권은 모두 국가에 일정한 행위를 요구하는 적극적 권리에 해당한다.

**채점 기준**

| 상 | 사회권과 청구권은 국가에 일정한 행위를 요구하는 적극적 권리라는 점을 정확히 서술한 경우 |
| --- | --- |
| 하 | 사회권과 청구권의 일반적인 특징만 서술한 경우 |

## 02 주제: 기본권 제한의 목적

**예시 답안** 공공복리. 갑이 등교를 계속할 경우 독감이 다른 학생들에게도 전염되어 많은 피해를 일으킬 수 있으므로 전염병 예방이라는 공공복리를 중시하여 갑의 기본권을 일시적으로 제한한 것이다.

**채점 기준**

| 상 | 공공복리라고 쓰고, 전염병 예방이라는 공공복리를 중시하여 기본권을 제한했다고 정확히 서술한 경우 |
| --- | --- |
| 하 | 공공복리라고만 쓴 경우 |

## 03 주제: 과잉 금지의 원칙

**예시 답안** 국가가 국민의 기본권을 제한할 때에는 과잉 금지의 원칙을 지켜야 한다. 과잉 금지의 원칙은 기본권 제한의 목적이 정당하고, 방법이 적절해야 하며, 기본권 제한으로 인한 피해를 최소화하고, 침해되는 사익보다 보호하려는 공익이 더 커야 한다는 원칙이다.

**채점 기준**

| 상 | 과잉 금지의 원칙인 목적의 정당성. 방법의 적절성. 피해의 최소성. 법익의 균형성을 모두 정확히 서술한 경우 |
| --- | --- |
| 중 | 과잉 금지의 원칙인 목적의 정당성. 방법의 적절성. 피해의 최소성. 법익의 균형성 중 세 가지만 서술한 경우 |
| 하 | 과잉 금지의 원칙인 목적의 정당성. 방법의 적절성. 피해의 최소성. 법익의 균형성 중 두 가지만 서술한 경우 |

1 ②   2 ②   3 ③   4 ④

## 1 기본권의 유형과 특징

(가)는 온라인 청원 제도와 관련된 내용으로, 청구권에 해당한다. 청구권은 기본권 보장을 위한 기본권으로 수단적·절차적·적극적 권리의 성격을 띤다. (나)는 집회의 자유와 관련된 내용으로, 자유권에 해당한다. 자유권은 소극적·방어적인 권리이며, 국가 성립 이전부터 인정되는 가장 역사가 오래된 기본권으로 헌법에 열거되지 않아도 보장되는 포괄적 권리이다.

┃ 바로 알기 ┃ ② 국가의 정치적 의사 형성 과정에 참여할 수 있는 권리는 참정권이다.

## 2 기본권의 특징

㉠은 참정권이다. 참정권은 공동체의 운용을 주도하는 국가 조직의 구성과 의사 결정에 참여하는 권리로서 국가의 정치 과정에 참여할 수 있는 능동적 권리이며, 국민 주권의 원리를 구현하는 정치적 기본권이다.

┃ 바로 알기 ┃ ㄴ. 국민의 권리임과 동시에 헌법상의 의무의 성격을 갖는 것은 교육의 의무, 근로의 의무, 재산권 행사의 공공복리 적합 의무, 환경 보전의 의무 등이다. ㄹ. 다른 기본권 보장의 전제 조건이 되는 기본권은 평등권이다.

## 3 기본권 제한의 요건

제시된 글에서 헌법 재판소는 유치장에 수용되는 자에게 실시하는 신체검사와 관련하여 기본권 제한의 요건 중 목적의 정당성은 인정되지만 피해의 최소성에 반하므로 헌법에 위반된다고 판결하였다. 이것은 국민의 기본권은 필요한 경우에 한하여 최소한으로 제한해야 한다는 규정에 따른 것이다.

┃ 바로 알기 ┃ ①, ⑤ 기본권 제한과 관련한 옳은 설명이지만, 제시된 내용과는 관련이 적다. ② 기본권 제한은 법률에 의해야 하는 것이므로 반드시 헌법 규정에 의해 직접 이루어져야 하는 것은 아니다. ④ 신체의 자유는 헌법에 규정된 권리이다.

## 4 기본권 제한의 한계

국민의 자유와 권리를 필요한 범위 내에서 기본권의 본질적 내용을 제한하지 않는 수준으로 법률로써 제한하는 것은 가능하다. ㄱ, ㄴ, ㄹ. 헌법 재판소는 본인 확인제가 '목적의 정당성'과 '방법의 적절성'은 인정되지만, 개인의 표현의 자유 등의 과도한 제한으로 '침해의 최소성'이 인정되지 않고, 제한되는 기본권이 달성하려는 공익보다 더 '법익의 균형성'도 인정되지 않아 결과적으로 과잉 금지의 원칙에 어긋나는 것으로 판단하였다.

┃ 바로 알기 ┃ ㄷ. 본인 확인제의 목적의 정당성과 방법의 적절성은 인정한 것으로 보아 표현의 자유를 제한할 수 없는 불가침의 권리로 본 것은 아니다.

| 완자 정리 노트 | 기본권의 제한 |

| 목적 | 국가 안전 보장, 질서 유지, 공공복리 |
|---|---|
| 형식 | 법률로써 제한 |
| 한계 | • 정도: 과잉 금지의 원칙에 따름(목적의 정당성, 방법의 적절성, 피해의 최소성, 법익의 균형성)<br>• 내용: 본질적 내용의 침해 금지 |
| 제한 규정의 의의 | 국가 권력의 한계를 정하여 국민의 기본권 보장 |
| 해당 헌법 조항 | 제37조 ② 국민의 모든 자유와 권리는 국가 안전 보장·질서 유지 또는 공공복리를 위하여 필요한 경우에 한하여 법률로써 제한할 수 있으며, 제한하는 경우에도 자유와 권리의 본질적인 내용을 침해할 수 없다. |

## 대단원 실력 굳히기

038~041쪽

01 ①  02 ⑤  03 ④  04 ⑤  05 ④  06 ②  07 ⑤
08 ②  09 ③  10 ④  11 ④  12 ①  13 ⑤  14 ⑤
15 ④  16 ②

## 01 정치의 기능

㉠은 정치이다. 정치는 사회 공동체 내에서 일어나는 다양한 이해 관계의 대립과 갈등을 해결하고, 사회의 중요한 문제를 조정하고 해결함으로써 사회 질서를 유지한다. 또한 정치는 부, 권력, 명예 등과 같은 사회적 희소가치를 합리적으로 배분하는 기능을 하며, 공동체의 발전을 위해 목표를 설정하고 이를 달성하려는 노력을 이끌어 냄으로써 사회 발전을 도모한다.

▌바로 알기▐ ① 정치는 경제적 효율성보다는 합의를 통한 갈등의 해결을 중시한다.

## 02 평균적 정의와 배분적 정의

「국민 투표법」은 일정 연령 이상의 사람에게 동일한 투표권을 부여하므로 평균적 정의의 실현과 관련된 법률이고, 「국민 기초 생활 보장법」은 개인의 경제적 배경에 따른 차이를 반영하여 '같은 것은 같게, 다른 것은 다르게' 대우하므로 배분적 정의의 실현과 관련된 법률이다. 평균적 정의는 개인에게 주어진 선천적·후천적 차이를 고려하지 않고 누구나 동등하게 대우하는 절대적·형식적 평등이고, 배분적 정의는 개인의 능력이나 상황, 필요 등에 따른 차이를 반영하는 상대적·실질적 평등이다.

▌바로 알기▐ ⑤ '같은 것은 같게, 다른 것은 다르게' 대우하는 것은 모든 사람이 각자의 능력과 노력에 따라 정당한 보상과 대우를 받을 수 있도록 하는 배분적 정의(상대적·실질적 평등)를 의미한다.

## 03 사회 계약설

〈자료 분석〉

주권을 양도 또는 위임할 수 있다고 보는가? →(아니요)→ 갑 - 루소
↓(예)
시민의 저항권을 인정하였는가? →(아니요)→ 을 - 홉스
↓(예)
병 - 로크

④ 루소는 주권은 양도될 수 없으므로 사회 구성원의 의사가 대표될 수 없기 때문에 사회 구성원 모두가 참여하는 직접 민주제를 이상적인 정치 형태로 보았다.

▌바로 알기▐ ①, ③은 홉스, ②는 루소의 주장에 해당한다. ⑤ 홉스, 로크, 루소는 모두 국가를 계약에 의해 성립된 인위적 질서로 보았다.

## 04 민주 정치의 발전 과정

1960년대 미국에서 흑인들이 인종 차별에 맞서 전개한 참정권 확대 운동

⑤ 참정권 확대 운동을 통해 20세기에 들어와 대부분의 국가에서 보통 선거 제도가 시행되었고, 보통 선거에 기반을 둔 대의제를 바탕으로 시민들의 다양한 정치 참여를 제도적으로 보장하고 있다.

▌바로 알기▐ ① 참정권 확대 운동의 사례에는 차티스트 운동, 흑인 참정권 운동, 여성 참정권 운동 등이 있다. ② 고대 그리스 아테네에서는 시민 모두가 민회에 모여 국정을 결정하는 직접 민주 정치가 이루어졌다. 대의 민주 정치는 시민 혁명으로 이루어진 근대 민주 정치 시기에 확립되었다. ③ 시민 혁명 이후에도 노동자, 여성, 흑인 등은 선거권이 제한되었다. 이들이 오랜 기간 동안 참정권 확대 운동을 벌인 결과 보통 선거제가 시행되었다. ④ 현대 민주 정치에서는 대중 민주주의가 발달하여 대의제가 일반화되었으나, 시민의 의사가 정치에 정확히 반영되지 않거나 시민의 정치적 무관심이 초래되는 등의 문제점이 나타나 국민 투표, 국민 소환, 국민 발안 등과 같은 직접 민주 정치 요소로 이를 보완하고 있다.

19세기 후반부터 20세기 초에 영국, 미국, 프랑스 등에서 여성들이 전개한 참정권 확대 운동

## 05 형식적 법치주의

제시된 사례는 독일의 수권법 제정으로 발생한 폐해를 지적한 것이다. 이는 법률이 절차적 정당성, 즉 형식적인 합법성을 지니고 있다고 하더라도 국민의 기본권 보호라는 실질적인 법치주의를 충족하지 못한 경우에는 정당성을 확보할 수 없음을 보여 주고 있다.

▌바로 알기▐ ① 수권법은 헌법이 규정한 절차와 내용을 무시하고 있으므로 입헌주의 원리에 위배된다. ② 수권법은 입법부의 권한인 법률 제정권을 행정부에 인정하고 있으므로 권력 분립의 원리에 위배된다. ③ 형식적 법치주의도 사람에 의한 지배(인치: 人治)를 거부한다. ⑤ 수권법은 법률의 형식을 갖추긴 했지만 그 내용이 헌법과 국민의 기본권을 침해하고 있으므로 실질적 정당성을 갖추지 못하였다.

## 06 실질적 법치주의

② 형식적인 합법성뿐만 아니라 법률의 목적과 내용도 정의와 헌법 이념에 합치해야 한다는 것이 실질적 법치주의이다. 이는 형식적 법치주의에 치우칠 경우 자칫 독재 체제를 옹호하는 논리로 사용될 우려가 있기 때문이다.

▌바로 알기▐ ① 답변은 절대적 평등과는 관련이 없다. ③ 정치권력이 합법성만을 중시할 경우 형식적 법치주의에 치우칠 우려가 있다. 실질적 법치주의를 통해 정치권력이 정당성을 가질 때 민주 정치를 실현할 수 있다. ④ 형식적 법치주의만으로는 인간의 존엄성을 실현하기 어렵다. ⑤ 악법도 법이므로 준수해야 한다는 것은 형식적 법치주의에 해당한다.

## 07 헌법의 시대별 의미

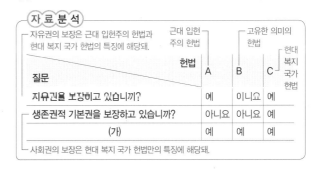

〈자료 분석〉

자유권의 보장은 근대 입헌주의 헌법과 현대 복지 국가 헌법의 특징에 해당돼.

근대 입헌주의 헌법 / 고유한 의미의 헌법 / 현대 복지 국가 헌법

| 질문 | A | B | C |
|---|---|---|---|
| 자유권을 보장하고 있습니까? | 예 | 아니요 | 예 |
| 생존권적 기본권을 보장하고 있습니까? | 아니요 | 아니요 | 예 |
| (가) | 예 | 예 | 예 |

사회권의 보장은 현대 복지 국가 헌법만의 특징에 해당돼.

A는 자유권을 보장하고 생존권적 기본권, 즉 사회권은 보장하지 않으므로 근대 입헌주의 헌법에 해당한다. B는 자유권과 생존권적 기본권을 모두 보장하지 않으므로 국가의 조직에 관한 법인 고유한 의미의 헌법에 해당한다. C는 자유권과 생존권적 기본권을 모두 보장하고 있으므로 현대 복지 국가 헌법에 해당한다. ⑤ 국가 통치 기관의 조직·구성은 모든 헌법에서 규정하고 있다.

▌**바로 알기** ▌①, ② 어느 국가에서나 존재하는 헌법은 고유한 의미의 헌법이다. ③ 현대 복지 국가 헌법은 빈부 격차 해소와 모든 국민의 인간다운 생활 보장 등을 통해 실질적인 평등을 실현하는 것을 목표로 하고 있다. ④ 근대 입헌주의 헌법은 국민의 기본권과 권력 분립을 성문의 형식으로 명시하기 시작하였고, 현대 복지 국가 헌법도 이를 계승하였다.

## 08 국민 주권주의

그림에 나타난 헌법의 기본 원리는 국민 주권주의이다. 국민 주권주의는 주권이 국민에게 있고, 모든 국가 권력의 근거가 국민에게 있다는 원리이다. 국민 주권주의의 실현 방안으로는 참정권 보장, 언론·출판·집회·결사의 자유 보장, 복수 정당 제도, 공정 선거 제도, 지방 자치제 등이 있다. ㄱ. 우리나라가 민주 공화국임을 밝혀 주권이 국민에게 있음을 명시한 헌법 제1조 제1항이다. ㄷ. 참정권(선거권)을 규정한 헌법 제24조의 내용이다.

▌**바로 알기** ▌ ㄴ은 복지 국가의 원리, ㄹ은 국제 평화주의와 관련된 헌법 내용이다.

## 09 자유 민주주의

┌ 자유주의와 민주주의가 결합된 정치 원리야.

제시된 글에서 설명하는 헌법의 기본 원리는 자유 민주주의이다. ㄴ. 자유 민주주의 원리를 실현하기 위해서는 복수 정당제를 기반으로 하는 자유로운 정당 활동을 보장해야 한다. ㄷ. 사법부의 공정한 재판을 보장하기 위해 법원의 독립과 법관의 독립을 보장하는 것은 자유 민주주의 원리를 실현하기 위한 방안이다.

▌**바로 알기** ▌ ㄱ. 국제 평화를 위한 저개발국에 대한 원조 확대는 국제 평화주의를 실현하기 위한 방안이다. ㄹ. 정부가 경제의 민주화를 위해 경제에 관한 규제와 조정을 하는 것은 국민들의 인간다운 삶의 실현을 추구하기 위한 정책으로 복지 국가의 원리를 실현하기 위한 방안이다.

| 완자 정리 노트 | 자유 민주주의 |
|---|---|
| 의미 | 인간의 존엄성을 바탕으로 국민의 자유와 권리를 보호하고, 대표자들이 국민 주권주의에 입각해서 통치하는 원리 |
| 관련 헌법 조항 | • 자율과 조화를 바탕으로 자유 민주적 기본 질서를 더욱 확고히 하여 …… (전문)<br>• …… 자유 민주적 기본 질서에 입각한 평화적 통일 정책을 수립하고 이를 추진한다. (제4조)<br>• 정당의 목적이나 활동이 민주적 기본 질서에 위배될 때에는 …… 해산된다. (제8조 ④) |
| 실현 방안 | 법치주의, 적법 절차의 원리, 권력 분립, 사법권의 독립, 복수 정당제를 기반으로 하는 자유로운 정당 활동, 상향식 의사 결정 과정, 각종 기본권 보장 등 |

## 10 복지 국가의 원리

제시된 최저 임금제와 관련된 헌법의 기본 원리는 복지 국가의 원리이다. 복지 국가의 원리는 국민 복지에 대한 책임을 국가에 부여하고, 사회권을 국가가 적극적으로 보장해야 한다는 원리이다. ① 복지 국가의 원리는 사회권의 실현과 밀접한 관계가 있다. 사회권은 형식적 평등보다 실질적 평등을 보장하기 위한 권리이다. ②, ③ 우리 헌법은 복지 국가의 원리를 실현하기 위해 국가에 사회 보장 및 사회 복지의 증진 의무를 부여하고, 모든 국민이 인간다운 생활을 국가에 요구할 수 있도록 규정하고 있다. ⑤ 복지 국가의 원리를 실현하기 위하여 우리나라에서는 국가가 경제에 관한 규제와 조정을 할 수 있도록 헌법에 명시하고 있다.

▌**바로 알기** ▌ ④ 복지 향상 수단으로 시장의 자동 조절 기능을 신뢰하는 것은 자유방임주의로서 소극적인 국가의 역할을 강조하는 것이다.

| 완자 정리 노트 | 복지 국가의 원리 |
|---|---|
| 의미 | 국민 복지에 대한 책임을 국가에 부여하고, 사회권을 기본권으로 보장하는 원리 |
| 관련 헌법 조항 | • …… 안으로는 국민 생활의 균등한 향상을 기하고 ……. (전문)<br>• 모든 국민은 인간다운 생활을 할 권리를 가진다. (제34조 ①)<br>• 국가는 사회 보장·사회 복지의 증진에 노력할 의무를 진다. (제34조 ②)<br>• 국가는 균형 있는 국민 경제의 성장 및 안정과 적정한 소득의 분배를 유지하고 …… 경제에 관한 규제와 조정을 할 수 있다. (제119조 ②) |
| 실현 방안 | 인간다운 생활을 할 권리, 환경권, 근로권 등 사회권의 보장, 공공 부조 등 사회 보장 제도의 시행, 최저 임금제 채택, 소득 재분배 정책 등 |

## 11 국제 평화주의

제시된 헌법 조항들과 관련된 헌법의 기본 원리는 국제 평화주의이다. 국제 평화주의는 국제 질서를 존중하고 세계 평화와 인류의 공동 번영을 위해 노력한다는 원리이다. 실현 방안으로는 조약과 국제 관습법 등 국제법의 존중, 침략 전쟁의 부인, 상호주의 원칙에 따른 외국인의 지위 보장, 국제 평화 유지 활동 참여, 국제 구호 활동, 국제기구 참여 등이 있다.

▌**바로 알기** ▌ ㄱ. 국제 평화주의는 침략 전쟁을 부인하는 것일 뿐 침략에 대한 대응 전쟁까지 부인하는 것은 아니다. ㄷ. 우리나라에서 조약과 국제 관습법은 국내법과 동일한 지위를 가진다. 이를 국제법 존중주의라고 하는데, 국제 평화주의와 관련된 것이다.

## 12 청구권과 자유권

첫 번째 사례에서 지방세 납세 의무자의 행정 소송을 제한하는 「지방세법」 규정으로 인해 침해되는 기본권은 청구권(㉠)이다. 두 번째 사례에서 침해되는 기본권은 언론·출판의 자유로서 자유권(㉡)이다. ① 청구권은 기본권이 침해된 경우에 이를 구제받기 위한 수단적 성격의 권리이다.

|| **바로 알기** || ② 국가의 정치 과정에 적극적으로 참여할 수 있는 권리는 참정권이다. ③ 자유권은 헌법에 근거 규정이 없더라도 보장받을 수 있는 포괄적 권리이다. 헌법에 근거 규정이 있어야만 보장받을 수 있는 구체적 권리는 사회권이다. ④ 국가의 간섭을 받지 않을 소극적 권리는 자유권이다. ⑤ 인간다운 생활을 국가에 요구할 수 있는 권리는 사회권이다.

## 13 적극적 평등 실현 조치

「공직 선거법」 제47조 제3항의 정당의 비례 대표 의원 추천 시 후보자 중 100분의 50 이상을 여성으로 추천해야 한다는 조항이나 「장애인 고용 촉진 및 직업 재활법」 제27조 제1항의 장애인 일정 비율 채용 조항은 모두 적극적으로 평등을 실현하기 위하여 사회적으로 차별받아 온 사회적 약자들을 우대하는 적극적 평등 실현 조치에 해당한다. 적극적 평등 실현 조치는 사회적 약자를 우대하여 적극적으로 기회 균등을 보장함으로써 사회적 차별을 줄이고 헌법상 규정된 실질적 평등을 실현하기 위한 제도이다. 그러나 평균적인 일반인에게 차별이 될 수 있는 역차별의 우려가 있다.

|| **바로 알기** || ⑤ 적극적 평등 실현 조치는 기존에 차별을 받아온 사회적 약자를 우대하는 정책으로서 절대적 평등의 실현과는 관련이 없다.

## 14 기본권의 종류

(가)는 신체의 자유가 침해된 사례이므로 자유권과 관련 있다. (나) 국민 투표를 통해 국민의 정치적 의사를 표현하는 것은 참정권에 해당한다. (다)는 인간다운 삶의 보장을 위한 조치이므로 사회권과 관련 있다. 사회권은 모든 국민이 실질적인 평등과 인간다운 생활의 보장을 국가에 요구할 수 있는 권리이다. (라)는 재판을 청구한 것이므로 청구권에 해당한다. 청구권은 국민이 국가에 대해 일정한 행위를 요구하거나 침해당한 기본권 구제를 청구할 권리이다.

|| **바로 알기** || ㄱ. 법 앞에 평등할 권리는 평등권에 해당한다. ㄴ. 국가의 간섭이나 침해를 받지 않을 권리는 자유권에 해당한다.

## 15 기본권 제한의 요건

제시된 법원의 판결문에 따르면, 수형자 갑에 대해 수갑 등의 보호 장비를 사용한 것은 과거의 전력이나 당시의 상황으로 볼 때 질서 유지를 위해 불가피했다고 볼 수 있다. 즉 법원은 수형자 갑에게 보호 장비를 사용한 것에 대해 질서 유지라는 정당한 요건을 갖추었고, 갑의 피해를 최소화하기 위해 노력하였으므로 기본권 제한의 원칙에 어긋나지 않는다고 판단하였다. ④ 기본권을 제한할 경우에는 정당한 목적과 피해 최소성의 요건을 갖추어야 하는데, 제시된 사례는 이를 충족한다고 본 것이다.

|| **바로 알기** || ① 자유권은 포괄적 권리이다. 하지만 제시된 판결문에는 과잉 금지의 원칙에 한해 제한이 가능하다고 보았다. ②, ⑤ 기본권을 제한하는 경우에는 필요한 최소한에 그쳐야 한다. ③ 신체의 자유는 필요한 경우에 법률에 의거하여 제한 가능하다.

| 목적의 정당성 | 국민의 기본권을 제한하려는 입법 목적의 정당성이 인정되어야 함 |
|---|---|
| 방법의 적절성 | 기본권 제한의 목적 달성을 위한 방법이 효과적이고 적절해야 함 |
| 피해의 최소성 | 국민의 기본권 제한으로 인한 피해는 최소한도에 그쳐야 함 |
| 법익의 균형성 | 입법으로 보호하려는 공익과 침해되는 사익을 비교할 때 보호되는 공익이 더 커야 함 |

## 16 국민의 의무

① 납세의 의무는 법률의 규정에 따라 국가 운영의 재원이 되는 세금을 내야 할 의무이다. ③ 교육의 의무는 보호하는 아동에게 의무 교육을 시키도록 보호자에게 부과되는 의무이다. ④ 근로의 의무는 의무인 동시에 권리의 성격을 갖는다. ⑤ 환경 보전의 의무는 현대 사회에서 새롭게 등장한 의무이다. 이 외에도 현대적 의무로는 교육의 의무, 근로의 의무, 재산권 행사의 공공복리 적합 의무 등이 있다.

|| **바로 알기** || ② 우리나라에서 국방의 의무는 병역의 의무뿐만 아니라 방공·방첩의 의무, 군 작전에 협조할 의무 등을 포함하고 있으므로 모든 국민에게 부과되는 의무이다. 단, 병역의 의무는 성인 남성에게만 부과되고 있다.

# II. 민주 국가와 정부

## 01 정부 형태

**STEP 1** 핵심 개념 확인하기     048쪽

1 (1) 정부 형태 (2) 입법부    2 (1) × (2) ○ (3) × (4) ○    3 (1) 의
(2) 의 (3) 대    4 ㉠ 대통령제 ㉡ 의원 내각제    5 ㄱ, ㄹ

**STEP 2** 내신 만점 공략하기     048~052쪽

| 01 ⑤ | 02 ④ | 03 ① | 04 ② | 05 ② | 06 ① | 07 ④ |
| 08 ② | 09 ④ | 10 ① | 11 ⑤ | 12 ④ | 13 ② | 14 ① |
| 15 ② | 16 ① | | | | | |

### 01 의원 내각제

제시된 정부 형태는 의원 내각제이다. 의원 내각제는 영국에서 발달한 정부 형태로, 입법부인 의회가 국민의 직접 선거를 통해 구성되고, 행정부인 내각은 의회 다수당의 대표가 수상이 되어 소속 정당 의원들을 내각의 각료로 임명함으로써 구성되는 권력 융합적인 정부 형태이다. 의원 내각제에서 내각은 법률안을 제출할 수 있으며, 의회 의원은 내각의 각료를 겸직할 수 있다.

**바로 알기** ⑤ 의회에서 의결된 법률안에 대해 행정부 수반이 거부권을 행사할 수 있는 것은 대통령제의 특징에 해당한다.

### 02 의원 내각제의 특징

의원 내각제는 영국에서 국왕과 의회가 갈등과 타협을 거듭하며 점진적으로 형성된 정부 형태이다. 영국 의회는 대헌장(1215), 권리 청원(1628) 등을 통해 꾸준히 왕권을 제한하였고, 그 결과 권리장전(1689)을 승인받으며 '국왕은 군림하되 통치하지 않는다.'는 원칙을 확립하였다. 이에 따라 영국은 총리가 이끄는 내각이 실질적인 국정 운영을 담당하게 되었다. ④ 의원 내각제에서는 의회 다수당이 과반수 의석을 차지할 경우 그 횡포를 견제하기 어렵다는 단점이 있다.

**바로 알기** ① 의원 내각제에서 행정부의 수반은 다수당의 수상 또는 총리이며, 국가 원수는 입헌 군주 또는 대통령이므로 행정부 수반과 국가 원수가 다르다. ② 과반수 의석을 차지할 정당이 없어 연립 내각이 구성될 경우 정치적 책임 소재가 불명확해지거나 지나치게 잦은 불신임 결의가 생겨 국정 불안을 초래할 수 있다. ③ 행정부 수반의 임기가 보장되는 것은 대통령제의 특징에 해당한다. ⑤ 의원 내각제에서 행정부 수반은 의회 다수당의 대표이므로 의회에 대해 정치적 책임을 진다.

### 03 의원 내각제에서 입법부와 행정부 간의 견제 수단

제시된 글에서 내각의 성립과 존속이 의회에 의존하고 있으며, 행정부 수반이 의회에서 선출된다는 점을 통해 정부 형태 A가 의원 내각제임을 알 수 있다. ① 의원 내각제에서 의회는 내각 불신임권을 행사하여 내각의 총사퇴를 결의할 수 있으며, 내각은 의회 해산권을 행사하여 의회 의원의 자격을 임기 만료 전에 소멸시킴으로써 의회를 해산하고 총선거를 통해 의회를 다시 구성할 수 있다.

### 04 의원 내각제의 구성

의원 내각제에서 과반수 의석을 차지하는 정당이 있을 경우에는 단독으로 내각을 구성할 수 있지만, 의회 내 과반수 정당이 없을 경우에는 둘 이상의 정당이 연합하여 연립 내각을 구성할 수 있다. ㄱ. 의회 다수당의 대표가 총리가 되어 내각을 구성하므로 (가) 시기 갑국의 총리는 A당 소속이었을 것이다. ㄷ. (가) 시기와 달리 (나) 시기에는 의회 다수당인 A당의 의석 점유율이 과반에 미치지 못하므로, 과반수 의석을 차지한 정당이 존재하지 않을 것이다.

**바로 알기** ㄴ, ㄹ. (나) 시기에는 다수당인 A당만으로는 단독 내각을 구성할 수 없어 다른 당과 연합하여 연립 내각을 구성해야 한다. 따라서 여러 정당이 내각을 함께 이끌어가므로 (가) 시기에 비해 국민의 다양한 의사가 국정에 반영되었을 것이다.

### 05 대통령제

제시된 그림의 정부 형태는 행정부와 입법부가 각각 국민의 선거에 의해 구성되는 대통령제이다. 대통령제에서 국민은 별도의 선거를 통해 입법부인 의회 의원과 행정부 수반인 대통령을 각각 선출하며, 행정부는 대통령 및 대통령이 임명하는 각료들로 구성된다. ㄱ. 대통령제에서 의회와 대통령은 독립적으로 조직되고 운영되므로 행정부 수반은 의회를 해산할 수 없다. 행정부 수반이 의회를 해산할 수 있는 정부 형태는 의원 내각제이다. ㄷ. 대통령제에서 행정부 수반인 대통령은 국민의 선거를 통해 선출되기 때문에 국민에 대해서만 정치적 책임을 진다.

**바로 알기** ㄴ. 수상과 내각의 각료가 의회 의원을 겸직할 수 있는 것은 의원 내각제의 특징이다. ㄹ. 대통령제에서 입법권은 의회의 고유 권한으로서 행정부는 법률안을 제출할 수 없다.

### 06 대통령제의 특징

제시된 상황은 대통령이 법률안 거부권을 행사한 것이다. 법률안 거부권은 국회에서 의결되어 정부로 이송된 법률안에 대하여 다른 의견이 있을 경우 대통령이 법률안을 국회로 돌려보내 다시 의결할 것을 요구할 수 있는 권한이다. 이를 통해 갑국의 정부 형태가 대통령제임을 알 수 있다. ① 대통령제에서 대통령은 법률안 거부권을 행사함으로써 의회 다수당의 입법권 남용을 견제할 수 있다.

### 07 대통령제의 장·단점

행정부와 입법부가 엄격히 분립하여 상호 견제와 균형의 원리에 충실한 정부 형태는 대통령제이다. ㄴ, ㄹ. 대통령제에서는 대통령의 임기가 보장되기 때문에 안정적이고 일관된 정책을 추진하여 국가 정책의 지속성을 확보할 수 있으며, 대통령의 법률안 거부권 행사로 의회 다수당의 횡포를 방지할 수 있다는 장점이 있다. 그러나 여대야소의 정국이 형성될 경우 대통령에게 권한이 집중되어 독재 정치가 나타날 수 있으며, 여소야대의 정국이 형성될 경우 행정부와 의회가 대립할 때 갈등을 중재할 제도적 방법이 마땅히 없어 안정적인 국정 운영이 곤란하다는 단점이 있다.

**┃ 바로 알기 ┃** ㄱ. 입법부와 행정부의 책임 정치가 가능한 것은 의원 내각제의 장점에 해당한다. ㄷ. 의회 의원 선거 결과 과반 의석을 확보한 정당이 없어 연립 정부가 구성될 경우 정치적 책임 소재가 불분명해질 수 있는 것은 의원 내각제의 단점에 해당한다.

## 08 이원 집정부제

제시된 내용은 이원 집정부제에 해당한다. ①, ③ 이원 집정부제는 의원 내각제와 대통령제가 혼합된 정부 형태로서 행정부의 권한을 이원화하여 외교와 국방 분야는 대통령이, 일반 행정 분야는 총리가 담당한다. ④ 이원 집정부제에서 대통령과 총리의 소속 정당이 같을 경우, 정책 결정과 집행 과정에서 추진력을 발휘하여 강력한 국정 수행이 가능하다. ⑤ 이원 집정부제에서 대통령과 총리의 소속 정당이 다를 경우, 대통령과 총리가 대립하여 정치적 혼란이 나타날 수 있다.

**┃ 바로 알기 ┃** ② 이원 집정부제에서 내각은 의회의 신임에 의존하기 때문에 의회에 대해 정치적 책임을 지는 반면, 국민에 의해 직접 선출된 대통령은 의회에 대해 책임을 지지 않는다.

## 09 대통령제와 의원 내각제

A는 대통령제, B는 의원 내각제에 해당한다. ㄴ. 대통령제에서는 의원 내각제와 달리 의회 의원이 각료를 겸직할 수 없다. ㄹ. 행정부의 법률안 거부권은 대통령제, 행정부의 법률안 제출권은 의원 내각제 요소에 해당한다.

**┃ 바로 알기 ┃** ㄱ. 연립 내각은 의원 내각제에서 과반수 의석을 차지한 정당이 없을 경우 둘 이상의 정당이 연합하여 구성한다. ㄷ. 국가 원수와 행정부 수반의 권한이 한 명에게 집중된 대통령제와 달리 의원 내각제에서는 입헌 군주나 대통령은 형식적으로 국가 원수의 역할만 하고, 수상이 실질적으로 행정부 수반의 역할을 수행한다.

**완자 정리 노트** 대통령제와 의원 내각제에서의 견제 수단

| 구분 | 행정부의 입법부 견제 | 입법부의 행정부 견제 |
|---|---|---|
| 대통령제 | 법률안 거부권 | 탄핵 소추권, 각종 동의권 및 승인권 |
| 의원 내각제 | 의회 해산권 | 내각 불신임권 |

## 10 대통령제와 의원 내각제의 특징

갑국은 의회 의원과 행정부 수반을 별도의 선거를 통해 선출하는 대통령제를 채택하고 있으며, 을국은 의회에서 행정부 수반을 선출하는 의원 내각제 정부 형태를 채택하고 있다. ① 갑국의 여당은 ○○당이지만, 의회는 △△당이 제1당으로 전체 의석의 과반수인 51%를 차지하고 있으므로 여소야대 현상이 나타났다. ③ 대통령제보다 의원 내각제가 정치적 책임감이 높고 국민의 요구에 민감하게 반응할 가능성이 높다. ④ 의원 내각제에서는 대통령제와 달리 행정부 수반이 의회를 해산할 수 있고, 의회도 내각을 불신임할 수 있다. ⑤ 대통령제에서는 입법부와 행정부가 각각 별도의 선거를 통해 구성되므로, 입법부에 의해 행정부가 구성되는 의원 내각제에 비해 권력 분립의 원리에 충실하다.

**┃ 바로 알기 ┃** ② 의원 내각제에서는 과반수 의석을 차지하는 정당이 있을 경우 단독으로 내각을 구성할 수 있다. 그러나 집권당인 □□당이 과반수 의석을 확보하지 못하였으므로 연립 내각이 구성되었을 것이다.

## 11 의원 내각제와 대통령제

'행정부가 법률안을 제출할 수 있는가?'라는 질문에 A 정부 형태는 '예', B 정부 형태는 '아니요'라고 답변했으므로 A는 의원 내각제, B는 대통령제에 해당한다. ㄱ, ㄴ. 의회 의원과 각료 간의 겸직이 가능한 것, 내각의 존립이 의회의 신임에 의존하는 것은 의원 내각제의 특징으로 (나)에 해당하는 내용이다. ㄷ, ㄹ. 입법부와 행정부가 상호 독립적으로 구성되는 것, 의회에서 가결된 법률안에 대해 행정부 수반이 재의를 요구할 수 있는 것은 대통령제의 특징으로 (가)에 해당하는 내용이다.

## 12 의원 내각제와 대통령제

**자료 분석**

이번 의회 의원 선거 결과 을국의 행정부 수반이 되신 것을 축하드립니다.

갑국 대표가 을국 대표에게 의회 의원 선거 결과 행정부 수반에 당선된 것을 축하하는 것으로 보아, 을국의 정부 형태는 의원 내각제라는 것을 알 수 있어.

갑국 대표

감사합니다. 갑국 대표님의 행정부 수반 임기가 2년 남았는데, 양국 간의 외교를 잘 이어나갔으면 합니다.

을국 대표

을국 대표가 갑국 대표에게 임기가 2년 남았다고 하는 것을 통해 갑국의 정부 형태는 대통령제라는 것을 알 수 있어.

① 대통령제에서 행정부 수반인 대통령은 국민의 직접 선거에 의해 선출된다. ② 의원 내각제에서 행정부 수반은 국민의 대표인 의회 의원들에 의해 선출된다. ③ 의원 내각제에서는 과반수 의석을 차지한 정당이 없을 경우 연립 내각이 구성될 수 있다. ⑤ 대통령제에서는 대통령의 법률안 거부권, 의원 내각제에서는 내각의 의회 해산권으로 각각 입법부를 견제할 수 있다.

**┃ 바로 알기 ┃** ④ 대통령제는 의원 내각제와 달리 엄격하게 권력이 분립된 정부 형태이다.

## 13 의원 내각제와 대통령제

갑국은 지난 의회에서는 행정부 수반의 소속 정당이 의회 의석의 과반 의석을 차지하여 여대야소 정국이 나타났던 반면, 새로운 의회에서는 행정부 수반의 소속 정당이 의회 의석의 35%를 차지하여 여소야대 정국이 나타났다. ㄱ. 갑국의 정부 형태가 의원 내각제라면, 새로운 의회에서는 과반 의석을 차지하는 정당이 없어 연립 내각을 구성할 것이고, 따라서 내각 불신임의 가능성이 단독 내각을 구성했던 이전에 비해 상대적으로 높을 것이다. ㄹ. 대통령제에서 행정부 수반의 법률안 거부권 행사 가능성은 여소야대 정국인 새로운 의회에서 더 높을 것이다.

┃바로 알기┃ ㄴ. 의회와 행정부의 대립 가능성은 여소야대 정국인 새로운 의회에서 더 높을 것이다. ㄷ. 국가 정책의 일관성을 유지하는 것은 여대야소 정국인 이전 의회가 더 용이할 것이다.

## 14 우리나라 정부 형태의 특징

우리나라는 대통령제를 기본으로 의원 내각제 요소를 가미한 정부 형태이다. ㄱ, ㄴ. 국무총리와 국무 회의를 두고 있고, 국회 의원이 국무 위원을 겸직할 수 있으며, 행정부가 법률안을 제출할 수 있는 것 등은 우리나라의 정부 형태에서 나타나는 의원 내각제 요소에 해당한다.

┃바로 알기┃ ㄷ, ㄹ. 우리나라의 정부 형태에서 나타나는 대통령제 요소에 해당한다.

## 15 우리나라 정부 형태의 변화 과정

(가)는 제3차 개정 헌법, (나)는 제7차 개정 헌법, (다)는 현재 시행되고 있는 제9차 개정 헌법에 해당한다. ② 제7차 개헌에서는 대통령의 중임 제한을 철폐하고, 대통령이 의장인 통일 주체 국민 회의에서 대통령과 국회 의원 3분의 1을 선출하며, 대통령에게 법관 임명권과 긴급 조치권을 부여하는 등 대통령의 초헌법적인 권한을 명시하였다.

┃바로 알기┃ ① 제3차 개헌에 규정된 정부 형태에서는 양원제 국회를 운영하였지만, 우리나라는 현재 단원제 국회를 운영하고 있다. ③ 제7차 개헌에서는 대통령이 모든 법관을 임명하여 사법권의 독립이 훼손되고 권력 분립의 원리가 지켜지지 않았다. ④ 제9차 개헌은 행정부 수반인 대통령이 국민의 직접 선거를 통해 선출되었으므로 대통령 간선제였던 제7차 개헌에 비해 국민의 의사를 반영하기에 용이하다. ⑤ 제3차 개헌은 초대 대통령의 독재와 장기 집권 등에 반발하는 4·19 혁명을 계기로 등장한 헌법이며, 제9차 개헌은 6월 민주 항쟁을 계기로 등장한 헌법이다.

## 16 우리나라 정부 형태의 의원 내각제 요소

㉠에는 현재 우리나라에서 시행하고 있지 않은 의원 내각제 요소가 들어가야 하므로, 의회의 내각 불신임권이 적절하다.

┃바로 알기┃ ②, ③, ⑤ 현재 우리나라에서 시행하고 있는 의원 내각제 요소에 해당한다. ④ 대통령제 요소에 해당한다.

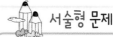

## 서술형 문제

052쪽

### 01 주제: 의원 내각제

(1) ㉠ 의회 해산권, ㉡ 내각 불신임권

(2) **예시 답안** 의원 내각제. 내각의 정치적 책임감이 높고 국민의 요구에 민감하게 반응할 가능성이 높다. 또한 의회와 내각이 협조하여 국정을 원활하게 운영할 수 있으며, 내각 불신임권과 의회 해산권을 통해 의회와 행정부의 대립을 비교적 신속하게 해결할 수 있다.

**채점 기준**

| 상 | 의원 내각제라고 쓰고, 의원 내각제의 장점을 두 가지 이상 정확히 서술한 경우 |
|---|---|
| 중 | 의원 내각제라고 쓰고, 의원 내각제의 장점을 한 가지만 서술한 경우 |
| 하 | 의원 내각제라고만 쓴 경우 |

### 02 주제: 대통령제

**예시 답안** 대통령제. 대통령제는 임기가 보장되어 대통령이 국민의 요구에 둔감할 수 있다. 또한 여대야소 상황에서는 대통령에게 권력이 집중되어 독단적으로 국정을 운영할 우려가 있으며, 여소야대 상황에서는 행정부와 의회가 대립할 때 갈등을 중재하기 어렵다는 등의 단점이 있다.

**채점 기준**

| 상 | 대통령제라고 쓰고, 대통령제의 단점을 두 가지 이상 정확히 서술한 경우 |
|---|---|
| 중 | 대통령제라고 쓰고, 대통령제의 단점을 한 가지만 서술한 경우 |
| 하 | 대통령제라고만 쓴 경우 |

### 03 주제: 우리나라 정부 형태의 의원 내각제 요소

**예시 답안** 행정부의 법률안 제출권과 국무회의 제도는 우리나라 정부 형태의 의원 내각제 요소에 해당한다.

**채점 기준**

| 상 | 행정부의 법률안 제출권과 국무 회의 제도를 모두 정확히 서술한 경우 |
|---|---|
| 하 | 행정부의 법률안 제출권과 국무 회의 제도 중 한 가지만 서술한 경우 |

## STEP 3  1등급 정복하기

053~055쪽

1 ②  2 ③  3 ⑤  4 ④  5 ①  6 ④

### 1 정부 형태의 특징

갑국은 헌법에 의회의 정부에 대한 불신임권, 정부의 의회 해산권을 인정하며, 총리와 내각이 행정권을 행사하고 있으므로 의원 내각제를 채택하고 있음을 알 수 있다. ㄴ. 행정부가 입법부에 대해 책임을 지는 것은 의원 내각제의 특징에 해당한다. ㄷ. 선거 결과 과반수 의석을 차지한 정당이 없으므로 두 개 이상의 정당이 연합하여 연립 내각을 구성할 수 있다.

┃바로 알기┃ ㄱ. 의원 내각제에서 다수당이 과반수 의석을 차지한 경우 다수당의 대표가 행정부 수반을 맡게 된다. 그러나 연립 내각을 구성할 경우 복수의 정당 연합의 대표가 총리를 맡을 수도 있으므로 행정부 수반이 A당소속이 아닐 수도 있다. ㄹ. 행정부 수반의 임기가 보장되는 것은 대통령제의 특징에 해당한다.

### 2 정부 형태의 특징

【 자 료 분 석 】

t대는 여소야대, t+1대는 여대야소 상황이야.

| 정당 \ 시기 | t | | t+1 | |
|---|---|---|---|---|
| | 지역구 | 비례 대표 | 지역구 | 비례 대표 |
| A | 50 | 30 | 25 | 23 |
| B | 32 | 13 | 54 | 22 |
| C | 11 | 5 | 10 | 3 |
| D | 5 | 2 | 8 | 2 |
| 무소속 | 2 | | 3 | |
| 계 | 100 | 50 | 100 | 50 |

*갑국의 행정부 수반은 t대와 t+1대 모두 B당 소속이다.
**갑국의 의회는 재적 의원 과반수 찬성으로 법률안을 의결한다.
   t대에 A당이 과반수 의석을 차지했는데도 행정부 수반이 B당 소속이라는 것을 통해 갑국이 대통령제를 채택하고 있는 것을 알 수 있어.

갑국은 대통령제를 채택하고 있다. ③ 대통령제에서 행정부 수반의 법률안 거부권 행사 가능성은 여대야소 상황인 t+1대보다 여소야대 상황인 t대에 더 높을 것이다.

┃바로 알기┃ ① 대통령제는 권력의 융합보다 분립에 충실한 정부 형태이다. ② t+1대에는 행정부 수반이 속한 B당이 의회에서 과반수 의석을 차지하였으므로 여대야소의 정국이 형성될 것이다. ④ 대통령제에서 의회의 탄핵 소추권 행사 가능성은 여대야소 상황인 t+1대보다 여소야대 상황인 t대에 더 높을 것이다. ⑤ t대에는 집권당인 B당이 과반수 의석을 차지하지 못하였으므로 B당 단독으로 법률안을 제정할 수 없다.

### 3 의원 내각제와 대통령제

제시된 표의 정부 형태 채택 국가를 통해 A는 의원 내각제, D는 대통령제임을 알 수 있다. 따라서 (가)에는 의원 내각제와 대통령제의 공통된 특징에 해당하는 내용이 들어가야 하고, (나)에는 의원 내각제만의 특징, (다)에는 대통령제만의 특징에 해당하는 내용이

들어가야 한다. ① 의원 내각제와 대통령제 모두 의회 의원은 국민의 선거로 선출된다. ② 의원 내각제에서는 의회에서 선출된 총리가 내각을 구성한다. ③ 의원 내각제에서는 의회 의원의 각료 겸직을 허용한다. ④ 대통령제에서는 입법권은 의회의 고유 권한으로서 의회 의원만 법률안을 제출할 수 있다.

┃바로 알기┃ ⑤ 대통령제에서는 국민이 직접 선거를 통해 입법부와 행정부를 각각 선출하므로 행정부 수반이 입법부를 해산할 수 없다. 행정부 수반의 의회 해산권이 인정되는 것은 의원 내각제의 특징이므로 (나)에 해당한다.

### 4 정부 형태의 특징

ㄴ. 제시된 내용에서 대통령과 총리가 모두 존재하며, 총리는 의회에서 선출되고 있다. 따라서 갑국은 의원 내각제와 대통령제가 혼합된 이원 집정부제를 채택하고 있다. ㄹ. 이원 집정부제는 대통령과 총리에게 행정부의 권한을 분산하여 상호 견제하게 함으로써 권력을 제한하고 독재를 방지할 수 있다는 장점이 있다.

┃바로 알기┃ ㄱ. 이원 집정부제에서 총리는 의회에 의해 불신임될 수 있지만, 국민이 직접 선출하는 대통령은 임기가 보장된다. 따라서 총리만 의회에 대해 정치적 책임을 진다. ㄷ. 대통령은 ○○당 후보였고, ○○당이 의회 선거에서 과반수 의석을 차지해 다수당이 되었다. 따라서 의회에서 총리로 선출한 B 또한 다수당인 ○○당 소속일 것이므로, 대통령과 총리의 소속 정당이 동일할 가능성이 높다.

### 5 우리나라 정부 형태의 변화 과정

(가)는 행정부인 국무원의 수장이 국무총리인 점, 민의원과 참의원으로 구성된 양원제 국회인 점을 통해 의원 내각제를 채택했던 제3차 개정 헌법임을 알 수 있다. (나)는 대통령이 통일 주체 국민 회의에서 선출된다는 점을 통해 유신 체제가 등장했던 제7차 개정 헌법임을 알 수 있다. ① 국무원이 민의원에 대해 연대 책임을 진다고 했으므로 권력 분립보다 권력 융합을 추구하는 구조임을 알 수 있다.

┃바로 알기┃ ② 행정권은 국무원에 속하며, 국무원은 국무총리와 국무 위원으로 조직된다고 했으므로 행정부 수반은 국무총리임을 알 수 있다. ③ 대통령이 국회를 해산할 수 있다고 했으므로 권력 분립의 원리가 엄격하게 지켜지지 않고 있음을 알 수 있다. ④ 유신 체제하에서의 대통령은 통일 주체 국민 회의에서 무기명 투표로 선출되었다. ⑤ 유신 체제는 대통령이 입법부와 사법부 위에 군림하는 권위주의적 정부 형태로서 국민에 대한 정치적 책임에 둔감하였다.

### 6 우리나라 정부 형태의 특징

우리나라는 대통령제를 기본으로 채택하면서 의원 내각제 요소를 부분적으로 도입하여 운영하고 있다. 따라서 제시된 대화에서 정부 형태 A는 대통령제이므로 ㉠은 대통령제 요소, 정부 형태 B는 의원 내각제이므로 ㉡은 의원 내각제 요소가 나타난 헌법 조항을 찾아야 한다. ㄱ, ㄷ. 행정부의 법률안 제출권, 국회의 국무 총리 또는 국무 위원 해임 건의권은 의원 내각제 요소(㉡)에 해당한다. ㄴ, ㄹ. 국민의 직접 선거를 통한 대통령 선출, 대통령의 법률안 거부권은 대통령제 요소(㉠)에 해당한다.

# 02 우리나라의 국가 기관

## STEP 1 핵심 개념 확인하기 060쪽

1 ㉠ 입법 ㉡ 국정 통제  2 (1) 본회의 (2) 교섭 단체  3 (1) ㄴ, ㄹ
(2) ㄱ, ㄷ  4 (1) × (2) ○ (3) ○  5 (1) 3심제 (2) 국회 (3) 항소
(4) 헌법 소원

## STEP 2 내신 만점 공략하기 060~063쪽

| 01 ⑤ | 02 ④ | 03 ② | 04 ③ | 05 ① | 06 ③ | 07 ④ |
| 08 ④ | 09 ① | 10 ② | 11 ⑤ | 12 ③ | | |

## 01 국회

① 국회 의원의 소신 있는 의회 활동을 보장하기 위해 면책 특권과 불체포 특권을 보장한다. ② 위원회는 본회의에서 심의할 안건을 미리 조사하고 심의하여 국회의 효율적인 운영에 기여한다. ③ 교섭 단체는 국회 의원 20인 이상으로 구성되며, 국회의 중요 의사를 협의·조정한다. ④ 일사부재의의 원칙에 따라 한번 부결된 안건은 같은 회기 중에 다시 발의되거나 제출될 수 없다.

**바로 알기** ⑤ 국회는 헌법 또는 법률에 특별한 규정이 없는 한 재적 의원 과반수의 출석과 출석 의원 과반수의 찬성으로 의결한다.

## 02 국회의 권한

(가)는 헌법 재판소장에 대한 임명 동의권으로 국회의 인사에 관한 권한, (나)는 국정 조사권으로 국회의 국정 감시 및 통제 권한에 해당한다. ㄴ. 국회는 국무총리·대법원장·대법관·헌법 재판소장·감사원장 임명에 대한 동의권을 행사함으로써 국가 기관 구성 과정에 참여할 수 있다. ㄹ. 국회는 국정 조사권을 통해 국정의 특정 사안을 조사함으로써 행정부를 견제할 수 있다.

**바로 알기** ㄱ. 헌법 재판소장 임명 동의권은 국회와 헌법 재판소가 상호 견제와 균형을 이루는 국가 기관임을 나타낸다. ㄷ. 국정 조사권은 국회의 국정 통제에 관한 권한에 해당한다. 국회의 입법에 관한 권한으로는 법률의 제정 및 개정, 헌법 개정 등이 있다.

## 03 법률 제정·개정 절차

① 법률안은 대통령이 공포함으로써 확정되며, 공포 후 20일 이후에 효력이 발생한다. ② 법률안은 본회의에서 국회 재적 의원 과반수 출석과 출석 의원 과반수의 찬성으로 의결된다. ④ 국회 의장은 직권 상정을 통해 상임 위원회를 거치지 않은 안건을 본회의에 상정할 수 있다. ⑤ 법률안 개정은 '(나) 정부 또는 국회 의원의 법률안 제출 – (라) 상임 위원회 심의 – (다) 본회의 의결 – (가) 법률안 공포'의 순서로 이루어진다.

**바로 알기** ② 법률안을 제출하기 위해서는 국회 의원 10인 이상의 요구가 필요하다.

## 04 대통령과 행정부의 권한

③ 국무총리는 대통령을 보좌하며 행정에 관하여 대통령의 명을 받아 행정 각부를 통할하는 행정부의 2인자로, 국회의 동의를 얻어 대통령이 임명한다.

**바로 알기** ① 국무 회의는 행정부의 최고 심의 기관이다. ② 대통령은 법률안 거부권을 행사함으로써 국회에 법률안의 재의를 요구할 수 있다. 따라서 법률안 거부권은 대통령이 국회를 견제하는 권한에 해당한다. ④ 국군 통수권은 대통령의 행정부 수반으로서의 권한에 해당한다. ⑤ 대통령의 모든 국법상 행위는 문서로써 하며, 이 문서에는 국무총리와 관계 국무 위원의 부서를 받아야 한다.

## 05 우리나라 대통령의 지위와 권한

㉠은 행정부 수반에 해당한다. 우리나라 대통령은 국가 원수로서의 지위와 행정부 수반으로서의 지위를 가진다. ① 행정부 수반으로서의 권한으로는 공무원 임면권, 행정부 지휘·감독권, 국군 통수권, 대통령령 발포권 등이 있다.

**바로 알기** ②, ③, ④, ⑤ 헌법 재판소장에 대한 임명권, 외교 사절 신임·접수·파견권, 법률안 거부권, 긴급 명령권은 대통령이 국가 원수로서 가지는 권한에 해당한다.

## 06 감사원

㉠은 감사원이다. ㄴ. 감사원은 국가 세입·세출의 결산 검사, 국가 및 법률에서 정한 단체의 회계 감사, 행정 기관 및 공무원의 직무에 관한 감찰을 담당하는 행정부 내 최고 감사 기관이다. ㄷ. 감사원은 조직상으로는 대통령에 소속되어 있으며, 업무상으로는 독립된 헌법 기관이다.

**바로 알기** ㄱ. 국무 회의에 대한 설명이다. ㄹ. 헌법 재판소에 대한 설명이다.

## 07 사법권의 독립

제시된 헌법 조항들은 법원의 독립과 법관의 독립을 보장하는 조항이다. 우리 헌법은 사법권의 독립을 보장함으로써 공정한 재판을 실현하고 국민의 기본권을 보장하고자 한다.

## 08 심급 제도

비상계엄하의 군사 재판이나 대통령, 국회 의원, 시장 및 도지사의 선거 재판은 신속한 판결을 위해 단심제가 적용되기도 해.

급을 달리하는 법원에서 여러 번 재판을 받을 수 있도록 하는 제도를 심급 제도라고 하며, 우리나라는 원칙적으로 3심제를 채택하고 있다. 비교적 가벼운 민·형사 사건은 지방 법원 및 지원 단독 판사가 1심을, 지방 법원 본원 합의부에서 2심을 담당한다. 반면 중대한 민·형사 사건은 지방 법원 및 지원 합의부에서 1심을, 고등 법원에서 2심을 담당한다. 모든 재판의 최종심인 3심은 대법원에서 담당한다. 따라서 (가)는 대법원, (나)는 고등 법원에 해당한다. ㄴ. 사법부의 최고 기관인 대법원은 대법원장과 대법관으로 구

성되며 이들은 대통령이 국회의 동의를 얻어 임명한다. ㄹ. 대법원은 명령·규칙 또는 처분의 위헌성 및 위법성에 대한 최종 심사권을 가진다.

**바로 알기** ㄱ. ⊙은 판결, ⓒ은 결정·명령에 대한 이의 제기이다. ㄷ. 헌법에 보장된 국민의 기본권이 침해당했을 때 이를 구제하기 위해 이루어지는 심판은 헌법 소원 심판이다. 헌법 소원 심판은 헌법 재판소에서 담당한다.

**완자 정리 노트  심급 제도**

| 항소 | 1심 판결에 불복하여 2심 재판을 청구하는 것 |
|---|---|
| 상고 | 2심 판결에 불복하여 3심 재판을 청구하는 것 |
| 항고 | 1심 결정·명령에 불복하여 2심 재판을 청구하는 것 |
| 재항고 | 2심 결정·명령에 불복하여 3심 재판을 청구하는 것 |

## 09 법원과 헌법 재판소의 구성

⊙은 대법원장, ⓒ은 국회이다. 대법관은 대법원장의 제청으로 국회의 동의를 얻어 대통령이 임명한다. 헌법 재판소 재판관은 법관의 자격을 가진 9인의 재판관으로, 대통령이 임명한다. 재판관 중 3인은 국회에서 선출하는 자를, 3인은 대통령이 지명하는 자를, 3인은 대법원장이 지명하는 자를 임명한다.

## 10 위헌 법률 심판

재판 당사자는 해당 법률이나 법률 조항이 헌법에 위반된다고 판단되면 재판 중인 법원에 위헌 법률 심판 제청 신청을 할 수 있다. 법원은 해당 법률이 헌법에 위반된다고 판단되면, 당사자의 신청을 받아들여 헌법 재판소에 위헌 법률 심판 제청을 한다. ㄴ. 법률의 위헌 결정, 탄핵의 결정, 정당 해산의 결정, 헌법 소원 심판의 인용 결정은 헌법 재판소 재판관 9인 중 6인 이상의 찬성이 필요하다. ㄷ. 헌법 재판소가 위헌 결정을 내리게 되면 해당 법률 조항의 효력은 상실된다.

**바로 알기** ㄱ. 법원은 당사자의 신청이 없더라도 직권으로 위헌 법률 심판 제청을 할 수 있다. ㄹ. 재판 당사자가 법원에 위헌 법률 심판 제청 신청을 하였는데 법원이 이에 대해 기각을 할 경우, 당사자는 직접 헌법 재판소에 위헌 심사형 헌법 소원 심판을 청구할 수 있다.

## 11 대법원과 헌법 재판소

⊙은 대법원, ⓒ은 헌법 재판소에 해당한다. ⑤ 대법원장과 헌법 재판소장은 국회의 동의를 얻어 대통령이 임명한다.

**바로 알기** ① 탄핵 심판권은 헌법 재판소의 권한에 해당한다. ② 사법부의 최고 기관은 대법원이다. ③ 대통령 선거 소송은 대법원이 담당한다. ④ 법원은 헌법 재판소에 위헌 법률 심판을 제청할 수 있다.

## 12 국가 기관 긴 견제 수단

우리나라는 입법부, 행정부, 사법부가 각각의 고유한 권한을 침해하지 않는 선에서 상호 견제하며 권력 분립의 원리를 구현하고 있다. 이는 권력의 집중이나 자의적 행사로부터 국민의 자유와 권리

를 보호하기 위함이다. ③ C가 행정부이고, A가 사법부이면 대법원장 임명권은 ⓜ에 해당한다. 대법원장, 대법관 임명권은 행정부가 사법부를 견제하는 수단에 해당한다.

**바로 알기** ① A가 입법부이고, B가 행정부이면 탄핵 소추 의결권은 ⊙에 해당한다. 탄핵 소추 의결권은 입법부가 행정부를 견제하는 수단에 해당한다. ② B가 입법부이고, C가 사법부이면 위헌 법률 심판 제청권은 ⓔ에 해당한다. 위헌 법률 심판 제청권은 사법부가 입법부를 견제하는 수단에 해당한다. ④ 명령·규칙·처분 심사권은 사법부가 행정부를 견제하는 수단에 해당한다. 따라서 ⓔ이 명령·규칙·처분 심사권일 경우 A는 입법부, B는 행정부, C는 사법부이므로 법률안 거부권은 ⓒ에 들어갈 수 있다. ⑤ 국정 감사·조사권은 입법부가 행정부를 견제하는 수단에 해당한다. 따라서 ⓜ이 국정 감사·조사권일 경우 A는 행정부, B는 사법부, C는 입법부이다.

 **서술형 문제**

063쪽

## 01 주제: 국회

(1) 국회

(2) **예시 답안** 국회는 예산을 심의·확정할 수 있고, 결산을 심사할 수 있는 등 재정에 관한 권한을 가진다. 또한 국정 감사권, 국정 조사권 등을 통해 국정을 감시하고 통제할 수 있는 권한과 국무총리·대법원장·대법관·헌법 재판소장·감사원장 임명에 대한 동의권 등 인사에 관한 권한을 가진다.

**채점 기준**

| 상 | 국회의 국정 통제에 관한 권한을 두 가지 이상 정확히 서술한 경우 |
|---|---|
| 하 | 국회의 국정 통제에 관한 권한을 한 가지만 서술한 경우 |

## 02 주제: 심급 제도

(1) ⊙ 항소, ⓒ 상고

(2) **예시 답안** 심급 제도는 공정한 재판을 실현함으로써 국민의 기본권을 보장하는 것을 목적으로 한다.

**채점 기준**

| 상 | 재판의 공정성과 국민의 기본권 보장에 관한 내용을 정확히 서술한 경우 |
|---|---|
| 하 | 재판의 공정성 또는 국민의 기본권 보장 중 한 가지만 서술한 경우 |

1 ②  2 ④  3 ⑤  4 ①

## 1 국회의 입법 과정

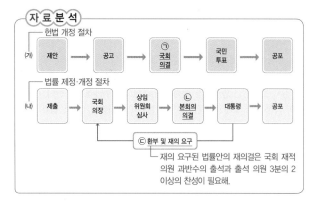

**자료 분석**

- 헌법 개정 절차
  (가) 제안 → 공고 → ㉠ 국회 의결 → 국민 투표 → 공포

- 법률 제정·개정 절차
  (나) 제출 → 국회 의장 → 상임 위원회 심사 → ㉡ 본회의 의결 → 대통령 → 공포
  ㉢ 환부 및 재의 요구
  └ 재의 요구된 법률안의 재의결은 국회 재적 의원 과반수의 출석과 출석 의원 3분의 2 이상의 찬성이 필요해.

① 헌법 개정안이 국회에서 의결되기 위해서는 국회 재적 의원 2/3 이상의 찬성이 필요하며, 법률안이 국회에서 의결되기 위해서는 국회 재적 의원 과반수의 출석과 출석 의원 과반수의 찬성이 필요하다. ③ 헌법 개정안의 공고와 공포는 모두 대통령의 권한이다. ⑤ 헌법 개정은 국회 재적 의원 과반수 또는 대통령의 발의로 제안되며, 법률의 제정 및 개정은 국회 의원 10인 이상이나 위원회의 법률안 발의 또는 정부의 법률안 제출로 시작된다.

**║바로 알기║** ② 대통령이 거부권을 행사한 법률안에 대해 국회가 재의결하면 법률로 확정되고, 대통령은 이에 대해 거부권을 행사할 수 없다.

## 2 행정 국가화 현상

제시된 사례는 행정 국가화 현상이다. ㄱ. 행정부가 법률안을 제출할 수 있는 것은 의원 내각제 요소에 해당한다. ㄷ. 국회 입법 조사처 신설, 전문 위원 제도 도입 등을 통해 의원의 전문성을 향상하는 것은 행정 국가화 현상의 해결 방안이 될 수 있다. ㄹ. 행정 국가화 현상이 심화되면 국민 주권주의의 원칙이 훼손될 수 있으므로 대의제 원리가 제대로 실현되지 못한다는 비판이 제기될 수 있다.

**║바로 알기║** ㄴ. 행정 국가화 현상은 국가 권력이 행정권으로 집중되는 현상으로 삼권 분립에 따른 견제와 균형을 깨뜨린다.

## 3 법원과 헌법 재판소

(가)는 재판 당사자가 법원에 위헌 법률 심판 제청을 신청하는 위헌 법률 심판 제청 신청서이고, (나)는 개인이 헌법 재판소에 위헌 심사형 헌법 소원을 청구하는 헌법 소원 심판 청구서이다. ㄷ, ㄹ. 위헌 법률 심판 제청은 법원만 할 수 있으므로, 재판 당사자가 위헌 법률 심판 제청을 신청하고 싶다면 법원에 신청해야 한다. 만약 이 신청이 기각될 경우에는 당사자가 직접 헌법 재판소에 위헌 심사형 헌법 소원을 청구할 수 있다.

**║바로 알기║** ㄱ. (가)는 재판에 적용되는 법률의 위헌 여부를 묻는 위헌 법

률 심판 제청이다. 국가 기관 상호 간의 다툼을 판단하는 것은 권한 쟁의 심판이다. ㄴ. (나)는 위헌 심사형 헌법 소원에 해당한다.

**완자 정리 노트  헌법 소원 심판의 종류**

| 권리 구제형 헌법 소원 | 국가 권력의 행사 또는 불행사가 국민의 기본권을 침해하는지 판단하는 심판 |
|---|---|
| 위헌 심사형 헌법 소원 | 재판의 당사자가 법원에 위헌 법률 심판 제청을 요청하였으나 법원이 이를 받아들이지 않은 경우, 재판 당사자의 청구에 따라 법률이 헌법에 위반되는지 판단하는 심판 |

## 4 우리나라의 국가 기관

㉠은 대법원, ㉡은 국무 회의, ㉢은 국회, ㉣은 감사원에 해당한다. ① 대법원은 명령·규칙이나 처분이 헌법이나 법률에 위반되는지의 여부가 재판의 전제가 될 경우 이에 대한 최종 심사권을 가진다.

**║바로 알기║** ② 대통령의 각종 권한 행사에 대한 동의·승인권을 가지는 기관은 국회이다. ③ 민주적 기본 질서에 위배되는 정당을 헌법 재판소에 제소하는 주체는 정부이다. ④ 정부의 중요 정책을 심의하는 행정부의 최고 심의 기관은 국무 회의이다. ⑤ 대법원장과 감사원장은 대통령이 임명하며, 국회 의장은 국회 의원이 선출하고, 국무 회의 의장인 대통령은 국민이 직접 선출한다.

# 03 지방 자치

## STEP 1  핵심 개념 확인하기

068쪽

**1** (1) 광역 (2) 수직적 (3) 규칙  **2** ㉠ 지방 의회 ㉡ 지방 자치 단체장
**3** (1) ㄷ (2) ㄹ (3) ㄴ (4) ㄱ  **4** (1) × (2) ○

## STEP 2  내신 만점 공략하기

068~070쪽

**01** ①  **02** ③  **03** ②  **04** ⑤  **05** ④  **06** ①  **07** ②
**08** ③

## 01 지방 자치

㉠은 지방 자치에 해당한다. ㄱ. 지방 자치는 중앙 정부로부터 상대적으로 독립된 지위의 지방 자치 단체가 그 지방의 문제를 자주적으로 처리하는 단체 자치와 그 지방의 공공 문제를 주민 의사에 따라 처리하는 주민 자치로 구분된다. ㄴ. 지방 자치는 주민 스스로 자신들의 문제를 처리하게 함으로써 주민의 정치에 관한 관심과 지식, 주권 의식 향상에 기여할 수 있다.

**▎바로 알기▎** ㄷ. 지방 자치는 국가 권력이 중앙 정부에 집중되는 것을 방지한다. ㄹ. 지방 자치를 통해 각 지역의 독립성과 특수성을 반영하는 행정 사무가 확대될 수 있다.

## 02 지방 자치의 의의

제시된 글은 중앙 정부가 정치적 혼란 상태에 빠지더라도 그것이 지방에 파급되지 않는 모습을 나타낸다. 지방 자치는 정치권력이 중앙 정부에 지나치게 집중되는 것을 막고 이를 각 지방에 분산함으로써 수직적 권력 분립의 원리를 실현하는 데 기여한다.

## 03 지방 자치 단체의 구성과 역할

㉠은 지방 의회, ㉡은 지방 자치 단체장에 해당한다. ㄱ. 지방 의회는 조례의 제정 및 개정, 지방 자치 단체 예산 심의·확정, 결산의 승인, 지방 행정 사무에 대한 감사와 조사 등을 할 수 있다. ㄹ. 지방 자치 단체장은 지방 의회의 의결에 대해 재의 요구권을 행사함으로써 지방 의회를 견제할 수 있다.

**▎바로 알기▎** ㄴ. 지역 예산의 심의·확정은 지방 의회의 권한에 해당한다. 지방 자치 단체장은 규칙을 제정하고, 지역의 각종 행정 사무를 처리하며, 조례안을 지방 의회에 제출할 수 있다. ㄷ. 지방 의회와 지방 자치 단체장은 모두 지역 주민의 직접 선거에 의해 구성된다.

## 04 지방 자치 단체

1, 5. 밑줄 친 자치 법규의 종류로는 지방 의회가 제정하는 조례와 지방 자치 단체장이 제정하는 규칙이 있다. 3. 규칙과 조례는 모두

해당 지역 내에서만 영향력이 있다.

**▎바로 알기▎** 2. 조례와 규칙은 모두 상위 법령에 구속된다. 4. 조례는 법령의 범위 내에서, 규칙은 법령 또는 조례가 위임한 범위 내에서 제정할 수 있다.

## 05 우리나라의 주민 참여 제도

**자료 분석**

(가) 지방 자치 단체의 예산 편성 과정에 주민이 직접 참여하는 제도 – 주민 참여 예산제

(나) 주민에게 중대한 영향을 미치는 주요 사항을 주민이 직접 주민 투표로 결정하는 제도 – 주민 투표

(다) 주민이 정해진 요건을 갖춰 지방 자치 단체장에게 조례의 제정, 개정 및 폐지를 청구하는 제도 – 주민 조례 제정 및 개폐 청구

① 주민 참여 예산제를 통해 지역 주민이 지방 자치 단체의 예산 편성 과정에 참여함으로써 예산 운영의 투명성을 높일 수 있다. ② 주민 투표를 통해 주민이 직접 지역의 중요 정책을 결정함으로써 민주적인 의사 결정을 시행할 수 있다. ③ 주민 조례 제정 및 개폐 청구 제도를 통해 지방 의회에 발안된 조례는 지방 의회의 의결을 거쳐 효력을 가지게 된다. ⑤ 주민 참여 제도를 통해 지역 주민은 해당 지역의 문제를 자주적으로 처리하므로 자치 의식과 책임 의식을 향상할 수 있다.

**▎바로 알기▎** ④ 주민 투표와 주민 조례 제정 및 개폐 청구 제도가 직접 민주 정치의 요소를 지닌 제도에 해당한다.

## 06 주민 소환

㉠은 주민 소환이다. 주민 소환 제도는 선거에 의해 선출된 지방 자치 단체장이나 지방 의회 의원의 직무 수행에 심각한 문제가 있을 때 임기 중에 주민의 투표에 의해 해임할 수 있는 제도이다. ㄱ, ㄴ. 주민 소환 제도는 지역 주민이 직접 지방 행정에 참여함으로써 국민 주권의 원리 실현에 기여하며, 선출직 지역 공직자의 업무 수행을 주민이 견제한다는 점에서 지방 자치 행정의 민주성과 책임성을 제고할 수 있다.

**▎바로 알기▎** ㄷ. 주민 투표 제도는 선출된 공직자가 직무를 태만히 하거나 위법한 행위 등을 하였을 경우 공직에서 물러날 수도 있다는 것을 인식한다는 점에서 선출된 대표자의 독립적인 권한 행사를 견제하는 수단이다. ㄹ. 지방 의회 의원과 지방 자치 단체장은 선출직 지역 공직자로서 모두 주민 소환의 대상이 될 수 있다.

## 07 우리나라 지방 자치의 문제점

제시된 그림은 대통령 선거 투표율에 비해 낮은 지방 선거 투표율을 나타낸다. 이를 통해 주민의 지방 자치에 대한 관심과 참여가 낮음을 알 수 있다. ㄴ, ㄷ. 주민의 투표율이 낮으므로 선출된 공직자의 대표성이 약화될 수 있으며, 지방 자치 단체의 활동에 대한 지역 주민의 감시와 통제가 제대로 이루어지지 않아 지역 주민의

의사에 반하는 정책이 결정되거나 지방 행정이 주민의 의사와 어긋나게 운용될 수 있다.

**┃바로 알기┃** ㄱ, ㄹ. 지방 자치에 대한 낮은 관심과 참여는 지방 정부의 독립성과 자율성을 약화시킨다. 이로 인해 지방 정부의 정책 결정이 중앙 정부의 요구에 제약을 받을 수 있다.

## 08 우리나라 지방 자치의 발전 과제

우리나라의 지방 자치가 발전하기 위해서는 조세 제도를 개선하여 지방 자치 단체의 재정 자립도를 높이고, 지역 정책을 자율적으로 수립하고 실행할 수 있도록 지방 의회 및 지방 자치 단체의 권한을 확대하는 등 지방 분권을 강화해야 한다. 또한 주민 참여 방식을 다변화하여 주민 참여를 활성화하고 지방 자치 단체들이 자율적으로 분쟁을 해결할 수 있는 제도를 강화할 필요가 있다.

**┃바로 알기┃** ③ 지방 자치 단체장을 중앙 정부에서 임명할 경우 지방 자치 단체의 자율성이 제약될 수 있다.

## 서술형 문제

070쪽

### 01 주제: 우리나라의 주민 참여 제도

(1) (가) 주민 조례 제정 및 개폐 청구, (나) 주민 참여 예산제

(2) **예시 답안** 주민 참여 제도를 통해 지역 주민이 직접 지방 정책의 방향을 결정함으로써 주민 자치를 실현할 수 있으며, 지방 행정의 민주성과 책임성을 높일 수 있다.

**채점 기준**

| 상 | 주민 자치 측면, 지방 행정의 민주성과 책임성 측면을 모두 정확히 서술한 경우 |
|---|---|
| 하 | 주민 자치 측면 또는 지방 행정의 민주성과 책임성 측면 중 하나만 서술한 경우 |

### 02 주제: 우리나라 지방 자치의 문제점

(1) **예시 답안** 중앙 정부에 대한 경제적 의존도가 높아 지방 자치 단체의 자율성이 약화되고, 지역 간 균형 발전이 저해될 수 있다.

| 상 | 지방 자치 단체의 자율성 약화, 지역 간 균형 발전 저해를 모두 정확히 서술한 경우 |
|---|---|
| 중 | 지방 자치 단체의 자율성 약화, 지역 간 균형 발전 저해 중 한 가지만 서술한 경우 |
| 하 | 중앙 정부에 대한 경제적 의존도가 높다고만 서술한 경우 |

(2) **예시 답안** 지방세 비중을 높이는 등 조세 체노를 개선하여 지방 자치 단체의 재정 자립도를 높여야 한다.

**채점 기준**

| 상 | 조세 제도 개선 등의 사례를 들어 지방 자치 단체의 재정 자립도를 높여야 한다고 정확히 서술한 경우 |
|---|---|
| 하 | 지방 자치 단체의 재정 자립도를 높여야 한다고만 서술한 경우 |

1 ②    2 ④

### 1 우리나라의 지방 자치 제도

ㄱ. 지방 의회 의원은 지역 주민의 직접 선거로 선출된다. ㄹ. 법령의 범위 내에서 지방 의회는 조례를 제정하고, 지방 자치 단체장은 규칙을 제정한다.

**┃바로 알기┃** ㄴ. 주민 발안 제도는 지역 주민이 조례안을 직접 발의할 수 있는 제도이지, 조례를 제정할 수 있는 것은 아니다. 지역 주민이 발의한 조례안도 지방 의회의 의결을 통해서 제정된다. ㄷ. 주민 소환의 대상은 지방 자치 단체장과 지방 의회 의원(지방 의회 비례 대표 의원 제외)이다.

**완자 정리 노트**    **지방 자치 단체의 구성**

| 지방 의회 | • 주민의 대표 기관이자 지역 내 최고 의사 결정 기관<br>• 조례의 제정 및 개폐, 지방 예산의 심의·확정 등<br>• 지방 행정 사무에 대한 감사 및 조사 → 집행 기관에 대한 견제 및 감시 권한 |
|---|---|
| 지방 자치 단체장 | • 지역 내 행정 사무를 총괄하는 집행 기관<br>• 규칙 제정, 지역의 행정 사무 처리 등<br>• 지방 의회의 의결에 대해 재의 요구권 행사 → 지방 의회를 견제할 수 있는 권한 |

### 2 지방 자치의 발전

제시된 사례는 중앙 정부가 지방 정부에 권한을 이양함으로써 지방 분권을 강화한 사례에 해당한다. 갑. 지방 자치를 통해 지역의 독립성과 특수성을 반영한 행정 수행이 가능해졌을 것이다. 을. 지방 자치 단체별로 농산물 관리·감독을 맡게 됨으로써 지방 행정의 책임성이 확대되었을 것이다. 정. 지방 자치의 종류에는 지방 자치 단체가 중앙 정부로부터 자치권을 인정받아 스스로 지역 사무를 처리하는 단체 자치와 지역 주민들이 해당 지역의 문제에 관한 정책을 스스로 결정하고 집행하는 주민 자치가 있다. 제시된 사례는 이 중 단체 자치에 해당한다.

**┃바로 알기┃** 병. 지방에 대한 분권을 강화함으로써 수직적 권력 분립의 원리를 실현한 사례에 해당한다.

대단원 실력 굳히기                 074~077쪽

01 ③    02 ④    03 ⑤    04 ⑤    05 ②    06 ②    07 ⑤
08 ④    09 ④    10 ②    11 ⑤    12 ①    13 ⑤    14 ③
15 ②    16 ①    17 ④

## 01 의원 내각제

밑줄 친 '정부 형태'는 의원 내각제에 해당한다. 의원 내각제는 행정부와 입법부 간의 권력이 융합된 형태이다. 의원 내각제에서는 내각이 법률안을 제출할 수 있으며, 의회 의원이 각료를 겸직할 수 있다. 또한 의회는 내각에 대해 불신임권을 행사하여 내각을 견제할 수 있다.

‖바로 알기‖ ③ 의회가 제출한 법률안에 대해 행정부 수반이 거부권을 행사할 수 있는 것은 대통령제의 특징이다.

## 02 정부 형태

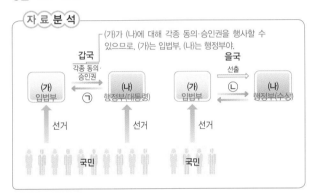

자료 분석

(가)가 (나)에 대해 각종 동의·승인권을 행사할 수 있으므로, (가)는 입법부, (나)는 행정부임.

갑국은 국민이 별도의 선거를 통해 행정부(대통령)와 입법부를 구성하므로 대통령제 정부 형태이다. 을국은 국민이 선거를 통해 입법부를 구성하면, 입법부에서 행정부(수상)를 선출하므로 의원 내각제 정부 형태이다. ④ 의원 내각제에서 내각의 각료는 의회 의원을 겸직할 수 있다.

‖바로 알기‖ ① 의회 의원 선거 결과 과반 의석을 차지한 정당이 없을 경우 연립 내각이 구성될 수 있는 정부 형태는 의원 내각제이다. ② 대통령제에서는 내각이 의회에 법률안을 제출할 수 없다. ③ 의원 내각제에서의 내각은 의회에 대해 연대 책임을 진다. ⑤ 대통령제에서 행정부 수반은 임기가 보장되지만, 의원 내각제에서는 의회가 불신임권을 행사하면 행정부 수반이 임기 중에 물러날 수 있기 때문에 임기가 보장되지 않는다.

## 03 정부 형태

대통령제와 의원 내각제 모두 입법부와 행정부 간 견제를 통해서 권력 간의 균형을 유지한다. ⑤ 대통령제에서는 법률안 거부권을 통해서 행정부가 입법부를 견제할 수 있으며, 의원 내각제에서는 내각 불신임권을 통해서 입법부가 행정부를 견제할 수 있다.

## 04 대통령제

대통령제에서 행정부 수반인 대통령은 국민의 선거로 선출된다.

따라서 의회 의원 선거 결과가 행정부 수반에 영향을 미치지 못한다. 제시된 자료에서 의회 의원 선거가 있었지만, 행정부 수반이 여전히 집권하고 있다는 것을 통해 갑국의 정부 형태는 대통령제임을 알 수 있다. ㄱ. 의회 의원 선거 결과 집권당인 A당의 의석률이 과반을 차지하지 못하였기 때문에 여소야대의 정국이 형성되었다. ㄴ. 대통령제에서 의회 의원의 선거 결과는 행정부 수반에 영향을 미치지 못하기 때문에 행정부 수반의 소속 정당은 여전히 A당이다. ㄹ. 대통령제에서 행정부 수반의 법률안 거부권 행사 가능성은 여대야소 정국이었던 지난 의회에서보다 여소야대 정국인 이번 의회에서 더 높을 것이다.

‖바로 알기‖ ㄷ. 행정부 수반이 의회 해산권을 행사할 수 있는 정부 형태는 의원 내각제이다.

## 05 정부 형태

국민의 선거에 의해서 입법부를 구성하고, 의회 다수당 대표를 행정부 수반으로 선출하는 정부 형태 A는 의원 내각제이다. 국민의 선거에 의해서 행정부 수반과 의회 의원을 선출하고 행정부 수반이 행정부를 구성하는 정부 형태 B는 대통령제이다. ㄱ. 의원 내각제에서는 총리는 의회 해산권 행사를 통해서 의회를 견제할 수 있다. ㄷ. 의원 내각제에서는 의회 의원이 내각의 각료를 겸직할 수 있지만, 대통령제에서는 의회 의원이 내각의 각료를 겸직할 수 없다.

‖바로 알기‖ ㄴ. 대통령제에서는 대통령이 국가 원수와 행정부 수반으로서의 지위를 동시에 가진다. ㄹ. 의원 내각제와 대통령제 모두 사법부의 독립이 보장된다.

완자 정리 노트     의원 내각제와 대통령제의 비교

| 구분 | 의원 내각제 | 대통령제 |
|---|---|---|
| 성격 | 입법부와 행정부가 권력 융합적인 정부 형태 | 입법부와 행정부가 권력 분립적인 정부 형태 |
| 구성 | 국민이 선거를 통해 의회 의원을 선출하고, 의회 다수당의 대표가 수상이 되어 내각 구성 | 국민이 별도의 선거를 통해 의회 의원과 대통령을 각각 선출하고, 대통령이 행정부 구성 |
| 공통점 | 사법부의 독립 보장, 국민의 선거에 의한 의회 의원 선출 | |

## 06 우리나라의 정부 형태

(가)는 국회 의원 직선제, (나)는 행정부의 법률안 제출권, (다) 대통령 직선제, (라)는 국회의 국무총리 임명 동의권을 나타내는 헌법 조항이다. ㄱ. 대통령제와 의원 내각제 모두 의회 의원은 국민의 선거에 의해 선출된다. 따라서 (가)의 내용은 의원 내각제 정부 형태에서도 나타난다. ㄷ. 대통령은 국회의 동의를 얻어 국무총리를 임명한다. 만약 국무총리 후보자에 대해 국회가 동의를 하지 않으면 대통령이 임명을 할 수 없기 때문에, 국회의 국무총리 임명 동의권은 국회(입법부)가 대통령(행정부)을 견제하는 수단이 될 수 있다.

‖바로 알기‖ ㄴ. 대통령 직선제는 제1차 개정 헌법에서 처음 시행되었다. ㄹ. 행정부의 법률안 제출권, 국무총리 제도는 모두 우리나라 정부 형태의 의원 내각제 요소에 해당한다.

**완자 정리 노트**    우리나라 정부 형태의 대통령제 및 의원 내각제 요소

| 대통령제<br>요소 | • 국민의 직접 선거를 통해 대통령과 국회 의원을 각각 선출함<br>• 대통령은 법률안 거부권, 국회는 탄핵 소추권을 행사하여 서로를 견제할 수 있음 |
|---|---|
| 의원<br>내각제<br>요소 | • 행정부의 법률안 제출권을 인정함<br>• 국무총리와 국무 회의가 헌법 기관으로 존재함<br>• 국회 의원이 국무총리나 국무 위원을 겸할 수 있음<br>• 국회의 국무총리 임명 동의권과 국무총리 및 국무 위원 해임 건의권을 인정함<br>• 국회의 요구가 있을 때 국무총리, 국무 위원이 국회에 출석하여 국정 상황에 대해 답변하도록 함 |

## 07 국회의 권한

법률안은 국회 의원 10인 이상 또는 위원회 또는 정부가 제출할 수 있다. 제시된 글에서 ○○ 법률안은 국회 의원이 발의한 법률안이고, □□ 법률안은 정부가 제출한 법률안이다. ⑤ 법률안이 국회에서 의결되기 위해서는 국회 재적 의원 과반수의 출석과 출석 의원 과반수의 찬성이 필요하다.

**바로 알기** ① 법률안을 발의하기 위해서는 국회 의원 10인 이상의 요구가 필요하다. ② 법률안은 원칙적으로 상임 위원회를 거쳐야 한다. 다만 위원회에서 법률안을 발의할 경우에만 소관 상임 위원회에 회부되는 과정을 생략한다. ③ 국회 의원이 제출한 법률안, 정부가 제출한 법률안 모두 대통령이 법률안 거부권을 행사함으로써 국회에 재의를 요구할 수 있다. ④ 국회에서 의결된 법률안은 정부에 이송되어 15일 이내에 대통령이 공포하는 것이 원칙이다.

## 08 대통령의 권한

(가)~(라)는 모두 대통령의 권한으로서 (가)는 헌법 재판소장 임명권, (나)는 대통령령 발포권, (다)는 국군 통수권과 공무원 임면권, (라)는 국민 투표 부의권이다. ㄱ. 헌법 재판소장은 국회의 동의를 얻어 대통령이 임명한다. ㄷ. 국민 투표는 직접 민주 정치 요소로, 대의 기구인 의회를 거치지 않고 주권자인 국민 전체의 의사를 확인하는 방법이다. ㄹ. 헌법 재판소장 임명권과 국민 투표 부의권은 국가 원수로서의 권한에, 대통령령 발포권과 국군 통수권, 공무원 임면권은 행정부 수반으로서의 권한에 해당한다.

**바로 알기** ㄴ. 국회 의장은 국회에서 선출된다.

## 09 우리나라의 국가 기관

(가)는 국회, (나)는 대통령에 해당한다. ①, ② 헌법 개정안 제안은 국회 재적 의원 과반수와 대통령이 할 수 있으며, 이에 대한 의결은 국회에서 한다. ③ 조약 체결 및 비준에 관한 권한은 대통령에게 있으며, 이에 대한 비준 동의권은 국회에 있다. ⑤ 대통령은 국가 원수로서 헌법을 수호할 수 있는 권한으로 긴급 재정·경제 명령 및 처분권, 긴급 명령권, 계엄 선포권 등의 권한을 가진다.

**바로 알기** ④ 국회는 국가 예산안 심의·의결권 및 결산 심사권을 가진다. 국가 세입·세출의 결산 확인과 국가 및 법률이 정한 단체의 회계 검사를 할 수 있는 기관은 감사원이다.

## 10 법원의 권한

(가)는 위헌 법률 심판 제청에 관한 권한, (나) 선거 재판에 관한 권한, (다)는 위헌·위법 명령 및 규칙·처분에 대한 최종 심사 권한이다. ㄱ. 법원이 위헌 법률 심판 제청을 하게 되면 이에 대한 심판은 헌법 재판소에서 담당한다. ㄷ. 명령·규칙·처분은 행정부의 권한으로서, 이에 대한 심사권은 사법부가 행정부를 견제하는 수단이 된다.

**바로 알기** ㄴ. 국회 의원 선거 소송은 단심제로서 대법원에서 담당한다. ㄹ. 기본적으로 모든 재판은 공정성을 확보하기 위해 국민에게 공개하는 공개 재판주의가 원칙이다.

## 11 헌법 재판소

헌법 소원 심판은 권리 구제형 헌법 소원(㉠)과 위헌 심사형 헌법 소원(㉡)으로 나뉜다. ⑤ 헌법 소원 심판의 청구는 기본권을 침해받은 국민이 할 수 있다.

**바로 알기** ① 재판이 전제되어야 하는 것은 위헌 심사형 헌법 소원이다. ② 헌법 소원 심판을 통해 위헌 결정이 내려진 법률은 법률로서의 효력을 상실한다. ④ 권리 구제형 헌법 소원과 위헌 심사형 헌법 소원 모두 헌법 재판소에서 담당한다.

## 12 우리나라의 국가 기관

명령·규칙·처분에 대한 최종 심사권을 가지는 ㉠은 대법원이다. 위헌 법률 심판은 법률이 헌법에 위반되는지 여부를 헌법 재판소에서 심판하는 것이므로 ㉡은 국회, ㉢은 헌법 재판소이다. ① 상고 사건과 대통령 및 국회 의원 선거 소송은 단심제로 대법원에서 담당한다.

**바로 알기** ② 감사원에 대한 설명이다. ③ 개인 간의 관계에서 발생하는 분쟁을 대상으로 하는 재판은 민사 재판을 의미하며, 이는 법원에서 담당한다. ④ 국회는 고위 공직자에 대한 탄핵 소추를 할 수 있으며, 탄핵 심판은 헌법 재판소에서 담당한다. ⑤ 대법원장은 대통령이 임명하지만, 국회 의장은 국회에서 선출된다.

## 13 헌법 재판소

**자료 분석**

### 불기소 처분 취소

[판시사항] 교통사고 피의자 갑의 교통사고 처리 특례법 위반 피의 사실에 대하여 한 <u>검사의 불기소 처분</u>이 청구인의 평등권 및 재판 절차 진술권을 침해하였다고 본 사례
> 검사의 불기소 처분은 공권력의 행사에 해당돼.

[당사자] 청구인    을
         피청구인   ○○ 지방 검찰청 검사

[주문]

피청구인이 ○○ 지방 검찰청 사건에서 피의자 갑에 대하여 한 <u>불기소 처분은 청구인의 평등권과 재판 절차 진술권을 침해한 것</u>이므로 이를 취소한다.
> 헌법 재판소는 청구인 을의 기본권이 침해되었다고 결정했기 때문에 검사의 불기소 처분은 효력을 상실하게 돼.

⑤ 공권력의 행사 또는 불행사로 헌법상 보장된 기본권을 침해받은 국민은 직접 헌법 재판소에 그 공권력의 취소 또는 위헌 확인을 구하는 심판을 청구할 수 있다. 따라서 자료의 헌법 재판은 권리 구제형 헌법 소원이다. 자료에서 을은 검사의 불기소 처분으로 인하여 자신의 평등권 및 재판 절차 진술권을 침해하였다고 판단하여 헌법 재판소에 헌법 소원 심판을 청구하였고, 헌법 재판소는 검사의 불기소 처분이 갑의 기본권을 침해하였다고 결정하였다.

‖ 바로 알기 ‖ ① 검사는 기본권 침해의 당사자가 아니기 때문에 헌법 소원을 청구할 수 없다. ② 피고인의 유·무죄 여부는 헌법 재판소가 결정하는 것이 아니라, 형사 재판 과정에서 판결한다. ③ 헌법 재판소의 결정에 대해서는 상소를 할 수 없다. ④ 위헌 법률 심판에 대한 설명이다.

## 14 지방 자치

제시된 내용은 지방 자치에 대한 설명이다. 지방 자치는 일정한 지역의 주민이 해당 지역의 사무를 자율적으로 처리하는 제도이다. 지방 자치는 지역 주민들에게 민주주의의 경험을 쌓을 수 있는 기회를 제공하여 풀뿌리 민주주의 실현에 기여하며, 간접 민주주의의 한계를 보완할 수 있다. 우리나라는 지방 자치 단체를 광역 자치 단체와 기초 자치 단체로 나누어 시행하고 있다.

‖ 바로 알기 ‖ ③ 지방 자치는 국가 또는 중앙 정부의 권력을 지방으로 분할하는 수직적 권력 분립의 성격을 가진다.

## 15 우리나라의 중앙 정부 및 지방 자치 단체

ㄱ. 우리나라는 헌법 개정안을 국민 투표를 거쳐 확정하도록 하고 있으며, 대통령은 필요하다고 인정할 때에는 외교·국방 등 중요 정책을 국민 투표에 부칠 수 있다. 지방 자치 단체도 주민에게 중대한 영향을 미치는 주요 사항에 대해 주민 투표로 결정할 수 있다. ㄹ. 지방 자치 단체장은 지방 의회에서 의결한 조례를 집행하고, 규칙을 제정할 수 있는 권한을 가진다.

‖ 바로 알기 ‖ ㄴ. 대통령의 임기는 5년이며, 지방 자치 단체장의 임기는 4년이다. ㄷ. 국회는 법률을 제·개정할 수 있고, 지방 의회는 조례를 제·개정할 수 있다.

## 16 우리나라의 주민 참여 제도

지방 자치가 발전하고 정착되기 위해서는 지역 주민의 적극적이고 자발적인 참여가 필요하다. 우리나라에서는 다양한 제도를 통해서 주민들이 지방 자치에 참여할 수 있게 하고 있다. ②는 주민 참여 예산제, ③은 주민 소환, ④는 주민 감사 청구, ⑤는 주민 청원에 해당하는 내용이다.

‖ 바로 알기 ‖ ① 주민은 일정한 수 이상의 의결을 통해서 조례를 발의할 수 있지만, 제정에 관한 권한은 지방 의회에 있다.

## 17 우리나라 지방 자치의 문제점

제시된 그림은 우리나라 지방 자치 단체의 재정 자립도가 낮으며, 그 차이가 지역별로 큰 것을 나타낸다. ㄱ. 지방 자치 단체별로 재정 자립도가 차이가 날 경우 지역 간 균형 발전을 저해할 수 있다. ㄴ, ㄷ. 지방 자치 단체가 중앙 정부의 경제적 지원에 의존함으로써 지방 자치 단체의 독립성과 자율성이 약화되고 지방 자치가 중앙 정부의 요구에 제약될 수 있다.

‖ 바로 알기 ‖ ㄹ. 우리나라의 조세 제도가 지방세보다 국세 중심이기 때문에 나타나는 현상이다.

# Ⅲ. 정치 과정과 참여

## 01 정치 과정과 시민 참여

082쪽

### STEP 1 핵심 개념 확인하기

1 (1) 정치 과정 (2) 정치 참여　　2 ㉠ 투입 ㉡ 산출 ㉢ 환류
3 (1) ○ (2) ○ (3) ×　　4 (1) ㄴ (2) ㄷ (3) ㄱ (4) ㄹ

### STEP 2 내신 만점 공략하기

082~084쪽

01 ④　02 ⑤　03 ④　04 ④　05 ④　06 ⑤　07 ①
08 ③

### 01 정치 과정

제시된 사례에는 정책 결정 기구에 국민들이 자신들의 요구나 지지를 표출하는 투입 과정이 나타나고 있다.
**바로 알기** ① 환류 과정에는 산출된 정책에 대한 평가와 반응이 재투입되는데, 제시된 사례는 국민의 요구가 표출되는 과정을 나타내고 있다. ② 수직적인 의사 결정 방식은 흔히 정책 결정 기구에 의해 국민들의 의사와는 무관하게 일방적으로 정책이 결정되는 방식인데, 제시된 사례에서는 정부가 공청회를 통해 국민들의 의사를 묻고 있으며 국민들 역시 자신들의 의사를 적극적으로 표현하고 있다. ③ 국민들이 정부와 여당에 대해 적극적으로 반대 의견을 표현하는 것으로 보아 대의제를 중심으로 하는 정책 결정이 효과를 거두고 있다고 할 수 없다. ⑤ 제시된 사례에는 정책 결정 기구에 의해 정책이 실행된 것이 아니라 정책 결정 기구가 정책을 결정하는 과정에 대한 반응이 나타나 있다.

### 02 정치 과정 모형

자료 분석

정치 과정은 한 사회의 구성원들이 요구하는 것을 정책으로 실현해 나가는 일련의 과정이다. ㄷ. 국민들의 요구(투입)가 산출로 연결되는 비중이 증가할수록 국민들의 정치에 대한 효능감이 높아지게 된다. ㄹ. 환류를 통해 산출된 법률 또는 정책이 국민의 요구에 어느 정도 부응하는지 확인할 수 있다.

**바로 알기** ㄱ. 입법부, 행정부와 같은 정책 결정 기구는 정책을 결정하고 실행하는 역할을 담당한다. ㄴ. 권위주의 국가에서는 국가 주도로 정책이 만들어지기 때문에 투입보다 산출 기능이 더 활발하게 이루어진다.

### 03 정치 과정의 변화

전통적인 정치 과정은 입법부, 행정부와 같은 국가 기관이 정치 과정을 주도했으나, 오늘날의 정치 과정은 국가 기관뿐만 아니라 정당, 이익 집단, 시민 단체 등으로 참여 주체가 확대되고 있다.
**바로 알기** ①, ② 오늘날의 정치 과정에 대한 설명이다. ③ 전통적인 정치 과정에 대한 설명이다. ⑤ 전통적인 정치 과정에서는 효율성이, 오늘날의 정치 과정에서는 공정성이 중시된다.

### 04 시민의 정치 참여 유형

(가)는 시민 단체를 통한 참여 방식으로, 집단적 참여 유형에 해당한다. (나)는 국가 기관에 청원을 한 것으로, 개인적 참여 유형에 해당한다.
**바로 알기** ① 시민이 직접 정책 결정에 참여하는 방식은 투표이다. ② 이익 집단 활동에 대한 설명이다. ③ 청원은 개인적인 참여 방법으로, 지속성이 높은 정치 참여 방법은 집단적 참여 방법이다. ⑤ 개인적 참여보다 시민 단체를 통한 활동이 여론을 형성하는 데 효율적이다.

### 05 정치 참여의 의의

① 유권자들이 후보자들을 감시하고 견제함으로써 후보자들이 당선된 후 대표의 권력을 남용하는 것을 방지할 수 있다. ②, ③ 정치 참여를 통해 유권자는 주권자로서의 권리 의식을 형성하여 능동적인 정치 주체가 될 수 있다. ⑤ 국민들은 정치 과정에 적극적으로 참여함으로써 공익을 증진하고 대의 민주 정치를 보완할 수 있다.
**바로 알기** ④ 선거는 간접 민주 정치의 수단이며, 공약 블라인드 테스트는 정보·통신 매체를 통한 시민의 자발적 참여이므로 올바른 선거가 이루어지는 데 도움이 될 수 있다.

### 06 시민의 정치 참여에 대한 입장

갑은 시민의 정치 참여에 대해 부정적 입장이다. 반면 을은 대의제의 한계를 보완하기 위해 청원, 옴부즈맨 제도 등과 같은 제도적 수단을 통한 시민의 정치 참여를 강조하고 있다.
**바로 알기** ①, ③ 갑은 대표자들에게 정책 결정 권한을 전적으로 위임해야 한다고 주장하므로 환류 과정에 시민이 참여하는 것에 대해 부정적인 입장이다. ② 을은 시민의 정치 참여에 대해 긍정적 입장이므로 정치 참여로 인한 시민의 이익 증가를 강조할 것이다. ④ 을이 주장하는 옴부즈맨 제도, 주민 감사 청구 제도는 정부에 대한 감시와 통제 장치에 해당한다.

### 07 정치적 무관심

㉠은 정치적 무관심이다. ㄱ. 국민들이 자신의 참여가 실제 정치에 영향을 미칠 수 있다는 정치적 효능감을 갖게 되면 정치 참여에 대한 적극적인 자세를 기대할 수 있어 정치적 무관심을 해소할 수 있다.
ㄴ. 정치적 무관심은 국민 주권의 원리를 실현하는 데 걸림돌이 되

므로 국민들의 정치 참여에 대한 긍정적 인식을 확산시켜야 한다.
**바로 알기** ㄷ, ㄹ. 정치적 무관심이 커지면 민주주의 가치 확산에 부정적인 영향을 끼치고, 정부 정책의 정당성이 낮아진다.

### 08 바람직한 정치 참여 태도

제시된 글은 주민들의 반대로 인해 특수 학교 부지를 확보하지 못해서 특수 학교를 건립할 수 없다는 내용이다. 주민들은 특수 학교 건립으로 인해 자신들의 재산 가치가 하락할 것을 우려하여 공공시설의 건립을 반대하고 있다. 이를 해결하기 위해서는 개인적인 이익과 공공의 이익의 조화를 추구하는 태도가 필요하다.

## 서술형 문제

084쪽

### 01 주제: 정치 과정

**예시 답안** 제시된 사례에서 정치 과정의 투입 단계에 해당하는 것은 버스 운송 사업자들이 행정부에 버스비 인상을 요구하는 것과 버스 이용자들이 버스비 인상에 반대하는 것이다. 행정부가 요금 인상 폭을 낮추는 조정안을 선택하는 것은 정치 과정의 산출 단계에 해당한다.

**채점 기준**

| 상 | 투입 단계와 산출 단계를 모두 정확히 구분한 경우 |
|---|---|
| 하 | 투입 단계와 산출 단계 중 한 가지만 구분한 경우 |

### 02 주제: 정치 참여의 의의

**예시 답안** 정치 참여. 정치 참여를 통해 국민 주권의 원리를 실현하고, 권력 남용을 방지하며, 정책에 대한 정당성을 부여하고, 시민들의 정치적 효능감이 강화된다.

**채점 기준**

| 상 | 정치 참여라고 쓰고, 그 의의를 두 가지 이상 정확히 서술한 경우 |
|---|---|
| 중 | 정치 참여라고 쓰고, 그 의의를 한 가지만 서술한 경우 |
| 하 | 정치 참여라고만 쓴 경우 |

### 03 주제: 시민의 정치 참여 유형

(1) **예시 답안** ㉠ 선거와 투표, 언론 투고, 진정, 청원 등, ㉡ 정당 활동, 이익 집단 활동, 시민 단체 활동, 집회 또는 시위 등

**채점 기준**

| 상 | 개인적 정치 참여 방법과 집단적 정치 참여 방법을 각각 두 가지 이상 정확히 서술한 경우 |
|---|---|
| 하 | 개인적 정치 참여 방법과 집단적 정치 참여 방법을 각각 한 가지만 서술한 경우 |

(2) **예시 답안** 일반적으로 집단적 정치 참여 방법은 개인적 정치 참여 방법에 비해 지속성이 높기 때문에 정치 과정에서 자신이 원하는 것을 더 효과적으로 표현하고 달성할 수 있다.

**채점 기준**

| 상 | 집단적 정치 참여 방법이 개인적 정치 참여 방법에 비해 지속성이 높기 때문에 자신이 원하는 것을 더 효과적으로 표현하고 달성할 수 있다고 정확히 서술한 경우 |
|---|---|
| 하 | 집단적 정치 참여 방법이 개인적 정치 참여 방법에 비해 지속성이 높다고만 서술한 경우 |

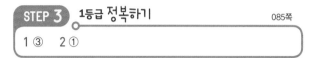

STEP 3 **1등급 정복하기**

085쪽

1 ③   2 ①

### 1 정치 과정

그림은 다양한 이해관계와 가치관이 표출되고 집약되어 정책으로 결정·집행되는 과정인 정치 과정을 나타낸 것이다. ㉠은 투입, ㉡은 산출, ㉢은 환류이다. 투입은 시민이 새로운 정책에 대한 요구나 기존 정책에 대한 지지 및 반대 의사를 표출하고, 정당이 이를 집약하는 과정이다. 산출은 결정된 정책을 집행하는 과정이다. 환류는 산출된 정책에 대한 정치 주체들의 평가와 반응을 통해 새로운 요구나 지지를 표출하는 과정이다. ③ 환류에서는 선거를 통해 기존 정책에 대한 지지를 보낼 수도 있고, 대표를 교체할 수도 있다.
**바로 알기** ① 정부가 간척 사업 피해 주민에게 피해 보상을 하는 것은 산출 단계에 해당한다. ② 정당에서 당론을 결정하는 것은 투입 단계에 해당한다. ④ 언론의 기능은 산출 단계보다는 투입 단계에서 더 중요하게 작용한다. 언론은 여론을 형성·집약하여 정책 결정 기구에 전달되도록 한다. ⑤ 민주적인 국가일수록 산출 단계보다 투입과 환류 단계를 더 중시한다.

### 2 정치 문화의 유형

(가) 사회는 참여형 정치 문화, (나) 사회는 신민형 정치 문화, (다) 사회는 향리형 정치 문화가 주로 나타나는 사회이다. 참여형 정치 문화는 시민이 정치 공동체에 대하여 명확한 인식과 견해를 가지고 있으며, 정치에 관심을 가지고 능동적으로 참여하는 유형으로 민주 사회의 특징적인 정치 문화이다. 신민형 정치 문화는 시민이 상위의 정치 공동체에 대한 의식과 결정된 정부 정책에 대한 인식은 있지만 정치 과정에 대한 능동적인 참여자로서의 자각이 결여된 유형으로, 중앙 집권적 권위주의 사회에서 두드러진 정치 문화이다. 향리형 정치 문화는 국가나 헌법 제도 등에 대한 인식이나 투입과 산출 등에 관한 인식이 없는 유형으로, 정치적 역할이 미분화된 전근대 사회에서 주로 나타나는 정치 문화이다. ㄱ. (가) 사회는 참여형 정치 문화가 주로 나타나는 사회이므로 정치 참여에 활발한 구성원이 많다. ㄴ. (나) 사회는 신민형 정치 문화가 주로 나타나는 사회이므로 구성원이 투입 과정보다 정책 결정과 집행이 이루어지는 산출 과정에 더 적극적이다.
**바로 알기** ㄷ. (다) 사회는 향리형 정치 문화가 주로 나타나는 사회로, 구성원의 정치 체계에 대한 관심이 낮다. ㄹ. 구성원의 정치적 효능감이 높은 사회는 참여형 정치 문화가 나타나는 (가) 사회이다.

# 02 선거 제도

## STEP 1 핵심 개념 확인하기                                    090쪽

1 (1) ◯ (2) ◯ (3) ✕ (4) ◯   2 (1) 중 (2) 소 (3) 중 (4) 소   3 ㉠
다수 대표제 ㉡ 비례 대표제   4 (1) ㄷ (2) ㄴ (3) ㄱ

## STEP 2 내신 만점 공략하기                                  090~093쪽

01 ①   02 ⑤   03 ③   04 ⑤   05 ④   06 ②   07 ②
08 ④   09 ④   10 ⑤   11 ③   12 ②

## 01 선거의 기능

㉠은 선거이다. ②, ③ 국민은 자신이 지지하는 정책을 내세운 후보자나 정당의 후보자에게 투표함으로써 자신의 의견을 정치 과정에 반영한다. ④ 대표자는 합법적인 절차와 국민의 지지에 따라 선출되기 때문에 통치의 정당성을 부여받는다. ⑤ 국민은 선거를 통해 집권 세력을 재신임하거나 책임을 물어 교체할 수 있다. 이는 대표자가 책임 정치를 실현할 수 있도록 한다.

**바로 알기** ① 선거는 대의 민주주의를 구현하기 위한 가장 기본적인 제도에 해당한다.

### 완자 정리 노트   선거의 기능

| 대표자 선출 | 국민을 대신하여 국정을 수행할 대표자를 선출함 |
|---|---|
| 대표자 통제 | 선거를 통해 대표를 재신임하거나 책임을 물어 교체함 → 책임 정치 보장 수단 |
| 정치권력에 정당성 부여 | 대표자는 합법적인 절차와 국민의 지지를 받아 선출되므로 민주적 정당성을 가지게 됨 |
| 국민의 의사 반영 | 후보들의 공약에 대해 국민은 다양한 의사를 표출하고, 선출된 대표는 이를 정책에 반영함 |
| 정치 교육의 장 제공 | 선거 과정을 통해 국민은 다양한 현안과 공약을 이해하고 정치 참여의 중요성을 인식하게 됨 |

## 02 선거의 대표자 통제 기능

제시된 사례와 같이 선거는 대표자를 정치적으로 통제하는 기능을 한다. 대표자의 업무 수행이 국민의 의사에 어긋난다고 판단되면 국민은 다음 선거에서 정치적 책임을 물어 대표자를 교체할 수 있으므로 선거를 통해 책임 정치를 실현할 수 있다.

## 03 평등 선거

제시된 내용에서 헌법 재판소는 투표 가치의 지나친 불평등을 막기 위해 선거구별 인구 편차를 3:1에서 2:1로 줄이는 결정을 내렸고, 이를 위해 국회 의원 선거구를 재획정했다. 이것은 평등 선거의 실현과 관련 있다. 평등 선거는 모든 유권자에게 1인 1표를 인정할 뿐만 아니라 1표의 가치가 대표 선출이라는 선거의 결과에 대해 기여한 정도에 있어서도 평등해야 한다는 것을 의미한다.

**바로 알기** ①, ②는 직접 선거, ④는 보통 선거, ⑤는 비밀 선거에 대한 설명이다.

## 04 소선거구제

제시된 글의 '최다 득표 후보에게 던진 표 이외의 표는 사표가 되기 때문에'라는 내용을 통해 ㉠은 소선거구제임을 알 수 있다. ⑤ 소선거구제에서는 한 개의 선거구에서 한 명의 대표만을 선출하므로 사표가 많이 발생하여 정당 득표율과 의석률의 불일치로 과대 대표, 과소 대표의 문제가 발생할 수 있다.

**바로 알기** ① 양당제가 형성될 가능성이 낮은 선거구제는 중·대선거구제이다. 중·대선거구제는 소수당의 의회 진출이 유리하기 때문에 다당제가 형성될 가능성이 높다. ② 군소 정당의 원내 진출이 용이한 선거구제는 중·대선거구제이다. ③ 중·대선거구제는 선거구의 범위가 넓고, 입후보자들이 상대적으로 많기 때문에 선거 비용이 과도하게 발생할 수 있다. ④ 당선자 간 투표 가치의 차등 문제가 발생하는 선거구제는 중·대선거구제이다.

### 완자 정리 노트   선거구제

| 소선거구제 | • 한 선거구에서 한 명의 대표자를 선출함<br>• 선거 관리가 쉽고 선거 비용이 적게 듦<br>• 다수당의 후보자가 당선될 가능성이 큼<br>• 사표가 많이 발생할 수 있음<br>• 선거 과열이 우려되며 군소 정당에 불리함 |
|---|---|
| 중·대선거구제 | • 한 선거구에서 두 명 이상의 대표자를 선출함<br>• 사표가 적게 발생하고 다양한 의사 반영이 가능함<br>• 군소 정당 후보의 당선 가능성이 높아짐<br>• 선거 관리가 복잡하고 어려움<br>• 군소 정당 난립으로 정국 불안정이 우려됨 |

## 05 대표 선출 방식

갑국은 선호하는 후보 한 명에게만 투표하고 가장 많은 표를 얻은 한 명만을 대표로 선출하므로 단순 다수제를 채택하고 있다. 을국은 50% 이상 득표한 후보자가 없을 경우 2차 투표를 통해 당선자를 선출하므로 절대 다수제의 한 유형인 결선 투표제를 채택하고 있으며 이와 함께 후보자와 정당에 각각 투표를 하므로 비례 대표제를 채택하고 있다. ④ 갑국은 비례 대표제를 채택한 을국에 비해 정당의 지지도와 의석수 간의 연계성이 적을 것이다.

**바로 알기** ① 사표 발생 가능성은 단순 다수제를 채택한 갑국이 높다. ②, ⑤ 제시된 글을 통해 알 수 없다. ③ 갑국, 을국 모두 다수 대표제를 채택하고 있어 소선거구제에 적합하다.

## 06 선거 제도 분석

제시된 표를 보면 갑국에는 A~D당만 존재하고, 4개 정당의 의석 수를 모두 합치면 200석이다. 이중 비례 대표 의석(50석)을 제외하면 지역 선거구 수인 150개와 의석수가 일치하므로 갑국의 선거구제는 소선거구제임을 알 수 있다.

**바로 알기** ① 소선거구제이므로 한 선거구에서 한 명의 대표를 선출하였다. ③ 여당은 대통령이 소속된 정당인데, 제시된 표를 통해서는 대통령이 소속된 정당을 모르기 때문에 여대야소 정국인지 파악할 수 없다. ④ 갑국은 비례 대표 의원 선출을 위한 별도의 선거가 없으므로 지역구 선거 결과를 바탕으로 비례 대표 의원을 선출한다는 것을 알 수 있다. 이러한 비례 대표 의원 선출 방식은 시민이 직접 정당 투표를 하지 않기 때문에 직접 선거 원칙에 위배된다. ⑤ 의원 내각제 국가의 행정부 수반은 다수당에서 배출된다. 2018년에 B당은 가장 많은 의석을 차지하기는 했으나 과반 의석을 확보하지 못했으므로 행정부 수반을 배출할지 여부는 파악할 수 없다.

## 07 선거구제와 대표 결정 방식

제시된 표를 보면 선거구 수가 총 149개이며, 각 지역별 의석수 합도 149개이다. 선거구 수와 의석수가 동일하므로 A국은 소선거구제이며, 다수 대표제를 채택하고 있음을 알 수 있다.

## 08 선거 제도 분석

ㄱ. 선거 결과를 보면 (가), (나) 지역에서는 을당이, (다), (라) 지역에서는 갑당이 지배적인 의석을 확보하고 있음을 알 수 있다. ㄴ. 소선거구제에서는 최다 득표자 한 명만 당선되고 나머지 후보는 모두 낙선되기 때문에 낙선된 후보가 얻은 표는 모두 사표가 된다. 따라서 소선거구제에서는 사표가 많이 발생하게 된다. ㄷ. 의원 내각제에서는 과반 의석을 차지한 정당이 없을 경우 연립 정부가 수립된다. 의회 다수당인 갑당이 과반 의석인 75석을 확보하지 못하였으므로 다른 정당과 연합하여 내각을 구성할 것이다.

**바로 알기** ㄹ. 다수 대표제에서는 거대 정당의 후보자가 당선될 가능성이 높아 정국이 안정된다. 군소 정당의 난립 가능성이 큰 대표 결정 방식은 비례 대표제이다.

## 09 선거 결과 분석

**자료 분석**

갑국은 지역구 의석수가 150석, 비례 대표 의석수가 150석이야.

1인 1표는 비례 대표 의원 선출을 위한 정당 투표를 실시하지 않는다는 의미이고, 1인 2표는 비례 대표 의원 선출을 위한 별도의 정당 투표를 실시한다는 의미야.

| 구분 | 총의석수(석) | 지역구 의석수 / 총의석수 | 투표 방식 |
|---|---|---|---|
| 갑국 | 300 | 0.5 | 1인 1표 |
| 을국 | 300 | 0.7 | 1인 2표 |
| 병국 | 300 | 1 | 1인 1표 |

* 각국의 선거 결과: 제1당의 의석수는 갑국은 170석, 을국은 165석, 병국은 90석이다.

병국은 지역구 의석수가 300석, 비례 대표 의석수는 0석이야.

을국은 지역구 의석수가 210석, 비례 대표 의석수가 90석이야.

④ 갑국의 비례 대표 의석수는 150석, 을국의 비례 대표 의석수는 90석이다. 따라서 갑국이 을국보다 비례 대표 의석수가 많다.

**바로 알기** ① 갑국은 제1당의 의석수가 170석으로 과반 의석을 차지했으므로 의원 내각제 정부 형태라면 단독 내각이 구성된다. ② 을국의 지역구 수가 제시되지 않았으므로 한 지역구에서 2명의 지역구 의원을 선출하는지는 알 수 없다. ③ 병국은 (지역구 의석수 / 총의석수)가 1이므로 비례

대표 의원이 존재하지 않는다. ⑤ 병국은 비례 대표 의원이 존재하지 않는 데 비해 을국은 비례 대표 의원이 존재하므로 을국이 병국에 비해 국민의 다양한 의사를 반영하기에 유리하다.

## 10 대표 선출 방식

**자료 분석**

| 후보(소속 정당) | 득표수 | 득표율(%) | 비고 |
|---|---|---|---|
| A('가'당) | 24,528 | 42.9 | 당선 |
| B('나'당) | 22,883 | 40.1 | 낙선 |
| C('다'당) | 9,144 | 16.0 | 낙선 |
| D('라'당) | 577 | 1.0 | 낙선 |

(단, '다'당의 후보를 지지하는 유권자는 자신들의 이념상 '가'당 후보보다는 '나'당 후보를 선호하는 경향이 있다.)

이념적 성향이 비슷한 '나'당과 '다'당 후보의 득표율을 합치면 56.1%로, 당선자인 '가'당 후보의 득표율인 42.9%보다 높아. 이것은 다수의 유권자가 원하지 않는 후보가 당선된 경우야.

한 선거구 내에서 최다 득표자 한 명을 대표자로 선출하였으므로 갑국은 단순 다수제를 채택하고 있음을 알 수 있다. ㄷ. 유권자들은 당선 가능성이 낮은 정당의 후보에게 투표하여 자신의 표가 사표가 되는 것을 원하지 않기 때문에 당선 가능성이 높은 다른 정당의 후보자를 선택하기도 한다. 따라서 단순 다수제에서는 제3당이나 군소 정당 후보를 지지하는 유권자의 소신 투표가 저해되기도 한다. ㄹ. 단순 다수제에서는 다수의 유권자들이 원하지 않는 후보가 당선되거나 후보자가 많을 경우 적은 득표수로도 당선될 수 있기 때문에 당선자의 대표성이 낮을 수 있다.

**바로 알기** ㄱ. 단순 다수제에서는 최다 득표자 한 명만 당선되기 때문에 다른 대표 결정 방식에 비해 사표가 많이 발생한다. ㄴ. 단순 다수제에서는 군소 정당의 후보자보다는 유권자들에게 널리 알려진 거대 정당의 유력한 후보가 당선될 가능성이 높다.

## 11 선거구 법정주의

제시된 글의 밑줄 친 내용은 집권당이 자기 당에 유리하도록 선거구를 자의적으로 획정한 것으로, 게리맨더링 사례에 해당한다. ③ 게리맨더링을 방지하여 공정한 선거가 이루어지도록 하기 위해서는 선거구를 특정 정당이나 특정 후보에게 유리하지 않도록 법률로 정해야 한다. 이를 선거구 법정주의라고 한다.

**바로 알기** ① 복수 정당제는 두 개 이상의 정당 활동을 보장하는 것으로 민주적 정당 제도나 게리맨더링의 방지와는 관련이 없다. ② 선거 공영제는 공직 선거 운동을 선거 관리 기관이 주관하고, 정당 후보자의 선거에 관한 경비 중 일부분을 국가 또는 지방 자치 단체가 부담하게 하는 제도이다. ④ 민주 선거의 4원칙은 보통·평등·직접·비밀 선거이다. ⑤ 국민 경선 제도는 정당의 후보 선출 과정에 국민의 의사를 반영하는 것이다.

## 12 선거 공영제

제시된 글은 영국(갑국)과 우리나라(을국)의 선거 공영제 사례이다. ② 선거 공영제는 선거 운동을 후보자에게만 맡겨 둘 경우 후보자

의 경제력 등에 의해 선거 운동의 기회가 균등하게 보장될 수 없으므로, 국가가 선거를 관리하고 선거 비용의 일부를 지원함으로써 후보자 간에 선거 운동의 기회를 균등하게 보장하여 선거가 공정하게 치러질 수 있도록 하기 위한 제도이다.

**∥바로 알기∥** ① 선거구 법정주의의 목적이다. ③ 선거 공영제로 인해 후보자가 난립할 수 있다는 단점은 있으나 선거의 효율성과는 관련이 없다. ④ 선거 공영제는 선거 기간을 줄이는 것과는 관련이 없다. ⑤ 평등 선거는 모든 유권자가 평등하게 같은 수의 표를 행사하고 표의 등가성을 보장하는 원칙으로, 유권자의 권리를 보장하기 위한 원칙이다.

## 서술형 문제
093쪽

**01 주제:** 비례 대표 의원 선거 방식

**예시 답안** 직접 선거, 평등 선거. 지역구 의원 선거에서 얻은 득표율에 비례하여 비례 대표 의원 의석을 배분하므로 유권자가 직접 비례 대표 의원 선출을 위한 투표를 하지 않아 직접 선거 원칙에 위배된다. 또한 무소속 후보에게 투표한 유권자의 표는 비례 대표 의원 선출에 기여하지 못하므로 평등 선거 원칙에 위배된다.

**채점 기준**

| 상 | 직접 선거, 평등 선거라고 쓰고, 두 가지 선거 원칙이 위배된 이유를 각각 정확히 서술한 경우 |
|---|---|
| 중 | 직접 선거, 평등 선거라고 썼으나, 두 가지 선거 원칙이 위배된 이유를 한 가지만 정확히 서술한 경우 |
| 하 | 직접 선거, 평등 선거라고만 쓴 경우 |

**02 주제:** 선거 결과 분석

(1) 소선거구제

(2) **예시 답안** B당. 개편안은 전체 의석을 정당 득표율에 비례하여 배분하는 것이다. 제시된 자료의 정당 득표율을 보면 A당은 35%, B당은 45%, C당은 20%이므로 A당은 105(300×0.35)석, B당은 135(300×0.45)석, C당은 60(300×0.2)석을 얻게 된다. 따라서 B당이 135석으로 가장 많은 의석을 차지하게 된다.

**채점 기준**

| 상 | B당이라고 쓰고, 그 이유를 정확히 서술한 경우 |
|---|---|
| 중 | B당이라고 썼으나, 그 이유를 미흡하게 서술한 경우 |
| 하 | B당이라고만 쓴 경우 |

## 1 민주 선거의 원칙

④ 을은 선거권을 가진 사람은 모두 투표권을 행사해야 한다고 주장하고 있으므로 보통 선거 원칙을 강조한다.

**∥바로 알기∥** ① 갑은 선거 관리 위원회에 투표권 행사자로 등록한 사람에게만 투표권을 주어야 한다고 했으므로 투표권을 국민의 당연한 권리로 본 것은 아니다. ② 병의 방식은 인센티브를 주어 투표 참여를 유도하는 것이므로 유권자의 자발성에 주안점을 둔 것은 아니다. ③ 갑, 을, 병 모두 선거권자가 투표를 해야 한다고 보고 있으므로 직접 선거 원칙을 강조하고 있다. ⑤ 득표율은 전체 투표자 중에서 득표를 얻은 비율이므로 투표 참여자에게 인센티브를 준다고 해서 당선자의 득표율이 높아지는 것은 아니다. 투표율은 높아질 수 있으나 당선자의 득표율이 더 높게 나타날지는 알 수 없다.

## 2 선거 제도

A는 소선거구제와 전국 비례 대표제, B는 소선거구제와 권역별 비례 대표제이다. ㄴ. 권역별 비례 대표제는 정당 투표에서 많은 지지를 얻었으나 지역구에서 그만큼의 당선자를 배출하지 못한 정당의 경우 그 차이만큼 비례 대표를 당선시켜 주도록 하는 것이다. 따라서 특정 정당이 특정 지역의 의석을 독식하는 지역주의 완화에 기여하게 된다. ㄹ. 권역별 비례 대표제는 권역별 정당 득표율에 따라 총의석이 배정되므로 지역구 선거에서 불리한 군소 정당이나 지역 지지 기반이 약한 정당이 지지할 가능성이 높다.

**∥바로 알기∥** ㄱ. A는 지역구 의석이 비례 대표 의석보다 훨씬 많으므로 지역 대표성을 중시한다. ㄷ. A는 지역구와 비례 대표를 각각 나누어서 의석을 배정하고, B는 권역별 정당 득표율에 따라 정당별 총의석수를 배정하므로 사표 발생 가능성은 A보다 B가 낮다.

## 3 선거 결과 분석

**자료 분석**

소선거구제가 실시되는 것을 알 수 있어.

현재 갑국의 의회는 지역구 의원으로만 구성되고 의석수는 100석이며, 선거구는 총 100개이다. 갑국은 향후 의회의 의석수를 현재 지역구 100석에 비례 대표 100석을 추가해 총 200석으로 변경하고자 한다. 비례 대표 의석은 각 정당의 지역구 후보들 전체가 전국적으로 얻은 득표율에 비례하여 배분된다.

제도가 변경된 이후에도 비례 대표 의원 선출을 위한 투표를 따로 하지 않고 1인 1표제가 유지된다는 의미야.

〈갑국의 최근 의회 의원 선거 결과〉

| 구분 | A당 | B당 | C당 |
|---|---|---|---|
| 득표율(%) | 45 | 35 | 20 |
| 의석수(석) | 70 | 25 | 5 |

① 현재 갑국의 의석수는 100석이고 선거구도 100개이므로, 한 선거구당 한 명의 대표를 선출하는 소선거구제가 실시되고 있고, 다수

대표제로 대표자를 결정하고 있다. ② 현행 선거구 제도는 소선거구제로서 거대 정당에 유리하여 양당제가 확립될 가능성이 높다. ③ 최근 선거 결과 A당, B당, C당의 득표율은 45%, 35%, 20%이고, 의석수는 70석, 25석, 5석이므로 득표율에 비해 의석수가 가장 낮은 정당은 C당이다. ④ 변경될 선거 제도를 최근 선거 결과에 적용할 때 예상되는 결과는 다음 표와 같다.

| 구분 | | A당 | B당 | C당 | 계 |
|---|---|---|---|---|---|
| 득표율(%) | | 45 | 35 | 20 | 100 |
| 최근 선거 결과 | 지역구 의석수(석) | 70 | 25 | 5 | 100 |
| | 지역구 의석 점유율(%) | 70 | 25 | 5 | 100 |
| | 득표율과 의석 점유율 간의 격차(%p) | 25 | 10 | 15 | 50 |
| 변경 제도 적용 후 예상 결과 | 지역구 의석수(석) | 70 | 25 | 5 | 100 |
| | 비례 대표 의석수(석) | 45 | 35 | 20 | 100 |
| | 총의석수(석) | 115 | 60 | 25 | 200 |
| | 총의석 점유율(%) | 57.5 | 30 | 12.5 | 100 |
| | 득표율과 의석 점유율 간의 격차(%p) | 12.5 | 5 | 7.5 | 25 |

따라서 변경될 선거 제도를 최근 선거 결과에 적용한다면, A당은 총 115석을 획득하여 총의석 점유율이 57.5%가 되므로 의회 과반 의석을 확보하게 된다.

┃**바로 알기**┃ ⑤ 최근 선거 결과에 따르면, 각 정당의 득표율과 의석 점유율의 격차는 A당 25%p, B당 10%p, C당 15%p이다. 변경될 선거 제도를 최근 선거 결과에 적용하면, 각 정당의 득표율과 의석률의 격차는 A당 12.5%p, B당 5%p, C당 7.5%p이다. 따라서 변경될 선거 제도에 따르면 각 정당의 득표율과 의석 점유율 간의 격차가 줄어든 것을 알 수 있다.

## 4 선거 결과 분석

제시된 선거 결과를 보면 갑~정 선거구에서 의석수가 각각 1석이므로 한 선거구에서 한 명의 대표를 선출하는 소선거구제임을 알 수 있다. ㄴ. 사표는 당선에 기여하지 못한 표이므로, 갑 선거구는 6만 표, 을 선거구는 4만 5천 표, 병 선거구는 3만 표, 정 선거구는 4만 표가 사표이다. 따라서 사표가 가장 적게 발생한 선거구는 병 선거구이다. ㄷ. A당은 갑~정 선거구에서 7만 5천 표를 받았으나 갑 선거구에서만 1석을 확보했다. C당도 7만 5천 표를 받았으나 을 선거구와 병 선거구에서 의석을 확보하여 2석을 얻었다. 그러므로 C당을 지지한 유권자의 의사가 A당을 지지한 유권자의 의사보다 과대 대표되었다.

┃**바로 알기**┃ ㄱ. 소선거구제, 다수 대표제에 의해서 대표가 선출되었다. ㄹ. 선거 구역이 넓어 선거 관리가 복잡하고 비용이 많이 드는 선거구제는 중·대선거구제이다.

---

# 03 정치 참여의 방법과 한계

**1** (1) ○ (2) × (3) ○ (4) × (5) ○ (6) ○    **2** ㄱ, ㄴ    **3** (1) 정당 (2) 시민 단체 (3) 이익 집단      **4** (1) 언론 (2) 이익 집단 (3) 상향식

| 01 ④ | 02 ④ | 03 ③ | 04 ③ | 05 ④ | 06 ⑤ | 07 ① |
|---|---|---|---|---|---|---|
| 08 ② | 09 ⑤ | 10 ① | 11 ② | 12 ③ | | |

## 01 정당의 기능

제시된 글은 정당이 선거에 후보자를 공천하여 대표자를 배출하는 정치적 충원 기능과 관련된다. 제시된 글의 '총재를 비롯한 주요 지도부의 선출, 대통령 후보자의 결정'이라는 부분을 통해 이를 파악할 수 있다.

┃**바로 알기**┃ ① 정치 사회화, ② 정부의 조직과 견제, ③ 의회와 정부 매개, ⑤ 여론 형성과 조직은 모두 정당의 기능에 해당하지만, 제시된 정당의 기능과는 관련이 없다.

**완자 정리 노트**    정당의 기능

| 정치적 충원 | 선거에 후보자를 공천하여 대표자를 배출함 |
|---|---|
| 여론 형성과 조직 | 국민의 다양한 요구와 의사를 수렴하여 여론을 형성하고 이를 조직화하여 정책으로 제안함 |
| 정부 구성과 견제 | 선거를 통해 정부 구성(여당) 및 정부 비판·견제(야당) → 정부의 책임성 강화 |
| 의회와 정부 매개 | 당정 협의회 등을 통해 정부에 의회의 의견을 전달함 |
| 정치 사회화 | 정치적 현안에 대해 정보를 제공하고 시민의 관심과 참여를 유도함 |

## 02 정당 제도의 유형

(가)는 일당제, (나)는 양당제, (다)는 다당제이다. 일당제는 실질적으로 하나의 정당만 존재하거나 특정 정당이 계속해서 집권하는 정당 제도로, 독재 정치의 가능성이 크다. 양당제는 두 개의 주요 정당이 권력 획득을 위해 경쟁하며 교대로 집권하는 정당 제도이다. 따라서 국정 운영의 책임 소재가 명확해 공약에 대해 책임지는 경향이 나타나는 반면, 다수당의 횡포를 견제하기 어려워 소수 의견이 무시될 우려가 있다. 다당제는 세 개 이상의 정당이 권력 획득을 위해 경쟁하는 정당 제도이다. 다당제에서는 국민의 정당 선택의 폭이 넓지만, 과반수 의석을 차지한 정당의 출현 가능성이 낮아 강력한 정책 추진이 비교적 어렵다.

### 완자 정리 노트  정당 제도의 유형

| 일당제 | • 정당이 하나만 존재하거나 특정 정당이 장기간 집권함<br>• 독재 정치가 나타날 가능성이 큼<br>• 국민의 다양한 의사가 정치 과정에 반영되기 어려움 |
|---|---|
| 양당제 | • 실질적으로 두 개의 정당이 정권을 획득하기 위해 경쟁함<br>• 정치적 책임 소재가 분명하며 정국이 비교적 안정됨<br>• 과반수 의석을 차지한 정당의 횡포가 우려됨<br>• 소수 의견이 무시될 우려가 있음 |
| 다당제 | • 세 개 이상의 주요 정당이 정권 획득을 위해 경쟁함<br>• 국민의 다양한 의사가 정치에 반영될 수 있음<br>• 정당 간 대립 시 중재가 비교적 쉬움<br>• 과반수 정당의 출현 가능성이 낮아 강력한 정책 추진이 어려울 수 있고, 정치적 책임 소재가 불분명함 |

### 03  정당 제도와 관련된 헌법 조항

헌법 제8조는 정당 설립의 자유, 복수 정당제 보장, 정당의 요건 등을 직접 규정하여 정당을 보호하고 있다. ㄴ. 헌법 제8조 제2항에서 정당의 목적·조직과 활동이 민주적이어야 한다는 내용은 정당의 운영과 의사 결정이 민주적으로 이루어지도록 해야 한다는 것을 의미한다. ㄷ. 헌법 제8조 제2항에서 정당은 국민의 정치적 의사 형성에 참여하는 데 필요한 조직을 가져야 한다는 것을 통해 국민의 다양한 의사가 반영되도록 활동해야 한다는 것을 규정하고 있다.

| 바로 알기 | ㄱ. 정당의 설립과 활동은 헌법에 의해 보장되므로 헌법이나 법률을 위반하지 않는 한 정부가 규제할 수 없다. ㄹ. 국가가 정당 운영에 필요한 자금을 보조하는 것일 뿐 국가 자금에 의한 정당 운영을 의미하는 것은 아니다.

### 04  개방형 예비 선거

제시된 글은 정당의 공직 후보자 추천에 당원뿐만 아니라 국민도 참여할 수 있도록 하는 오픈 프라이머리, 즉 개방형 예비 선거에 대한 설명이다. 이를 통해 정당 구조를 민주적으로 변화시킬 수 있고, 선거에 대한 국민의 관심과 참여를 이끌어 낼 수 있으며, 실제 선거에서도 당선 가능성을 높일 수 있다. 그러나 당원의 역할이 축소되고, 인기에 영합하는 공약이 남발되거나 정당 이념에 부합하지 않는 인물이 후보자로 선출되고 선거에 당선되어 정당 정치의 기반을 약화시킬 수도 있다.

| 바로 알기 | ③ 지지하는 정당이 이념적 성향에 부합하는 후보자 선출에 유리한 공천 방식은 당원들만으로 공직 후보자를 선출하는 것이다. 당원 이외의 국민이 공천 과정에 참여하게 되면 후보자가 정당의 이념적 성향에 부합하는지의 중요성은 떨어진다.

### 05  정당 정치의 개선 방안

A국과 같이 폐쇄적이고 비민주적인 하향식 의사 결정 형태를 보이는 것은 올바른 정당 정치라고 할 수 없다. 정당 내 의사 결정이 폐쇄적일 경우 정치적 다양성이 훼손될 우려가 있다. 따라서 정당 내 정치적 다양성과 자율성을 보장하는 정당 정치 문화가 확산되어야 한다.

| 바로 알기 | ①, ②, ③, ⑤ 제시된 글과 직접적인 관련이 없다.

### 06  이익 집단

정치 참여 주체인 A는 이익 집단이다. ㄷ. 이익 집단은 선거에서 자신들의 이익을 실현하기에 유리한 특정 후보자를 지지하거나 자신들의 이익 실현에 방해가 되는 후보자를 비판하기도 한다. ㄹ. 이익 집단은 자신들의 활동 및 정책 대안에 대해 정치적인 책임을 지지 않는다.

| 바로 알기 | ㄱ. 이익 집단은 정치 과정에서 주로 투입 기능을 담당한다. ㄴ. 시민 단체의 특징이다.

### 07  시민 단체

제시된 사례는 이동 전화 요금 인하 운동을 벌이고 있는 시민 단체인 ○○ 연대의 활동이 정부 정책에 영향력을 행사할 수 있다는 것을 보여 준다. 시민 단체는 다양한 사회 문제에 대해 시민들이 관심을 갖도록 유도하는 정치 사회화 기능을 하고, 여론을 조성한다. 또한 사회적 공공선의 확립에 기여하며, 정부의 정책 결정 및 집행을 감시하고 비판하는 기능을 한다.

| 바로 알기 | ① 특수 이익 추구는 이익 집단의 특징이다.

### 08  이익 집단과 시민 단체

A를 실현했을 때 회원들만이 그 혜택을 누릴 수 있으므로 A는 특수 이익을 의미한다. B를 실현했을 때 회원뿐만 아니라 비회원들에게도 그 혜택이 돌아가므로 B는 공익을 의미한다. 따라서 A를 추구하기 위해 결성된 단체는 이익 집단, B를 추구하기 위해 결성된 단체는 시민 단체이다. 갑. 이익 집단의 활동은 해당 집단의 특수 이익만을 추구하므로 서로 다른 이익 집단이 경쟁적으로 압력을 행사할 경우 정부의 정책 결정을 지연하고 혼란을 초래할 수 있다. 병. 시민 단체의 의사가 소수의 활동가에 의해 결정되고 일반 회원들의 의사 결정 참여 기회가 제한되는 등 시민 단체가 관료화되어 가는 것은 시민 단체의 문제점에 해당한다.

| 바로 알기 | 을. 이익 집단은 주로 구성원들의 자발적인 회비로 운영된다. 정. 각종 직능 단체들은 시민 단체가 아니라 이익 집단에 해당한다.

### 09  정치 참여 주체

A는 정당, B는 시민 단체에 해당한다. 정당은 공익과 정치권력의 획득을 추구하며, 자신들의 활동에 대해 정치적 책임을 진다. 시민 단체는 공익을 추구하며, 자신들의 활동에 대해 정치적 책임을 지지 않는다. ⑤ 정당과 시민 단체는 공통적으로 정치적 현안이나 사회 문제에 대해 정보를 제공하고 시민의 관심과 참여를 유도함으로써

정치 사회화 기능을 수행한다.

┃ **바로 알기** ┃ ①은 이익 집단, ②는 시민 단체, ③, ④는 정당의 특징에 해당한다.

## 10 정치 참여 주체

특수 이익을 추구하는 A는 이익 집단, 공적 이익을 추구하며 정치적 책임을 지지 않는 B는 시민 단체, 정치적 책임을 지며 이익 집단을 통해 정치적 지지 기반을 확보하는 C는 정당이다. ㄱ. 이익 집단의 지나친 이익 추구는 보편적 이익과 충돌할 우려가 있다 ㄴ. 시민 단체는 공익을 추구하기 위해 시민들이 자발적으로 결성하였기 때문에 비영리성, 비권력성을 특징으로 한다.

┃ **바로 알기** ┃ ㄷ. 정당은 선거에 후보자를 공천해 대표자를 배출하는 정치적 충원 기능을 담당함으로써 대의제의 유지에 기여한다. ㄹ. 정당, 시민 단체, 이익 집단 모두 정치 과정에서 투입 기능을 담당한다.

**완자 정리 노트**　정당, 이익 집단, 시민 단체

| 정당 | • 기능: 정치적 충원, 여론 형성과 조직, 정부 구성과 견제, 의회와 정부 매개, 정치 사회화 등<br>• 문제점: 정당의 거대화·관료화로 국민의 다양한 요구가 정당의 정책에 반영되지 못함 |
|---|---|
| 이익 집단 | • 기능: 국민의 다양한 정치적 의사 표출, 지역 대표제나 정당의 한계 보완, 정치 사회화, 정부의 정책 감시·비판 등<br>• 문제점: 집단 이기주의로 변질, 사회 전체의 보편적 이익과 충돌 우려, 정치권력과 결탁하여 부정부패 가능성 등 |
| 시민 단체 | • 기능: 정부 정책 감시·비판, 사회 문제에 대한 여론 형성, 정치 사회화 등<br>• 문제점: 낮은 시민 참여도, 시민 단체의 관료화, 시민 단체의 자율성 훼손, 시민 단체의 이익 집단화 등 |

## 11 언론의 역할

언론은 대중 매체를 통해 여러 가지 사건이나 현상들을 밝혀 그 사실을 대중들에게 알리거나 그에 대한 의견을 첨가하여 논평이나 해설 등을 한다. 언론이 특정한 세력의 간섭과 영향을 받게 될 경우에는 여론이 조작될 수도 있으므로, 언론의 자유가 보장되어야 올바른 여론이 형성되고, 그 여론이 정치 과정에 반영될 수 있다. 언론의 자유가 보장되고 언론이 책임을 다 한다면 정치권력에 대한 비판, 감시와 견제가 이루어질 수 있다.

┃ **바로 알기** ┃ ①, ③, ④, ⑤ 모두 언론의 역할에 해당하지만 제시된 글의 내용과 거리가 있다.

## 12 언론을 대하는 시민의 태도

제시된 글은 언론 보도가 언론사의 견해나 의견을 제시하기도 하므로, 항상 객관적·중립적으로 이루어지지는 않는다는 것을 강조하고 있다. 따라서 시민은 언론의 보도 내용을 무조건 수용하기보다 언론 보도에 대해 비판적이고 분석적인 태도로 접근해야 한다.

┃ **바로 알기** ┃ ① 언론은 중요한 사건에 대해 보도함으로써 여론을 형성해 나가는 기능을 담당하지만, 제시된 글이 시사하는 바로는 적절하지 않다. ② 시민은 새로운 정보를 신속하게 받아들이는 것도 필요하지만, 비판적·분석적인 태도로 받아들여야 한다. ④ 언론은 객관적인 사실에 기반하여 정보를 전달해야 한다. ⑤ 시민이 개인적으로 선호하는 특정 매체만 이용하여 정보를 얻는 것은 중립적인 시각을 갖기 어려우므로 적절하지 않다.

## 서술형 문제

103쪽

### 01 **주제:** 정당 제도의 유형

(1) 갑국 – 양당제, 을국 – 다당제

(2) **예시 답안** 다당제가 양당제에 비해 갖는 장점은 국민의 다양한 의견 수렴이 가능하다는 것이다. 그러나 군소 정당의 난립으로 정국 불안정이 우려되고, 정치적 책임 소재가 불분명하다는 단점이 있다.

**채점 기준**

| 상 | 다당제가 양당제에 비해 갖는 장점과 단점을 모두 정확히 서술한 경우 |
|---|---|
| 하 | 다당제가 양당제에 비해 갖는 장점과 단점 중 한 가지만 서술한 경우 |

### 02 **주제:** 우리나라 정당 정치의 문제점

**예시 답안** 우리나라 정당은 특정 인물이나 특정 지역을 중심으로 이합집산하는 경향이 나타나고, 그 수명이 매우 짧다. 이와 같이 정당이 특정 인물이나 특정 지역에 따라 좌우될 경우 국민의 요구를 정책으로 표출하는 정당 본연의 기능을 수행하기 어렵다.

**채점 기준**

| 상 | 정당이 특정 인물이나 특정 지역을 중심으로 이합집산하는 경향이 나타나 정당의 기능을 제대로 수행하기 어렵다고 정확히 서술한 경우 |
|---|---|
| 하 | 정당이 자주 창당되고 정당의 수명이 짧다고만 서술한 경우 |

### 03 **주제:** 시민 단체의 문제점 해결 방안

**예시 답안** 시민 단체는 공정성의 실현을 목적으로 꾸준한 회원 확충을 통해 회원 회비 중심의 재정 자립을 실현하여 자율성을 확보해야 한다.

**채점 기준**

| 상 | 회원 회비 중심의 재정 자립을 실현해야 한다고 정확히 서술한 경우 |
|---|---|
| 하 | 재정 자립을 실현해야 한다고만 서술한 경우 |

## 1 정당의 기능

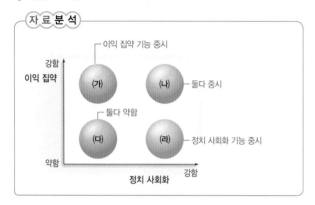

자료 분석

ㄴ. 정당이 국민의 다양한 요구와 이해관계를 반영해 정책 대안을 만들어 제공하는 것은 이익 집약 기능에 해당한다. (가) 정당은 (다) 정당에 비해 이익 집약 기능을 중시한다. ㄷ. 정치 사회화 기능은 정당이 강연회, 출판 등을 통해 정치와 관련된 다양한 정보를 제공함으로써 정치에 대한 국민의 관심을 높이고 정치 관련 정보를 제공하는 것이다. (나), (라) 정당은 (가) 정당에 비해 정치 사회화 기능을 중시한다.

▌**바로 알기**▐ ㄱ. 정당의 정치적 영향력은 제시된 그림을 통해 파악할 수 없다. ㄹ. 정치 신인들이 정치에 입문하는 기회를 제공하는 것은 정치적 충원 기능에 해당하는데, 제시된 그림을 통해서는 알 수 없다.

## 2 정당 제도의 유형

A는 다당제, B는 양당제이다. ① 다당제에서는 과반수 정당의 출현 가능성이 낮아 강력한 정책 추진이 어려울 수 있고, 정치적 책임 소재가 불분명해질 수 있다. ② 양당제에서는 두 개의 주요 정당이 경쟁하므로 어느 한 정당은 과반 의석을 확보할 가능성이 높다. 따라서 의원 내각제 정부 형태에서는 연립 정부의 수립 가능성이 낮다. ③ 다당제는 양당제에 비해 정당 간 대립 시 제3당의 중재가 용이하다. ⑤ 다당제에서는 '아니요', 양당제에서는 '예'라고 응답하므로 (가)에는 '소수당의 이익 반영에 불리한가?'가 적절하다.

▌**바로 알기**▐ ④ 양당제와 다당제는 모두 복수 정당제이므로 민주적인 정권 교체의 가능성이 높다. 민주적인 정권 교체 가능성이 낮은 정당 제도의 유형은 일당제이다.

## 3 공천의 결정 방식

제시된 글에서는 정당의 공천 방식이 정당 간부나 소수의 지도부가 결정하는 하향식 의사 결정 방식에서 당원뿐만 아니라 일반 국민들도 참여하여 결정하는 상향식 의사 결정 방식으로 바뀌었음을 보여 준다. 이러한 공천 방식을 국민 참여 경선 제도라고 한다. ㄱ. 상향식 공천으로 정당의 운영이 지도부가 아닌 당원 중심으로

이루어지게 되므로 정당의 민주화에 기여한다. ㄷ. 경쟁 정당의 지지자가 정당 후보 선출에 참여하는 경우 일부러 경쟁력이 약한 후보를 선출하려는 역선택이 발생할 수 있다.

▌**바로 알기**▐ ㄴ. 당원만이 참여하여 후보를 결정하는 방식이 정당의 정체성을 강화하고 당원 간 결속을 강화시키게 된다. ㄹ. 국민 참여 경선 제도로 인해 실제 선거에서 소속 후보의 당선 가능성이 높아질 수 있으나 정당 지도부의 책임이 강화되는 것은 아니다.

## 4 정치 참여 주체

A는 정권 획득을 추구하므로 정당이고, B는 공익 추구를 목적으로 시민들이 자발적으로 결성한 단체이므로 시민 단체이다. C는 특수한 이익을 추구하기 위해 결성한 이익 집단이다. 갑은 정당에 가입하여 당원으로 활동했고, 을은 시민 단체에 가입했으며, 병은 이익 집단에 소속되어 있다. ② 의회와 정부를 매개하는 기능을 담당하는 단체는 정당이다. 갑은 정당의 주요 지도부 선출에 참여했으므로 정당의 구성원이다.

▌**바로 알기**▐ ① 갑의 정치 참여 방법은 정당을 통한 참여로, 집단적 정치 참여 방법에 해당한다. ③ 공익을 추구하는 단체는 정당과 시민 단체이므로 갑과 을에 해당된다. ④ 갑, 을, 병 모두 정치에 참여하고 있다. ⑤ 정당, 이익 집단, 시민 단체 모두 정치 사회화 기능을 수행한다.

## 대단원 실력 굳히기 108~111쪽

| 01 ③ | 02 ② | 03 ④ | 04 ② | 05 ④ | 06 ⑤ | 07 ④ |
| 08 ② | 09 ③ | 10 ④ | 11 ⑤ | 12 ④ | 13 ⑤ | 14 ① |
| 15 ③ | 16 ② | 17 ② | | | | |

## 01 정치 과정

(가)~(다)는 부동산 과열을 막기 위한 정치 과정의 일부이다. (가)는 정책 집행(산출), (나)는 정책에 대한 평가(환류), (다)는 시민의 요구 (투입) 단계에 해당한다. ㄴ. 새로운 정책 결정은 산출된 정책에 대한 평가를 수렴하여 나타난 결과이다. ㄷ. 시민의 요구 표출(투입)에는 시민 단체, 이익 집단 등이 참여한다.

**바로 알기** ㄱ. 정책 결정은 입법부, 행정부와 같은 정책 결정 기구에서 이루어진다. 정당은 시민의 요구를 집약하여 정책으로 제안하는 과정에 관여한다. ㄹ. 정치 과정은 '(다) → (가) → (나)'의 순서로 나타난다.

### 완자 정리 노트　정치 과정

| 투입 | 시민 단체, 이익 집단, 언론 등이 의사를 표출하고, 이것을 정당이 집약함 |
| --- | --- |
| 산출 | 정책 결정 기구가 정책을 수립하고 집행함 |
| 환류 | 산출된 정책에 대한 정치 주체의 평가와 반응을 통해 새로운 요구를 표출함 |

## 02 정치 참여의 의의

㉠은 정치 참여이다. ① 시민의 정치 참여로 인해 시민의 의사가 정확하게 정책에 반영됨으로써 국민 주권의 원리를 실현할 수 있다. ③ 시민의 요구가 정책에 반영되면 국가 기관에 대한 신뢰가 강화되므로 시민들의 정치적 효능감이 높아져 정치 체제가 안정적으로 유지된다. ④ 시민의 적극적인 정치 참여는 정부의 정책에 대한 정당성을 부여하여 안정적인 정책 집행을 가능하게 한다. ⑤ 시민의 정치 참여를 통해 정치권력을 감시하고 통제함으로써 권력 남용을 방지하여 국민의 권리와 이익을 보호할 수 있다.

**바로 알기** ② 시민의 정치 참여가 활발하면 신중한 정책 결정이 이루어지게 되므로 신속하게 정책이 결정되기는 어렵다.

## 03 누리 소통망 서비스(SNS)를 이용한 정치 참여

갑은 누리 소통망 서비스(SNS)를 통한 실시간 정보와 의견의 공유가 진정한 참여 민주주의를 만들고 있다고 보고 있으므로 누리 소통망 서비스(SNS)를 이용한 정치 참여에 긍정적인 입장이다. 이에 비해 을은 누리 소통망 서비스(SNS)는 검증되지 않은 정보를 급속도로 확산시키고 있어서 큰 문제가 될 수 있다고 보고 있으므로 누리 소통망 서비스(SNS)를 이용한 정치 참여에 부정적인 입장이다. ㄴ. 을은 누리 소통망 서비스(SNS)를 통한 검증되지 않은 정보의 확산을 우려하므로 왜곡된 사실이 확산될 수도 있다고 보고 있다. ㄹ. 을은 갑과 달리 누리 소통망 서비스(SNS)에서 확산되는 정보

가 검증되지 않은 정보임에도 불구하고 많은 사람들이 사실인 것처럼 믿을 수 있으므로 이에 대한 비판적 수용을 강조할 것이다.

**바로 알기** ㄱ. 갑은 누리 소통망 서비스(SNS)를 통한 시민의 정치 참여의 긍정적인 측면을 강조하고 있다. ㄷ. 갑, 을 모두 누리 소통망 서비스(SNS)가 갖는 사회적 영향력을 인정한다. 다만 갑은 긍정적인 면을, 을은 부정적인 면을 강조하고 있다.

## 04 민주 선거의 원칙

(가) 해외에 거주하는 재외 국민에게 선거권을 부여하지 않는 것은 일정 연령에 도달한 모든 국민에게 선거권을 부여한다는 보통 선거의 원칙에 어긋난다. (나) 1인 1표로 비례 대표 의원을 선출하는 선거 제도는 유권자가 비례 대표 의원을 직접 선출하지 못하도록 하고 있으므로 직접 선거의 원칙에 어긋난다. 또한 정당에 소속된 후보자를 선택하는 유권자와 무소속 후보자를 선택하는 유권자의 투표 가치에 불평등이 발생하므로 평등 선거의 원칙에 위배된다.

## 05 소선거구제의 문제점

그림은 한 선거구에서 4명의 대표를 선출하는 중·대선거구제에서 각 선거구당 1명의 대표를 선출하는 소선거구제로의 변화를 나타낸 것이다. 소선거구제에서 나타날 수 있는 문제점에는 군소 정당 후보의 당선 가능성이 낮아지고, 국민의 다양한 의견을 반영하기 어려우며, 사표가 많이 발생하고, 선거구 간 인구 편차로 인해 유권자 표의 가치가 달라지게 될 수 있다는 것 등이 있다. ④ 소선거구제는 한 명의 대표만 선출하므로 거대 정당 후보에게 유리하고 군소 정당 후보에게는 불리하다.

**바로 알기** ①, ②, ③, ⑤ 중·대선거구제의 문제점이다. 선거 관리가 어려워지고 선거 절차와 방법이 복잡해지는 이유는 선거구의 범위가 넓고 후보자가 많아지기 때문이며, 이로 인해 유권자가 후보자에 대해 파악하기 어려워질 수 있다. 또한 한 선거구에서 여러 명을 선출하므로 당선자마다 득표율이 다를 것이며, 이로 인해 당선자 간 투표 가치의 차등 문제가 발생할 수 있다.

## 06 대표 결정 방식

(가)는 단순 다수제, (나)는 절대 다수제의 한 종류인 결선 투표제이다. ㄷ. 결선 투표제는 과반수 득표를 얻은 후보가 대표로 선출되므로 단순 다수제로 선출된 경우에 비해 당선자의 대표성을 높일 수 있는 제도이다. ㄹ. 결선 투표제는 1차 투표에서의 최다 득표자가 2차 투표에서도 최다 득표자가 된다는 보장이 없기 때문에 1차 투표에서의 최다 득표자가 대통령에 당선되지 않을 수도 있다.

**바로 알기** ㄱ. 결선 투표제가 단순 다수제보다 선거 절차가 더 복잡하다. ㄴ. (가)는 단순 다수제, (나)는 절대 다수제를 채택하고 있다.

## 07 선거 제도

ㄴ. 절대 다수제가 단순 다수제에 비해 선거 과정이 복잡하므로 선거 과정은 을국이 갑국에 비해 더 복잡할 것이다. ㄹ. 정당 득표율과 의석수의 연관성은 다수 대표제에 비해 비례 대표제에서 더 높다.

따라서 갑국과 을국에 비해 병국이 정당 득표율과 의석수의 연관성이 높을 것이다.

**┃ 바로 알기 ┃** ㄱ. 사표의 발생은 소선거구 단순 다수제보다 중·대선거구 비례 대표제에서 적게 발생한다. 따라서 갑국이 병국보다 사표의 발생이 많을 것이다. ㄷ. 군소 정당의 출현 가능성은 소선거구제에 비해 중·대선거구제에서, 다수 대표제에 비해 비례 대표제에서 높다. 따라서 군소 정당의 출현 가능성은 갑국과 을국에 비해 병국이 높을 것이다.

## 08 대표 결정 방식

<자료 분석>

A국의 의회 의원 선거 결과를 보면 제1당인 ○○당은 (가) 권역에서 비례 대표 의석률이 40%, 지역구 의석률이 80%였다. (나) 권역에서는 ○○당의 비례 대표 의석률이 40%, 지역구 의석률이 70%였다. 다른 권역에서도 비슷한 결과가 나타났다. <u>비례 대표 의원은 권역별 정당 투표로 선출되고, 지역구 의원은 선거구당 1명씩 선출되며 권역별 지역구의 수는 같다.</u>

┗ 소선거구제 다수 대표제 │ 지역구 의원과 비례 대표 의원을
  인걸 알 수 있어. │ 별도로 선출하므로 1인 2표제야.

A국은 각 선거구에서 최다 득표자 1인을 선출하는 다수 대표제를 통해 지역구 의원을 선출하고 있으며, 권역별로 정당 투표를 통해 비례 대표 의원을 선출하고 있다. ② ○○당은 비례 대표 의석률에 비해 지역구 의석률이 높게 나타나고 있는데, 이를 통해 다수 대표제는 비례 대표제에 비해 거대 정당에게 유리하게 작용하였음을 알 수 있다.

**┃ 바로 알기 ┃** ①, ④ 권역별 정당 투표는 특정 지역에서의 지지율이 낮은 정당에게도 의석 확보의 기회가 주어지기 때문에 지역주의 완화와 사표 과다 발생을 방지하는 효과가 있다. ③ A국은 지역구 선거와는 별도로 정당 투표가 이루어지고 있으므로 A국 국민들은 지지하는 지역구 후보에게 1표, 정당에 1표씩 총 2표를 투표한다. ⑤ 비례 대표 의석은 정당별 지지율에 의해 배분되므로 비례 대표 의석률은 정당 지지율을 가늠하는 척도가 될 수 있다.

## 09 선거 결과 분석

제시된 자료를 토대로 t대와 t+1대의 선거 결과를 비교하면 다음과 같다.

| 정당 | t대 선거 결과<br>정당별 의석수(석) | t+1대 선거 결과<br>정당별 의석수(석) | t+1대−t대(석) |
|---|---|---|---|
| A당 | 191 | 171 | (−)20 |
| B당 | 77 | 112 | (+)35 |
| C당 | 77 | 37 | (−)40 |
| D당 | 0 | 19 | (+)19 |
| 나당 | – | 6 | (+)6 |
| 합계 | 345 | 345 | |

문항 1. t+1대 선거에서 전체 의석 345석 중 B, C, D, E당이 174석을 차지하였으므로, A당의 의석수는 171석이다. A당이 t대 선거에 비해 20석을 잃게 되었다고 했으므로, t대 선거에서는 191석으로 단독으로 내각을 구성하였다. 문항 2. t+1대 선거에서는 A당이

과반 의석을 차지하지 못했으므로 연립 내각이 형성될 것이다. A당과 의석이 가장 적은 E당이 연합해도 177석이 되어 연립 내각 구성이 가능하므로 연립 내각에 참여하는 정당은 최소 두 개이다. 문항 3. 의석수 변동이 가장 큰 정당은 C당이다. B당은 35석이 증가하였고, C당은 40석이 감소하였다. 따라서 모든 문항에 옳은 답안을 작성한 학생은 병이다.

## 10 선거 공영제

제시된 헌법 조항은 선거 공영제와 관련된다. 선거 공영제는 선거 운동을 국가 기관인 선거 관리 위원회에서 관리하고, 선거 비용의 일부를 국가나 지방 자치 단체가 부담하는 제도이다. 선거 공영제는 무제한적인 선거 운동으로 생길 수 있는 선거 과열과 과도한 비용 지출을 막고, 후보자 간 경제력의 차이에 의한 선거 운동 기회의 불균형을 바로잡아 후보자 간에 선거 운동의 기회 균등을 보장하기 위해 실시하는 제도이다.

**┃ 바로 알기 ┃** ㄱ. 선거 공영제는 후보자 간에 균등한 선거 운동의 기회를 보장하기 위한 것이다. ㄷ. 선거 공영제는 공정한 선거를 위한 제도로서, 군소 정당 후보의 의회 진출 가능성 저하와는 관련이 없다.

**완자 정리 노트**  공정한 선거를 위한 제도

| 선거구 법정주의 | 특정 정당이나 후보자가 선거구를 자의적으로 획정하는 것을 방지하기 위해 선거구를 국회에서 제정한 법률로 획정함 → 게리맨더링 방지 |
|---|---|
| 선거 공영제 | 선거 과정을 국가 기관이 관리하고 국가나 지방 자치 단체가 선거 비용 일부를 부담함 → 후보자 간 선거 운동의 기회 균등 보장, 선거 운동의 과열 방지 |
| 선거 관리 위원회 | 각종 선거와 국민 투표의 공정한 관리, 정당 및 정치 자금의 투명한 관리와 사무를 담당하는 헌법상 독립 기관 |

## 11 게리맨더링

제시된 사례는 선거구 법정주의가 도입된 배경인 게리맨더링에 대한 내용이다. 게리맨더링은 선거구를 자신이 속한 정당에 유리하도록 자의적으로 획정하는 것을 의미한다. ① 비슷한 득표를 하고도 상대 당보다 두 배 이상 많은 당선자가 나왔으므로 선거구가 특정 정당에 유리하게 획정되었다고 볼 수 있다. ② 비슷한 득표임에도 불구하고 당선자 수가 두 배 이상 차이가 난다는 것은 시민의 의사가 정확히 반영되지 못했다는 것을 의미한다. ③ 게리의 소속당을 지지한 유권자들의 의사는 다른 정당을 지지한 유권자들에 비해 과대 대표되었다. ④ 선거구를 자의적으로 획정하는 것을 방지하기 위해서는 선거구 법정주의를 시행해야 한다.

**┃ 바로 알기 ┃** ⑤ 선거구를 획정할 경우에는 표의 등가성이 실현되도록 평등 선거의 원칙을 고려해야 한다.

## 12 정당의 기능

제시된 자료에서 정당이 유권자에 대한 홍보를 통해 유권자들의

정치적 지식과 판단력을 향상시킨다고 언급하고 있으므로, 정당의 정치 사회화 기능과 관련이 있다고 볼 수 있다. 정치 사회화란 특정 사회의 정치 문화를 습득해 나가는 과정으로, 사회 집단의 구성원이 정치에 대해서 갖는 태도, 행동 양식 등을 습득하는 것을 의미한다.

## 13 정당 제도의 유형

갑국은 제3당의 의석수는 극히 적고 제1당과 제2당이 거의 모든 의석을 차지하고 있으므로 양당제 형태를 띠고 있다. 을국은 대표적인 세 개의 당이 의석을 비슷하게 차지하고 경쟁하고 있으므로 다당제 형태를 띠고 있다. ⑤ 양당제인 갑국은 주로 두 개의 정당만이 국민의 의견을 반영하기 때문에 소수의 의견이 정책에 반영되기 어렵다. 반면, 다당제인 을국은 상대적으로 여러 정당이 국민의 다양한 의사를 수렴할 수 있다.

┃ **바로 알기** ┃ ① 양당제인 갑국은 정권 교체가 가능하다. ② 다당제인 을국은 과반수 의석을 확보한 정당이 없기 때문에 갑국보다는 정치적 안정성이 낮은 편이다. ③ 양당제와 다당제는 모두 복수 정당제의 유형으로, 민주주의 국가의 정당 제도이다. ④ 을국은 과반수 의석을 차지한 정당이 없기 때문에 여러 정당이 연합하여 정책을 결정해야 한다. 이 경우 정책에 대한 책임이 분산되어 정치적 책임 소재가 불분명하다.

## 14 일당제의 문제점

병국은 하나의 정당이 모든 의석을 차지하고 있으므로 병국의 정당 유형은 일당제이다. 일당제는 지배적인 정당이 하나밖에 없기 때문에 정권 교체의 가능성이 거의 없어 독재의 가능성이 높고, 국민의 여러 가지 의견이나 비판 등 다양한 의사가 정치 과정에 반영되기 어렵다.

┃ **바로 알기** ┃ ① 일당제 국가의 경우 모든 정치적 책임이 집권 정당에 있다.

## 15 정당 정치 문제점의 해결 방안

제시된 글은 정당의 관료제화와 소수의 당 지도부에 의해 정당이 권위적으로 운영되는 문제점을 지적하고 있으며, 이로 인해 국민의 다양한 의사가 반영되지 못하고 있다는 것을 언급하고 있다. 이를 해결하기 위해서는 당원과 국민의 다양한 요구를 수용할 수 있도록 당원 중심의 상향식 의사 결정 과정을 거쳐야 하며, 정당이 민주적으로 운영되도록 해야 한다.

┃ **바로 알기** ┃ ①, ② 당비 확충과 당원 확보는 정당 규모를 키우는 데 도움이 된다. ④ 복수 정당제의 도입은 민주적 정당 제도와는 관계가 있으나, 정당 내부의 민주화와는 관련이 없다. ⑤ 소수 지도자에 의해 정당이 권위적으로 운영되는 것을 막기 위해서는 이들이 가지고 있던 권한을 분산할 필요가 있다.

## 16 국민 경선 제도

2002년에 도입된 새로운 경선 방식은 국민 경선 제도이다. 국민 경선 제도에서는 당원이나 비당원의 자격 구분 없이 정당의 후보를 뽑게 되므로 선거에 대한 일반 국민들의 관심과 참여가 높아지고, 당 외부 인사가 정당의 경선에 참여하더라도 불리한 것이 없어 당적이 없는 유력 후보의 영입도 용이해진다. 그리고 국민들이 정당의 후보를 뽑기 때문에 본선 경쟁력이 높은 후보가 유리해진다.

┃ **바로 알기** ┃ ② 국민 경선 제도는 당원을 포함한 모든 국민이 참여한 가운데 정당의 후보가 결정되므로 정당의 정체성이 약화될 수도 있다.

## 17 정치 참여 주체

㉠은 시민 단체, ㉡은 이익 집단, ㉢은 정당이다. 따라서 (가)에는 정당의 특징에만 해당하는 질문이 들어가야 한다. 정당은 정치적 견해를 같이하는 사람들이 정권을 획득하여 자신들의 정강을 실현하기 위해 조직한 단체이다. 그러므로 '선거에 후보자를 공천합니까?', '정치권력의 획득을 목적으로 합니까?'의 항목에 긍정의 답변을 할 것이다.

┃ **바로 알기** ┃ ㄴ. 이익 집단의 특징에 해당한다. ㄷ. 정치 참여 주체의 일반적인 특징에 해당하지 않는다.

# IV. 개인 생활과 법

## 01 민법의 의의와 기본 원리

**STEP 1**  핵심 개념 확인하기                                    116쪽

1 (1) 민법 (2) 신의 성실    2 (1) ㄱ, ㄷ (2) ㄴ, ㄹ    3 (1) – ㉠
(2) – ㉢ (3) – ㉡    4 (1) ㄷ (2) ㄱ (3) ㄴ

**STEP 2**  내신 만점 공략하기                              116~118쪽

01 ①    02 ④    03 ③    04 ①    05 ②    06 ②    07 ③
08 ⑤

### 01 민법의 의의

㉠에 들어갈 법은 민법이다. ② 민법은 개인주의, 자유주의를 주된 이념으로 하고 있다. ③ 민법 총칙에는 민법 전반에 적용되는 기본 원칙이 명시되어 있다. ④ 친족법과 상속법은 혼인, 이혼, 입양, 유언, 상속 등과 같은 가족 관계에 대해 규율하고 있다. ⑤ 채권법은 계약, 불법 행위, 손해 배상 등 재산 관계에 대해 규율하고 있다.

**┃바로 알기┃** ① 민법은 사람들 사이에서 발생하는 갈등과 분쟁을 해결하기 위해 적용할 수 있는 법적 기준과 원칙으로 작용한다.

### 02 민법의 특징

┌ 법 규범에 의해 규율되는 생활 관계로서 기본적
└ 으로 권리와 의무의 관계로 나타나지.

민법은 개인과 개인 사이의 법률관계를 규율하는 대표적인 사법으로서 물권, 채권 등 재산 관계와 친족, 상속 등 가족 관계에 대한 권리와 의무를 규정하고 있다. 민법은 사회를 구성하는 각 개인이 자유롭고 평등하다고 전제한다. 따라서 개인이 자율적인 판단에 기초하여 서로 간에 자유롭게 법률관계를 형성해 나가도록 법적으로 보장하고 지원한다. 민법에서는 국가는 될 수 있는 한 개인의 사적 생활 관계에 개입하지 않아야 한다고 본다. 이러한 민법의 특성이 더욱 분명하게 드러난 것은 1789년 프랑스 혁명 이후 『나폴레옹 법전』 등 근대적 의미의 민법전들이 제정되면서부터이다.

**┃바로 알기┃** ④ 법 위반자에 대한 강력한 처벌을 통해 사회 질서를 유지하는 것은 형법 등 공법 분야에 해당한다.

### 03 공법과 사법

갑이 을을 때려 상해를 입힌 것은 민법에서는 불법 행위에 해당하고, 형법에서는 상해죄에 해당한다. 불법 행위에 대해서는 손해 배상을 청구할 수 있고, 상해죄와 같은 범죄에 대해서는 고소를 통해

형사 처벌을 요구할 수 있다. 따라서 A 법은 형법, B 법은 민법이다. 형법은 공적 법률관계를 규율하므로 공법, 민법은 사적 법률관계를 규율하므로 사법에 해당한다. ㄴ. 형법은 공법으로서 국가와 국민 간의 공적인 법률관계를 규율한다. ㄷ. 민법은 자신의 고의 또는 과실이 있는 경우에만 책임을 진다는 과실 책임주의를 원칙으로 한다.

**┃바로 알기┃** ㄱ. 상법은 개인 간의 사적 생활 관계를 규율하는 사법에 속하는 법이다. 형법은 헌법, 행정법, 소송법 등과 함께 국가 기관 간, 국가와 개인 간의 공적 생활 관계를 규율하는 공법에 속하는 법이다.

**완자 정리 노트**  공법과 사법

| 구분 | 내용 |
|---|---|
| 공법 | • 국가 또는 공공 단체 상호 간 또는 이들과 개인 간의 공적인 생활 관계를 규율하는 법<br>• 예 헌법, 형법, 각종 소송법 등 |
| 사법 | • 개인과 개인 간의 대등한 사적 생활 관계를 규율하는 법<br>• 예 민법, 상법 등 |

### 04 민법의 기능

제시된 사례와 같이 겉으로는 권리 행사처럼 보이지만 실제로는 공공의 복리에 반하는 경우 정당한 권리 행사로 볼 수 없다는 것을 권리 남용 금지의 원칙이라고 하는데, 이 원칙에 어긋난 권리 행사는 그에 따른 법률 효과도 발생하지 않아 무효가 된다. 이러한 권리 남용 금지의 원칙은 민법에 규정된 법의 일반 원칙으로서 법질서 전체에 적용된다.

**┃바로 알기┃** ②, ③, ④, ⑤ 모두 민법의 기능에 해당하지만, 제시문과 관련이 적다.

### 05 근대 민법의 기본 원리

(가)는 사적 자치의 원칙, (나)는 과실 책임의 원칙, (다)는 사유 재산권 존중의 원칙이다. ② 과실 책임의 원칙을 적용하면 피해자는 가해자의 고의나 과실을 증명해야 손해 배상을 받을 수 있다. 그러나 현대 사회에서는 과학 기술의 복잡성 때문에 상대적으로 약자인 피해자가 가해자의 고의나 과실을 증명하기가 어렵다. 그러한 이유로 사회적 강자인 가해자가 손해 배상 책임을 지지 않는 경향이 많아지면서 과실 책임의 원칙을 책임 회피의 수단으로 악용하는 경우도 발생하였다.

**┃바로 알기┃** ① 사적 자치의 원칙은 계약 자유의 원칙이라고도 부른다. 이는 그 계약 내용이 무엇이든 국가나 다른 개인의 간섭을 받지 않고 자신의 의사에 따라 자유롭게 법률관계를 형성할 수 있다는 것이다. ③ 사유 재산권 존중의 원칙은 오늘날 소유권의 공공성과 사회성이 강조되면서 소유권 공공복리의 원칙으로 수정·보완된 것이지 폐기 후 대체된 것은 아니다. ④ (나)는 과실 책임의 원칙 또는 자기 책임의 원칙, (다)는 사유 재산권 존중의 원칙 또는 소유권 절대의 원칙이라고 부른다. ⑤ 사적 자치의 원칙, 과실 책임의 원칙, 사유 재산권 존중의 원칙과 같은 근대 민법의 기본 원리는 모두 개인의 독립성과 자유를 강조하는 개인주의를 바탕으로 하고 있다.

## 06 근대 민법의 기본 원리의 수정 및 보완

자본주의의 발달 과정에서 나타난 사회 문제들로 근대 민법의 기본 원리가 한계에 부딪히자 권리의 공공성과 사회적 책임을 강조하는 방향으로 수정 및 보완되었다. ㄱ. 소유권 절대의 원칙이 소유권 공공복리의 원칙으로 수정·보완되었다. ㄹ. 계약 자유의 원칙은 계약 당사자 간의 현실적인 불평등 관계에 따라 발생할 수 있는 불공정한 계약을 방지하기 위해 계약 공정의 원칙으로 수정·보완되었다.

**| 바로 알기 |** ㄴ은 과실 책임의 원칙, ㄷ은 소유권 절대의 원칙과 관련 있는 내용이다. 과실 책임의 원칙과 소유권 절대의 원칙은 모두 오늘날까지 이어진 근대 민법의 기본 원리에 해당한다.

> **완자 정리 노트**　근대 민법의 기본 원리의 수정·보완
>
> | 소유권 절대의 원칙 | ↻ 빈부 격차 심화 | 소유권 공공복리의 원칙 |
> | --- | --- | --- |
> | 계약 자유의 원칙 | ↻ 사회적 약자에게 부당한 계약 강요 | 계약 공정의 원칙 |
> | 과실 책임의 원칙 | ↻ 사회적 강자의 책임 회피 수단으로 활용 | 무과실 책임의 원칙 |
>
> 근대 민법의 기본 원리는 오늘날 권리의 공공성과 사회적 책임을 강조하는 방향으로 수정 및 보완되었다.

## 07 근대 민법 원칙의 수정

자료의 (가)는 사유 재산권 존중의 원칙, (나)는 계약 공정의 원칙, (다)는 무과실 책임의 원칙이다. ㄴ. 계약 공정의 원칙에 의하면 어느 한쪽에 지나치게 불공정한 내용의 계약은 효력이 발생하지 않는다. ㄷ. 과실 책임의 원칙만으로는 사업가가 사회적 위험이나 공해를 일으켜 개인이 생명, 신체, 재산상 손해를 입더라도 기업에 손해 배상 책임을 묻기 어려운 경우가 많다. 따라서 무과실 책임을 인정하여 고의나 과실이 없더라도 일정한 요건을 충족하면 배상 책임을 지도록 하고 있다.

**| 바로 알기 |** ㄱ. 사유 재산권 존중의 원칙에 의하면 사유 재산권은 절대적으로 존중해야 하므로 공익을 위해서도 제한할 수 없다. ㄹ. 계약 공정의 원칙과 <u>무과실 책임</u>의 원칙은 국가가 나서서 사회적 약자를 보호함으로써 실현되므로 국가 권력의 확대가 필요하다.
　└「제조물 책임법」이나 「환경 정책 기본법」 등에서 무과실 책임이 적용돼.

## 08 계약 공정의 원칙

⑤ 이 계약서는 갑(기획사)에게 일방적으로 유리하고, 을(연습생)에게 지나치게 불리한 내용으로 되어 있으므로 계약 내용이 사회 질서에 위반되고 현저히 공정성을 잃었다고 볼 수 있다. 이러한 계약은 계약 공정의 원칙에 어긋나 무효이다.

---

**| 바로 알기 |** ① 자료에서 제삼자와 관련된 내용은 찾아볼 수 없다. ② 지나치게 높은 위약금을 요구한 것이지 실현 불가능한 계약을 한 것은 아니다. ③ 계약의 내용이 불공정한 것이지 계약 자유의 원칙을 위반한 것은 아니다. ④ 계약서에 갑이나 을의 재산권의 행사에 대한 언급은 없다.

> **완자 정리 노트**　계약 자유의 원칙의 수정·보완
>
> **계약 자유의 원칙**
>
> 개인은 자신의 의사에 따라 타인과 자유롭게 계약을 맺음으로써 권리를 취득하거나 의무를 부담하는 법률관계를 형성할 수 있음
>
> ↻
>
> **문제점 발생**
>
> 경제적 강자가 경제적 약자에게 불리한 내용의 계약을 강제하는 수단으로 악용되기도 함
>
> ↻
>
> **계약 공정의 원칙으로 보완**
>
> 계약의 내용이 사회 질서에 반하거나 공공의 이익을 침해할 경우 법적 효력이 인정되지 않음

# 서술형 문제

118쪽

## 01 주제: 신의 성실의 원칙

**예시 답안** A 씨의 주장이 받아들여지기 어려운 이유는 A 씨가 계약 과정에서 법의 일반 원칙의 하나인 신의 성실의 원칙을 위반했기 때문이다. 우리는 사회 공동체의 일원으로서 원만한 사회생활을 위하여 상대방이 약속한 대로 행동할 것이라는 믿음을 가진다. 이와 같이 권리 행사와 의무의 이행에 있어 이러한 신뢰에 반하지 않도록 성의 있게 행동해야 한다는 법 원칙을 '신의 성실의 원칙'이라고 한다.

**채점 기준**

| 상 | A 씨의 주장이 받아들여지기 어려운 이유를 신의 성실의 원칙과 관련지어 정확히 서술한 경우 |
| --- | --- |
| 하 | A 씨가 신뢰를 저버렸기 때문이라고만 서술한 경우 |

## 02 주제: 무과실 책임의 원칙의 등장 배경

(1) 무과실 책임의 원칙

(2) **예시 답안** 고의나 과실에 의한 배상 책임만 인정하는 과실 책임의 원칙이 사회적 강자가 자신의 책임을 회피하는 수단으로 남용되자, 고의나 과실이 없더라도 다른 사람에게 피해를 준 경우 일정한 요건에 따라 책임을 진다는 무과실 책임의 원칙이 등장하였다.

**채점 기준**

| 상 | 과실 책임의 원칙이 가진 문제점을 쓰고, 이를 보완하기 위하여 무과실 책임의 원칙이 등장하였다고 정확히 서술한 경우 |
| --- | --- |
| 하 | 경제적 강자가 과실 책임의 원칙을 악용하였기 때문이라고만 서술한 경우 |

1 ④   2 ②

## 1 법의 분류

A 법은 재산 관계나 가족 관계 등을 다루는 민법, B 법은 범죄의 종류와 그에 대한 형벌을 규정하는 형법에 해당한다. ㄴ. 민법은 출생, 혼인, 입양 등 가족과 친족의 형성과 역할, 유언과 상속 등 친족 간의 재산 관계 등과 같은 가족 관계를 규율함으로써 우리 사회의 가족 관계를 안정적으로 지속할 수 있도록 가족과 친족의 문화와 질서를 유지하는 기능을 한다. ㄹ. 민법 제568조는 매도인과 매수인의 계약에 관한 규정, 민법 제826조는 부부간의 의무에 관한 규정으로서 모두 개인과 개인 사이의 대등한 법률관계를 다루고 있다. 이처럼 대표적인 사법인 민법은 공적인 법률관계를 규율하는 공법에 속하는 형법과 달리 사적인 법률관계에서 나타나는 권리와 의무의 종류 및 내용을 다룬다.

**┃바로 알기┃** ㄱ. 민법은 행위 규범으로서 구성원들이 어떤 행위를 할 수 있는지, 어떤 행위를 하면 안 되는지에 대한 기준을 제시하며, 재판 규범으로서 구성원이 민법을 위반할 경우 민법의 규정을 기준으로 재판하는 기능을 수행한다. ㄷ. 사법적 영역에 공법적 제재를 가할 수 있는 법은 사회법이다. 사회법에는 노동법, 경제법, 사회 보장법 등이 해당한다.

## 2 계약 공정의 원칙 적용

② A 사의 약관 제37조는 보험 가입자의 보험 해지 요건을 엄격하게 제한한 반면, 보험사는 마음대로 보험 해지를 할 수 있도록 하고 있는데 이는 보험사에만 일방적으로 유리한 내용으로 볼 수 있다. 이것은 지나치게 불공정한 내용의 계약으로서 법원은 이 약관이 계약 공정의 원칙에 어긋난다고 판단했다.

**┃바로 알기┃** ① 제시된 약관 조항에 소유권이나 공공복리와 관련된 내용은 없다. ③은 사적 자치의 원칙(계약 자유의 원칙), ④는 과실 책임의 원칙(자기 책임의 원칙), ⑤는 무과실 책임의 원칙에 대한 설명으로, 제시된 자료와는 관련이 적다.

---

# 02 재산 관계와 법

1 (1) 계약 (2) 불법 행위   2 (1) × (2) ○   3 인과 관계   4 금전
5 (1) ㄷ (2) ㄱ (3) ㄴ   6 (1) 있다 (2) 점유자

| 01 ③ | 02 ③ | 03 ① | 04 ② | 05 ③ | 06 ③ | 07 ⑤ |
| 08 ④ | 09 ④ | 10 ① | 11 ④ | 12 ④ | 13 ⑤ | 14 ④ |
| 15 ② | 16 ① | | | | | |

## 01 계약의 성립

① ㉠은 갑이 을에게 을 소유의 아파트를 사고 싶다고 요구하는 것이므로 청약에 해당한다. ② ㉡은 을이 갑의 요구에 동의하는 것이므로 승낙에 해당한다. 청약과 승낙이 모두 이루어졌으므로 이 시점부터 계약이 성립된다. 계약은 체결 당사자 모두에게 채권을 발생시키는데 갑에게는 아파트를 받을 권리가 발생하고, 을에게는 아파트 매매 대금을 받을 권리가 발생한다. ④ 계약 자유의 원칙에 따라 계약 당사자들이 계약의 체결 여부를 결정하므로 계약이 성립되었더라도 당사자 간 합의가 있으면 계약을 취소할 수 있다. ⑤ 계약의 성립으로 갑에게는 아파트 매매 대금을 지급할 채무가 발생하는데, 갑이 돈을 지급하는 것은 채무를 이행하는 모습에 해당한다.

**┃바로 알기┃** ③ 계약은 청약과 승낙의 의사 표시가 합치했을 때 성립한다. 계약서를 쓰기 전날 갑과 을이 전화하면서 청약과 승낙의 의사 표시가 합치되었으므로 이때 계약이 성립한 것이다. └─ 계약서를 작성해야만 계약이 성립되는 것이 아니야.

## 02 계약의 법적 효과

(가)는 갑의 청약과 을의 승낙을 통한 계약의 성립을, (나)는 을에 의한 계약의 불이행을 나타낸다. ㄴ. (나)에서 을이 도시락 배달이라는 의무를 이행하지 않은 것은 채무 불이행에 해당한다. ㄷ. 채무 불이행으로 손해를 본 상대방은 계약을 취소하거나 손해 배상 등을 청구할 수 있다.

**┃바로 알기┃** ㄱ. (가)에서 갑과 을의 의사 표시가 합치하였기 때문에 계약이 성립되었다. 계약서를 작성하지 않았더라도 계약 당사자들이 계약 내용에 대해 합의한 때 계약이 성립한다. ㄹ. 당사자의 고의나 과실 여부에 관계 없이 채무 불이행에 대하여 채권자는 손해 배상을 받을 수 있다.

## 03 계약서의 분석

B는 A에게 5천만 원의 돈을 빌리고 2년에 걸쳐 갚기로 계약을 맺었다. 이러한 계약을 금전 대차 계약이라고 한다. ② 이 계약으로 A에게는 B에게 5천만 원을 빌려줄 의무와 차용 대금을 받을 권리가

발생한다. 반면, B에게는 A에게 5천만 원을 빌려 받을 권리와 차용 대금을 지불할 의무가 발생한다. ③ 계약서는 당사자의 의사 표시 내용을 명확히 하고 추후 법적 다툼이 발생하였을 때 증거 자료로 활용할 수 있다. ④ 이 계약은 A와 B 사이에 체결된 것이므로 원칙적으로 A와 B 이외의 사람에게는 적용되지 않는다. ⑤ B가 기일 내에 빌려간 돈을 갚지 않으면 채무 불이행에 해당하므로 손해 배상 등의 법적 책임을 질 수 있다.

**바로 알기** ① 계약은 계약 당사자가 의사 능력과 행위 능력을 갖고 있어야 성립하므로, B에게 의사 능력이 없다면 계약은 성립하지 않는다.

**완자 정리 노트** 계약서의 작성

| 계약서의 용도 | 계약의 내용을 명확히 하고, 다툼이 발생했을 때 증거 자료로 활용 가능 |
|---|---|
| 계약서에 포함될 내용 | 계약의 당사자, 계약의 대상(목적물), 계약 내용(거래 약관), 금액의 지급 방법과 시기, 당사자 간의 특약 사항, 계약 체결 일시 및 장소, 당사자 서명 등 |

## 04 계약의 무효

② 대리모 계약, 채무 불이행 시 강제 결혼 약속, 위증 약속은 모두 선량한 사회 풍속에 위반되기 때문에 무효이다.

**바로 알기** ① 제시된 계약 내용은 당사자의 의사가 있으면 실현이 가능하다. ③ 제시된 사례는 당사자끼리 체결한 것이므로 계약 자유의 원칙에 부합한다. ④ 제시된 사례는 무과실 책임의 원칙과는 관련이 없다. ⑤ 제시된 사례가 모두 당사자 일방에게 지나치게 불리한지는 알 수 없다.

## 05 계약의 취소

(가)는 취소에 해당한다. 계약의 취소는 특정인의 주장이 있어야 효력이 없어지며 취소한 법률 행위는 처음부터 무효인 것으로 본다. 행위 능력이 제한되는 자가 법정 대리인의 동의 없이 단독으로 맺은 계약은 취소할 수 있다. 또한 속임수나 협박 또는 강요 등에 의해 의사 표시를 한 경우에도 해당 의사 표시를 취소할 수 있다. ③ 병은 17세로서 미성년자이므로 원칙적으로 법률 행위를 할 때는 부모의 동의를 얻어야 한다. 병이 부모의 동의를 얻지 않고 고가의 화장품을 샀으므로 병 또는 병의 부모가 계약을 취소할 수 있다.

**바로 알기** ① 갑은 6세로서 자신이 한 행위의 의미를 이해할 수 있는 의사 능력이 없다고 봐야 한다. 따라서 갑이 주택 매매 계약서에 서명한 행위는 무효이다. ② 을은 15세로서 미성년자이지만 의사 능력은 있다고 볼 수 있다. 또한 부모가 준 용돈으로 참고서를 산 것은 미성년자가 단독으로 할 수 있는 법률 행위로서 확정적으로 유효하다. ④ 만취한 사람은 의사 능력이 없다고 볼 수 있다. 따라서 만취 상태에서 거액을 빌려주는 계약을 체결한 것은 무효이다. ⑤ 무는 40세로서 의사 능력과 행위 능력을 모두 갖췄으며 절차에 따라 직원을 채용했으므로 이 고용 계약은 확정적으로 유효하다.

## 06 계약의 무효와 취소

(가)는 무효, (나)는 취소이다. 의사 능력이 없는 자의 계약, 계약 내용을 실현할 수 없는 계약, 어느 한쪽 당사자에게 지나치게 불공정한

계약, 선량한 풍속 및 사회 질서를 위반한 계약 등은 무효이므로 처음부터 효력이 발생하지 않는다. 반면 제한 능력자(미성년자, 피성년 후견인, 피한정 후견인)가 단독으로 맺은 계약, 착오로 맺은 계약, 사기나 강요에 의해 맺은 계약 등은 취소할 수 있다.
┌─ 취소권자의 취소 의사 표시가 있어야 가능해.

**완자 정리 노트** 무효와 취소

| 무효 | • 특정인의 주장을 필요로 하지 않으며 당연히 효력이 없는 것으로 보아 법률 효과가 발생하지 않음<br>• 무효인 계약: 의사 능력이 없는 자의 계약, 계약 내용을 실현할 수 없는 계약, 한쪽 당사자에게 지나치게 불공정한 계약, 선량한 풍속과 사회 질서를 위반한 계약 |
|---|---|
| 취소 | • 특정인의 주장이 있어야 효력이 없어지며 취소한 법률 행위는 처음부터 무효인 것으로 봄<br>• 취소할 수 있는 계약: 제한 능력자가 단독으로 맺은 계약(예 미성년자가 부모의 동의 없이 체결한 계약), 착오로 맺은 계약, 사기나 강요에 의해 맺은 계약 |

## 07 의사 능력과 행위 능력

18세의 고등학생은 미성년자로서 행위 능력이 제한된다. 6세의 유치원생은 자신의 행위의 의미를 이해하지 못하므로 의사 능력이 없다. 또한 미성년자이므로 행위 능력도 제한된다. 30세의 회사원은 의사 능력과 행위 능력을 모두 갖추고 있다. 따라서 A는 의사 능력, B는 행위 능력이다. ① 의사 능력은 자신의 행위가 지닌 의미를 인식할 수 있는 정신적 상태 또는 능력을 말한다. ② 행위 능력은 단독으로 완전하고 유효한 법률 행위를 할 수 있는 능력을 말한다. ③ 갑은 미성년자이므로 행위 능력이 제한된다. 따라서 부모의 동의를 얻어야 유효한 법률 행위를 할 수 있다. ④ 의사 능력이 없는 을이 단독으로 행한 임대차 계약은 원칙적으로 무효이다.

**바로 알기** ⑤ 병은 성인으로서 의사 능력과 행위 능력을 모두 갖추고 있으므로 단독으로 유효한 계약을 체결할 수 있다. 따라서 병이 단독으로 체결한 계약은 확정적으로 유효하므로 병의 부모가 취소할 수 없다.

## 08 미성년자의 법률 행위와 거래 상대방의 보호

자료 분석

(가) 아저씨 이 노트북은 얼마인가요? / ○○고등학교에 다니는 모양이구나. 200만 원이야.
┌─ 을은 갑이 미성년자라는 사실을 알고 있었어.
(나) 결제는 어떻게 해 줄까? / 카드로 해 주세요.
┌─ 갑이 성인인 것처럼 거래 상대방을 속이거나 부모님의 동의서를 위조하여 계약한 것은 아니야.

ㄴ. 갑은 단독으로 노트북을 구입하는 계약을 체결하였으므로 갑의 법정 대리인인 부모는 그 계약의 취소를 요구할 수 있다. ㄹ. 을은 갑의 부모에게 이 계약의 취소 여부에 대해 확답을 촉구할 권리가 있다. ┌─ 만약 미성년자가 부모의 동의서나 신분증을 위조하는 등 상대방을 속였을 때는 미성년자 본인 및 법정 대리인이 계약을 취소할 수 없어.

**┃바로 알기┃** ㄱ. 갑은 제한 능력자에 해당하는 미성년자이므로 원칙적으로 단독으로 유효한 행위를 할 수 없다. ㄷ. 미성년자가 법정 대리인의 동의 없이 체결한 계약은 미성년자 본인 또는 법정 대리인이 취소하지 않으면 유효한 법률 행위가 되고, 미성년자 본인 또는 법정 대리인이 이 계약을 취소하겠다는 의사 표시를 하게 되면 취소가 된다. 법률 행위의 효과가 처음부터 발생하지 않는 것은 무효이다.

**완자 정리 노트**    미성년자와 거래한 상대방의 보호

| 확답을 촉구할 권리 | 미성년자와 거래한 상대방은 미성년자의 법정 대리인에게 계약을 취소할 것인지 아닌지를 확정하도록 요구할 수 있음(확답이 없으면 확정적으로 유효한 법률 행위가 됨) |
|---|---|
| 철회권 | 미성년자와 거래한 상대방은 해당 거래에 대한 미성년자의 법정 대리인의 추인이 있을 때까지 거래의 의사 표시를 철회할 수 있음(단, 거래 당시 미성년자임을 몰랐을 경우만 해당됨) |

### 09   미성년자의 법률 행위와 거래 상대방의 보호

④ 갑은 19세 미만인 미성년자이므로 행위 능력이 제한된다. 따라서 갑이 단독으로 도자기를 파는 계약을 하려면 부모의 동의가 필요하다. 만약 미성년자가 법정 대리인(부모)의 동의 없이 단독으로 법률 행위를 한 경우에는 본인이나 미성년자의 부모가 그 계약을 취소할 수 있다. 그런데 미성년자가 법정 대리인의 동의서를 위조하는 등의 속임수를 써서 계약을 체결하였을 경우에는 미성년자 측의 취소권이 배제된다. 이 사례에서 갑이 부모의 동의서를 위조하여 을을 속였으므로 갑과 갑의 부모가 갖는 취소권이 배제되어 이 계약은 확정적으로 유효하다.

**┃바로 알기┃** ① 갑이 부모의 동의를 받은 것처럼 믿게 하였으므로 계약 자체는 유효하다. ② 을이 철회권을 가지려면 을이 거래 당시 갑이 미성년자임을 몰랐어야 한다. 을은 갑이 미성년자임을 알고 있었으므로 철회권을 행사할 수 없다. ③ 갑은 정상적인 의사 결정을 할 수 있는 능력인 의사 능력을 가지고 있다. ⑤ 본래 갑은 행위 능력이 제한되는 미성년자로 이 계약을 취소할 수 있지만, 갑이 법정 대리인의 동의서를 위조하여 거래 상대인 을을 속였으므로 갑과 갑의 부모의 취소권이 배제되어 계약을 취소할 수 없다.

### 10   불법 행위의 성립 요건

불법 행위는 어떤 사람이 고의 또는 과실로 인한 위법 행위로 다른 사람에게 손해를 끼치는 행위를 말한다. 불법 행위가 성립하려면 먼저 가해자에게 고의 또는 과실이 있어야 하며, 가해자의 행위가 법이 보호할 가치가 있는 이익을 위법하게 침해해야 한다. 이때 가해자에게는 자신의 행위가 불법 행위로서 법률상 책임이 발생한다는 것을 판단할 수 있는 능력, 즉 책임 능력이 있어야 한다. 또한 가해자의 위법 행위 때문에 피해자에게 손해가 발생해야 하며,

가해자의 위법 행위와 피해자의 손해 사이에 상당한 인과 관계가 있어야 한다. 이 조건이 모두 갖추어졌을 때 불법 행위가 성립한다.

**┃바로 알기┃** ② 손해 배상 책임을 질 수 있는 경제적 능력이 있는지는 불법 행위의 성립 요건에 해당하지 않는다.

**완자 정리 노트**    불법 행위의 성립 요건

| 고의 또는 과실 | 가해 행위와 관련하여 일부러 한 행동(고의)뿐만 아니라 실수로 저지른 행위(과실)도 불법 행위가 될 수 있음 |
|---|---|
| 위법성 | • 법이 보호할 가치가 있는 이익을 위법하게 침해해야 함<br>• 정당방위나 긴급 피난 등은 위법성이 조각됨 |
| 손해 발생 | • 가해자의 행위 때문에 피해자에게 손해가 발생해야 함<br>• 손해에는 재산적인 손해뿐만 아니라 생명, 자유, 명예 등의 침해에 따른 정신적인 손해도 포함됨 |
| 인과 관계 | 가해자의 위법 행위와 피해자의 손해 사이에 상당한 인과 관계가 있어야 함 |
| 책임 능력 | 자신의 행위가 불법 행위로서 법률상 책임이 발생한다는 것을 분별할 수 있는 능력이 있어야 함 → 어린아이나 심신 상실자 등은 책임 능력이 없다고 봄 |

### 11   불법 행위의 성립 요건

④ A가 고의로 소비자인 B의 개인 정보를 유출하였고, 이로 인해 B가 광고 전화에 시달리는 손해를 입었으므로 A의 행위는 불법 행위가 성립한다.

**┃바로 알기┃** ① A의 행위는 B의 이익을 위법하게 침해하고 있으므로 위법성이 조각된다고 보기 어렵다. 따라서 A의 행위는 불법 행위가 성립한다. ② 30세인 A는 책임 능력이 있으므로 A의 행위는 불법 행위가 성립한다. ③, ⑤ C의 행위는 고의가 아닌 실수로 저지른 행위, 즉 과실에 해당한다. D는 피해를 입었으므로 피해자이고, C는 과실로 인해 D에게 피해를 입혔으므로 C의 행위는 불법 행위가 성립한다.

### 12   손해 배상의 범위와 방법     ┌─ 예) 정정 보도문 게재 등

제시된 글은 손해 배상에 대한 설명이다. ㄱ. 현실적으로 손해의 유형이나 정도에 따라 원상회복이 어려운 경우가 많으므로 민법에서는 원칙적으로 손해에 대한 배상을 금전으로 하도록 규정하고 있다. ㄷ. 명예 훼손에 따른 손해 배상의 경우 금전 배상 외에 명예 회복에 필요한 적당한 처분으로 배상받을 수 있다.

**┃바로 알기┃** ㄴ. 손해 배상은 재산적 손해에 대한 것뿐만 아니라 정신적 고통에 대해서도 청구가 가능하다. ㄹ. 피해자에게 배상액 합의 이후 합의 시 예측할 수 없었던 손해가 발생하고, 합의된 액수와 발생한 손해 사이에 큰 차이가 생겼을 경우 상대방에게 추가적인 손해 배상 청구가 가능하다.

### 13   불법 행위의 유형

ㄷ. (가) 민법 제750조는 불법 행위를 한 가해자가 배상 책임을 지는 경우이므로 일반 불법 행위 책임, (나) 제755조는 책임 무능력자의 불법 행위에 대해 감독자가 배상 책임을 지는 경우이므로 특수 불법 행위 책임에 해당한다. ㄹ. 일반 불법 행위와 특수 불법 행위는 모두 가해 행위와 손해 발생 간에 상당한 인과 관계가 있어야 성립된다.

**바로 알기** ㄱ. 불법 행위로 인한 손해에는 생명, 자유 등의 침해에 따른 정신적인 손해도 포함된다. ㄴ. 책임 능력이 없는 미성년자의 행위는 불법 행위가 성립되지 않으므로 본인은 배상 책임이 없고, 부모 등 감독자가 특수 불법 행위의 책임을 진다. 책임 능력이 있는 미성년자의 불법 행위는 일반 불법 행위이므로 가해자인 미성년자가 배상 책임을 진다. 다만 미성년자이므로 경제적 능력이 없기 때문에 부모가 손해 배상의 책임을 진다.

## 14 특수 불법 행위 책임

**자료 분석**

| 질문 | 답변 | |
|---|---|---|
| | 예 | 아니요 |
| 1. 민법의 불법 행위 요건을 갖추었나요? | ✔ | |
| 2. 본인이 발생시킨 가해 행위에 대한 책임인가요? | | ✔ |
| 3. 사무 감독상의 과실에 대한 책임인가요? | ✔ | |

└ 사용자 배상 책임    특수 불법 행위 책임 ┘

제시된 표에서 자신의 행위가 아닌 데도 배상 책임을 지는 것이고, 사무 감독상의 과실에 대한 책임이므로 특수 불법 행위 중 사용자의 배상 책임에 해당한다. ③ 병은 사용자이고, 행인을 치어 중상을 입힌 사람은 배달 사원인 종업원(피용자)이다. 피해자는 가해자인 종업원에게 직접 책임을 물을 수도 있지만, 피용자가 배상하지 못하는 경우 사용자에게 선임 및 사무 감독상의 과실에 대한 책임을 물을 수 있다. 다만, 가해자인 피용자가 배상했다면 사용자인 병에게는 더 이상 배상 책임을 요구할 수 없다.

**바로 알기** ① 갑이 친구를 때려 상해를 입혔으면 본인이 발생시킨 불법 행위이므로 갑이 배상 책임을 져야 한다. ② 을의 유치원생 아들은 책임 무능력자이다. 따라서 을의 부모가 지는 책임은 책임 무능력자의 감독자 책임이다. ④ 창틀은 공작물이며, 정은 점유자이다. 공작물의 관리상의 과실로 손해가 발생한 경우에는 일차적으로 점유자가 배상 책임을 지고, 점유자에게 과실이 없으면 소유자가 무과실 책임을 진다. ⑤ 무가 소매치기에게 상처를 입힌 것이 정당방위로 인정되면 위법성이 조각되므로 불법 행위로 볼 수 없다.

**완자 정리 노트**  특수 불법 행위의 유형

| 책임 무능력자의 감독자 책임 | 책임 능력이 없는 미성년자나 심신 상실자가 타인에게 손해를 입힌 경우 이를 감독할 법정 의무가 있는 자가 배상 책임을 짐 → 감독자가 감독을 게을리하지 않았음을 스스로 증명하면 책임이 면제됨 |
|---|---|
| 사용자 배상 책임 | 피용자(직원)가 업무와 관련하여 타인에게 손해를 입힌 경우 사용자(업주)는 피용자의 선임 및 사무 감독상의 과실에 대해 배상 책임을 짐 → 사용자가 종업원의 선임 및 그 사무 감독에 상당한 주의를 다하였음을 증명하면 책임이 면제됨 |
| 공작물 점유자 및 소유자 배상 책임 | 공작물 등의 설치 또는 보존상의 하자로 타인에게 손해를 입힌 경우 점유자가 일차적으로 배상 책임을 짐 → 점유자가 손해 방지를 위한 주의를 다하였음을 증명하면 책임이 면제됨 → 점유자의 책임이 면제되는 경우 공작물 등의 소유자가 배상 책임을 짐(이 경우 소유자는 과실 여부와 관계없이 책임을 지는 무과실 책임을 짐) |

| 동물의 점유자 책임 | 동물이 타인에게 손해를 입힌 경우 그 동물의 점유자가 배상 책임을 짐 → 동물의 보호와 관리에 상당한 주의를 기울였음을 증명하면 책임이 면제됨 |
|---|---|
| 공동 불법 행위자 책임 | 여러 사람이 공동으로 타인에게 손해를 입힌 경우, 여러 사람 중 누구의 행위로 피해자가 손해를 입은 것인지 알 수 없는 경우 연대하여 배상 책임을 짐 |

## 15 특수 불법 행위 책임

① (가)의 을은 공작물 점유자 책임, (나)의 병은 사용자 배상 책임을 질 수 있는 사례로 모두 특수 불법 행위 책임에 해당한다. ③ (가)에서 을은 공작물의 점유자이므로 일차적인 배상 책임을 지지만, 을이 손해 방지를 위한 주의 의무를 다하였음을 증명한다면 손해 배상 책임을 지지 않는다. ④ B는 정의 과실에 의해 노트북 컴퓨터가 훼손되어 손해를 입었으므로 정에게 손해 배상을 청구할 수 있다. 또한, 병은 정의 사용자이므로 B는 병에게 사용자 배상 책임을 물을 수 있다. ⑤ (나)에서 정의 가해 행위가 불법 행위가 아니라면 병은 사용자 배상 책임을 질 필요가 없다.

**바로 알기** ② 공작물의 관리 소홀로 손해가 발생했을 경우에는 일차적으로 점유자가 책임을 지고, 점유자의 과실 없음이 증명되어 점유자가 책임을 지지 않을 경우에는 소유자가 무과실 책임을 진다. (가)에서 갑은 외벽 타일의 소유자, 을은 점유자이다. 따라서 일차적으로는 을이 배상 책임을 지지만, 을에게 과실 없음이 증명되면 갑이 배상 책임을 진다. 이때 갑의 책임은 무과실 책임이므로 과실 여부에 상관없이 책임을 진다.

## 16 동물 점유자의 책임

① A가 점유하고 있는 개에 물려 배달원이 다쳤으므로 배달원은 A에게 동물 점유자의 책임을 물을 수 있다.

**바로 알기** ② 불법 행위는 고의뿐만 아니라 과실에 의해서도 성립되므로 A에게 고의가 없었다고 하여 책임이 면제되는 것은 아니다. ③ '개 조심'이라는 팻말을 설치한 것만으로 A의 불법 행위 책임이 면제된다고는 보기 어렵다. ④ 배달원이 개를 주의하지 않았다는 내용을 찾을 수 없고, 또 배달원이 개를 주의하지 않았다고 해서 동물 점유자인 A의 책임이 면제되는 것은 아니다. ⑤ 손해 배상의 범위와 배상액은 가해 행위와 손해 사이의 인과 관계를 기초로 정해지므로, 반드시 동일한 배상 금액이 책정되는 것은 아니다.

**서술형 문제**

128쪽

**01** 주제: 계약의 성립

**예시 답안** B. 을의 청약과 갑의 승낙의 의사 표시가 B 단계에서 합치되었기 때문에 B에서 계약이 성립한다.

**채점 기준**

| 상 | 계약의 성립 시점, 청약과 승낙의 의사 합치에 대해 모두 정확히 서술한 경우 |
|---|---|
| 하 | 계약의 성립 시점, 청약과 승낙의 의사 합치 중 한 가지만을 서술한 경우 |

IV. 개인 생활과 법  43

## 02 주제: 불법 행위의 성립 요건

**예시 답안** 을과 을의 가족이 장염에 걸렸으므로 손해가 발생했고, 갑이 상한 음식을 판매한 과실이 있으며, 갑의 판매 행위가 을의 손해에 영향을 주었으므로 인과 관계가 성립되고, 상한 음식을 판매한 행위는 전체 법질서에 비추어 위법성이 존재한다. 또한 갑은 성인이므로 책임 능력이 존재한다. 따라서 갑의 행위는 불법 행위에 해당한다.

**채점 기준**

| | |
|---|---|
| 상 | 제시된 용어를 모두 사용하여 불법 행위의 성립 요건에 따라 사례를 정확히 분석한 경우 |
| 중 | 제시된 용어 중 일부만을 사용하여 불법 행위의 성립 요건에 따라 사례를 분석한 경우 |
| 하 | 불법 행위의 성립 요건만을 나열한 경우 |

## 03 주제: 책임 무능력자의 감독자 책임

(1) A의 부모

(2) **예시 답안** A(7세)는 자신이 타인에게 어떤 손해를 일으킬 가능성이 있으며 이에 대한 책임이 발생한다는 것을 판단할 능력인 책임 능력이 없다고 볼 수 있다. 따라서 B는 A를 감독할 의무가 있는 A의 법정 대리인인 A의 부모에게 손해 배상을 청구할 수 있다.

**채점 기준**

| | |
|---|---|
| 상 | A가 책임 무능력자임을 언급하고, 그로 인해 법정 대리인이 배상 책임을 져야 한다고 정확히 서술한 경우 |
| 하 | A가 어리기 때문에 법정 대리인이 배상 책임을 져야 한다고만 서술한 경우 |

---

### STEP 3  1등급 정복하기

129~131쪽

1 ③   2 ④   3 ⑤   4 ④   5 ②   6 ③

### 1 계약의 성립 요건

ㄴ. (나)에서 갑의 청약에 대해 을이 승낙함으로써 두 의사 표시가 합치되어 청소기 매매 계약이 성립한다. ㄷ. (나)에서 갑과 을이 청소기 매매 계약을 함으로써 일정한 권리와 의무가 발생한다. 갑은 대금을 지급할 의무(채무)와 청소기를 인도받을 권리(채권), 을은 대금을 받을 권리(채권)와 청소기를 줄 의무(채무)를 갖게 된다. 따라서 갑과 을 모두에게 채권과 채무 관계가 발생한다.

┃**바로 알기**┃ ㄱ. 청약은 계약을 체결하고 싶다는 의사를 표시하는 것을 의미한다. (가)에서 을이 갑의 구매 행위를 돕기 위해 단순히 물건을 살펴볼 것을 권유한 것은 청약으로 보기 어렵다. (나)에서 "이 제품을 살게요."라고 말한 것이 청약에 해당한다. ㄹ. 을이 갑에게 하자 있는 제품을 판매한 것은 계약에 따른 의무를 완전히 이행하지 못한 것이므로 을은 일반 불법 행위에 대해 채무 불이행의 책임을 질 수 있다.

### 2 법률 행위의 효과 분석

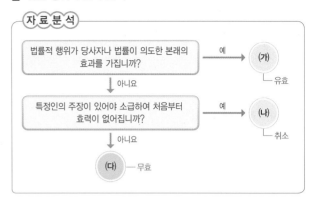

(가)는 유효, (나)는 취소, (다)는 무효이다. ④ 도박은 선량한 풍속을 해치는 반사회적인 행위이므로, 이러한 행위를 이유로 한 금전 거래는 그 자체로 무효이다.

┃**바로 알기**┃ ①, ③ 어린아이와 만취한 사람은 의사 능력이 없다고 볼 수 있다. 의사 능력이 없는 자의 계약은 무효이다. ② 미성년자가 거래 상대방을 속여 법정 대리인의 동의를 받은 것처럼 믿게 한 경우 미성년자 본인과 부모의 취소권이 배제되어 확정적으로 유효한 행위가 된다. ⑤ 미성년인 아들이 단독으로 체결한 고용 계약을 법정 대리인(부모)이 취소한 것은 유효한 법률 행위이다.

### 3 미성년자의 법률 행위

⑤ 원칙적으로 병의 부모는 제한 능력자인 병이 부모의 동의 없이 단독으로 맺은 스마트폰 매매 계약을 취소할 수 있다. 그러나 정은 부모의 동의서를 위조하여 거래 상대방을 속였으므로 취소권이 배제된다. 따라서 정의 부모는 정이 맺은 계약을 취소할 수 없다.

┃**바로 알기**┃ ① 용돈은 처분을 허락한 재산이고 미성년자라도 부모가 처분을 허락한 재산의 처분 행위는 단독으로 할 수 있으므로 갑의 부모는 학용품 매매 계약을 취소할 수 없다. ② 을은 부모의 동의를 얻어 오토바이를 샀으므로 이 계약은 확정적으로 유효하다. 따라서 을의 부모는 이 계약을 취소할 수 없다. ③ 병과 거래한 상대방은 거래 당시 병이 미성년자임을 알고 있었으므로 철회권을 행사할 수 없다. ④ 미성년자가 부모의 동의를 얻지 않고 체결한 계약은 미성년자 본인이 부모의 동의 없이 취소할 수 있다.

### 4 불법 행위의 성립 요건

④ 갑이 A 아파트 놀이터에서 놀다가 운동 기구에 손가락을 다친 것에 대한 손해 배상 사건에 대해 법원은 A 아파트의 배상 책임을 인정했다. 법원은 A 아파트 측에서 놀이터에 '외부인 이용 금지'라는 표지판을 붙였다고 하더라도 놀이터는 아파트 입주민 외에도 여러 사람이 이용할 수 있는 시설이기 때문에 그것만으로 A 아파트 관리 사무소장의 책임이 면제되는 것은 아니고, 놀이터의 운동 기구가 통상 갖추어야 할 안전성을 갖추지 못한 하자 때문에 갑이 손해를 입었다고 판단했다. 즉, 이 사건의 재판 과정에서 갑이 손해를 입은 것이 A 아파트의 과실인지 아닌지가 쟁점이 되었음을 알 수 있다.

┃**바로 알기**┃ ① 제시된 사례는 불법 행위 자체가 성립하는지 여부를 주요 쟁점으로 삼고 있다. ② A 아파트가 운동 기구의 관리를 소홀히 하여 갑에게

신체적 손해가 발생했으므로 위법성이 존재한다. ③ A 아파트 관리 사무소장은 당연히 책임 능력이 존재하기 때문에 이것은 재판에서 쟁점이 되지 않는다. ⑤ 운동 기구의 하자가 안전성을 침해하는 것은 당연하므로 쟁점이 되지 않는다.

## 5 사용자의 배상 책임

② 을은 갑의 사용자이고, 갑의 불법 행위 당시 갑은 을의 사무 감독하에 있었으므로 을은 사무 감독상의 과실이 있다고 볼 수 있다. 따라서 을은 병에 대해 특수 불법 행위 중 사용자의 배상 책임을 질 수 있다.

**┃ 바로 알기 ┃** ① 갑은 미성년자이지만 책임 능력이 인정된다면 병은 갑에게 직접 일반 불법 행위 책임을 물을 수 있다. 갑의 행위는 을의 사무 감독상에서 일어난 것이므로 갑의 부모에게 책임을 물을 수는 없다. ③ 병은 갑과 계약을 한 것이 아니라 사용자인 을과 계약을 한 것이다. 따라서 병은 을에 대해 채무 불이행에 근거하여 손해 배상을 요구할 수 있다. ④ 불법 행위로 인한 손해 배상은 원칙적으로 금전으로 배상해야 하지만 명예 훼손의 경우에는 명예 회복에 적절한 조치로도 배상할 수 있다. ⑤ ㉠은 갑은 일반 불법 행위 책임, 을은 특수 불법 행위 책임을 져야 하는 사례이다. ㉡은 갑 자신이 손해 배상 책임을 져야 하는 일반 불법 행위 책임에 해당하는 사례이다.

## 6 불법 행위 책임의 유형

일반 불법 행위 책임, 공작물 점유자의 배상 책임, 동물 점유자 책임, 공동 불법 행위 책임

**자료 분석**

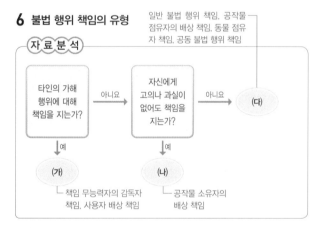

③ 책임 능력이 있는 미성년자의 손해 배상 책임은 자신의 가해 행위에 대해 미성년자 자신이 책임을 지는 것이므로 (다)에 해당한다.

**┃ 바로 알기 ┃** ① 공동 불법 행위자의 손해 배상 책임은 자신의 행위에 대한 책임이므로 (다)에 해당한다. ② 공작물 점유자의 손해 배상 책임은 공작물 관리에서의 점유자의 과실이 인정된 것이므로 (다)에 해당한다. ④ 근대 민법의 원칙 중에서 과실 책임의 원칙은 자신의 고의나 과실에 대해서만 책임을 지는 것이다. 이러한 과실 책임의 원칙을 강조한 것은 (다)이다. (가)는 타인의 행위에 대한 책임을 지는 것이고, (나)는 자신에게 고의나 과실이 없어도 책임을 지는 무과실 책임의 원칙이 적용된 것이다. ⑤ 후발 손해에 대한 책임은 일반 불법 행위 책임이든 특수 불법 행위 책임이든 관계없이 인정된다.

# 03 가족 관계와 법

**STEP 1** 핵심 개념 확인하기        134쪽

1 (1) 혼인 (2) 형식적    2 (1) × (2) × (3) ○    3 ㉠ 협의 이혼
㉡ 재판상 이혼   4 (1) 친자 관계 (2) 친권   5 (1) – ㉡ (2) – ㉠

**STEP 2** 내신 만점 공략하기        134~136쪽

01 ③    02 ⑤    03 ⑤    04 ③    05 ②    06 ①    07 ⑤
08 ③

## 01 혼인의 법적 효과

① 남녀가 혼인하면 배우자라는 친족 관계가 형성된다. ② 부부는 원칙적으로 함께 살면서 서로 부양하고 협조해야 할 의무가 있다. ④ 부부는 부부와 그 자녀의 공동생활을 위해 필요한 일상적인 거래에 대해서는 어느 한쪽이 결정할 수 있으며, 이에 대해 연대 책임을 진다. ⑤ 18세의 미성년자가 부모의 동의를 얻어 혼인하면 성년으로 의제되어 단독으로 완전하고 유효한 법률 행위를 할 수 있다.

**┃ 바로 알기 ┃** ③ 민법에서는 혼인 전 가지고 있던 재산과 결혼 생활 중 자신의 명의로 취득한 재산에 대해서는 각자가 소유하고 관리하는 부부 별산제를 적용한다.

## 02 성년 의제

① A와 B는 법률혼 부부로서 함께 살면서 서로 돌보아야 할 의무를 진다. ② 성년 의제 효과는 민법에서만 적용된다. 「청소년 보호법」상 A는 현재 청소년이므로 B와 달리 담배나 술을 구입할 수 없다. ③ A는 18세의 미성년자이므로 부모의 동의를 얻어 혼인했을 것이다. ④ A와 B는 모두 18세 이상이므로, 공직 선거에서 투표권을 갖는다.

**┃ 바로 알기 ┃** ⑤ A는 혼인으로 성년 의제되었으므로 민법상 행위 능력자가 된다. 따라서 A는 단독으로 법률 행위를 할 수 있으므로 A가 아파트를 팔기 위해서 부모의 동의를 얻을 필요가 없다.

## 03 법률혼과 사실혼

(가)는 사실혼 관계의 부부, (나)는 법률혼 관계의 부부이다. ① 사실혼 관계의 부부에게도 배우자 간 협조와 부양 의무, 일상 가사 대리권 등은 적용된다. ② 18세의 미성년자가 부모의 동의를 얻어 결혼하고 혼인 신고를 하면 법률혼 관계의 부부가 되어 성년으로 간주된다. ③ 사실혼 상태에서는 배우자와의 새로운 친족 관계가 발생하지 않지만, 법률혼 관계의 부부에게는 법적으로 새로운 친족 관계가 형성된다. ④ 사실혼 상태의 부부에게는 어느 한쪽이 사망하더라도 상속권이 발생하지 않는다.

**┃바로 알기┃** ⑤ 사실혼 관계의 부부는 법적 절차를 거치지 않고 당사자들의 의사 합치만으로 이혼할 수 있다. 그러나 법률혼 관계의 부부가 이혼하기 위해서는 법적인 이혼 절차를 거쳐야 한다. 이때 협의 이혼과 재판상 이혼 중 어느 것을 해야 하는지는 이혼 의사의 합치 여부로 결정된다.

## 04 이혼의 유형

(가)는 이혼 소송을 제기했으므로 재판상 이혼, (나)는 부부의 이혼 의사가 합치했으므로 협의 이혼에 해당한다. ㄴ. 협의 이혼에서는 경솔한 이혼을 막고자 양육할 자녀가 있으면 3개월, 없으면 1개월의 이혼 숙려 기간을 둔다. 병과 정에게는 딸이 있으므로 3개월의 이혼 숙려 기간을 거쳐야 한다. ㄷ. 병이 딸을 양육하기로 했다면 정에게는 딸을 만나볼 수 있는 면접 교섭권이 인정된다.

**┃바로 알기┃** ㄱ. 부부 공동 재산에 대한 분할 청구는 이혼 시 재산의 청산을 의미하므로 이혼의 원인이 누구에게 있는지는 문제가 되지 않는다. 따라서 을에게 이혼의 책임이 있다 하더라도 을은 재산 분할 청구권을 가진다. ㄹ. 협의 이혼과 재판상 이혼 모두 법원을 거쳐야 한다. 협의 이혼에서는 이혼 의사 확인서를 법원이 발급해 주며, 재판상 이혼에서는 법원이 이혼 조정과 이혼 소송 절차를 담당한다.

## 05 재판상 이혼

① 이혼 소송은 법에서 정한 사유가 있을 경우에만 할 수 있는데, 주문에서 원고 갑과 피고 을은 이혼하라는 내용과 피고 을이 원고 갑에게 위자료를 지급하라는 내용을 통해 법원은 이혼의 책임이 을에게 있다고 판단한 것으로 추측할 수 있다. ③ 협의 이혼에서는 법원의 이혼 의사 확인을 받아 행정 기관에 이혼 신고를 하여야 이혼이 성립하고, 재판상 이혼에서는 법원의 판결로써 이혼이 성립한다. ④ 재판상 이혼은 예외적인 경우를 제외하고 이혼 소송 전에 가정 법원의 조정 절차를 거치도록 하고 있는데, 이혼 소송이 진행된 것으로 볼 때 갑과 을이 이혼 조정에 실패한 것으로 볼 수 있다. ⑤ 이혼으로 인해 갑과 을의 법률관계는 소멸한다. 따라서 을이 사망할 경우 갑은 법정 상속권을 갖지 못하지만, 딸 병은 법정 상속권을 가진다.

**┃바로 알기┃** ② 이혼 숙려 제도는 협의 이혼 시 이혼을 신중하게 결정할 수 있도록 일정 기간을 두는 제도이다. 갑과 을은 재판상 이혼을 진행 중이므로 이혼 숙려 기간을 거치지 않는다.

**완자 정리 노트** 이혼의 유형

| 협의<br>이혼 | • 의미: 당사자 간의 합의로 이루어지는 이혼<br>• 절차: 이혼 의사 확인 신청 → 이혼 숙려 기간 → 가정 법원의 이혼 의사 확인 → 행정 기관에 이혼 신고 |
|---|---|
| 재판상<br>이혼 | • 의미: 법이 정한 사유가 있는 경우에 법원의 판결로써 강제로 이루어지는 이혼<br>• 절차: 재판상 이혼 신청 → 이혼 조정 → 이혼 소송(판결) → 행정 기관에 이혼 신고 |

## 06 친양자 제도

① C는 D와 E의 친생자이지만 A와 B가 법원의 판결을 받아 C를

친양자로 입양했다. 이때 입양된 친양자는 양부모의 혼인 중 출생자로 간주한다.

**┃바로 알기┃** ② C는 친양자로 입양되면서 친생자와 동일한 지위를 갖게 되므로 A와 B가 사망하더라도 입양이 취소되지 않는다. ③ 친양자는 입양되는 순간 친생부모와의 친족 관계가 종료된다. 따라서 C는 D가 사망하더라도 상속인의 지위를 갖지 않는다. ④ C는 A와 B의 자녀가 되었으므로 A와 B가 친권을 행사한다. D와 E는 더 이상 C에 대한 친권을 행사할 수 없다. ⑤ C는 친양자로 입양되면서 양부모인 A 또는 B의 성과 본을 따르므로 인지 절차를 밟을 필요가 없다.

## 07 친권

> 친권은 부모가 공동으로 행사하는 것이 원칙이지만, 부모 중 한쪽이 친권을 행사할 수 없을 때는 다른 한쪽이 행사해.

밑줄 친 '이것'은 친권이다. ① 친권은 미성년 자녀에 대하여 부모가 갖는 권리이다. 따라서 자녀가 성년자가 되거나 미성년자가 혼인하여 성년으로 의제되면 친권이 소멸한다. ② 부모는 친생자뿐만 아니라 양자에 대해서도 친권을 행사할 수 있다. ③ 오늘날 친권은 자녀에 대한 부모의 권리로서의 성격보다는 자녀를 보호하고 올바르게 양육해야 하는 의무로서의 성격이 더 강하다. ④ 부모가 친권을 남용할 경우 가정 법원의 판사가 친권 상실을 명할 수 있다.

**┃바로 알기┃** ⑤ 부모가 이혼하는 경우에는 친권 행사자를 지정하는데 부모가 협의하여 지정하고, 협의가 되지 않을 때는 법원에서 지정한다.

## 08 유언과 상속

A의 사망으로 상속이 개시되면 법정 상속인은 상속 1순위인 배우자 C와 직계 비속 D, E, F이다. 노모 G는 A의 직계 존속으로서 상속 2순위이다. 상속 1순위자가 있으므로 G는 상속인이 되지 않는다. ③ D, E, F는 모두 A의 직계 비속으로 같은 순위의 상속인이므로 균등하게 상속을 받는다.

**┃바로 알기┃** ①, ④ C는 배우자로서 직계 비속과 공동 상속인이다. 같은 순위의 상속인들의 상속분은 균등 분할되지만, 배우자의 상속분은 1.5배이다. 법정 상속분은 C:D:E:F=1.5:1:1:1의 비율이므로 총 상속액 9억 원에서 C는 3억 원, D, E, F는 각 2억 원씩 상속받는다. ② B는 이혼한 부인으로서 A와의 법률관계가 이미 소멸되었으므로 상속인이 되지 않는다. ⑤ C가 상속을 포기하더라도 직계 비속인 D, E, F가 남아 있으므로 G는 상속인이 되지 않는다.

 **서술형 문제**

136쪽

## 01 주제: 사실혼 부부의 권리와 의무

**예시 답안** ㉠ 사실혼 부부에게는 동거·부양·협조의 의무, 일상 가사 대리권 등이 발생한다. ㉡ 사실혼 부부에게는 혼인 신고를 전제로 하는 친족 관계, 상속권 등은 발생하지 않는다.

## 02 주제: 일상 가사 대리권

**예시 답안** 부부간에는 일상 가사를 서로 대리할 수 있다. 자녀의 교육비는 일상 가사에 해당하므로 이로 인해 발생한 채무에 대해 부부는 연대 책임을 진다. 따라서 상담을 요청한 사람은 아내가 빌린 100만 원에 대한 채무를 갚아야 할 책임이 있다.

| 채점 기준 | |
|---|---|
| 상 | 일상 가사 대리권을 제시하고, 교육비가 일상 가사에 해당하며, 연대 책임으로 인해 아내가 빌린 돈을 갚을 책임이 있다고 정확히 서술한 경우 |
| 하 | 일상 가사 대리권에 대한 언급 없이 아내가 빌린 돈을 남편이 갚아야 한다고만 서술한 경우 |

## 03 주제: 양자와 상속

(1) 갑의 법정 상속인: 을과 A, 병의 법정 상속인: 정과 A, B

(2) **예시 답안** A는 친양자가 아닌 양자이므로 갑과 을의 양자로 입양되더라도 친생부모인 병, 정과의 관계가 계속 유지된다. 따라서 A는 갑과 병 모두의 법정 상속인이 된다. 갑의 재산은 10억 원이므로 배우자 을은 6억 원, A는 4억 원을 상속받는다. 병의 재산은 14억 원이므로 배우자 정은 6억 원, 자녀 A와 B는 각각 4억 원을 상속받는다. 따라서 A는 총 8억 원을 상속받는다.

| 채점 기준 | |
|---|---|
| 상 | A가 친양자가 아닌 양자이므로 양부모와 친생부모 모두의 법정 상속인이 된다는 점을 들어 법정 상속분을 정확히 계산한 경우 |
| 하 | 친양자가 아닌 양자의 법적 지위를 서술하지 않고 법정 상속분만 옳게 계산한 경우 |

## 1 이혼의 유형

(가)는 당사자가 이혼에 합의했으므로 협의 이혼, (나)는 이혼에 관한 판결을 구하는 것이므로 재판상 이혼이다. ㄴ. 이혼이 이루어지면 혼인 중 형성한 공동의 재산에 대하여 재산 분할 청구권이 발생하므로, 이혼의 당사자인 갑은 을에게 재산의 분할을 청구할 수 있다. ㄷ. 재판상 이혼은 당사자가 이혼에 합의하지 못하고, 민법에 정한 사유가 있어야 청구할 수 있다.

**│바로 알기│** ㄱ. 협의 이혼은 가정 법원의 이혼 의사 확인 후 행정 기관에 이혼 신고를 함으로써 효력이 발생한다. ㄹ. 이혼으로 인해 부부간의 권리와 의무는 소멸되지만, 부모와 자녀 간의 법적 관계는 소멸하지 않는다.

## 2 친양자 입양과 상속

**자료 분석**

갑과 을은 법률상 부부이고 그 사이에는 혼인 중의 출생자 A가 있다. 한편 병과 정 역시 법률상 부부이고 그사이에는 혼인 중의 출생자 C가 있다. 그런데 어느 날 교통사고로 을이 사망하였고, 병과 정은 이혼하였다. 이후 갑과 정이 결혼하여 혼인 신고를 하였고, 병은 홀어머니를 모시고 C와 함께 살고 있다. 갑과 정의 혼인 중에 B가 태어났고, 정은 함께 살고 있던 A를 친양자로 입양하였다.

① 친양자로 입양되면 친생부모와의 관계가 단절되지만, 그 친생부모가 양부모와 재혼한 경우에는 재혼한 친생부 또는 모와의 관계가 단절되지 않는다. 갑과 정이 재혼하면서 정이 A를 친양자로 입양했으므로 갑과 A와의 관계는 단절되지 않는다. 따라서 갑이 유언 없이 사망할 경우 A는 상속인이 된다.

**│바로 알기│** ② 을의 사망 당시 갑은 배우자, A는 직계 비속이므로 갑은 A의 상속분보다 1.5배를 더 받는다. ③ A는 갑과 을의 혼인 중 친생자이고, B는 갑과 정의 혼인 중 친생자이므로 친자 관계가 형성된다. 따라서 갑은 A와 B에 대해 친권을 행사할 수 있다. 그러나 C는 병과 정의 혼인 중 출생자이며, 갑과 정이 재혼하면서 갑이 C를 양자나 친양자로 입양한 것이 아니므로 갑과 C는 친자 관계가 아니다. 따라서 갑은 C에 대해서는 친권을 행사할 수 없다. ④ 병이 유언 없이 사망할 경우 상속인은 직계 비속인 C뿐이므로 C가 2억 5천만 원의 재산을 모두 상속받는다. ⑤ 병과 정은 이미 이혼하였기 때문에 정의 사망으로 병이 상속인이 되지는 않는다.

| | | | | | | |
|---|---|---|---|---|---|---|
| 01 ⑤ | 02 ② | 03 ② | 04 ③ | 05 ③ | 06 ④ | 07 ④ |
| 08 ③ | 09 ⑤ | 10 ② | 11 ④ | 12 ⑤ | 13 ⑤ | 14 ② |
| 15 ④ | 16 ① | | | | | |

## 01 민법의 기능

제시된 두 사례는 채권자와 채무자, 즉 개인 간의 재산 관계를 둘러싸고 발생하는 채무 불이행을 민법에 근거하여 해결하는 과정을 보여 준다. 이처럼 민법은 재산 관계나 가족 관계 등과 관련한 권리와 의무를 규정하여 개인 간의 사적인 법률관계를 조율하고 갈등을 해소하는 기능을 한다.

**┃바로 알기┃** ① 민법은 사적인 법률관계에서 발생하는 권리와 의무의 종류 및 내용을 다루는 가장 대표적인 사법이다. ② 민법에 대한 옳은 설명이지만, 제시된 사례들을 통해서는 알 수 없는 내용이다. ③ 제시된 사례에서 부실 공사를 인정하고 이에 대해 보수 공사를 해 주는 것처럼 민법에는 권리 행사와 의무의 이행에서 신뢰에 어긋나지 않게 성실하게 행동해야 한다는 원칙인 신의 성실의 원칙이 적용된다. ④ 계약에 따른 의무를 이행하지 않아 상대방에게 손해를 끼치는 채무 불이행이 발생할 경우 계약의 해제, 강제 이행, 손해 배상 등의 법적 책임을 물을 수 있다.

## 02 근대 민법의 기본 원리

제시문은 민법의 근본이념인 자유주의와 개인주의에 대한 것이다. 근대 민법은 모든 개인은 태어날 때부터 완전히 자유롭고 서로 평등하다고 하는 사상을 기본으로 하였다. 이러한 사상은 사유 재산권 존중의 원칙, 사적 자치의 원칙, 과실 책임의 원칙으로 구체화되었다. ①, ③ 소유권 절대의 원칙(사유 재산권 존중의 원칙)으로서 개인의 사유 재산에 대한 절대적 지배를 인정하고, 국가나 다른 개인은 이를 침해하거나 제한할 수 없다는 원칙이다. ④ 과실 책임의 원칙(자기 책임의 원칙)으로서 개인이 자신의 행위에 충분한 주의를 기울였다면 비록 그 행위로 다른 사람이 손해를 입었더라도 발생한 손해를 책임질 필요가 없으며, 오직 자신의 과실이 있는 경우에만 책임진다는 원칙이다. ⑤ 사적 자치의 원칙(계약 자유의 원칙)으로서 개인은 자율적인 판단에 기초하여 법률관계를 형성해 나갈 수 있다는 원칙이다.

**┃바로 알기┃** ② 소유권 행사 시 사회성과 공공성을 고려한다는 것은 개인의 소유권의 절대성을 인정하지 않고, 공공복리를 위하여 재산권과 계약에 국가가 일정 부분 제약을 가할 수 있다는 의미이므로 근대 민법의 기본 원리를 수정·보완한 내용과 관련이 있다.

## 03 계약 공정의 원칙

㉠은 계약 공정의 원칙이다. 병원에서 자기 집을 가진 사람의 연대 보증을 요구하는 것은 환자에게 지나치게 불리한 내용으로서 불공정한 계약에 해당한다. 따라서 근대 민법의 수정 원리인 계약 공정의 원칙에 어긋난다고 볼 수 있다. 계약 공정의 원칙이란 계약의 내용이 사회 질서에 반하거나 공공의 이익을 침해할 경우 법적 효

력이 인정되지 않는다는 원칙이다. 이는 계약 당사자 간의 현실적인 불평등 관계에 따라 발생할 수 있는 불공정한 계약을 방지하기 위한 것이다.

**┃바로 알기┃** ① 과실 책임의 원칙은 타인에게 손해를 입힌 사람은 원칙적으로 자신의 고의 또는 과실로 위법하게 타인에게 가한 손해에 대해서만 책임을 진다는 것이다. ③ 계약 자유의 원칙에 의한다면 어떤 방식으로 계약을 체결하든 제삼자가 간섭해서는 안 된다. ④ 소유권 절대의 원칙은 개인 소유의 재산에 대한 사적 지배를 인정하고 국가나 다른 개인이 이를 함부로 간섭하거나 제한하지 못하게 하는 것이다. ⑤ 소유권 공공복리의 원칙은 개인의 소유권이 공공의 이익에 부합하도록 행사되어야 한다는 원칙이다.

## 04 무과실 책임의 원칙

법원은 피해자가 압력밥솥을 정상적으로 사용했는데도, 갑자기 폭발했다면 제조물의 결함으로 추정된다고 밝혔다. 복잡한 기계 문명이 발달한 오늘날 특정 제품의 제조 과정에서 제조업자의 과실이 있었는지를 피해자가 증명하는 것은 불가능에 가까우므로 이 경우는 제조업자의 과실이 없더라도 배상 책임을 져야 한다고 보았다. 즉, 가해자에게 고의나 과실이 없더라도 배상 책임을 지도록 하는 무과실 책임 원칙이 적용된 사례이다.

**┃바로 알기┃** ① 제시된 사례에서는 고의나 과실의 책임이 없더라도 제조업자가 이를 책임져야 한다는 것을 설명한다. ② 제시된 사례에서는 제조업자와 소비자의 계약이 아닌 손해 배상 책임의 유무에 관해 언급하고 있다. ④ 제시된 사례는 공공복리가 아닌 개인의 이익과 관련한 문제이다. ⑤ 제시된 사례에 계약의 사회 질서 위반 및 공정성 결여 여부는 제시되어 있지 않다.

**완자 정리 노트  무과실 책임의 원칙**

| 등장 배경 | 과실 책임의 원칙이 경제적 강자가 자신의 책임을 회피하는 구실로 이용되자, 이를 보완하기 위해 등장함 |
|---|---|
| 내용 | 가해자에게 고의나 과실이 없더라도 일정 요건이 충족되기만 하면 그 행위로 발생한 손해를 피해자에게 배상해야 함 |
| 적용 사례 | 사업자의 환경 침해나 제조물 책임 등 특수한 경우에는 고의 또는 과실이 없어도 무과실 책임의 원칙을 적용하여 사업자나 제조사에 책임을 물을 수 있도록 함 |

## 05 소유권 공공복리의 원칙

③ 상가 건물 출입구는 많은 사람들이 상가를 이용하는 통로로써 이 출입구를 봉쇄하게 되면 많은 사람들이 다른 길로 돌아가야 하기 때문에 불편을 겪게 된다. 물론 이 출입구는 갑의 땅이 맞지만, 을과의 다툼을 이유로 많은 사람들이 이용하는 출입구를 봉쇄하는 것은 소유권 공공복리의 원칙에 비추어 정당하지 않다. 이처럼 오늘날에는 재산이 사유권이기도 하지만 공공복리에 어긋나는 방식으로 행사해서는 안 된다.

**┃바로 알기┃** ① 제시된 사례에서 갑과 을의 계약 여부는 나타나 있지 않다. ② 갑은 자신의 사유 재산을 공공복리에 맞지 않게 행사한 것이지, 다른 사람의 사유 재산을 제한한 것은 아니다. ④ 갑과 을 사이에 법률관계가 형성되었는지, 이 과정에 국가가 개입하였는지 여부는 제시된 사례에 나타나 있지 않다. ⑤ 과실 책임의 원칙에 대한 내용으로 제시된 사례와는 관련 없다.

## 06 계약의 성립

(가)에서 홍보물 제작과 관련하여 당사자 간에 의사 표시가 합치되어 계약이 성립하였다. 이 계약에 의해 갑은 홍보물을 받을 권리(채권)을 갖고 대금을 지급할 의무(채무)를 가지며, 을은 대금을 받을 권리(채권)를 갖고 홍보물을 제작해 주어야 할 의무(채무)를 가진다. ④ (나)에서 을이 홍보물 배달이라는 의무를 이행하지 않은 것은 채무 불이행에 해당한다. 채무 불이행으로 손해를 본 상대방(갑)은 계약을 해제하거나 계약의 강제 이행, 손해 배상 등을 청구할 수 있다. └ 계약의 한 당사자가 채무를 이행하지 않았을 때 그 상대방이 일정한 요건에 따라 계약을 처음부터 없었던 것으로 하는 의사 표시야.

**바로 알기** ①, ② (가)에서 갑의 말이 청약, 을의 말은 승낙에 해당한다. ③ 계약은 당사자 간 의사 표시의 합치이므로 갑과 을이 전화로 계약 내용에 대해 합의한 때에 계약이 이루어진 것이다. 따라서 반드시 계약서를 써야 계약이 성립하는 것은 아니다. ⑤ 계약이 이루어진 (가)에서 당사자 간에 일정한 권리와 의무가 발생한다.

**완자 정리 노트**　계약 체결 과정

| 계약의 성립 | 청약과 승낙의 의사 표시가 합치되면 계약이 체결됨 |
|---|---|
| ↺ | |
| 계약의 효력 | 당사자에게 일정한 권리(채권)와 의무(채무)가 발생함 |
| ↺ | |
| 계약의 이행 | 채무 불이행 시 손해 배상 등의 책임이 발생함 |

## 07 계약서의 분석

ㄴ. 계약서에 명시된 내용에 따라 갑은 공사를 시행 받을 권리와 공사 대금을 지급할 의무를 갖는다. 반면, 을은 공사 대금을 받을 권리와 공사를 완료할 의무, 1년간 무상 수리를 할 의무를 가진다. ㄹ. 갑과 을 중 어느 한쪽이 18세의 미성년자이면서 법정 대리인의 동의를 받지 않았을 경우에는 미성년자 본인 또는 법정 대리인이 이 계약을 취소할 수 있다.

**바로 알기** ㄱ. 계약의 법적 효력은 당사자 간의 청약과 승낙의 의사 표시 합치로 발생한다. ㄷ. 계약서에 무상 수리 기간이 1년이라고 특약하였으므로 갑과 을의 법률관계는 공사 완료 후에도 일정 기간 지속된다. 이처럼 계약서는 당사자의 의사 표시 내용을 명확히 하고, 추후 법적 다툼이 발생하였을 때 증거 자료로 활용할 수 있다.

## 08 무효와 취소

의사 능력이 없는 자의 계약, 계약 내용을 실현할 수 없는 계약, 어느 한쪽 당사자에게 지나치게 불공정한 계약, 선량한 풍속 및 사회 질서를 위반한 계약 등은 무효이므로 처음부터 효력이 발생하지 않는다. 반면 제한 능력자의 단독 법률 행위, 착오에 의한 법률 행위, 사기나 강요에 의한 법률 행위 등은 취소할 수 있다. ③ (가)에서 도박 자금을 빌리면서 갚기 많을 주기로 한 것은 선량한 풍속과 사회 질서를 위반한 계약이므로 무효이다. (나)에서 을은 행위 능력이 제한되는 미성년자이므로 을이 부모의 동의를 받지 않고 노트북 컴퓨터를 구입한 계약은 을 또는 을의 부모가 취소할 수 있다.

## 09 미성년자의 법률 행위

미성년자는 법률 행위를 할 때 원칙적으로 법정 대리인의 동의를 얻어야 하지만 단순히 권리만을 얻거나 의무만을 면하는 행위, 처분이 허락된 재산을 사용하는 행위 등은 법정 대리인의 동의 없이도 미성년자 단독으로 할 수 있다. ㄷ. 용돈은 처분이 허락된 재산이므로 이를 사용하는 행위는 미성년자 단독으로 할 수 있다. ㄹ. 미성년자가 권리만을 얻는 법률 행위를 할 경우는 단독으로 할 수 있다. 친척으로부터 조건 없이 선물을 받은 것은 권리만을 얻는 경우에 해당하므로 부모의 동의를 얻을 필요가 없다.

**바로 알기** ㄱ. 부모가 처분을 허락하지 않은 재산을 미성년자가 사용한 것이므로, 단독으로 유효한 법률 행위가 아니다. ㄴ. 아르바이트하는 것은 미성년자에게 노동의 제공이라는 의무를 부여하는 것이므로, 법정 대리인의 동의가 있어야만 유효한 법률 행위이다.

## 10 책임 무능력자의 감독자 책임과 동물 점유자의 배상 책임

첫 번째 사례에서 B는 7세이므로 책임 무능력자이다. 따라서 B에게는 배상 책임이 없고 부모인 A가 책임 무능력자의 감독자 책임을 진다. 두 번째 사례에서 강아지를 데리고 나와서 산책을 시키고 있던 사람인 D가 동물의 점유자이므로 D가 동물 점유자의 배상 책임을 진다. 따라서 불법 행위 책임이 있는 사람은 A, D이다.

**완자 정리 노트**　미성년자의 불법 행위 책임

| 책임 능력이 있는 미성년자의 행위 | 미성년자 본인이나 부모 등 법정 대리인이 손해 배상 책임을 짐 |
|---|---|
| 책임 능력이 없는 미성년자의 행위 | 미성년자에게 책임을 물을 수 없고, 부모 등 감독자가 손해 배상 책임을 짐 |

## 11 손해 배상

손해 배상이란 불법 행위, 채무 불이행과 같은 위법한 행위로 인하여 타인에게 손해를 입힌 경우 가해자 측에서 손해를 보전해 주는 것을 말한다. 우리나라 민법에서는 금전 배상을 원칙으로 하고 있으며, 재산상의 피해뿐만 아니라 정신적인 피해까지 배상하도록 하고 있다. 이때 손해 배상의 범위는 가해 행위와 발생한 손해 사이의 인과 관계에 기초하여 정해진다.

**바로 알기** ④ 손해 배상금은 치료비, 당분간 일을 못 해 발생하는 임금 손실분, 장애로 인해 앞으로 예상되는 수입 감소분, 정신적인 고통에 대한 위자료 등을 종합적으로 고려하여 산정한다.

## 12 혼인의 요건

⑤ 부부는 결혼식이 아니라 혼인 신고를 해야 법률혼 부부로 인정받는다. 그러나 혼인 신고를 하지 않더라도 부부 공동생활을 한다면 사실혼 부부로서 일상 가사 대리권, 부양과 협조 의무 등의 권리와 의무가 발생한다.

**바로 알기** ① 결혼식에서의 성혼 선언은 법적인 규정에 따른 것이 아니라 하나의 관습에 불과하다. 갑과 을은 혼인 신고를 해야 법률상 부부가 된다.

② 갑과 을이 18세라면 혼인 신고를 통해 성년자로 간주된다. ③ 혼인의 형식적 요건은 혼인 신고이다. ④ 상속권은 혼인 신고를 전제로 하므로, 현 시점에서 을은 갑의 재산을 상속받을 수 없다.

**완자 정리 노트**    혼인의 성립 요건

| 실질적<br>요건 | • 양 당사자가 자유로운 의사에 기초하여 혼인에 대해 동의할 것<br>• 민법에서 규정하는 혼인 가능 연령(18세 이상)에 해당할 것<br>• 민법에서 제한하고 있는 혼인할 수 없는 친족 관계가 아닐 것<br>• 배우자가 있는 사람이 또 결혼하는 중혼이 아닐 것 |
|---|---|
| 형식적<br>요건 | 혼인 신고를 할 것 → 법률혼주의 |

## 13 일상 가사 대리권

제시된 사례에서 갑은 을의 아내가 목걸이를 구매한 행위에 대해 부부의 공동생활에 필요한 행위, 즉 일상 가사에 해당한다고 판단하여 을에게 연대 책임을 질 것을 요구하고 있다. 이에 을은 목걸이 구매 대금을 자신이 납부할 책임이 없다고 주장하는 것을 고려할 때 을의 목걸이 구매 행위가 자신에게 책임이 있는 행위인 일상 가사에 해당하지 않는다고 여기고 있음을 알 수 있다.

**‖ 바로 알기 ‖** ① 혼인 중 부부가 협력하여 취득한 재산은 명의가 어느 한쪽으로 되어 있어도 부부의 공동 재산으로 본다. ② 이혼이 성립되어 효력이 발생한 것이 아니므로, 일상 가사 연대 책임이 소멸하지 않는다. ③ 일상의 가사와 관련하여 부부 한 사람이 단독으로 결정한 일이라고 하더라도 그 결정에 대한 책임은 부부가 공동으로 지게 된다. ④ 혼인 신고를 하지 않은 사실혼 관계에서도 일상 가사 대리권과 그에 따른 연대 책임이 발생한다.

## 14 친자 관계

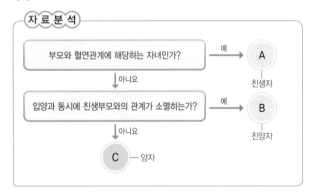

A는 부모와 혈연관계에 해당하는 자녀이므로 친생자, B는 친생부모와의 관계가 소멸하므로 친양자, C는 친생부모와의 관계가 소멸하지 않으므로 양자이다. ② 친양자는 입양과 동시에 친생부모와의 관계가 소멸하므로 친생부모의 사망 시 상속인이 되지 않는다.

**‖ 바로 알기 ‖** ① 친생자 중에서 혼인 외의 출생자는 인지 절차를 거쳐야 친자 관계가 형성되지만, 혼인 중의 출생자는 당연히 친자 관계가 형성된다. ③ 양자는 입양되더라도 친생부모와의 관계가 유지되므로 양부모의 성과 본을 따르지 않는 것이 원칙이다. ④ 법정 상속 시 친생자, 친양자, 양자는 동일한 상속분을 받는다. ⑤ 친양자는 양자와 달리 양부모의 혼인 중의 자녀로 간주되며, 친생부모와의 친족 관계가 종료된다.

## 15 미성년자의 법적 지위

ㄴ. B는 7세의 어린이로서 의사 능력이 없다고 보아야 한다. 따라서 매매 계약서에 서명했더라도 그 계약은 무효이다. ㄹ. A와 C는 미성년자이므로 유효한 법률 행위를 하기 위해서는 법정 대리인의 동의를 얻어야 한다. A는 갑의 친생자이고, C는 갑의 친양자이므로 갑은 A와 C의 법정 대리인이다. 따라서 A와 C는 갑의 동의를 얻으면 유효한 법률 행위를 할 수 있다.

**‖ 바로 알기 ‖** ㄱ. A는 16세로서 책임 능력이 있는 미성년자이므로 A가 불법 행위를 하면 A 자신이 배상 책임을 진다. ㄷ. C는 18세이므로 부모의 동의를 얻어 혼인할 수 있다. 그런데 부모가 이혼하였고 병이 갑과 재혼하면서 갑이 C를 친양자로 입양하였다. 따라서 C는 갑과 병의 혼인 중 출생자로 간주되고, C와 정의 친자 관계는 소멸하였으므로 혼인하기 위해서는 갑과 병의 동의를 얻어야 한다.

## 16 상속 문제

① 갑의 사망으로 인한 상속인은 배우자 병, 직계 비속 A, B, C이다. 직계 비속은 동 순위의 상속인이므로 친양자, 양자, 친생자 등의 구분 없이 법정 상속분이 같다. 배우자는 직계 비속의 상속분에 50%를 가산한다. 따라서 9억 원의 재산 중에서 병 3억 원, A 2억 원, B 2억 원, C 2억 원이 법정 상속분이다.

**‖ 바로 알기 ‖** ② 을은 갑과 이혼한 상태이므로 상속권을 갖지 못한다. ③ 무는 갑의 직계 존속으로서 상속 2순위이다. 상속 1순위자가 있으므로 법정 상속인이 아니며, 유언도 효력이 없으므로 상속을 받을 수 없다. ④ 유언이 무효이기 때문에 유류분이 발생하지 않는다. ⑤ 병의 법정 상속분은 3억 원으로 A, B, C의 법정 상속분의 합인 6억 원보다 작다.

# V. 사회생활과 법

## 01 형법의 이해

**STEP 1** 핵심 개념 확인하기      150쪽

1 형법   2 (1) 성문법 (2) 소급효 (3) 적정성   3 (1) ㄷ (2) ㄴ (3) ㄱ
4 ㉠ 14, ㉡ 책임   5 (1) × (2) ○

**STEP 2** 내신 만점 공략하기      150~154쪽

| | | | | | | |
|---|---|---|---|---|---|---|
| 01 ⑤ | 02 ② | 03 ③ | 04 ⑤ | 05 ① | 06 ⑤ | 07 ④ |
| 08 ③ | 09 ⑤ | 10 ③ | 11 ③ | 12 ① | 13 ③ | 14 ④ |
| 15 ② | 16 ① | 17 ⑤ | 18 ② | | | |

### 01 형법의 의의

제시된 법률 조항에서 공무상 비밀 누설, 통화 위조 등의 행위에 대해 일정한 형벌을 부과하고 있으므로 형법임을 알 수 있다. ①, ④ 형법은 금지하는 행위와 그에 대한 처벌을 미리 규정하고 있어 범죄로부터 사회 질서를 유지하며 국민이 보다 안전한 생활을 하도록 해 준다. ② 형법은 개인의 자의적 보복이나 응징을 금지하고 국가 권력에 의한 처벌만 가능하도록 하여 타인에 의한 인권 침해를 방지한다. ③ 형법은 개인적, 사회적, 국가적 법익을 해치는 행위를 범죄로 규정하고 형벌이라는 제재를 부과한다.

**▌바로 알기 ▌** ⑤ 형법은 법규에 명시된 범죄 이외의 행위에 대해서는 국가가 형벌권을 행사하지 못하도록 함으로써 국가의 자의적인 권력 행사로부터 국민의 자유와 권리를 보장한다.

### 02 형법의 기능

**자료 분석**

형법은 범죄를 저지르면 형벌이 부과된다는 것을 미리 알려 범죄를 저지르지 못하도록 예방함으로써 사람들이 안정적인 법 생활을 유지할 수 있게 해 줘요.
└ 형법의 규제적 기능을 강조하고 있어.
갑

형법은 국가로 하여금 법률로 정한 범죄와 형벌만 적용하도록 하여 국가 형벌권의 한계를 명확히 해 주죠.
└ 형법의 보장적 기능을 강조하고 있어.
을

ㄱ. 갑은 형법에 범죄와 형벌을 규정함으로써 형법이 일반 국민을 범죄로부터 보호하고 사회 혼란을 방지하여 안정적인 법적 생활을 할 수 있도록 한다는 점을 주장하고 있다. ㄹ. 갑과 을의 주장은 범죄와 형벌은 미리 성문의 법률에 명확하게 규정되어 있어야 한다는 죄형 법정주의를 바탕으로 할 때 그 효과를 발휘할 수 있다.

**▌바로 알기 ▌** ㄴ. 갑은 형법이 형벌에 대한 경각심을 주어 범죄 행위를 못하도록 함으로써 범죄자로부터 국민의 인권을 보호하고 있음을 강조한다. ㄷ. 을은 죄형 법정주의에 의거하여 형법에 규정된 형벌만 적용함으로써 국가 권력의 남용을 막을 수 있다고 본다. 형법에서는 개인의 자의적인 보복을 금지한다.

### 03 현대적 의미의 죄형 법정주의

제시된 그림에서 칠판의 명제는 현대적 의미의 죄형 법정주의를 의미한다. 근대적 의미의 죄형 법정주의는 그 내용이 무엇이든 법률의 형식만 갖추면 범죄로 규정하고, 형벌을 부과할 수 있어서 형벌권의 남용이 초래되었다. 이에 대한 반성으로 현대적 의미의 죄형 법정주의는 '적정한 법률'에 의해서만 범죄와 형벌을 정하도록 하여 형식적인 법률의 존재뿐만 아니라 법률 내용의 적정성까지 보장함으로써 법관 또는 입법자의 자의적인 판단으로부터 국민의 자유와 권리를 보호하는 것을 목적으로 한다.

**▌바로 알기 ▌** 갑. 현대적 의미의 죄형 법정주의는 실질적 법치주의를 토대로 범죄를 규정한 법률이 실질적 정의에 맞아야 함을 강조한다. 을. 죄형 법정주의는 아무리 사회적으로 비난받아야 할 행위라도 성문법에 규정이 있어야만 처벌할 수 있으며, 불문법인 관습법으로는 처벌할 수 없다는 것을 의미한다.

**완자 정리 노트**    죄형 법정주의의 의미 변천

| 근대적 의미 |
|---|
| "법률이 없으면 범죄도 없고 형벌도 없다." |

▼

| 형벌권의 남용 초래 |
|---|
| 법률의 내용을 문제 삼지 않아 입법자의 자의적 판단에 의한 형벌권의 남용을 초래함 |

▼

| 현대적 의미 |
|---|
| "적정한 법률이 없으면 범죄도 없고 형벌도 없다." |

┌ 죄형 법정주의에 따라 어떤 사람이 사회적으로 비난받을 만한 행위를 하였어도 그 행위가 법률에 범죄로 규정되어 있지 않으면 국가는 그 사람을 처벌할 수 없어.

### 04 죄형 법정주의의 원칙

밑줄 친 '이것'은 죄형 법정주의이다. 범죄와 형벌을 법률로 정하도록 하는 이유는 법률이 국민의 대표라는 민주적 정당성을 지닌 의회에서 제정하는 법 규범이기 때문이다. ㄷ. 죄형 법정주의에서는 범죄와 형벌이 국민 누구나 이해할 수 있을 정도로 명확하게 규정되어야 한다는 명확성의 원칙을 내용으로 한다. 무엇이 범죄이고 각각의 범죄에 대해 어떤 형벌이 부과될 것인지가 명확해야 어떤 행위에 대한 예측이 가능하기 때문이다. ㄹ. 범죄 행위를 처벌할 때는 행위 시의 법률을 적용해야 한다는 것은 소급효 금지의 원칙이다. 어떤 행위를 하고 난 이후에 제정한 법률로 이전의 행위를 처벌할 경우 사람들의 법적 생활이 불안해지게 된다.

**┃바로 알기┃** ㄱ. 적정성의 원칙에 따라 범죄의 질과 양에 비례하여 형벌을 부과해야 한다. 즉, 가벼운 범죄에 대해서는 가벼운 형벌을, 무거운 범죄에 대해서는 무거운 형벌을 부과해야 한다. ㄴ. 형벌 법규가 없을 경우에는 형벌을 적용하지 말아야 한다. 다른 법률에 비슷한 규정이 있다고 해서 이를 적용하여 형벌을 부과하는 것은 죄형 법정주의의 원칙 중 유추 해석 금지의 원칙에 위배된다.

**완자 정리 노트** 　죄형 법정주의의 원칙

| 구분 | 내용 |
|------|------|
| 관습 형법 금지의 원칙 | • 범죄와 형벌은 미리 성문의 법률에 규정되어 있어야 한다는 원칙<br>• 불문법인 관습법을 근거로는 처벌할 수 없음 |
| 소급효 금지의 원칙 | • 범죄와 형벌은 행위 당시의 법률에 의해야 하고, 행위 후에 법률을 제정하여(사후 입법) 그 법으로 이전의 행위를 처벌해서는 안 된다는 원칙<br>• 행위자에게 유리한 소급효는 예외적으로 허용함 |
| 명확성의 원칙 | • 어떤 행위가 범죄이며 각각의 범죄에 대해 어떤 형벌이 부과되는지가 법률에 명확하게 규정되어야 한다는 원칙<br>• "품행이 바르지 않은 자는 처벌할 수 있다."라는 규정은 명확성의 원칙에 어긋남 |
| 유추 해석 금지의 원칙 | • 어떤 사항에 대하여 직접 규정한 법규가 없을 때 그와 비슷한 사항에 대하여 규정한 법률을 적용함으로써 피고인에게 불리하게 형벌을 부과하거나 가중하지 못한다는 원칙<br>• 행위자에게 유리한 유추 해석은 예외적으로 허용함 |
| 적정성의 원칙 | • 범죄가 되는 행위의 경중과 행위자가 부담해야 할 형사 책임 사이에 균형을 갖추어야 한다는 것으로 범죄와 형벌을 규정한 법률의 내용도 적정해야 한다는 원칙<br>• 범죄에 대한 형벌이 과도해서는 안 됨 |

## 05　명확성의 원칙

제시된 국가의 형법은 '나쁜 짓', '청소년답지 못한 행동' 등 범죄의 내용을 판단하는 기준을 명확히 제시하지 못하고, 형벌도 '처벌받는다', '엄하게 벌한다'로만 되어 있어 구체적이지 않다. 이 경우 죄형 법정주의의 명확성의 원칙에 위배된다. ① 명확성의 원칙은 무엇이 범죄이고 그 범죄에 어떤 형벌이 부과되는지 법률에 구체적으로 명확하게 기재되어 있어야 한다는 원칙이다. 형벌 법규의 내용이 추상적이거나 불명확하면 법관이 이를 자의적으로 해석할 가능성이 있기 때문이다.

**┃바로 알기┃** ② 적정성의 원칙은 범죄 행위에 비해 형벌이 과도해서는 안 되고, 범죄 행위와 그에 따른 형벌의 질과 양이 비례해야 한다는 원칙이다. ③ 신의 성실의 원칙은 민사 사건에서 주로 활용되는 원칙으로서 권리의 행사와 의무의 이행은 상대방의 신뢰에 어긋나지 않아야 한다는 것이다. ④ 관습 형법 금지의 원칙은 범죄와 형벌은 국민을 대표하는 기관인 의회에서 일정한 절차를 거쳐 제정한 성문법으로 규정되어 있어야 하며, 불문법인 관습법을 근거로는 처벌할 수 없다는 원칙이다. ⑤ 유추 해석 금지의 원칙은 그 행위를 범죄로 규정하는 법률 조항이 없을 때 다른 규정이 그것과 비슷하다고 하여 유추하여 적용해서는 안 된다는 원칙이다.

## 06　유추 해석 금지의 원칙

⑤ 대법원은 「축산물 가공 처리법」 조항에는 양을 함부로 도축한 행위에 대한 처벌 규정은 있지만, 염소 도축에 대한 처벌 규정은 없는데도 양에 대한 처벌 규정을 가져와서 유추 적용하는 것은 잘못이라고 본 것이다. 이는 죄형 법정주의의 원칙의 하나인 유추 해석 금지의 원칙에 위반된다.

**┃바로 알기┃** ① 명확성의 원칙은 범죄와 형벌을 국민이 이해할 수 있도록 명확하게 규정하여 공포해야 한다는 것이다. ② 적정성의 원칙은 범죄와 형벌 사이에는 적정한 균형이 유지되어야 한다는 것이다. ③ 소급효 금지의 원칙은 범죄와 형벌은 행위 시의 법률에 따라 결정되어야 하며, 시행 이전의 행위까지 거슬러 올라가 적용될 수 없다는 것이다. ④ 관습 형법 금지의 원칙은 범죄와 형벌은 국회에서 제정한 성문의 법률에 따라 규정되어야 한다는 것이다.

## 07　소급효 금지의 원칙

제시된 헌법 조항과 형법 조항은 모두 소급효 금지의 원칙을 규정하고 있다. 이것은 범죄와 그 처벌은 행위 당시의 법률에 의해야 하고, 행위 후에 법률을 제정하여(사후 입법) 그 법으로 이전의 행위를 처벌해서는 안 된다는 원칙이다.

**┃바로 알기┃** ① 현대적 의미의 죄형 법정주의에 대한 설명이다. ② 관습 형법 금지의 원칙과 관련한 내용이다. ③ 죄형 법정주의가 추구하는 목표이다. ⑤ 적정성의 원칙과 관련한 내용이다.

## 08　범죄의 성립 요건

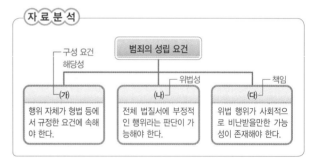

(가)는 구성 요건 해당성, (나)는 위법성, (다)는 책임이다. ㄴ. 구성 요건에 해당하는 행위라도 정당 행위, 긴급 피난, 정당방위, 자구 행위, 피해자의 승낙은 위법성이 조각되는 사유가 된다. ㄷ. 어떤 행위가 구성 요건에 해당하고 위법한 경우에도 법적으로 비난하기 어려운 경우가 있다. 이를 책임 조각 사유라고 하는데 형사 미성년자(14세 미만)가 심신 장애로 사물을 판단할 수 있는 능력이 있는 사람의 행위, 저항할 수 없는 폭력이나 협박에 의해 강요된 행위 등을 들 수 있다.

**┃바로 알기┃** ㄱ. 구성 요건 해당성은 어떤 사람의 행위가 법률에서 범죄로 정해 놓은 일정한 행위에 해당해야 함을 말한다. 이때 법률은 의회가 제정한 성문의 법률을 의미한다. ㄹ. 범죄가 성립하려면 <u>구성 요건 해당성, 위법성, 책임을 모두 충족해야 한다.</u>

└ 어떤 행위가 구성 요건 해당성, 위법성, 책임 중 하나라도 충족되지 않으면 범죄가 되지 않으므로 형벌을 부과할 수 없어.

## 09 구성 요건 해당성

⑤ 법원은 제조연월일이 오래된 빵이 점포 앞에 방치되어 있어서 피고인이 이것을 주인이 있는 재물이라고 볼만한 근거가 없었기 때문에 가져간 것에 불과하다고 판단했다. 즉, 피고인의 행위가 절도죄의 구성 요건에 해당하지 않는다고 판단한 것이다.

**바로 알기** ① 절도죄는 고의로 타인의 재물을 절취한 범죄로, 과실의 크고 작음은 문제시되지 않는다. ② 피고인의 행위가 청구권을 보전하기 위한 것은 아니므로 자구 행위로 볼 수 없다. ③ 피고인이 형사 미성년자나 심신 상실자라는 내용이 없으며, 또한 강요된 행위라는 근거도 없으므로 책임 조각 사유로 볼 수 없다. ④ 피고인의 행위로 인해 피해자에게 손해가 발생한 것은 어느 정도 인과 관계는 있다.

## 10 고의와 과실

③ 을은 고의로 A의 집에 돌을 던져 유리창을 파손했으므로 을의 행위는 재물 손괴죄의 구성 요건에 해당한다.

**바로 알기** ① 갑이 야구를 하다가 실수로 남의 집 유리창을 깬 것은 과실이다. 재물 손괴죄는 남의 재물을 고의로 파손한 경우이어야 하므로 갑의 행위는 범죄의 구성 요건에 해당하지 않는다. ② 갑의 행위는 범죄의 구성 요건에 해당하지 않아 형사 책임이 없지만, 과실에 의한 것도 민법상 불법 행위에는 해당하므로 손해 배상과 같은 민사 책임은 져야 한다. ④ 을은 고의로 남의 재물을 파손했으므로 형법상 재물 손괴죄가 성립할 경우 형사 책임을 질 수 있다. 동시에 을의 행위는 민법상 불법 행위에도 해당하므로 을은 민사 책임도 져야 한다. ⑤ 부작위범은 어떠한 행위를 해야 하는 의무가 있는 사람이 법을 위반하여 그 의무를 이행하지 않음으로써 저지를 수 있는 범죄를 말한다. 갑과 을 모두 어떤 의무를 이행하지 않은 것으로는 볼 수 없으므로, 부작위범에 해당하지 않는다.

## 11 위법성 조각 사유

형법 제21조 제1항의 내용은 정당방위에 대한 것이다. 갑은 자신의 생명이라는 법익에 대한 현재의 부당한 침해를 방위하기 위하여 저항하다가 강도에게 상해를 입힌 것이므로 정당방위로 인정받으면 위법성이 조각된다.

**바로 알기** ①, ② 갑의 행위는 구성 요건 해당성과 책임은 있으나 위법성이 조각될 수 있다. ④ 자구 행위는 청구권을 보전하기 위한 행위이어야 한다. 갑은 강도에게 청구권을 갖고 있지 않으므로 갑의 행위를 자구 행위로 볼 수 없다. ⑤ 범죄의 성립 요건 중에서 어느 하나만 없어도 무죄이다. 갑의 행위는 범죄의 성립 요건 중 위법성이 조각되므로 무죄일 가능성이 크다.

## 12 위법성 조각 사유

⑤ ㉠ A는 갑이 을의 생명이나 신체에 부당하게 위험을 가하는 것을 막기 위해 갑을 밀치는 과정에서 갑에게 상해를 입혔는데, 이는 타인의 법익에 대한 현재의 부당한 침해를 방위하기 위한 행위로 정당방위에 해당한다. ㉡ A가 갑의 공격을 피해 도망치는 과정에서 타인의 가게 유리창을 부순 것은 자기의 법익에 대한 현재의 위난을 피하기 위한 상당한 이유가 있는 행위로 긴급 피난에 해당한다.

**완자 정리 노트** 위법성 조각 사유

| 구분 | 내용 |
|---|---|
| 정당방위 | 자기 또는 타인의 법익에 대한 현재의 부당한 침해를 방위하기 위한 상당한 이유가 있는 행위 |
| 긴급 피난 | 자기 또는 타인의 법익에 대한 현재의 위난을 피하기 위한 상당한 이유가 있는 행위 |
| 자구 행위 | 국가의 구제를 기대하기 어려운 상황에서 청구권을 침해당한 사람이 이를 보전하기 위하여 행하는 상당한 이유가 있는 행위 |
| 피해자의 승낙 | 피해자가 가해자에게 자신에게 손해되는 행위를 하도록 허락한 행위 |
| 정당 행위 | 법령에 따른 행위, 업무로 인한 행위, 기타 사회 상규에 어긋나지 않는 행위 |

## 13 위법성 조각 사유

ㄴ. 을이 자신에게 닥친 현재의 위급한 상황을 피하려다가 다른 사람에게 피해를 입힌 것은 긴급 피난에 해당한다. ㄷ. 갑의 행위는 정당 행위로서 그 행위가 법에 위배된다고 보기 어려우므로, 위법성이 인정되지 않는다.

**바로 알기** ㄱ. 갑의 행위는 청구권을 보전하기 위한 것이 아니므로 자구 행위가 아니다. ㄹ. 타인을 다치게 한 것은 원칙적으로 범죄에 해당하므로, 을의 행위는 범죄의 구성 요건에 해당한다.

## 14 범죄의 성립 요건

**자료 분석**

- 갑은 지하철에서 성추행하는 A를 붙잡아 경찰에 넘겼다. └ 정당 행위로서 위법성이 조각돼.
- 을은 집 앞 편의점에서 과자와 음료수를 훔치다가 붙잡혔다. └ 절도죄의 구성 요건에 해당해.
- 병은 흉기로 위협하는 강도에게 저항하다가 강도를 다치게 하였다. └ 정당방위로서 위법성이 조각돼.
- 정은 유괴당한 딸의 안전을 위해 유괴범의 요구대로 은행의 금고 열쇠를 넘겨주었다. └ 강요된 행위로서 책임이 조각돼.

④ 갑의 행위는 현행범 체포로서 사회 상규에 어긋나지 않는 행위이므로 정당 행위로서 위법성 조각 사유에 해당한다. 병의 행위도 자기의 생명에 대한 현재의 부당한 침해를 방위하기 위한 행위이므로 정당방위로서 위법성 조각 사유에 해당한다.

**바로 알기** ① 갑의 행위는 정당 행위에 해당한다. ② 을은 절도죄에 해당하는 행위를 했으므로 범죄의 구성 요건 해당성을 갖추었다. ③ 정의 행위는 친족의 생명에 대한 협박으로 강요된 행위이므로 책임이 조각된다. ⑤ 병의 행위는 정당 행위로서 위법성이 조각되므로 범죄가 성립되지 않는다. 반면, 을의 행위는 절도죄의 구성 요건을 갖추었으므로, 위법성이나 책임이 조각되지 않을 경우 범죄가 성립할 수 있다

## 15 형벌의 종류

ㄱ. 징역은 정역이 부과되지만, 금고와 구류는 정역이 부과되지

않는 것이 차이점이다. 따라서 (가)에는 징역에만 해당하는 특징인 '정역 부과'가 들어가야 한다. ㄷ. 징역과 금고는 모두 1개월 이상 교도소에 구금된다는 점이 공통점이다. 따라서 (나)에는 징역과 금고의 공통점인 '1개월 이상 교도소에 구금'이 들어가야 한다.

**바로 알기** ㄴ. 징역, 금고, 구류는 모두 신체의 자유를 제한하는 형벌로서 자유형에 해당한다. ㄹ. 생명형은 생명을 박탈하는 형벌로 사형이 이에 해당한다.

**완자 정리 노트** **형벌의 종류**

| 생명형 | 범죄자의 생명을 박탈함 → 사형 |
|---|---|
| 자유형 | 범죄자의 신체의 자유를 박탈함 → 징역, 금고, 구류 |
| 재산형 | 범죄자로부터 일정한 재산을 박탈함 → 벌금, 과료, 몰수 |
| 명예형 | 범죄자의 명예 또는 자격을 박탈함 → 자격 상실, 자격 정지 |

## 16 보안 처분의 의의

치료 감호, 사회봉사 명령은 보안 처분에 해당한다. ① 보안 처분은 미래의 재범 위험성을 방지하기 위한 예방적 성격의 제재라는 점에서 과거의 범죄 행위에 부과하는 제재인 형벌과 구별된다.

**완자 정리 노트** **보안 처분의 종류**

| 보호 관찰 | 선고 유예, 집행 유예, 가석방 처분 등을 받은 경우 범죄인을 교도소나 기타의 시설에 수용하지 않고 사회생활을 영위하게 하면서 보호 관찰관의 지도·감독을 받도록 함 |
|---|---|
| 치료 감호 | 심신 장애가 있거나 알코올, 마약 등에 중독된 상태에서 죄를 저지른 사람에게 형벌을 집행하기 전에 치료 감호 시설에서 우선 치료를 받도록 함 |
| 사회봉사 명령 | 유죄가 인정된 범죄인이 일정 기간 내에 지정된 시간 동안 무보수로 사회에 유용한 활동이나 급부를 제공하도록 함 |
| 수강 명령 | 유죄가 인정된 의존성·중독성 범죄자 등에게 범죄성 개선을 위한 진단, 상담, 교육을 받도록 명령함 |
| 성범죄자 신상 정보 등록 제도 | 성범죄로 유죄 판결이 확정된 자 등의 신상 정보(성명, 주민 등록 번호, 주소 및 실제 거주지, 직업 및 직장 등의 소재지, 연락처 등)를 등록하여 관리함 |

## 17 보안 처분의 종류

⑤ 밑줄 친 '이 제도'는 보호 관찰이다. 보호 관찰은 범죄자가 선고 유예, 집행 유예 처분을 받았을 때나 교도소에서 가석방되었을 때 보호 관찰관의 지도·감독을 받으며 준수 사항을 지키고, 스스로 건전한 사회인이 되도록 노력하는 제도이다. 보호 관찰 제도는 유죄를 인정하면서도 실형을 집행할 경우 교도소에서 범죄 기술을 학습하거나 사회적 낙인을 통해 사회 복귀가 어려워지는 점을 우려하여 구금되지 않은 상태에서 개선 교육을 통해 범죄성이나 비행성을 교정하고 재범의 위험을 방지하여 정상적인 사회 복귀를 쉽게 하기 위한 보안 처분의 하나이다.

**바로 알기** ① 보호 관찰은 형벌이 아닌 보안 처분의 하나이다. ② 보호 관찰은 보호 관찰관이 집행 업무를 담당한다. ③ 보호 관찰은 선고 유예나 집행 유예 등을 받은 경우, 가석방을 받은 경우 등에 한하여 실시할 수 있다.

## 18 형벌과 보안 처분

① 「교통사고 처리 특례법」은 형법이라는 명칭은 없지만, 범죄와 형벌이 포함되어 있으므로 실질적 의미의 형법에 해당한다. ③ 집행 유예 기간을 별다른 범죄 없이 넘기면 형 선고의 효력이 상실된다. ④ 사회봉사 명령과 준법 운전 수강 명령은 모두 보안 처분으로서 대안적 제재 수단에 해당한다. ⑤ 전동 킥보드로 다른 사람을 다치게 했으므로 과실 치상죄의 구성 요건에 해당한다.

**바로 알기** ② 금고는 1개월 이상 교도소에 복역하지만, 정역을 부과하지 않는 자유형이다.

 **서술형 문제**

154쪽

## 01 **주제: 죄형 법정주의의 의미 변화**

근대적 의미의 죄형 법정주의는 법률의 내용을 문제 삼지 않아 입법자의 자의적 판단에 의한 형벌권의 남용을 초래하였다. 이를 배경으로 등장한 현대적 의미의 죄형 법정주의는 형식적인 법률의 존재뿐만 아니라 법률 내용의 적정성까지 보장하여 국가 권력으로부터 국민의 자유와 권리를 보호하는 것을 목적으로 한다.

**채점 기준**

| 상 | '형벌권의 남용', '국민의 자유와 권리 보호'를 언급하여 죄형 법정주의의 의미 변화 배경과 현대적 의미의 죄형 법정주의의 목적을 모두 정확히 서술한 경우 |
|---|---|
| 중 | '형벌권의 남용', '국민의 자유와 권리 보호'에 대한 언급 없이 죄형 법정주의의 의미 변화 배경과 현대적 의미의 죄형 법정주의의 목적을 서술한 경우 |
| 하 | 죄형 법정주의의 의미 변화 배경과 현대적 의미의 죄형 법정주의의 목적 중 한 가지만 서술한 경우 |

## 02 **주제: 범죄의 성립 요건**

(1) ㉠ 위법성, ㉡ 책임

(2) **예시 답안** 갑의 행위는 긴급 피난으로 자기의 법익에 대한 현재의 위난을 피하기 위한 상당한 이유가 있는 행위이므로 위법성이 소각된다. 을의 행위는 서항할 수 없는 폭력에 의해 강요된 행위이므로 책임이 조각된다.

**채점 기준**

| 상 | 갑의 행위는 긴급 피난이기 때문에 위법성이 조각되고, 을의 행위는 강요된 행위이기 때문에 책임이 조각된다고 각각 이유를 정확히 서술한 경우 |
|---|---|
| 하 | 갑과 을의 행위 중 한 가지에 대해서만 이유를 서술한 경우 |

**03** 주제: 보안 처분의 의미와 목적

예시답안 보안 처분. 보안 처분은 범죄자의 재범을 방지하고, 사회 복귀를 도움으로써 범죄로부터 사회 질서를 보호하기 위한 목적에서 시행되고 있다.

채점 기준

| 상 | 보안 처분이라고 쓰고, 그 목적을 정확히 서술한 경우 |
|---|---|
| 하 | 보안 처분이라고만 쓴 경우 |

## STEP 3 1등급 정복하기

155~157쪽

1 ①  2 ④  3 ①  4 ②  5 ⑤  6 ⑤

## 1 죄형 법정주의의 원칙

자료 분석

(가) 범죄의 성립과 처벌은 재판 시의 법률에 의한다. ─ 행위 시의 법률을 적용하지 않았어. ─ 행위에 비해 처벌이 너무 심해.
(나) 타인의 재물을 절취하는 자는 사형 또는 무기 징역에 처한다.
(다) 사람들이 많은 장소에서 미풍양속을 해친 사람은 10만 원의 벌금에 처한다. ─ 의미가 명확하지 않아.
(라) 사회적 위험 행위에 대해 본 법에 규정이 없으면 다른 법의 유사한 조항을 적용한다. ─ 유추 해석 금지의 원칙에 어긋나.

ㄱ. 재판 시의 법률에 의한다면 행위를 할 당시에는 처벌 조항이 없는 경우도 발생한다. 어떤 행위가 금지되는 것이 아닌데도 나중에 금지하는 법이 생겼고, 그 법을 시행일 이전에 한 행위까지 적용하여 처벌할 경우 사람들은 안정된 일상생활을 영위하지 못한다. 따라서 (가)는 소급효 금지 원칙에 위반된다. ㄴ. 재물을 절취한 행위에 대해 사형 또는 무기 징역을 부과하는 것은 과도한 형벌이다. 즉, (나)는 범죄와 형벌 간의 균형이 적정하지 않으므로 적정성의 원칙에 위반된다.

바로 알기 ㄷ. (다)에서 '미풍양속을 해친'은 사람에 따라 다르게 생각할 수 있는 모호한 표현이므로 명확성의 원칙에 위반된다. (라)에서 사회적 위험 행위의 의미가 명확하지 않으므로 명확성의 원칙에 위반되며, 형벌 법규에 처벌 규정이 없는데도 다른 법의 유사한 조항을 적용하는 것은 유추 해석 금지의 원칙에 위반된다. (다), (라)와 같은 법 조항은 모두 국가 권력이 법을 적용하면서 자의적으로 해석할 수 있으므로 국가 형벌권 행사의 남용이 우려될 수 있다. ㄹ. 명확성의 원칙에 위배된 사례는 (다)와 (라)이다. (나)는 적정성의 원칙에 위배된 사례이다.

## 2 명확성의 원칙

④ 기사의 밑줄 친 부분에 해당하는 죄형 법정주의의 원칙은 명확성의 원칙이다. 헌법 재판소는 「변호사법」 제34조 제3항에 제시된 '명의 이용'이라는 개념에 대해 통상적인 법 감정과 전문성을 가진

변호사라면 그 의미를 충분히 이해할 수 있을 정도로 명확하다고 밝혔다. 죄형 법정주의의 명확성의 원칙은 범죄와 형벌은 명확하게 규정되어 누구나 알 수 있어야 한다는 것을 말한다.

바로 알기 ① 범죄에 비해 형벌이 과도해서는 안 된다는 것은 범죄와 형벌 사이에는 적절한 균형이 유지되어야 함을 말하므로 적정성의 원칙과 관련 있다. ② 범죄와 형벌이 행위 전에 규정되어야 한다는 것은 소급효 금지의 원칙에 관한 내용으로 사후 입법을 통해 이전의 행위를 소급하여 처벌할 수 없음을 의미한다. ③ 전통적인 관습법과 같은 불문법으로 처벌해서는 안 된다는 것은 관습 형법 금지의 원칙과 관련된 내용으로, 이는 범죄와 형벌은 국회에서 제정한 성문의 법률에 따라 규정되어야 함을 말한다. ⑤ 적정한 조항이 없다고 해서 비슷한 법 규정을 적용해서는 안 된다는 것은 유추 해석 금지의 원칙에 관한 내용으로, 이는 수사 기관이나 재판 기관의 자의적인 법 적용을 막기 위한 것이다.

## 3 범죄의 성립 요건

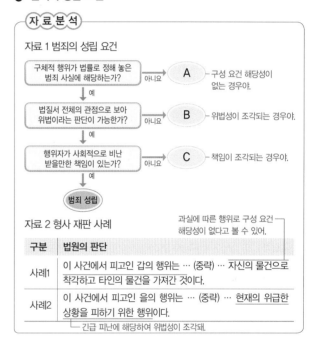

자료 분석

자료 1 범죄의 성립 요건

구체적 행위가 법률로 정해 놓은 범죄 사실에 해당하는가? →아니요→ A ─ 구성 요건 해당성이 없는 경우야.
↓ 예
법질서 전체의 관점으로 보아 위법이라는 판단이 가능한가? →아니요→ B ─ 위법성이 조각되는 경우야.
↓ 예
행위자가 사회적으로 비난 받을만한 책임이 있는가? →아니요→ C ─ 책임이 조각되는 경우야.
↓ 예
범죄 성립

자료 2 형사 재판 사례

─ 과실에 따른 행위로 구성 요건 해당성이 없다고 볼 수 있어.

| 구분 | 법원의 판단 |
|---|---|
| 사례1 | 이 사건에서 피고인 갑의 행위는 … (중략) … 자신의 물건으로 착각하고 타인의 물건을 가져간 것이다. |
| 사례2 | 이 사건에서 피고인 을의 행위는 … (중략) … 현재의 위급한 상황을 피하기 위한 행위이다. |

─ 긴급 피난에 해당하여 위법성이 조각돼.

사례 1에서 갑의 행위는 범죄의 구성 요건에 해당하지 않는다. 절도죄가 성립하려면 남의 물건을 훔칠 고의가 있어야 하는데, 갑은 단순히 자기 물건으로 착각하고 가져간 것이기 때문이다. 사례 2에서 을의 행위는 긴급 피난으로서 위법성 조각 사유에 해당한다. ㄱ. A는 범죄의 구성 요건에 해당하지 않는 경우이다. 사회적 비난 가능성이 큰 행위라도 범죄의 구성 요건에 해당하지 않으면 처벌할 수 없다. ㄴ. B는 위법성이 조각되는 경우이다. 피해자가 가해자에게 자신의 손해가 되는 행위를 하도록 허락한 경우에는 위법성이 조각되어 범죄가 성립하지 않는다.

바로 알기 ㄷ. 법원은 갑의 행위에 고의가 없기 때문에 범죄의 구성 요건에 해당하지 않는다고 판단한 것이지 갑의 행위를 정당 행위로 본 것은 아니다. ㄹ. C는 책임이 조각되는 경우이다. 법원은 을의 행위가 긴급 피난으로서 위법성 조각 사유(B)에 해당한다고 보았다. 위법성이 조각되면 범죄가 성립되지 않으므로 보호 관찰도 부과할 수 없다.

## 4 위법성 조각 사유

② 피고인은 피해자가 자신의 생명을 위협하고 있는 급박한 상황에서 이를 방위하기 위해 피해자를 밀쳤다고 주장하고 있다. 이에 대해 검사는 피고인이 피해자를 해칠 의도를 가지고 밀쳤다고 주장한다. 즉, 갑의 행위가 정당방위에 해당하는지를 놓고 다투고 있다.

**바로 알기** ① 갑의 행위로 피해자에게 이미 손해가 발생했다는 것을 전제로 재판이 진행되고 있다. ③ 갑에게 배상 책임 능력이 존재하는지는 범죄의 성립 요건이 아니며, 자료에서도 배상 책임 능력에 대해서는 언급이 없다. ④ 갑이 14세 미만자이거나 심신 상실자라는 내용이 없으며, 어쩔 수 없는 상황에서 강요된 행위라는 근거가 없으므로 책임 유무가 쟁점이 아니다. ⑤ 갑이 피해자를 밀쳐서 다치게 한 것은 분명하므로 범죄의 구성 요건에 해당한다는 것이 전제되어 있다.

## 5 형벌의 종류

A는 사형, B는 구류, C는 징역, D는 몰수, E는 금고에 해당한다.
⑤ 금고는 구류와 마찬가지로 자유형에 속하는 형벌로서 1개월 이상 교도소에 구금하지만, 정역을 부과하지는 않는다.

**바로 알기** ① 사형 선고를 받은 사람에게는 공무원이 될 자격, 선거권 등의 자격이 박탈된다. ② 유기 징역과 무기 징역은 징역의 구분에 해당한다. ③ 5만 원 이상으로 부과되는 형벌은 벌금이다. ④ 범죄 행위에 제공하였거나 범죄 행위로 취득한 재산은 국고에 귀속된다.

## 6 형벌과 보안 처분

A는 형벌, B는 보안 처분이다. ⑤ 과료는 재산형에 속하는 형벌이며, 치료 감호는 심신 장애나 알코올 등에 중독된 상태에서 죄를 저지른 사람에게 형벌을 집행하기 전에 우선적으로 부과하는 보안 처분이다.

**바로 알기** ① 형벌은 법률에 규정되어 있어야만 부과할 수 있으므로, 범죄와 형벌을 미리 성문의 법으로 규정해야 한다는 죄형 법정주의에 근거한다. ② 보안 처분은 형벌의 대안적 제재 수단에 해당한다. ③ 동일한 범죄에 대하여 법원은 형벌과 보안 처분을 동시에 부과할 수 있다. ④ 대안적 제재 수단인 보안 처분은 과거의 범죄에 부과하는 제재인 형벌에 비해 범죄자의 교화 가능성을 중시한다.

# 02 형사 절차와 인권 보장

**STEP 1** 핵심 개념 확인하기 162쪽

1 (1) 피의자 (2) 영장 (3) 불기소  2 ㉠ 구형, ㉡ 최후 진술  3 (1) ○
(2) × (3) ×  4 (1) ㄴ (2) ㄷ (3) ㄱ (4) ㄹ

**STEP 2** 내신 만점 공략하기 162~166쪽

| 01 ⑤ | 02 ① | 03 ⑤ | 04 ① | 05 ③ | 06 ② | 07 ④ |
|---|---|---|---|---|---|---|
| 08 ① | 09 ④ | 10 ③ | 11 ① | 12 ④ | 13 ① | 14 ④ |
| 15 ⑤ | 16 ⑤ | 17 ③ | | | | |

## 01 수사의 개시

**자료 분석**

폭행을 당한 사람 또는 가족 등 ── **고소장** ── 폭행을 한 가해자
고소인: 갑 / 피고소인: 을
고소의 취지: 피고소인을 폭행 혐의로 고소합니다. ── 이를 통해 수사가 개시되지.
… (중략) …
2019. 3. 4.
위 고소인 갑(서명)
A 경찰서장 귀하

ㄷ. 형사 재판의 당사자는 검사와 피고인이다. 을은 기소되면 피의자에서 피고인으로 신분이 바뀌면서 재판의 당사자가 된다. ㄹ. 고소장이 접수되면 수사가 개시되며, 을은 폭행 혐의로 고소를 당하였기 때문에 피의자로서 수사를 받게 된다.

**바로 알기** ㄱ. 을이 폭행하는 모습을 본 제삼자는 수사 기관에 고발할 수 있다. 갑은 고소를 하였으므로, 사건 피해자 또는 그와 일정한 관계가 있는 사람임을 알 수 있다. ㄴ. 수사 결과 을에게 범죄 혐의가 있어 형사 재판을 받아야 할 필요가 있을 때는 검사가 을을 기소할 수 있다.

## 02 기소 유예와 집행 유예

① 을은 집행 유예를 선고받아 형의 집행이 일정 기간 미루어졌으므로 교도소에 수감되지 않는다.

**바로 알기** ② 기소 유예와 집행 유예 모두 보안 처분에 해당하지 않는다. ③ 갑은 보석이 아닌 검사의 기소 유예 처분으로 석방되었다. ④ 갑은 무죄 취지의 불기소 처분을 받지 않았고, 을은 유죄가 인정되었으므로 형사 보상을 청구할 수 없다. ⑤ 갑과 을은 모두 음주 운전에 대한 범죄 혐의가 인정되었지만 갑에게는 검사가 동기를 참작하여 기소 유예 처분을 내린 것이고, 을에게는 판사가 형의 집행을 유예한 것이다.

## 03 수사 절차

그림은 형사 절차 중 수사 절차를 나타낸다. ① 경찰은 갑을 체포할 때 체포 이유, 불리한 진술 거부권, 변호인의 도움을 받을 권리 등을 고지해야 하는데, 이를 미란다 원칙이라고 한다. ② 피의자를 구속하고자 할 경우에는 검사의 신청에 의해 법관(판사)이 발부한 영장이 필요하다. ③ 범죄 혐의가 있어 수사의 대상이 되는 사람은 피의자이다. ④ 우리나라는 기소 독점주의에 따라 원칙적으로 검사만이 공소를 제기할 수 있다.

┃바로 알기┃ ⑤ 무죄 추정 원칙은 피의자나 피고인 모두에게 인정되는데, 유죄가 확정될 때까지 적용된다. 따라서 기소되더라도 피고인은 재판을 통해 유죄가 확정될 때까지는 무죄로 추정된다.

### 완자 정리 노트　수사 절차

| 수사 개시 | 고소 및 고발, 자수, 현행범의 체포, 범죄 신고 등에 의해 수사가 시작됨 |
|---|---|
| 수사 | • 수사 기관은 피의자를 신문하거나 목격자나 피해자를 참고인으로 소환하여 조사함<br>• 불구속 수사가 원칙이나 정당한 사유가 있는 경우 판사(법관)로부터 영장을 발부받아 피의자를 체포·구속, 압수·수색할 수 있음 |
| 검찰 송치 | 수사 기관이 피의자와 관련 서류를 검찰에 보냄 |
| 수사 종료 | 검사의 공소 제기(기소) 또는 불기소 처분 등에 의해 수사가 종결됨 |

## 04 공판 절차

공판 절차는 모두 절차, 심리 절차, 판결 선고의 순서로 진행된다. 먼저 모두 절차에서는 재판장이 피고인에게 진술 거부권을 알려주고, 피고인의 성명, 연령 등을 묻는 인정 신문을 한다. 다음으로 검사가 공소 사실을 읽고 피고인이 공소 사실을 인정하는지 확인하면 심리 절차가 시작된다. 심리 절차는 증거 조사, 피고인과 증인에 대한 신문 및 변론 절차, 검사의 구형, 피고인의 최후 진술 순으로 진행된다. 심리 절차 이후 판결을 선고할 때는 판사가 유죄의 증거를 얻지 못하면 무죄를 선고하고, 증거를 통해 피고인의 유죄가 입증될 때만 유죄 판결을 내린다.

┃바로 알기┃ ① 공판은 국가가 범죄자를 처벌하기 위한 판단을 하는 것이므로 국가를 대표하는 검사와 범죄 혐의가 인정된 피고인이 당사자가 된다. 피해자는 증인으로서 재판에 참여할 수 있다.

### 완자 정리 노트　공판 절차

| 모두 절차 | 재판장이 피고인에게 진술 거부권을 알려주고 피고인의 성명, 연령 등을 물음(인정 신문) → 검사가 공소 사실을 읽고 피고인이 공소 사실을 인정하는지 확인 |
|---|---|
| 심리 절차 | '증거 조사 → 피고인과 증인에 대한 신문 및 변론 → 구형 → 피고인의 최후 진술' 순으로 진행됨 |
| 판결 선고 | • 무죄 선고: 판사가 유죄의 증거를 얻지 못하였을 때<br>• 유죄: 증거를 통해 피고인의 유죄가 입증되었을 때 → 실형 선고, 집행 유예, 선고 유예 |

## 05 형의 선고와 형 집행 절차

③ 선고 유예는 형의 선고 자체를 일정 기간 미루었다가 그 기간이 지나면 선고 자체가 없었던 것으로 간주되는 제도를 말한다.

┃바로 알기┃ ① 형의 선고에 불복할 경우 검사와 피고인 모두 상급 법원에 상소할 수 있다. ② 집행 유예를 선고할 때에는 보호 관찰, 사회봉사 명령 등의 보안 처분을 함께 부과할 수 있다. ④ 형벌이 확정되면 검사의 지휘로 형을 집행한다. ⑤ 징역이나 금고를 선고받은 피고인은 교도소에 수용된다.

## 06 소년 보호 사건의 처리

갑은 14세 미만이므로 촉법 소년, 을은 14세 이상 19세 미만이므로 범죄 소년에 해당한다. 병은 19세 이상이므로 소년범에 해당하지 않는다. ② 을은 14세 이상이므로 검사가 을을 기소할 경우 형사 재판을 거쳐 형벌을 받을 수 있다.

┃바로 알기┃ ① 갑은 형사 미성년자이지만 소년법상 촉법 소년이기 때문에 소년부 판사에 의해 보호 처분을 받을 수 있다. ③ 검사가 을을 가정 법원 소년부로 송치한다면 을은 보호 처분만을 받을 수 있다. 집행 유예는 형벌과 함께 선고되므로 검사가 기소하여 형사 재판을 받는 경우에 가능하다. ④ 병은 성인이므로 가정 법원 소년부의 결정을 적용받지 않는다.

### 완자 정리 노트　소년 보호 사건

| 대상 | 10세 이상 19세 미만의 자 |
|---|---|
| 처리 | • 10세 이상 14세 미만: 관할 경찰서장이 가정(지방) 법원 소년부 판사에게 송치 → 심판을 거쳐 보호 처분을 받을 수 있음<br>• 14세 이상 19세 미만: 검사가 기소하면 형사 재판을 거쳐 형벌을 받을 수 있음. 검사가 가정(지방) 법원 소년부로 송치하면 심판을 거쳐 보호 처분을 받을 수 있음 |

## 07 국민 참여 재판

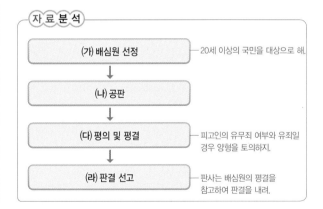

제시된 그림은 국민 참여 재판 절차이다. ㄴ. 국민 참여 재판은 지방 법원 합의부의 1심 관할 사건을 대상으로 한다. ㄹ. 국민 참여 재판은 원칙적으로 피고인이 요청해야만 진행될 수 있다.

┃바로 알기┃ ㄱ. 국민 참여 재판에서의 배심원은 원칙적으로 20세 이상의 대한민국 국민을 대상으로 한다. ㄷ. 배심원은 피고인의 유무죄에 관하여 평결을 내리는데, 이는 권고적 효력만을 가지므로 판사가 이를 반드시 따를 필요는 없다.

일정한 범죄 경력자, 경찰, 변호사 등은 참여가 제한돼.

## 08 형사 절차

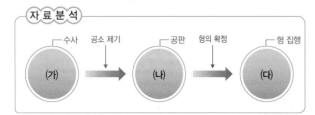

자 료 분 석

수사 → 공소 제기 → 공판 → 형의 확정 → 형 집행

(가) → (나) → (다)

(가)는 수사, (나)는 공판, (다)는 형 집행 단계이다. ② 공판 단계에서 사실의 인정은 증거에 의하여야 한다. 증거 능력이 없는 증거는 사실 인정에 활용할 수 없다. ③ 불이익 변경 금지의 원칙에 따라 공판 절차에서 피고인만이 항소한 사건에는 원심 판결보다 무거운 형을 선고할 수 없다. ④ 현행범으로 체포된 경우라도 유죄로 확정되기 전까지는 무죄로 추정된다. ⑤ 피고인의 유죄가 확정되더라도 선고 유예나 집행 유예, 재산형 등을 선고받았을 경우에는 석방될 수 있다.

**바로 알기** ① 수사 단계에서 구속된 피의자는 구속의 적법성과 필요성을 심사하는 구속 적부 심사를 통해 석방될 수 있다.

## 09 적법 절차의 원칙과 진술 거부권

제시된 헌법 제12조 제1항은 적법 절차의 원칙, 제2항은 진술 거부권을 규정하고 있다. 우리 헌법은 적법 절차의 원칙에 따라 공권력에 의한 개인의 자유와 권리 제한은 반드시 법에 정해진 절차를 따르도록 하고, 진술 거부권을 보장하여 피의자나 피고인이 수사 및 형사 재판 절차에서 불리한 진술을 강요당하지 않도록 함으로써 국가의 형벌권 남용으로부터 국민의 인권을 보호하고자 한다.

**바로 알기** ① 적법 절차의 원칙과 진술 거부권은 강압적인 수사를 제한하는 기능을 한다. ② 관습 형법에 의해 처벌하는 것은 적법 절차의 원칙에 어긋난다. ③ 범죄 피해자 구조 제도를 두는 목적에 해당한다. ⑤ 재판관의 잘못된 판결을 바로잡는 것은 상소 제도나 재심 제도를 통해 가능하다.

## 10 미란다 원칙

제시된 자료는 경찰이 피의자를 체포할 때 진술 거부권, 변호인의 조력을 받을 권리 등 일정한 권리를 미리 알려 주어야 함을 나타내는데, 이를 미란다 원칙이라고 한다. 피의자의 체포와 같이 강제력을 행사해야 하는 형사 절차의 실행은 미란다 원칙의 고지와 같은 적정한 법적 절차에 따라 이루어져야 한다.

**바로 알기** ③ 미란다 원칙은 이미 발생한 사건의 수사 절차에서 피의자의 인권을 보호하기 위한 제도일 뿐 범죄자의 재범 행위 자체를 예방해 주지는 않는다.

## 11 구속 영장 실질 심사 제도

제시된 그림에서 구속 영장을 청구받은 판사가 직접 폭행 피의자인 갑을 심문하고 있으므로, 구속 영장 실질 심사가 진행되고 있음을 알 수 있다. ② 구속 영장 실질 심사에서 판사는 심문을 통해

피의자인 갑에게 증거 인멸, 도주 우려 등 구속의 사유가 인정되는지 판단할 것이다.

**바로 알기** ① 구속 영장 실질 심사의 청구는 검사가 담당한다. ③ 수사 절차가 진행되고 있으므로, 갑의 폭행 행위에 대한 재판이 진행되고 있지 않다. ④ 구속 수사를 통해 갑에게 범죄 혐의가 인정되면 검사는 갑을 기소할 수 있다. ⑤ 갑에게 구속 영장이 발부되지 않더라도 수사는 종결되지 않으며, 갑은 불구속 상태에서 수사를 받게 된다.

## 12 수사 과정에서의 인권 보장 제도

④ 구속 영장의 발부 여부와 관계없이 피의자인 갑은 변호인의 조력을 받을 수 있다.

**바로 알기** ① 구속 여부는 판사가 결정한다. 검사는 피의자의 도주나 증거 인멸 등의 우려가 있을 경우 구속 영장을 청구할 수 있다. ② 수사 과정에서 갑은 자신에게 불리한 진술을 거부할 권리가 있다. 재판 과정에서 피고인의 범죄 증명은 검사가 하는 것이 원칙이다. 피고인에게 진술의 의무를 지운다면 검사에게 일방적으로 공격 무기를 제공하게 되어 양 당사자가 대등하게 공격·방어하게 한다는 재판의 기본 원칙을 침해하게 된다. ③ 구속 적부 심사는 구속 영장이 발부되어 구속 상태에 있는 피의자 신분에서 청구할 수 있다. 기소되면 피고인 신분이 되므로 구속 적부 심사를 청구할 수 없다. ⑤ 갑에 대한 구속 영장이 청구되면 판사가 갑을 직접 불러 구속 사유가 인정되는지를 심사하여 영장 발부 여부를 판단하는데, 이를 구속 영장 실질 심사라고 한다. 이는 피의자의 신청이 필요하지 않으며 법원이 구속을 신중하게 하기 위해 필수적으로 시행하는 제도이다.

**완자 정리 노트** 구속 영장 실질 심사 제도와 구속 적부 심사 제도

| 구속 영장 실질 심사 제도 | • 검사가 피의자에 대한 구속 영장을 청구했을 때 판사가 이를 심사함<br>• 판사가 피의자를 직접 만나서 영장의 내용을 확인함<br>• 청구가 인용되면 구속 영장이 발부되며, 기각되면 불구속 상태에서 수사가 진행됨 |
|---|---|
| 구속 적부 심사 제도 | • 구속된 피의자가 법원에 구속의 적법성 등을 심사해 달라고 요청함<br>• 판사가 피의자를 직접 만나지 않고 서류로 심사함<br>• 청구가 인용되면 불구속 상태에서 수사를 받으며, 기각되면 구속 상태가 계속 유지됨 |

## 13 구속 영장 청구

제시된 자료를 통해 피의자인 A는 도주 우려가 있어 구속되었음을 알 수 있다. ㄱ. A와 같이 구속된 피의자는 구속의 적법성과 필요성을 심사하여 석방해 줄 것을 요청하는 구속 적부 심사를 청구할 수 있다. ㄴ. 영장을 발부할 때는 법관이 피의자를 직접 심문하여 구속 사유가 인정되는지를 판단하는 절차를 거쳐야 하는데, 영장이 발부된 것을 고려할 때 A가 구속 전 피의자 심문을 거쳤음을 알 수 있다.

**바로 알기** ㄷ. 가석방 제도는 형을 확정 받아 교도소에 수용된 수형자를 일정한 조건에 따라 형 집행이 완료되기 전에 석방하는 제도로서, 형의 집행을 받지 않은 A는 활용할 수 없다. ㄹ. 구속 영장은 적법한 절차에 따라 검사가 청구한 경우 법관이 발부한다.

## 14 재판 절차에서의 인권 보장 제도

첫 번째 내용은 보석 제도, 두 번째 내용은 증거 재판주의에 대한 설명이다. 보석 제도는 피고인이 불구속 상태에서 재판을 받을 수 있도록 하고, 증거 재판주의는 강제로 피고인의 자백을 받아 내어 위법하게 수사하지 못하도록 함으로써 재판 절차에서 인권을 보장하고자 한다. 따라서 제시된 내용을 활용하여 작성한 보고서의 제목은 '재판 절차에서의 인권 보장을 위한 제도'가 적절하다.

**바로 알기** ① 보석 제도와 증거 재판주의는 수사 절차가 아닌 재판 절차와 관련 있는 제도이다. ③ 형사 절차 참여권은 범죄 피해자를 보호하기 위한 제도이다.

## 15 배상 명령 제도

㉠에 들어갈 용어는 배상 명령이다. ⑤ 배상 명령 제도는 상해, 폭행, 사기 등의 형사 재판 과정에서 유죄 판결을 선고할 때, 법원이 직접 또는 피해자의 신청에 따라 가해자에게 범죄에 따른 손해 배상을 명령할 수 있는 제도이다. 범죄 피해자가 손해 배상을 받기 위해서는 형사 절차와 별도로 민사 소송을 제기하는 것이 원칙이지만, 우리나라에서는 신속한 손해 배상을 위해 형사 재판에서 피고인에게 유죄 판결이 내려진 이후 법원이 직접 혹은 범죄 피해자의 신청에 따라 법원이 민사상 손해 배상을 명령하는 배상 명령 제도를 두고 있다.

**바로 알기** ① 법원은 유죄 판결 시 직접 가해자에게 범죄에 따른 손해 배상을 명령할 수 있다. ② 국가가 구조금을 지급하는 제도는 범죄 피해자 국가 구조 제도로서 가해자로부터 피해 배상을 받기 어려울 때 활용한다. ③ 배상 명령은 법원이 결정한다. ④ 배상 명령 신청은 형사 사건 피해자가 재판을 진행하고 있는 형사 법원에 청구할 수 있다.

## 16 형사 절차에서의 인권 보장 제도

⑤ 갑은 범죄 피해자인데 범인을 잡지 못해 치료비 등을 배상받기가 어렵다. 이런 경우에는 범죄 피해자 구조 제도를 활용하면 국가로부터 일정한 구조금을 받을 수 있다. 을은 범인으로 몰려 억울하게 교도소에 구금되었다가 무죄 확정 판결을 받아 석방되었다. 이런 경우에는 형사 보상 제도를 활용하여 국가에 보상을 청구할 수 있다.

**바로 알기** ①, ② 명예 회복 제도는 무죄 판결을 받은 사람이 자신의 무죄 사실을 다른 사람에게 알려 명예를 회복할 수 있도록 하는 것으로, 해당 사건의 재판서를 1년 동안 법무부 누리집에 게재할 수 있도록 한다. ③, ④ 배상 명령 제도는 상해, 폭행, 사기 등의 형사 재판 과정에서 유죄 판결을 선고할 때, 법원이 직접 또는 피해자의 신청에 따라 가해자에게 범죄에 따른 손해 배상을 명령할 수 있는 제도이다.

## 17 명예 회복 제도

③ 제시된 내용처럼 갑은 사기죄로 재판을 받았으나 무죄 확정 판결을 받았으므로 자신의 명예를 회복하기 위해 법무부 누리집에 자신의 무죄 판결 내용을 공시해 달라고 청구할 수 있다.

**바로 알기** ① 명예 회복 제도는 일부 형사 재판에서만 활용된다. ② 배상 명령은 형사 사건의 피해자가 청구하는 것이다. ④ 검사가 갑에게 고의 또는 과실로 불법 행위를 저질렀다는 내용이 없으므로 검사에 대해 손해 배상을 청구할 수 없다. ⑤ 갑은 범죄 피해자가 아니라 피고인으로 재판을 받은 것이므로 국가가 범죄 피해자 구조금을 지급할 필요는 없다.

## 서술형 문제
166쪽

### 01 주제: 국민 참여 재판

(1) 국민 참여 재판

(2) **예시 답안** 국민 참여 재판에서 배심원은 피고인의 유·무죄에 대한 평결을 내리고, 유죄의 경우 양형에 관한 의견을 재판부에 제출한다.

**채점 기준**

| 상 | 배심원이 피고인의 유·무죄를 평결하고, 양형에 관한 의견을 제출한다는 내용을 모두 정확히 서술한 경우 |
|---|---|
| 하 | 배심원이 피고인의 유·무죄를 평결하고, 양형에 관한 의견을 제출한다는 내용 중 한 가지만 서술한 경우 |

### 02 주제: 선고 유예와 집행 유예

**예시 답안** (가) 선고 유예, (나) 집행 유예. 선고 유예와 집행 유예는 모두 유죄가 인정되어 실형과 함께 내려지는 것이며, 저지른 죄가 가볍거나 정상 참작이 가능한 범죄자에 대해 사회에 바로 복귀할 수 있는 길을 열어 주는 제도라는 공통점이 있다.

**채점 기준**

| 상 | (가)는 선고 유예, (나)는 집행 유예라고 쓰고, 두 제도의 공통점을 유죄 인정을 언급하여 정확히 서술한 경우 |
|---|---|
| 중 | (가)는 선고 유예, (나)는 집행 유예라고 쓰고, 두 제도의 공통점을 유죄 인정에 대한 언급 없이 서술한 경우 |
| 하 | (가)는 선고 유예, (나)는 집행 유예라고만 쓴 경우 |

### 03 주제: 변호인의 조력을 받을 권리

**예시 답안** 피의자나 피고인이 법적 지식을 갖춘 변호인의 도움을 받아 국가의 강제적인 형벌권 행사에 대항하여 수사 기관과 대등한 관계에서 자신을 방어할 수 있도록 하기 위한 것이다.

**채점 기준**

| 상 | 피의자나 피고인이 법적 지식을 갖춘 변호인의 도움을 받아 수사 기관과 대등한 관계에서 자신을 방어할 수 있도록 하기 위해서라고 정확히 서술한 경우 |
|---|---|
| 하 | 피의자나 피고인이 법적 지식을 갖춘 변호인의 도움을 받도록 하기 위해서라고만 서술한 경우 |

## 1 형사 절차

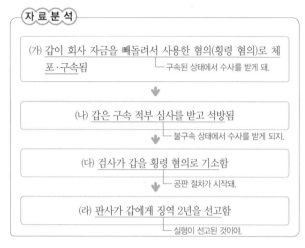

**자료분석**

(가) 갑이 회사 자금을 빼돌려서 사용한 혐의(횡령 혐의)로 체포·구속됨 └ 구속된 상태에서 수사를 받게 돼.

↓

(나) 갑은 구속 적부 심사를 받고 석방됨 └ 불구속 상태에서 수사를 받게 되지.

↓

(다) 검사가 갑을 횡령 혐의로 기소함 └ 공판 절차가 시작돼.

↓

(라) 판사가 갑에게 징역 2년을 선고함 └ 실형이 선고된 것이야.

④ 형사 재판 과정에서 범죄의 입증 책임은 검사에게 있다. 따라서 검사가 갑의 횡령 혐의를 증명해야 한다.

**┃바로 알기┃** ① (가) 단계에서 갑이 구속되었는데, 갑에 대한 구속 영장 실질 심사는 법관(판사)이 실시한다. 검사는 갑을 체포한 지 48시간 이내에 갑의 구속을 요구하는 구속 영장을 청구해야 한다. ② (나) 단계에서 이미 구속 영장은 발부되었고, 이와 별도로 구속 적부 심사가 갑의 청구에 의해 이루어져 판사가 구속의 적법성에 대해 심사를 하여 갑을 석방한 것이다. ③ 무죄 추정의 원칙은 형사 절차의 모든 단계에서 적용된다. 따라서 갑은 횡령 혐의로 수사를 받을 때부터 유죄 확정 판결이 선고될 때까지 무죄 추정의 원칙을 적용받는다. ⑤ (라) 단계에서 갑은 실형을 선고받았지만 갑이 항소를 할 수도 있고, 갑이 항소를 포기하더라도 검사가 항소할 수도 있으므로 형 집행이 확정된다고 볼 수는 없다.

## 2 소년 보호 사건의 처리

⑤ 가정(지방) 법원 소년부 판사의 심판을 받을 수 있는 사람은 형법 법령에 저촉되는 행위를 한 10세 이상 19세 미만의 소년이므로 을과 병이 해당한다.

**┃바로 알기┃** ① 갑은 10세 미만이므로 형벌이나 보호 처분 중 어느 것도 받지 않는다. 소년원 송치 처분은 소년법상 보호 처분이므로 갑에게는 이 처분을 부과할 수 없다. ② 을은 14세 미만자로 형사 미성년자이므로 검사를 거치지 않고 관할 경찰서장이 바로 가정(지방) 법원 소년부로 송치하여 판사의 심판을 받아 보호 처분을 받게 될 수 있다. 선도 조건부 기소 유예는 14세 이상 19세 미만의 범죄 소년에게만 내릴 수 있다. ③ 병은 14세 이상이므로 형사 미성년자가 아니다. 따라서 검사가 병을 조사하여 선도 조건부 기소 유예를 하거나 기소하여 형사 법원으로 이송하거나 가정(지방) 법원 소년부로 송치하는 조치 등을 취할 수 있다. ④ 정은 19세로서 소년법 적용 연령이 아니다. 따라서 검사는 정을 기소하여 형사 법원의 재판을 거쳐 형벌을 받게 할 수 있다.

## 3 국민 참여 재판

② 국민 참여 재판의 대상은 지방 법원 합의부의 1심 관할 사건이다. ③ 국민 참여 재판은 원칙적으로 피고인(갑)이 신청할 때 이루어진다. ④ 배심원은 갑에 대해 무죄를 평결했지만, 재판부는 징역 3년이라는 유죄 판결을 내렸다. 즉, 배심원의 평결을 받아들이지 않았다. ⑤ 1심 법원이 지방 법원 합의부였으므로 갑은 고등 법원에 항소할 수 있다.

**┃바로 알기┃** ① 검사는 갑이 뇌물을 받은 범죄 혐의를 인정하였지만, 배심원단은 무죄로 평결했으므로 배심원과 검사의 판단이 달랐다.

## 4 수사 절차에서의 인권 보장

② 검사가 구속 영장을 청구하였으므로, 판사가 영장을 발부하기 전에 피의자를 만나서 구속 필요성을 확인하는 구속 영장 실질 심사를 거친다. 여기서 판사가 영장 청구를 기각하면 글쓴이의 남편은 불구속 상태에서 수사를 받게 된다.

**┃바로 알기┃** ① 구속 적부 심사는 피의자가 구속된 이후에 구속의 적법성과 필요성 등을 문제 삼아 청구할 수 있다. 글쓴이의 남편은 아직 구속되기 전이므로 구속 적부 심사 청구의 대상이 되지 않는다. ③ 보석은 기소 후에 석방되기 위해 활용하는 제도이다. 글쓴이의 남편은 아직 기소되기 전이므로 청구 대상에 해당하지 않는다. ④ 단순히 술에 취한 상태에서 한 행위라고 해서 책임이 조각되는 것은 아니므로 범죄가 성립한다. ⑤ 범죄 피해자 구조금은 국가가 범죄 피해자에게 지급하는 것으로, 가해자 측에서 준비하는 것이 아니다.

## 5 형사 절차에서의 인권 보장

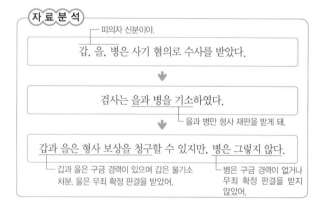

**자료분석**

┌ 피의자 신분이야.

갑, 을, 병은 사기 혐의로 수사를 받았다.

↓

검사는 을과 병을 기소하였다. └ 을과 병만 형사 재판을 받게 돼.

↓

갑과 을은 형사 보상을 청구할 수 있지만, 병은 그렇지 않다.
└ 갑과 을은 구금 경력이 있으며 갑은 불기소 처분, 을은 무죄 확정 판결을 받았어.
└ 병은 구금 경력이 없거나 무죄 확정 판결을 받지 않았어.

ㄴ. 을은 기소되었고, 형사 보상을 청구할 수 있으므로 피고인으로 구금된 경력이 있고, 무죄 확정 판결을 받았을 것이다. 재판 도중 보석을 통해 석방되더라도 그 전에 구속된 기간이 있으므로 형사 보상을 청구할 수 있다. ㄷ. 병은 기소되었지만, 형사 보상 청구의 대상이 아니다. 이것은 병이 구속된 상태가 아니거나 구속된 상태라도 유죄 판결을 받았기 때문이다. 병이 구속된 상태에서 집행 유예의 판결을 받았다면 유죄 판결이기 때문에 형사 보상을 청구할 수 없다.

**┃바로 알기┃** ㄱ. 갑은 수사를 받았지만 기소되지 않았다. 갑이 형사 보상을 청구할 수 있다고 되어 있으므로 구속 상태에서 수사를 받고 무죄 취지의

불기소 처분을 받았을 것이다. 기소 유예 처분은 죄가 인정되지만, 검사가 동기 등을 참작하여 기소하지 않는 것이므로 형사 보상 청구를 할 수 없다. ㄹ. 형사 보상은 국가에 청구할 수 있고, 명예 회복 절차는 법무부에 요구할 수 있다.

## 6 범죄 피해자 보호와 형사 구제를 위한 제도

③ 강도에게 폭행을 당해 다쳐 치료비가 필요한데도 가해자인 강도가 경제적 능력이 없어서 배상을 받기가 어려울 때 피해자가 국가에 범죄 피해자 구조금을 청구하면 일정한 한도의 구조금을 보상받을 수 있다.

**┃ 바로 알기 ┃** ① 배상 명령은 가해자에게서 배상을 받을 수 있을 때 신청할 수 있다. 사례에서 형사 피해자는 강도에게서 배상을 받을 수 없는 상황이므로 배상 명령을 신청해도 보상을 받기 어렵다. ② 형사 보상은 범죄자로 몰려 구금된 기간이 있고, 불기소 처분이나 무죄가 확정되었을 때 청구할 수 있다. 사례에서 질문자는 범죄자로 몰린 것이 아니라 형사 사건의 피해자이므로 형사 보상 청구의 대상이 아니다. ④ 편의점 사장의 불법 행위로 손해를 입은 것이 아니므로 편의점 사장을 상대로 손해 배상을 청구할 수는 없다. ⑤ 형사 피해자가 법원에 피고인에 대한 형벌을 요구할 수는 없다.

**완자 정리 노트** 범죄 피해자 보호 제도

| | |
|---|---|
| 범죄 피해자 구조 제도 | 범죄 행위로 인해 생명 또는 신체에 피해를 당했음에도 가해자로부터 피해의 전부 또는 일부를 배상받지 못하는 경우 국가가 피해자 또는 유족에게 일정한 한도의 구조금을 지급하는 제도 |
| 배상 명령 제도 | 범죄 상해, 폭행, 사기 등의 형사 피해자가 형사 재판에서 가해자로부터 간편하게 민사상 손해 배상까지 받을 수 있도록 하는 제도 |

# 03 근로자의 권리

**STEP 1** 핵심 개념 확인하기      172쪽

1 (1) 근로 기준법 (2) 노동조합 및 노동관계 조정법   2 (1) ○ (2) ×
(3) ○   3 (1) ㄴ (2) ㄱ (3) ㄷ   4 부당 노동 행위   5 노동 위원회

**STEP 2** 내신 만점 공략하기      172~174쪽

01 ③   02 ④   03 ⑤   04 ④   05 ⑤   06 ①   07 ⑤
08 ④   09 ②

## 01 노동법의 특징

A 법은 근로 조건의 최저 기준을 규정하는 「근로 기준법」, B 법은 쟁의 행위와 관련한 내용을 규정하는 「노동조합 및 노동관계 조정법」으로서 모두 노동법에 해당한다. ㄴ. 노동법은 근로 조건의 기준 규정과 노동조합 활동의 보장 등을 통해 근로자의 인간다운 생활과 생존권을 보장하려는 목적으로 등장하였다. ㄷ. 노동법은 자본주의 발달 과정에서 나타난 근로자의 열악한 노동 환경을 개선하고자 고용 관계라는 개인 간의 영역에 국가가 개입하여 계약 자유의 원칙을 수정 또는 제한하는 것을 중요시한다.

**┃ 바로 알기 ┃** ㄱ. 노동법은 자본주의 원리가 소수 자본가의 근로자 지배 수단으로 악용되어 생기는 노동 문제를 해결하고자 등장하였다. ㄹ. 노동법은 근로관계를 규율함으로써 경제적 약자인 근로자가 경제적 강자인 사용자와 대등한 위치에서 근로 계약을 맺을 수 있도록 한다.

## 02 근로 기준법의 내용

밑줄 친 '이 법'은 「근로 기준법」이다. ① 근로자의 근로 시간은 원칙적으로 1일 8시간, 1주 40시간을 초과할 수 없다. ② 휴식 시간은 근로 시간이 4시간일 때 30분 이상, 8시간일 때 1시간 이상이어야 하며, 반드시 근로 시간 도중에 주어야 한다. ③ 임금은 통화로 매월 1회 이상 일정한 날짜에 근로자에게 직접 전액을 지급해야 한다. ⑤ 사용자는 일정 기간 근무한 근로자에게 1주 1회 이상의 유급 휴일을 주어야 한다.

**┃ 바로 알기 ┃** ④ 15세 이상 18세 미만의 연소 근로자는 법정 대리인의 동의를 얻어 사업주와 직접 근로 계약을 체결해야 하며, 법정 대리인이 근로 계약을 대신 체결해서는 안 된다.

**완자 정리 노트** 근로 시간과 휴식 시간의 기준

| | |
|---|---|
| 근로 시간 | 1일 8시간, 1주 40시간을 초과할 수 없음 → 사용자와 근로자가 합의할 경우 1주 12시간 이내 연장 근로 가능 |
| 휴식 시간 | 근로 시간 4시간에 30분 이상, 8시간에 1시간 이상의 휴식 시간을 근로 시간 도중에 주어야 함 |

## 03 노동조합 및 노동관계 조정법

㉠에 해당하는 법은 「노동조합 및 노동관계 조정법」이다. ⑤ 「노동조합 및 노동관계 조정법」은 근로 3권인 단결권, 단체 교섭권, 단체 행동권의 보장을 구체적으로 규정하여 근로자와 사용자가 실질적으로 대등한 지위에서 교섭할 수 있도록 한다.

**┃바로 알기┃** ① 근로 조건의 최저 기준을 보장하는 법은 「근로 기준법」이다. ② 법정 최저 임금을 규정하는 법은 「최저 임금법」이다. ③ 「노동조합 및 노동관계 조정법」은 근로자의 근로 3권을 보장함으로써 근로자의 경제적 지위 향상에 기여한다. ④ 국가가 노동 문제를 해결하고 근로자를 보호하기 위해 제정한 법인 노동법에는 「노동조합 및 노동관계 조정법」, 「근로 기준법」 등이 포함된다.

## 04 근로 3권

(가)는 단체 행동권, (나)는 단결권이다. 근로자는 근로 조건의 유지 및 향상을 위하여 노동조합을 결성하거나 노동조합에 가입하여 활동할 수 있는 단결권을 갖는다. 또한 근로자는 단체 교섭을 통한 단체 협약이 원만하게 체결되지 않아 근로자와 사용자 간에 분쟁이 발생하면 자신의 의견을 관철하기 위해 일정한 절차를 거쳐 파업, 태업 등의 쟁의 행위를 할 수 있는데, 이를 단체 행동권이라고 한다.

**┃바로 알기┃** ①, ③, ⑤ 단체 교섭권은 근로자가 근로 조건의 유지 및 개선에 관하여 사용자와 집단으로 교섭할 수 있는 권리이다.

## 05 연소 근로자의 근로 계약

갑은 16세이므로 「근로 기준법」상 연소 근로자이다. 연소 근로자는 보호자의 동의를 얻어 근로 계약을 체결할 수 있지만, 근로 계약 체결은 본인이 해야 한다. 연소 근로자는 1일 7시간, 1주 35시간 이내 근로가 원칙이고, 본인이 동의할 경우 1일 1시간, 1주 5시간 이내의 연장 근로가 가능하다. 휴식 시간은 성인 근로자와 마찬가지로 4시간 근로에 30분 이상씩이며, 반드시 근로 시간 도중에 주어야 한다.

**┃바로 알기┃** ⑤ 임금은 나이에 관계없이 근로자 본인에게 직접 지급해야 한다.

**완자 정리 노트    연소 근로자의 근로**

| 구분 | 내용 |
|---|---|
| 근로 가능 연령 | • 원칙적으로 15세 이상<br>• 13세 이상 15세 미만인 자는 고용 노동부 장관의 취직 인허증을 발급받아야 취업 가능 |
| 근로 계약 | 부모의 동의를 얻어 본인이 직접 근로 계약 체결 |
| 근로 시간 | • 1일 7시간, 1주 35시간 이내<br>• 사용자와 합의할 경우 1일 1시간, 1주 5시간 한도로 연장 근로 가능 |
| 임금 | • 최저 임금 적용<br>• 본인 단독으로 임금 청구 가능 |

## 06 연소 근로자의 권리 침해

갑~정은 모두 17세이므로 연소 근로자이다. 갑. 휴일 근무나 초과 근무를 한 경우에는 50% 가산 임금을 받아야 한다. 을. 연소 근로자도 성인과 마찬가지로 최저 임금을 적용받는다. 병. 연소 근로자는 하루 7시간 이내의 근로가 원칙이지만 본인이 동의할 경우 하루 1시간, 1주 5시간 이내에서 연장 근로가 가능하다. 정. 연소 근로자는 부모 등 법정 대리인의 동의를 얻어 근로 계약을 맺어야 한다. 따라서 근로자의 권리를 침해당한 사람은 갑, 을이다.

## 07 부당 노동 행위

ㄷ. 사용자가 정당한 이유 없이 노동조합의 단체 교섭 요구를 거부하는 것은 부당 노동 행위이다. ㄹ. 노동조합 활동을 했다는 이유로 갑의 직종을 변경하여 지방으로 발령 낸 것은 부당 노동 행위로 볼 수 있다. 따라서 갑 또는 갑이 속한 노동조합은 이 처분에 대해 노동 위원회에 구제 신청을 할 수 있다.

**┃바로 알기┃** ㄱ. 노동조합에 가입하는 것은 단결권을 행사한 것이다. 단체 행동권은 단체 교섭이 결렬될 때 근로자가 자신의 주장을 관철하기 위해 파업, 태업 등의 쟁의 행위를 할 수 있는 권리이다. ㄴ. 단체 교섭은 임금, 근로 환경 등 근로 조건에 관한 것만을 대상으로 한다. 회사 경영권 문제는 근로 조건에 해당하지 않으므로, 단체 교섭의 대상이 될 수 없다.

**완자 정리 노트    부당 노동 행위의 사례와 구제 방법**

| | |
|---|---|
| 사례 | • 근로자의 노동조합 가입, 조직, 활동 등을 이유로 근로자를 해고하거나 근로자에게 불이익을 주는 행위<br>• 근로자가 노동조합에 가입하지 아니할 것 또는 탈퇴할 것을 고용 조건으로 하거나 특정한 노동조합의 조합원이 될 것을 고용 조건으로 하는 행위<br>• 노동조합과의 단체 교섭을 정당한 이유 없이 거부하는 행위 |
| 구제 방법 | • 노동 위원회에 구제 신청<br>• 법원에 민사 소송 제기 |

## 08 부당 해고와 부당 노동 행위

갑은 노동조합 활동을 했다는 이유로 사용자로부터 해고당한 것이므로 부당 노동 행위에 해당하고, 을은 해고의 사유와 시기를 서면으로 통지받지 못하였으므로 해고의 절차를 지키지 않은 부당 해고에 해당한다. ④ 사용자의 부당 노동 행위로 권리를 침해당한 갑과 부당 해고를 당한 을은 모두 노동 위원회에 구제 신청을 함으로써 권리를 구제받을 수 있다.

**┃바로 알기┃** ① 갑의 사용자는 갑이 쟁의 행위에 포함되는 파업을 주도했다는 이유로 해고하였으므로, 근로자가 자신의 주장을 관철하기 위해 쟁의 행위를 할 권리인 단체 행동권을 침해한 것이다. ② 부당 노동 행위를 당한 갑은 노동 위원회에 구제 신청을 하는 것과 별도로 권리 구제를 위해 법원에 민사 소송을 제기할 수 있다. ③ 을에 대한 해고는 해고의 절차를 갖추지 못한 부당 해고로서 근로 3권의 침해와는 관련이 없으므로, 근로 3권에 관한 내용을 규정한 「노동조합 및 노동관계 조정법」에 근거하여 위법 여부를 판단할 수 없다.

## 09 부당 해고의 구제 절차

**자료 분석**

ㄱ. 근로자를 해고하기 위해서는 30일 전에 해고를 예고하고, 해고의 사유와 시기를 서면으로 통보해야 한다. 그런데 해고 예고도 없이 이틀 전에 문자 메시지로 해고를 통보한 것은 절차상 위법하므로 부당 해고에 해당한다. ㄷ. 부당 해고를 당한 근로자는 노동 위원회의 구제 절차를 생략하고 바로 법원에 해고 무효 확인 소송을 제기할 수 있다.

**바로 알기** ㄴ. 부당 노동 행위는 근로자뿐 아니라 노동조합도 구제 신청을 할 수 있지만, 부당 해고는 근로자만이 구제 신청을 할 수 있다. ㄹ. 중앙 노동 위원회의 재심 판정에 불복할 경우에는 행정 법원에 행정 소송을 제기할 수 있다.

## 서술형 문제

174쪽

### 01 주제: 노동법의 등장 배경

**예시 답안** 노동법. 계약 자유의 원칙과 자본주의 원리가 적용되는 과정에서 여러 노동 문제가 발생하자, 국가가 사적인 고용 관계에 개입하여 최소한의 근로 조건과 노사 관계 등을 규정함으로써 근로자의 인간다운 생활과 생존권을 보장하려는 목적으로 노동법이 등장하였다.

**채점 기준**

| 상 | 노동법이라고 쓰고, 그 등장 배경을 노동 문제를 해결하여 근로자의 인간다운 생활과 생존권을 보장하기 위해서라고 정확히 서술한 경우 |
|---|---|
| 중 | 노동법이라고 쓰고, 그 등장 배경을 노동 문제를 해결하기 위해서라고만 서술한 경우 |
| 하 | 노동법이라고만 쓴 경우 |

### 02 주제: 근로 3권

(1) (가) 단결권, (나) 단체 교섭권, (다) 단체 행동권
(2) **예시 답안** 근로관계에서 상대적 약자인 근로자가 사용자와 대등한 지위에서 근로 조건을 결정할 수 있도록 하기 위해 법으로 근로 3권(노동 삼권)을 보장하고 있다.

**채점 기준**

| 상 | 근로자가 사용자와 대등한 지위에서 근로 조건을 결정하도록 하기 위해 근로 3권을 보장한다고 정확히 서술한 경우 |
|---|---|
| 하 | 근로자의 권리 보호를 위해 근로 3권을 보장한다고만 서술한 경우 |

### 03 주제: 부당 해고

**예시 답안** 정당한 해고가 되려면 해고 사유가 정당해야 하는데 A는 위법 행위에 대한 시정을 요구한 후 해고를 당했으므로 해고 사유가 정당하지 않다. 또한, 사용자는 30일 전에 해고 계획을 예고해야 하는데 그런 예고 기간이 없었다. 그리고 서면으로 해고 사유와 시기를 밝히지 않고 전화로 했기 때문에 정당한 해고 절차를 위반했다.

**채점 기준**

| 상 | 부당 해고가 될 수 있는 근거를 세 가지 이상 정확히 서술한 경우 |
|---|---|
| 중 | 부당 해고가 될 수 있는 근거를 두 가지만 서술한 경우 |
| 하 | 부당 해고가 될 수 있는 근거를 한 가지만 서술한 경우 |

## STEP 3 1등급 정복하기

175쪽

1 ③   2 ①

### 1 연소 근로자의 근로 계약

**자료 분석**

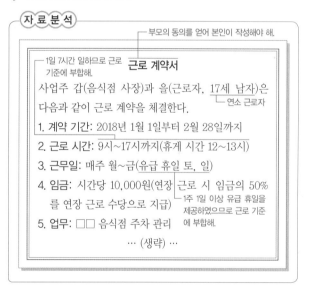

ㄴ. 을은 17세로서 연소 근로자이므로 부모 등 법정 대리인의 동의를 얻어서 본인이 직접 근로 계약서를 작성해야 한다. ㄷ. 을은 연소 근로자이므로 하루 7시간 이내에서 일해야 한다. 을이 근무일에 하루 8시간 일했다면 1시간은 연장 근로 시간이다. 따라서 을이 하루 8시간을 일했다면 법정 근로 시간인 7시간에 대한 임금인 70,000원에 1시간의 연장 근로에 대해 임금의 50%를 가산한 15,000원을 포함하여 85,000원을 하루 임금으로 받아야 한다.

**바로 알기** ㄱ. 연소 근로자는 법정 대리인의 동의 없이도 독자적으로 임금을 청구할 수 있다. ㄹ. 계약서에 따르면 휴게 시간을 제외한 근로 시간은 7시간이다. 따라서 연소 근로자는 1일 7시간을 초과하여 일할 수 없다는 「근로 기본법」 규정을 위반하지 않았으므로, 을은 이를 이유로 계약을 다시 체결할 것을 요구할 수 없다.

## 2 부당 노동 행위의 구제

① 갑은 자신에 대한 사용자의 해고를 부당 노동 행위 즉, 근로 3 권을 침해한 것으로 본 것이므로 부당 노동 행위의 근거로 자신의 노동조합 활동을 제시했을 것이다.

┃ **바로 알기** ┃ ② 지방 노동 위원회와 중앙 노동 위원회는 모두 갑의 구제 신청을 기각했는데, 이는 갑의 해고가 부당 노동 행위가 아니라고 보았기 때문이다. 즉, 갑이 근로 3권을 침해당하지 않았다고 본 것이다. ③ 중앙 노동 위원회의 재심 판정에 불복할 경우 제기하는 소송은 재심 판정의 취소를 구하는 행정 소송이다. 해고 무효 확인 소송은 노동 위원회를 거치지 않고 바로 민사 법원에 제기하는 민사 소송이다. ④ 행정 소송은 노동 위원회를 거쳐야 제기할 수 있다. ⑤ 1심 법원은 갑의 청구를 기각했으므로 해고 처분의 정당성을 중앙 노동 위원회와 같게 판단하였다.

### 대단원 실력 굳히기
178~181쪽

| 01 ② | 02 ① | 03 ⑤ | 04 ③ | 05 ③ | 06 ④ | 07 ④ |
| 08 ② | 09 ③ | 10 ② | 11 ⑤ | 12 ④ | 13 ② | 14 ④ |
| 15 ② | 16 ⑤ | | | | | |

## 01 형법의 기능

제시된 법은 범죄와 그에 따른 형벌을 규정하는 형법이다. ㄱ. 형법은 범죄에 국가만 형벌을 부과할 수 있도록 함으로써 타인에 의한 인권 침해를 방지하여 개인의 생명, 신체, 안전, 재산 등의 법익을 보호한다. ㄷ. 형법은 국가가 금지하는 행위와 이에 대한 처벌을 명확히 규정함으로써 형법이 규정한 내용과 범위 이외에는 국가가 자의적으로 형벌을 부여하지 못하도록 하고 있다.

┃ **바로 알기** ┃ ㄴ. 수사와 재판이 이루어지는 과정, 즉 형사 절차를 규정한 법은 「형사 소송법」이다. 형법은 범죄와 그에 대한 형벌의 내용을 규정한다. ㄹ. 민법에 대한 설명이다.

## 02 명확성의 원칙

제시된 자료에서 헌법 재판소는 「경범죄 처벌법」 제3조 제1항의 내용에서 '부끄러운 느낌이나 불쾌감', '지나치게'와 '가려야 할 곳'의 의미가 너무 막연해서 어떤 행위를 범죄로 볼 것인지가 불명확하여 위헌 결정을 내렸는데, 이는 법률의 내용이 명확해야 한다는 명확성의 원칙에 근거한 것이다.

┃ **바로 알기** ┃ ② 적정성의 원칙은 형벌 법규에서 범죄 행위의 경중과 행위자가 부담해야 할 형사 책임 사이에 균형을 갖추어야 한다는 원칙이다. ③ 소급효 금지의 원칙은 범죄와 그 처벌은 행위 당시의 법률에 의해야 하고, 행위 후에 법률을 제정하여(사후 입법) 그 법으로 이전의 행위를 처벌해서는 안 된다는 원칙이다. ④ 관습 형법 금지의 원칙은 범죄와 형벌은 미리 성문의 법률에 규정되어 있어야 하며, 불문법인 관습법으로는 처벌할 수 없다는 원칙이다. ⑤ 유추 해석 금지의 원칙은 어떤 사항에 대하여 직접 규정한 법규가 없을 때 그와 비슷한 사항에 관하여 규정한 법률을 적용함으로써 피고인에게 불리하게 형벌을 부과하거나 가중하지 못한다는 원칙이다.

## 03 죄형 법정주의의 파생 원칙

(가)는 죄형 법정주의이다. 죄형 법정주의를 실현하는 구체적인 원칙으로는 관습 형법 금지의 원칙, 소급효 금지의 원칙, 명확성의 원칙, 적정성의 원칙, 유추 해석 금지의 원칙이 있다. ⑤ 죄형 법정주의에서 범죄와 형벌은 반드시 성문의 법률로 정해야 하며, 불문법인 관습법을 적용하여 처벌해서는 안 된다.

┃ **바로 알기** ┃ ① 행위에 해당하는 법 규정이 없다고 해서 비슷한 법 규정을 적용하는 것은 유추 해석 금지의 원칙에 위반된다. ② 명확성의 원칙에 따라 범죄의 구성 요건과 내용은 법관을 포함한 모든 사람이 명확하게 이해할 수 있도록 법률에 규정해야 한다. ③ 작은 범죄에 대해 무거운 처벌을 내리는 것은 범죄 행위와 형벌이 비례하지 않는 것이므로, 적정성의 원칙에 위반된다. ④ 형벌 법규의 적용 시기를 제한하지 않으면 과거의 행위에 대해 사후에 만들어진 법으로 처벌할 수 있게 되므로 소급효 금지의 원칙에 위반된다.

## 04 죄형 법정주의의 원칙

(가)는 범죄 행위를 처벌하는 법규를 그 시행일 이전에 한 행동에까지 적용해서는 안 된다는 소급효 금지의 원칙에 어긋난다. (나)는 책임에 비례하여 형벌을 부과해야 한다는 적정성의 원칙에 어긋난다.

## 05 범죄의 성립 요건

ㄴ. 자신에게 덤벼드는 개를 다치게 하여 현재의 위난을 피한 행위는 긴급 피난으로서 위법성이 조각될 수 있으므로 (나)에 해당한다. ㄷ. 심각한 심신 장애를 지닌 환자의 행위는 책임을 물을 수 없으므로 (다)에 해당한다.

∥ 바로 알기 ∥ ㄱ. 군인이 전투에서 적을 사살한 행위는 살인죄의 구성 요건을 충족하지만, 법령과 업무로 인한 행위로서 위법성이 조각되므로 (나)에 해당한다. ㄹ. 형사 미성년자인 10세 어린이의 행위는 책임이 조각되므로 (다)에 해당한다.

## 06 긴급 피난

④ 갑은 위급한 상황에 처한 아버지를 병원에 모시기 위해 주변에 있던 을의 자동차를 동의 없이 사용한 것으로서 위법성 조각 사유 중 긴급 피난에 해당한다.

∥ 바로 알기 ∥ ① 갑이 자동차를 사용한 것은 자신 또는 다른 사람의 부당한 공격에 대항하기 위한 것은 아니므로, 정당방위가 성립하지 않는다. ② 위법 행위에 대한 비난 가능성은 책임을 의미한다. 갑이 형사 미성년자이거나 심신 상실자라는 언급이 없으므로 책임 조각 사유에 해당하지 않는다. ③ 형법은 자동차 등을 권리자의 동의 없이 사용하는 것을 범죄로 규정하고 형벌을 부과하도록 규정하고 있다. 따라서 갑이 을의 동의 없이 자동차를 일시적으로 사용한 것은 자동차 등의 불법 사용죄의 구성 요건에는 해당한다. ⑤ 갑의 행위는 법령에 따르거나 업무로 인한 행위가 아니므로 정당 행위에 해당하지 않는다.

## 07 범죄의 성립 요건

갑이 실수로 행인을 죽인 것은 과실 치사죄의 구성 요건에 해당하고 위법성이 인정되지만, 갑은 형사 미성년자이므로 책임이 조각된다. 반면 을이 도둑을 다치게 한 것은 상해죄의 구성 요건에 해당

하고, 을은 성인이므로 책임이 조각되지 않는다. ㄴ. 갑의 행위는 책임이 조각되어 범죄가 성립하지 않으므로 형벌이 부과되지 않는다. 반면 을의 행위는 범죄의 성립 요건을 모두 충족하므로 재판에서 유죄로 인정되면 형벌을 받을 수 있다.

∥ 바로 알기 ∥ ㄱ. 형사 미성년자인 갑의 행위는 책임이 조각되지만, 성인인 을의 행위는 책임이 조각되지 않는다. ㄷ. 갑의 행위는 책임을 물을 수 없으므로 범죄가 성립하지 않는다.

### 완자 정리 노트 　 범죄의 성립 요건

| 구성 요건 해당성 | 범죄가 성립되기 위해서는 어떤 행위가 법률에서 규정하고 있는 구성 요건을 충족해야 함 |
|---|---|
| 위법성 | 법질서 전체의 관점에서 그 행위가 위법하다고 판단할 수 있어야 함 → 위법성 조각 사유(정당 행위, 정당방위, 긴급 피난, 자구 행위, 피해자의 승낙)가 존재하면 범죄가 되지 않음 |
| 책임 | 위법 행위를 한 행위자가 비난받을 가능성이 있어야 함 → 책임 조각 사유(14세 미만자나 심신 상실자의 행위 등)가 있으면 범죄가 되지 않음 |

## 08 형벌의 종류

① 생명형인 사형은 인권의 핵심인 생명을 박탈하는 형벌이다. ③ 자유형에는 징역, 금고, 구류가 있고, 자격형에는 자격 상실과 자격 정지가 있다. ④ 벌금은 5만 원 이상, 과료는 2천 원 이상 5만 원 미만을 부과하므로, 벌금이 과료보다 큰 금액을 부담하도록 한다. ⑤ 징역은 1개월 이상 구금되지만, 구류는 1일 이상 30일 미만 구금된다. 따라서 구금 기간을 기준으로 징역과 구류를 구분할 수 있다.

∥ 바로 알기 ∥ ② 과료는 대안적 제재 수단인 보안 처분이 아니라, 일정 금액을 부담하도록 하는 형벌에 속한다.

## 09 범죄와 형벌

③ 을은 선고 유예를 받았는데, 선고 유예는 유예 기간이 지나면 면소되어 형의 선고가 없었던 것으로 간주된다.

∥ 바로 알기 ∥ ① 갑은 집행 유예를 선고받았으므로 교도소에서 복역하지 않는다. 집행 유예 기간인 2년 동안 일정한 범죄를 저지르지 않으면 징역형의 선고가 효력을 상실한다. ② 법원이 을에게 선고 유예를 내린 것은 을의 행위에 죄가 있다고 본 것이지, 정당방위로 판단한 것은 아니다. ④ 벌금은 재산형으로 국고에 귀속된다. ⑤ 법원은 갑에게는 집행 유예, 을에게는 선고 유예를 내렸다. 집행 유예와 선고 유예는 모두 유죄에 해당한다.

### 완자 정리 노트 　 형의 선고

| 무죄 선고 | 유죄를 인정할 만한 증거가 없거나 범죄가 성립하지 않는 경우 |
|---|---|
| 유죄 선고 | 범죄가 인정되면 유죄 판결을 하여 형을 선고함 → 형을 선고할 때 형의 집행을 유예하거나 형의 선고를 유예하는 판결을 내릴 수 있음 |

## 10 형벌과 보안 처분

ㄱ. 갑은 집행 유예 형벌이 무겁다고 생각할 경우에는 상급 법원에 상소할 수 있다. ㄷ. 법원이 갑에게 내린 준법 운전 강의 수강은 보안 처분의 하나인 수강 명령에 해당한다. 이것은 갑의 재범을 예방하기 위한 대안적 제재 수단이다.

**┃바로 알기┃** ㄴ. 갑은 금고형을 선고받았지만, 집행이 유예되었으므로 교도소에 구금되지 않는다. ㄹ. 갑이 선고받은 금고형만이 2년간 유예된 것이므로, 갑은 재범 여부와 상관없이 80시간의 준법 운전 강의를 수강해야 한다.

## 11 형사 절차

⑤ 형사 재판에서는 일정한 증거 조사를 거쳐 증거 능력이 있는 증거만을 사실 인정에 이용하도록 하고 있다. 다른 증거 없이 피고인의 자백만 있는 경우 증거 능력을 인정받지 못하므로 판사는 유죄 판결을 내릴 수 없다.

**┃바로 알기┃** ① 기소는 수사를 마치고 검사가 피의자를 재판에 넘기는 것이다. 구속 영장 실질 심사는 기소 이전의 수사 단계에서 검사가 청구한 구속 영장 발부 여부를 결정하기 위해 판사가 피의자를 심문하는 것으로 기소의 전제가 되지는 않는다. ② 기소된 이후에 피고인은 보석 제도를 활용하여 석방될 수 있다. 구속 적부 심사 제도는 기소 전에 피의자가 활용할 수 있는 제도이다. ③ 심리 과정에서 피고인은 무죄로 추정되기 때문에 자신이 무죄임을 입증할 책임은 없다. ④ 심리 과정에서 피고인은 자신에게 불리한 진술을 거부할 권리가 있다.

## 12 소년 보호 사건의 처리

④ 갑(12세)은 촉법 소년이므로 검사를 거치지 않고 바로 가정(지방) 법원 소년부 판사에 의해 보호 처분을 받을 수 있다. 반면 을(14세)은 범죄 소년이므로 검사가 선도 조건부 기소 유예 처분을 내릴 수 있다.
 └ 범죄 소년에 대해서는 형벌과 보호 처분을 선택적으로 부과할 수 있어.

**┃바로 알기┃** ① 갑은 10세 이상 14세 미만이자, 형법을 어긴 촉법 소년이므로 가정(지방) 법원 소년부 판사의 심판을 통해 보호 처분을 받을 수 있다. ② 을은 14세로서 검사가 기소하면 형사 재판을 통해 징역형을 선고받을 수 있으며, 소년원 송치 처분은 소년법상 보호 처분에 해당하므로 징역형이 아니다. ③ 병은 19세로서 성인이므로 소년법의 적용을 받지 않는다. 따라서 검사가 기소하면 가정 법원 소년부가 아닌 형사 법원에서 재판을 받게 된다. ⑤ 갑은 형사 미성년자이므로 형사 재판을 받지 않지만, 을과 병은 14세 이상이므로 검사가 기소하면 형사 재판을 받게 된다.

## 13 적법 절차의 원칙

피의자나 피고인은 자백을 강요당하지 않으며 불리한 진술을 거부할 권리를 가진다. 수사 및 재판 절차에서 국가는 피의자나 피고인에게 이러한 진술 거부권이 있음을 반드시 고지해야 하는데, 제시된 사례에서 법원은 수사 기관이 이를 고지하지 않고 피의자의 진술을 받은 것은 증거 능력이 없어 무죄라고 판단했다. 즉, 국가 공권력의 행사는 적법한 절차에 따라야 함을 강조한 것이다.

**┃바로 알기┃** ① 제시된 사례는 피의자에게 진술 거부권 등을 고지해야 한다는 미란다 원칙의 위반이 무죄 판결의 근거가 되었음을 나타낸다. ③ 위법하게 수집된 증거는 재판에서 유죄의 증거로 인정되지 않는다. ④ 진술

거부권은 수사 절차를 포함하여 형사 절차 전반에서 보장된다. ⑤ 제시된 사례에서 갑은 기소되어 재판을 받았으므로, 무죄 취지의 불기소 처분을 이유로 국가에 형사 보상을 청구할 수 없다.

## 14 노동법의 종류

A 법은 「근로 기준법」, B 법은 「노동조합 및 노동관계 조정법」이다. ④ 「근로 기준법」은 근로 계약, 임금, 근로 시간, 휴식 등 개별적인 근로관계를 다루고 있다. 이에 비해 「노동조합 및 노동관계 조정법」은 노동조합의 설립, 단체 교섭, 단체 행동권 행사 등 집단적인 노사 관계를 다루고 있다.

**┃바로 알기┃** ① 근로 3권인 단결권, 단체 교섭권, 단체 행동권의 보장을 규정하는 법은 「노동조합 및 노동관계 조정법」이다. ② 「근로 기준법」에 미달하는 근로 계약 조항은 무효이며, 무효로 된 부분은 「근로 기준법」에서 정하는 기준을 따라야 한다. ③ 「노동조합 및 노동관계 조정법」이 아닌 「근로 기준법」에 따라 근로 계약 체결 시 임금, 근로 시간, 휴일 등 근로 조건의 사항을 명시하여 서면으로 작성해야 한다. ⑤ 「노동조합 및 노동관계 조정법」과 「근로 기준법」은 모두 국가가 개인 간의 근로관계에 개입함으로써 계약의 자유에 제한을 가하는 근거가 된다.

## 15 근로 계약서

② 근로자는 1주 40시간을 초과하여 일할 수 없는 것이 원칙이지만, 근로자와 사용자가 합의하면 1주 12시간 이내에서 연장 근로를 할 수 있다. 따라서 연장 근로를 하더라도 1주 52시간을 초과하여 일할 수 없다.

**┃바로 알기┃** ① 갑은 25세로서 연소 근로자가 아니므로 근로 계약을 맺기 위해 부모의 동의를 얻을 필요가 없다. ③ 휴식 시간은 근로 시간 도중에 주어야 하며, 4시간 근로에 30분 이상, 8시간 근로에 1시간 이상을 주어야 한다. ④ 1주간 개근한 근로자에게는 1주 1회 이상의 유급 휴일을 주어야 하므로 제시된 계약서에서 휴일 부분이 「근로 기준법」에 위반된다. 「근로 기준법」에 위반되는 계약 사항만이 무효가 되므로, 근로 계약서 전체가 무효인 것은 아니다. ⑤ 근로 계약서의 작성 여부와 관계없이 부당 해고로 권리를 침해받은 근로자는 노동 위원회에 권리 구제를 신청할 수 있다.

## 16 부당 노동 행위

① 노동조합에서 탈퇴한 직원에게만 상여금을 지급하는 것은 노동조합 활동을 방해할 목적이 분명하므로 부당 노동 행위에 해당한다. ② 임금은 근로 조건에 해당하므로 당연히 단체 교섭 대상이다. 이를 거절하는 것은 부당 노동 행위에 해당한다. ③ 부당 노동 행위에 대해서는 근로자뿐만 아니라 노동조합도 직접 노동 위원회에 구제 신청을 할 수 있다. ④ 부당 노동 행위로 해고를 당했을 경우 노동 위원회를 거치지 않고 바로 법원에 민사 소송을 제기할 수도 있다.

**┃바로 알기┃** ⑤ 근로자는 중앙 노동 위원회의 결정에 불복할 경우 행정 소송을 제기할 수 있다.

# VI. 국제 관계와 한반도

## 01 국제 관계와 국제법

STEP 1 핵심 개념 확인하기 188쪽

**1** (1) ○ (2) × (3) ○  **2** ㄷ-ㄹ-ㄴ-ㄱ  **3** (1) 현실주의적 (2) 자유주의적  **4** ㉠ 국제법 ㉡ 법률  **5** (1) ㄴ (2) ㄷ (3) ㄱ

STEP 2 내신 만점 공략하기 188~191쪽

01 ⑤  02 ①  03 ④  04 ②  05 ⑤  06 ①  07 ③
08 ⑤  09 ③  10 ②  11 ④  12 ③

### 01 국제 관계의 특징

㉠은 국제 관계이다. ㄷ. 국제 관계에서 각국은 전 세계의 평화와 발전이라는 공동의 목표를 위해 다양한 차원의 협력을 확대하여 국제 사회의 질서를 유지하고 있다. ㄹ. 국제 관계에서 각국은 원칙적으로 평등한 주권을 가지지만 군사력이나 경제력의 차이에 따라 힘의 논리가 나타나기도 한다.

**▌바로 알기▐** ㄱ. 국내에서는 강제력을 지닌 정부가 국민 간의 다툼을 해결하고 법과 질서를 유지한다. 하지만 국제 사회에서는 국제 문제나 분쟁을 조정하고 해결할 수 있는 세계 정부가 존재하지 않는다. ㄴ. 국제 관계에는 국가 이외에도 국제기구, 다국적 기업 등 다양한 행위 주체가 있다.

### 02 국제 관계의 변천 과정

① 종교 문제로 일어난 30년 전쟁을 종결하기 위하여 유럽 각국이 맺은 베스트팔렌 조약(1648)을 계기로 주권과 영토를 가진 주권 국가 중심의 국제 질서가 형성되었다.

**▌바로 알기▐** ② 제2차 세계 대전 이후 전쟁 방지와 국제 평화를 위해 국제 연합(UN)이 창설되었다. ③ 베스트팔렌 조약(1648)은 종교에 대한 국가의 우위가 확립되는 계기가 되었다. ④ 냉전이 종식되고 세계화가 이루어지면서 이념에 따른 갈등은 감소하였으나 민족, 종교, 영토, 자원 등 다양한 이유에 따른 분쟁은 증가하였다. ⑤ 제1차 세계 대전 이후 국제 사회의 평화 유지와 협력을 위해 국제 연맹(LN)이 창설되었으나 국제 연맹 이사회의 결의가 권고적 수준에 불과하였으며, 강대국의 불참과 탈퇴가 이어지면서 실질적인 영향력을 행사하지 못하였다.

### 03 냉전 체제의 형성과 종식

(가)는 트루먼 독트린(1947), (나)는 몰타 선언(1989), (다)는 닉슨 독트린(1969)에 해당한다. ① 트루먼 독트린은 미국 대통령인 트루먼이 공산주의 세력의 위협을 받고 있는 국가를 경제적·군사적으로 지원함으로써 소련의 영향력 확장을 막아야 한다고 선언한 것이다.

이로 인해 미국과 소련 중심의 냉전 체제가 본격화되었다. ② 몰타 선언은 미국의 부시 대통령과 소련의 고르바초프 서기장이 몰타에서 공식적으로 '냉전의 종식'을 선언한 것이다. 냉전이 종식된 이후 국제 사회의 행위 주체가 다양해지고 경제적 실리를 추구하는 경향이 강화되었다. ③ 닉슨 독트린은 아시아 지역에 대한 미국의 직접적·군사적 개입 자제를 선언한 것으로서 미국과 소련 간의 냉전 체제가 완화되는 계기가 되었다. 냉전 체제가 완화되며 국제 사회는 양극 체제에서 다극 체제로 전환되었다. ⑤ '(가) 트루먼 독트린 – (다) 닉슨 독트린 – (나) 몰타 선언'의 순서로 선언이 발표되었다.

**▌바로 알기▐** ④ 국제 연합(UN)은 제2차 세계 대전 이후 1945년에 창설된 국제기구로서 트루먼 독트린이 발표되기 이전에 창설되었다.

**완자 정리 노트**   국제 사회의 주요 선언

| 구분 | 내용 | 영향 |
| --- | --- | --- |
| 베스트팔렌 조약 (1648) | 신성 로마 제국 황제의 지배를 받던 공국들은 이제 자국 영토에 대한 완전한 주권과 외교권, 조약 체결권 등을 갖는다. | 주권 국가 중심의 국제 질서 형성 |
| 트루먼 독트린 (1947) | 미국이 공산화 위협에 직면한 나라를 경제적·군사적으로 지원함으로써 소련의 영향력 확장을 막는다. | 냉전 체제의 형성 |
| 닉슨 독트린 (1969) | 아시아에 대한 미국의 직접적·군사적 개입을 피하고, 아시아 국가들의 안보는 스스로 책임지는 것을 원칙으로 한다. | 냉전 체제의 완화 |
| 몰타 선언 (1989) | 미국과 소련은 핵무기와 화학 무기를 감축하고, 양국 간의 군사적 대결 관계를 경제적 협력 관계로 전환하기 위해 노력한다. | 냉전 체제의 종식 |

### 04 자유주의적 관점

을은 자유주의적 관점에서 국제 관계를 바라보고 있다. 자유주의적 관점에 따르면 인간의 본성은 근본적으로 선하며, 전쟁과 같은 인간의 잘못된 행동은 제도나 구조에서 비롯되기 때문에 전쟁은 불가피한 것이 아니며 이를 일으키는 제도를 제거함으로써 막을 수 있다고 본다. 따라서 국제 평화를 실현하기 위한 방안으로 국제법, 국제기구 등 국제 제도의 역할을 중요시한다.

**▌바로 알기▐** ①, ③, ④, ⑤ 현실주의적 관점에 대한 설명이다.

### 05 국제 관계를 바라보는 관점

(가)는 현실주의적 관점, (나)는 자유주의적 관점에 해당한다. ㉠, ㉡ 현실주의적 관점은 인간과 국가는 이기적인 존재임을 전제하며, 힘의 논리로 국제 관계를 설명한다. 현실주의적 관점에 따르면 국제 사회는 각국이 자국의 이익을 경쟁적으로 추구하는 무대에 불과하기 때문에 국제 평화를 실현하기 위해 국제 사회의 여러 세력 간에 힘의 균형이 이루어지는 세력 균형 전략을 강조한다. ㉢, ㉣ 자유주의적 관점은 인간과 국가가 이성적인 존재임을 전제하며, 국제 관계에서 국가 간의 협력이 가능하다고 보는 관점이다. 이에 따라 어느 한 국가가 공격을 받을 때 국가 간에 상호 협력하여

함께 저항하는 집단 안보 체제를 통해 국제 사회의 평화를 이룰 수 있다고 본다.

┃ 바로 알기 ┃ ⑩ 현실주의적 관점에서는 국제 사회를 무정부 상태로 본다.

## 06 국제 사회의 행위 주체

ㄱ. 정부 간 국제기구는 국가를 회원으로 하는 국제기구로서 대표적으로 국제연합(UN), 유럽 연합(EU) 등이 이에 해당한다. ㄴ. 국제 비정부 기구는 개인이나 민간단체를 회원으로 하는 국제기구로서 국제 사면 위원회, 국경 없는 의사회, 그린피스 등이 이에 해당한다.

┃ 바로 알기 ┃ ㄷ. 다국적 기업은 세계 각지에 공장과 지사를 두고 생산 및 판매 활동을 하는 기업으로 국가 간 인위적 장벽이 제거되고 세계 경제의 상호 의존성이 심화하면서 그 영향력이 점차 커지고 있다. ㄹ. 정부 간 국제 기구, 국제 비정부 기구, 다국적 기업은 모두 국가의 영역을 초월하여 개별 국가의 정책이나 국제 사회에 영향력을 끼치는 초국가적 행위체이다.

## 07 세계화에 따른 변화

밑줄 친 '이 현상'은 세계화이다. ① 세계화가 진행되면서 각국 정부뿐만 아니라 지역 사회, 시민 단체 등이 행위 주체로 등장하며 국제 사회의 행위 주체가 다양해지고 있다. ②, ④ 세계화로 인해 다양한 행위 주체 간의 상호 신뢰와 협력이 중요해지면서 국제법, 국제기구와 같은 국제 제도의 역할이 확대되고 이를 통한 규율이 증대하고 있다. ⑤ 세계화 현상과 더불어 유럽 연합(EU), 북미 자유 무역 협정(NAFTA) 같이 상호 간의 경제적 의존도를 강화하는 경제 통합이 나타나고 있다.

┃ 바로 알기 ┃ ③ 세계화가 진행되면서 국내 정치와 국제 정치의 구분이 약화되며 양자가 긴밀하게 연결되고 있다. 국내 정치가 국제 정치에 영향을 미치기도 하고 반대로 국제 정치가 국내 정치에 영향을 미치기도 한다.

## 08 국제법의 특징

ㄴ. 인권이나 환경 문제와 같이 국제 사회의 공동 노력이 필요한 경우 국제법은 공동의 행위 기준을 세워 여러 국가의 참여를 이끌어낸다. ㄷ. 국제법은 영토, 무역, 자원 등과 관련하여 국가 간 분쟁이 발생하는 경우 평화적으로 분쟁을 해결하는 수단으로 활용될 수 있다. ㄹ. 국제법은 서로 다른 법과 문화를 지닌 국제 사회의 행위 주체들에게 행동 규범과 판단 기준을 제공함으로써 세계 시민의 일상적 삶에 편리함을 제공한다.

┃ 바로 알기 ┃ ㄱ. 과거에는 주로 국가 간의 관계를 규율했지만 오늘날에는 그 적용 영역이 점차 확대되어 다국적 기업, 국제기구 등도 국제법의 규율 대상이 되고 있다.

## 09 법의 일반 원칙

제시된 내용은 손해 배상 책임의 원칙과 권리 남용 금지의 원칙으로서 법의 일반 원칙에 해당한다. ③ 법의 일반 원칙은 문명국들이 공통적으로 승인하여 따르는 법의 보편적인 원칙이며 국내법에 수용되어 있는 것을 말한다. 법의 일반 원칙은 국제 분쟁 발생 시 조약이나 국제 관습법이 없을 때 재판의 준거로 활용된다.

┃ 바로 알기 ┃ ① 명문화된 문서의 형식으로 존재하는 것은 조약이다. ② 국내 문제 불간섭의 원칙은 국제 관습법에 해당한다. ④ 법의 일반 원칙은 이미 국내법에 통용되고 있으므로 별도의 입법 절차를 거칠 필요가 없다. ⑤ 오랜 기간 반복되어 온 관행이 법적 인식을 얻은 것은 국제 관습법이다.

## 10 국제법의 법원

㉠은 조약, ㉡은 국제 관습법, ㉢은 법의 일반 원칙에 해당한다. ㄱ. 자유 무역 협정은 국가 간에 체결하는 법적 구속력을 가진 약속으로서 조약에 해당한다. ㄹ. 헌법에 의하여 체결·공포된 조약과 일반적으로 승인된 국제 법규는 국내법인 법률과 동등한 효력을 가진다.

┃ 바로 알기 ┃ ㄴ. 신의 성실의 원칙은 법의 일반 원칙에 해당한다. ㄷ. 법의 일반 원칙은 국내에서 이미 통용되는 원칙이므로 별도의 입법 절차가 필요 없다.

| 완자 정리 노트 | 국제법의 법원 |
|---|---|
| 조약 | • 국가 간 또는 국제기구와 국가 간, 국제기구 간에 체결하는 법적 구속력을 가진 약속<br>• 조약을 체결한 당사국을 구속하며 주로 문서로 존재함 |
| 국제 관습법 | • 국제 사회의 반복적인 관행이 법 규범으로 승인되어 효력을 가지게 된 규범<br>• 별도의 체결 절차 없이도 국제 사회의 다른 국가에 법적 구속력이 발생함 |
| 법의 일반 원칙 | • 문명국들이 공통적으로 승인하여 따르는 법의 보편적인 원칙이며 국내법에 수용되어 있는 것<br>• 국제 분쟁 발생 시 조약이나 국제 관습법이 없을 때 재판의 준거로 활용됨 |

## 11 국제법의 법원

(가)는 조약, (나)는 국제 관습법, (다)는 법의 일반 원칙이다. ① 조약은 문서로 합의한 국제법으로 원칙적으로 이를 승인한 국가에만 법적 구속력이 발생한다. ② 국제 관습법은 국제 사회에서 오랜 관행으로 행해지며 법적 인식을 얻은 것이므로 국제 사회에서 포괄적인 구속력을 가진다. ③ 국제 관습법이 여러 나라에 의해 문서로 합의되면 조약이 될 수 있다. ⑤ 국제 사법 재판소는 조약과 국제 관습법이 존재하지 않을 경우 법의 일반 원칙을 보충적으로 적용하여 재판한다.

┃ 바로 알기 ┃ ④ 외교관의 면책 특권은 외교관의 신분상의 안정을 위해 접수국의 민사 및 형사 관할권으로부터 면제되는 권리로서 국제 관습법의 사례이다.

## 12 국제법의 한계

③ 국제 사법 재판소가 국제법을 어긴 일본에 대해 포경을 금지하도록 판결을 내렸지만 일본은 이를 무시하고 있다. 그러나 일본이 조약을 지키지 않는다고 해서 강제적으로 이를 제재할 방법이 없다. 이는 제정된 법을 강제할 집행 기구나 수단이 없기 때문이다.

서술형 문제

191쪽

**01 주제: 국제 사회의 변천 과정**

예시 답안 국제 사회는 미국을 중심으로 하는 자유 진영과 소련을 중심으로 하는 공산 진영으로 나뉘어 대립하는 냉전 체제가 형성되었다.

채점 기준

| 상 | 미국을 중심으로 하는 자유 진영과 소련을 중심으로 하는 공산 진영의 대립으로 냉전 체제가 형성되었다고 정확히 서술한 경우 |
|---|---|
| 중 | 냉전 체제가 형성되었다고만 서술한 경우 |
| 하 | 미국과 소련이 대립하였다고만 서술한 경우 |

**02 주제: 국제법의 의의**

예시 답안 국제법은 서로 다른 법과 문화를 지닌 행위 주체들의 공통 규범으로서 세계 시민의 일상적 삶에 편리함을 제공한다.

채점 기준

| 상 | 국제법이 서로 다른 법과 문화를 지닌 행위 주체들의 공통 규범으로서 세계 시민의 일상적 삶에 편리함을 제공한다고 정확히 서술한 경우 |
|---|---|
| 하 | 국제법이 세계 시민의 일상적 삶에 편리함을 제공한다고만 서술한 경우 |

**03 주제: 국제법의 법원**

(1) (가) 조약 (나) 국제 관습법
(2) 예시 답안 조약은 주로 문서 형태로 존재하지만, 국제 관습법은 국제적 관행으로 존재한다. 조약은 체결 당사국에만 적용되지만, 국제 관습법은 원칙적으로 모든 국가에 포괄적으로 적용된다.

채점 기준

| 상 | 조약과 국제 관습법의 차이점을 '존재 형식'과 '적용 범위'를 모두 포함하여 정확히 서술한 경우 |
|---|---|
| 하 | 조약과 국제 관습법의 차이점을 '존재 형식'과 '적용 범위' 중 한 가지만 포함하여 서술한 경우 |

STEP 3  1등급 정복하기

192~193쪽

1 ② 2 ④ 3 ⑤ 4 ③

**1 국제 관계의 변천 과정**

② 미국은 공산주의 세력의 위협을 받고 있는 국가들을 경제적·군사적으로 지원하는 것을 내용으로 하는 트루먼 독트린을 발표하고, 군사 동맹인 북대서양 조약 기구를 창설하였다. 소련을 포함한 공산주의 진영은 이에 대항하는 군사 동맹으로 바르샤바 조약 기구를 조직하면서 자유 진영과 공산 진영이 이념적으로 대립하는 양극 체제가 확고히 자리 잡게 되었다.

바로 알기 ① 베스트팔렌 조약이 체결되면서 주권을 가진 국가가 국제 사회의 행위 주체로 등장하고, 주권 국가 중심의 국제 질서가 형성되기 시작하였다. ③ 닉슨 독트린은 미국이 아시아에 대한 군사적 개입을 자제한다는 내용으로 냉전 완화에 기여하였다. ④ 몰타 선언은 미국과 소련이 동서 협력을 선언한 것으로, 몰타 선언 이후 독일이 통일되고 소련이 붕괴되면서 냉전이 종식되었다. ⑤ 트루먼 독트린은 냉전의 심화에 기여하였지만, 닉슨 독트린은 냉전의 완화에 기여한 조약이다.

**2 국제 관계를 바라보는 관점**

자 료 분 석

(가) 인간은 악하고 이기적인 존재이다. 따라서 국제 관계에 있어서도 자국의 이익만을 극대화하려는 정책으로 인하여 상호 대립과 분쟁이 발생한다. 하지만 세력 균형 전략을 통해 전쟁을 방지할 수 있다. ─ 현실주의적 관점

(나) 인간은 선하고 이타적인 존재이다. 이러한 인간들이 모인 국제 관계에 있어서도 상호 원조와 협력이 가능하다. 국가 간의 대화를 통해 국가 간의 갈등을 최소화한다면 평화로운 세계를 만들 수 있다. ─ 자유주의적 관점

ㄴ. 자유주의적 관점은 국가의 이성적 판단을 중시하므로 국제법과 국제기구의 중요성을 강조한다. 또한 어떤 한 국가가 침략하면 다른 여러 국가가 집단적으로 대응하여야 한다는 집단 안보 전략이 국제 평화를 보장할 것이라고 본다. ㄹ. 냉전 체제는 국제 사회가 미국과 소련을 중심으로 이념적으로 대립했던 때로, 이 시기의 군비 경쟁을 설명하기에는 힘과 권력을 중시하는 현실주의적 관점이 적절하다.

바로 알기 ㄱ. 현실주의적 관점은 국제 사회에서 힘의 논리를 중시한다. 국제 사회에서 국제 비정부 기구의 역할을 중시하는 것은 자유주의적 관점이다. ㄷ. 현실주의적 관점은 자유주의적 관점과 달리 국제 사회에서 상호 협력 관계보다 권력관계를 중시한다.

**3 국제법과 국내법**

㉠은 국제법의 법원으로 조약, ㉡은 국내법으로 법률에 해당한다. ㄱ. 우리나라에서 조약의 체결·비준권은 대통령의 권한에 해당한다. ㄷ. 헌법에 의하여 체결·공포된 조약과 일반적으로 승인된 국제

법규는 국내법 중 법률과 동등한 효력을 가지게 된다. ㄹ. 조약은 국내법과 달리 국제법의 법원으로 국제 사법 재판소의 판결의 준거로 활용될 수 있다.

**┃ 바로 알기 ┃** ㄴ. 법률은 국내법이므로 국가의 법적 절차를 통해 강제적으로 집행할 수 있다.

### 4 국제법의 법원

A는 국제 관습법, B는 조약이다. ① 국제 관습법은 국제 사회에서 오랫동안 관행으로 내려오면서 법적 인식을 얻게 된 것이므로 국제 사회에서 포괄적 구속력이 있다. ② 조약은 체결 절차를 거쳐 문서로 합의한 것이므로 원칙적으로 이를 승인한 국가에만 법적 구속력이 발생한다. ④ 조약은 당사국 간 명시적인 합의 절차를 거쳐야만 성립되지만, 국제 관습법은 오랫동안 국제적인 관행으로 행해온 것이기 때문에 명시적인 합의 절차 없이 준수되고 있다. ⑤ 조약과 국제 관습법은 국내법과는 달리 강제적으로 집행할 국제기구가 없다는 특징을 갖고 있다.

**┃ 바로 알기 ┃** ③ 국제 사법 재판소는 조약과 국제 관습법을 모두 재판 규범으로 인정하고 있다. 또한 국제법의 법원으로는 조약, 국제 관습법 외에도 법의 일반 원칙, 판례, 학자들의 학설 등이 활용될 수 있다.

---

## 02~03  국제 문제와 국제기구 ~ 우리나라의 국제 관계와 외교 정책

### STEP 1  핵심 개념 확인하기 198쪽

1 (1) 전 지구 (2) 국제법    2 (1) ㄴ (2) ㄱ (3) ㄷ    3 (1) × (2) ○
(3) ×    4 (1) 외교 (2) 국제법 (3) 민간 외교

### STEP 2  내신 만점 공략하기 198~202쪽

| 01 ② | 02 ① | 03 ④ | 04 ③ | 05 ⑤ | 06 ① | 07 ④ |
| 08 ② | 09 ① | 10 ④ | 11 ⑤ | 12 ② | 13 ⑤ | 14 ① |
| 15 ③ | 16 ⑤ | | | | | |

### 01 국제 문제의 양상

① 냉전이 종식되고 탈냉전 시대에 들어오면서 군비 경쟁과 국가 간의 직접적인 무력 충돌은 줄어들었지만, 종교, 인종, 자원 등을 이유로 발생하는 국지적 분쟁은 오히려 증가하였다. ③ 세계화에 따른 자유 무역의 확대는 선진국과 일부 개발 도상국의 경제 성장에 도움을 주었지만 국제 사회에서 상대적으로 경쟁력을 갖추지 못한 국가나 기업이 도태되면서 국가 간 경제적 불평등이 심화하는 문제가 발생하고 있다. ④ 각국이 경제 발전을 추구하는 과정에서 지구상의 공유 자원이 고갈되고 환경 오염이 심각해지고 있다. ⑤ 과거에 비해 인권 의식이 강화되고는 있지만, 사회적 약자가 겪는 인권 침해는 여전히 국제 문제가 되고 있다.

**┃ 바로 알기 ┃** ② 오늘날에는 각 국가가 이념보다 경제적 실리를 추구함에 따라 자유주의 진영과 공산주의 진영 간의 이념 대립은 거의 사라졌다.

**완자 정리 노트**  국제 문제의 양상

| 안보 문제 | • 종교, 인종, 자원 등을 이유로 한 국지적 전쟁 증가<br>• 비무장 민간인을 공격하는 테러 증가<br>• 대량 살상 무기의 증가 |
| 경제 문제 | • 세계화로 인한 자유 무역의 확대 → 국가 간 빈부 격차(남북 문제) 심화<br>• 저개발 국가의 기아 문제 |
| 환경 문제 | • 자원 고갈, 환경 오염 심화(산성비, 오존층 파괴, 지구 온난화, 폐기물 문제)<br>• 자국의 이익 우선 추구로 문제 해결이 쉽지 않음 |
| 인권 문제 | 여성, 아동, 난민 등 사회적 약자의 인권이 보장되지 않아 발생함 |

### 02 국제 문제의 특징

ㄱ, ㄴ. 테러 문제와 난민 문제는 국제 문제로서 어느 한 국가만의 문제로 볼 수 없다. 폭력적인 방법으로 자신의 의사를 표시하는

테러나 자국의 박해나 내전을 피해 다른 나라에 들어오는 난민 문제는 국경을 초월하여 발생하며, 개별 국가의 노력만으로는 해결하기 어려우므로 국제 협력을 통해 해결해야 한다.

**┃바로 알기┃** ㄷ. 테러와 난민 문제는 군비 경쟁과는 큰 관련이 없다. 테러는 민족, 인종, 종교를 둘러싼 국지적인 분쟁과 관련이 있으며, 난민 문제는 자국의 정세 불안과 박해 등이 그 원인이다. ㄹ. 국제 사법 재판소와 같은 사법 기관의 판결에 의한 해결 방법은 시간이 많이 소요되며, 또 판결이 내려진다 해도 강제적으로 집행할 수단이 마땅치 않아 실효성이 부족하다.

## 03 국제 문제의 해결 방안

④ 제시된 사례는 환경 문제를 해결하기 위해 한국, 중국, 일본의 세 나라 환경 장관들이 모여 자국의 입장을 이해시키는 방식이므로 외교 활동을 통한 해결 방법에 해당한다.

**┃바로 알기┃** ① 국제법을 통한 해결은 당사국과의 조약(협약)을 체결하거나 국제 관습법이나 법의 일반 원칙에 따름으로써 해결하는 방식이다. ② 국제기구를 통한 해결은 국제 연합(UN) 등과 같은 국제기구가 결의안이나 각종 제재 조치를 취함으로써 해결 방안을 모색하는 방식이다. ③ 국제 여론을 통한 해결은 언론을 통해 가해국의 행위를 비난함으로써 국제적인 여론을 환기해 가해국 스스로 문제를 해결하도록 유도하는 방식이다. ⑤ 제시된 사례에서 제3국이 환경 문제의 해결을 위한 중재를 맡고 있다는 내용은 없다.

## 04 국제 연합의 구성

③ 국제 사법 재판소는 국가 간의 분쟁에 대해 사법적 판단을 내리는 기관으로서 국제기구나 개인은 재판의 당사자가 될 수 없다.

**┃바로 알기┃** ① 총회는 국제 연합의 최고 의사 결정 기관이지만, 실질적인 의사 결정 기관은 안전 보장 이사회이다. ② 경제 사회 이사회는 국제 사회의 경제 사회 개발 협력에 중심적인 역할을 수행하여 인류의 생활 수준을 향상하기 위해 활동한다. ④ 안전 보장 이사회의 의사 결정은 15개 이사국 중 9개국의 찬성으로 이루어진다. 특히 실질 사항에 관한 내용은 상임 이사국 5개 국가가 만장일치로 찬성해야 한다. ⑤ 국제 연합의 부속 기관으로는 사무국, 신탁 통치 이사회 등이 있다. 국제 사면 위원회는 양심수의 인권 보호 등을 위해 노력하는 국제 비정부 기구이다.

## 05 국제 연합의 주요 기관

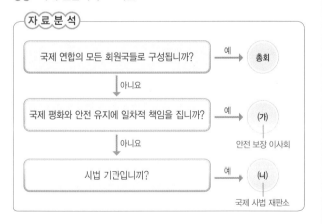

ㄷ. 국제 사법 재판소에 재판 신청을 하려면 국가 간의 분쟁에 대하여

당사국의 합의가 있어야 한다. ㄹ. 안전 보장 이사회는 국제 사법 재판소의 재판관을 선출할 권한을 가진다.

**┃바로 알기┃** ㄱ. 안전 보장 이사회에서는 5개의 상임 이사국에 거부권이 주어져 실질 사항의 경우 이들 국가 중 어느 한 나라가 거부하면 의결이 되지 않는다. 비상임 이사국 10개국은 거부권이 없으므로 국가 간 표결의 가치가 동등하지 않다. ㄴ. 국제 사법 재판소의 재판은 국제 연합의 회원국이 아니어도 신청할 수 있다.

## 06 국제 연합의 한계

① 제시된 사례에서 안전 보장 이사회가 시리아 사태를 해결하기 위해 노력해도 러시아가 계속 거부권을 행사함으로써 이러한 노력이 무산되고 있다. 즉 상임 이사국의 거부권 행사로 인해 국제 문제의 중요한 의사 결정이 지연되거나 좌절되는 경우에 해당한다.

## 07 국제 사법 재판소

㉠은 국제 사법 재판소이다. ① 국제 사법 재판소의 판결은 출석 재판관 과반수의 찬성으로 결정한다. ②, ③ 국제 사법 재판소의 재판관은 국제 연합 총회와 안전 보장 이사회에서 각각 선출되는데 서로 다른 국적을 가진 재판관 15명으로 구성된다. ⑤ 국제 사법 재판소는 해당 사건과 관련하여 조약이나 국제 관습법이 없으면 법의 일반 원칙, 저명한 국제법 학자의 학설 등을 재판에 적용할 수 있다.

**┃바로 알기┃** ④ 국제 사법 재판소에 재판을 청구할 수 있는 주체는 국가이다. 정부 간 국제기구, 국제 비정부 기구, 개인 등은 재판을 청구할 수 없다.

## 08 국제 사법 재판소의 판결과 한계

ㄱ. 국제 사법 재판소는 강제적 관할권이 없으므로 분쟁 당사국이 합의하여 제소해야 재판이 진행된다. ㄹ. 해당 사건에 대한 조약이 없을 경우 국제 사법 재판소는 국제 관습법을 적용하여 판결을 내린다.

**┃바로 알기┃** ㄴ. 국제 사법 재판소의 판결은 당해 사건에만 효력이 있어 다음 사건을 구속하지 못한다. ㄷ. 국제 사법 재판소의 판결을 당사국이 이행하지 않더라도 국제 사법 재판소는 강제적으로 판결을 이행할 수단을 갖고 있지 않다.

## 09 우리나라의 국제 관계

① 우리나라는 대륙과 해양이 만나는 전략적 요충지이기 때문에 오래전부터 외세의 침입이 잦았다. 중국은 우리나라를 해양 진출의 발판으로 삼고자 했고, 일본은 대륙 침략의 전초 기지로 삼고자 하였다.

**┃바로 알기┃** ② 우리나라는 국제적으로 전략적 요충지에 해당하므로 국제 정세의 변화에 큰 영향을 받아 왔다. ③ 우리나라는 광복 이후부터 1990년대까지 미국을 비롯한 여러 나라로부터 공적 개발 원조를 받아 성장하였지만, 제시된 내용과는 관련이 없다. ④ 우리나라는 끊임없는 외세의 침략 속에서 정치적 안정을 누리기가 어려웠다. ⑤ 우리나라는 중국과의 관계를 중시하여 서양 문물을 받아들이는 데 소극적이었다.

## 10 우리나라 국제 관계의 변화

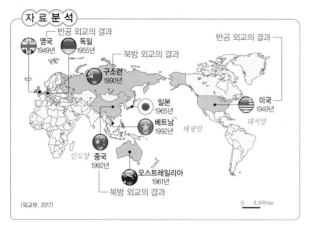

자 료 분 석

영국 1949년 — 반공 외교의 결과 독일 1955년 — 반공 외교의 결과
구소련 1990년 — 북방 외교의 결과
반공 외교의 결과
일본 1965년
미국 1949년
베트남 1992년
태평양
인도양
중국 1992년
대서양
오스트레일리아 1961년
— 북방 외교의 결과

(외교부, 2017)    0    3,000 km

④ 1980년대 후반에는 냉전 체제가 종식되면서 평화 통일 기반을 조성하고, 한반도의 평화 정착을 위해 북방 외교를 추진하였다. 그 결과 1990년대 초반 소련, 중국 등 사회주의 국가들과 외교 관계를 맺으며 관계가 개선되었다.

**┃바로 알기┃** ① 냉전 시대 초기인 1940년대 후반에는 미국, 영국을 중심으로 한 반공 외교를 지향하였다. ② 1950년대에는 6.25 전쟁 직후이고, 냉전 시대가 확고해지는 시기였으므로 정치적 이념을 중심으로 자유 진영의 국가들과만 외교 관계를 맺었다. ③ 1960년대에는 제3세계 국가들과 외교 관계를 맺기 시작했다. 일부 사회주의 국가들에도 문호를 개방한 것은 1970년대이다. ⑤ 1990년대에는 이념보다는 자원 획득 등을 위한 실리 외교를 추진하였다. 제3세계 비동맹 국가들의 성장에 맞추어 외교 대상 국가를 확대한 것은 1960년대이다.

## 11 우리나라의 국제 관계

①, ② 우리나라는 북한의 핵 확산 금지 조약(NPT) 탈퇴 및 미사일 발사 실험을 두고 북한과 갈등을 겪고 있다. 이를 해결하기 위해 국제기구가 경제적으로 북한을 제재하는 한편 우리나라 역시 해결 방안을 모색하고 있다. ③ 우리나라는 중국 어선의 불법 조업 문제를 두고 중국과 갈등을 겪고 있다. ④ 일본은 동해를 일본해로 표기할 것을 주장하며 우리나라와 갈등을 겪고 있다.

**┃바로 알기┃** ⑤ 센카쿠 열도는 동중국해 서남부에 있는 다섯 개의 무인도와 세 개의 암초로 구성된 군도로, 일본과 중국이 영토 분쟁을 벌이고 있는 지역이다.

## 12 동아시아의 역사 갈등

ㄱ. 중국은 동북공정을 통해 우리나라의 역사에 해당하는 고조선, 고구려, 발해의 역사를 중국의 지방사라고 주장하면서 역사를 왜곡하고 있다. ㄷ. 일본은 역사 교과서에서 과거 아시아 국가들에 대한 식민 지배와 침략 전쟁을 정당화하고 국가 차원의 책임을 회피하여 우리나라와 갈등을 겪고 있다.

**┃바로 알기┃** ㄴ. 중국의 동북공정 사업은 중국 영토 내에 있는 소수 민족을 통합하여 이들의 분리 독립을 막고 국경 지역을 안정시키기 위한 것이다. ㄹ. 일본은 쿠릴 열도의 영유권을 두고 러시아와 분쟁을 겪고 있다.

## 13 외교 활동

(가)는 정부 차원의 공식적인 외교 활동, (나)는 민간 차원의 외교 활동에 해당한다. ⑤ 성공적인 외교 활동을 통해 자국의 대외적 위상을 높이고, 정치·경제적 이익을 획득함으로써 자국의 이익 증진에 기여할 수 있다.

**┃바로 알기┃** ① 과거의 외교 활동은 외교관의 공식적인 대외 활동에만 국한되었지만 오늘날에는 민간 차원의 국제적 교류를 포함한다. ② 제시된 내용은 국제 분쟁의 외교적 해결 방법에 해당한다. ③ 민간 차원의 공감대를 형성하기 쉬운 것은 (나)이다. ④ 외교관과 같은 정부 관계자가 중심이 되어 활동하는 것은 (가)이다.

## 14 공공 외교

제시된 글은 공공 외교에 관한 내용이다. 공공 외교란 외국 국민과의 직접적인 소통을 통해 우리나라의 역사, 전통, 문화, 예술, 가치, 정책, 비전 등에 대한 공감대를 확산하고 국가 이미지를 높여 국제 사회에서 우리나라의 영향력을 높이는 외교 활동을 말한다. 공공 외교는 정부 간 소통과 협상 과정을 일컫는 전통적 의미의 외교와 달리 문화·예술, 지식, 미디어 등 다양한 수단과 통로를 활용하여 외국 대중에게 직접 다가가 그들의 마음을 사고 감동을 주어 긍정적인 국가 이미지를 만들어 나가는 것을 목표로 한다.

**┃바로 알기┃** ② 기여 외교는 저개발 국가에 대한 원조를 통해 국가의 위상을 높이는 외교 활동을 말한다. ③ 다자 외교는 셋 이상의 국가가 특정 의제에 관해 이해관계를 조정하고 협력 방안을 찾아가는 외교 활동을 말한다. ④ 실리 외교는 과거의 냉전 시대에 치중했던 이념 중시에서 벗어나 자국의 경제적 이익을 위해 외교의 범위와 대상에 제한을 두지 않는 외교 활동을 말한다. ⑤ 인권 외교는 난민 구호나 사회적 약자 구제 등의 인권 개선에 치중하는 외교 활동을 말한다.

## 15 우리나라 외교 정책의 과제

바람직한 국제 관계를 유지하기 위해 우리나라는 한반도의 평화 정착, 주변국과 동맹 유지, 무역 및 기술 교류, 국제기구 활동 참여, 국제법의 활용 등에 힘써야 한다.

**┃바로 알기┃** ③ 공식적인 외교 활동뿐만 아니라 문화, 예술, 환경, 스포츠 등 다양한 분야에서 민간 외교 자원을 적극적으로 활용하여 여러 국가와의 외교 관계를 돈독히 하고 협력 분야를 넓혀야 한다.

## 16 우리나라 외교 정책의 방향

⑤ 제시된 사례는 세계 문화유산인 왕코르 와트 유적의 복원 사업에 우리 정부가 적극 참여함으로써 국제 협력을 위해 노력하고 있음을 보여 준다. 이러한 기여 외교는 국제 사회에서 우리나라의 위상을 높이고 우리에 기업들을 알리는 기회가 될 수 있다.

## 서술형 문제
202쪽

**01** 주제: 국제 문제의 특징

예시 답안 국제 문제는 국경을 초월하여 발생하며, 전 지구적으로 영향을 끼치고, 어느 한 국가의 노력만으로는 해결하기 어려우므로 국제 협력이 필요하다.

채점 기준

| 상 | 국제 문제의 특징 두 가지를 모두 정확히 서술한 경우 |
|---|---|
| 하 | 국제 문제의 특징을 한 가지만 서술한 경우 |

**02** 주제: 국제 사법 재판소

(1) 국제 사법 재판소

(2) 예시 답안 강제적 관할권이 없어 분쟁 당사국끼리 합의하여 분쟁 해결을 요구한 사건만 처리할 수 있다. 또한 재판 당사국이 판결 내용을 따르지 않을 경우 현실적으로 이를 제재하기 어렵다.

채점 기준

| 상 | 국제 사법 재판소의 한계 두 가지를 모두 정확히 서술한 경우 |
|---|---|
| 하 | 국제 사법 재판소의 한계를 한 가지만 서술한 경우 |

**03** 주제: 외교 정책의 중요성

예시 답안 이란의 핵무기 갈등이 외교적 노력으로 해결됨에 따라 이란은 경제적인 어려움에서 벗어날 수 있게 되었고, 국제 사회는 핵 위협의 완화로 세계 평화에 한 걸음 나아갈 수 있게 되었다. 즉, 외교 정책은 자국의 정치적·경제적 이익을 실현하고, 국제 사회의 평화 유지에 기여한다.

채점 기준

| 상 | 외교 정책은 자국의 이익을 실현하고 국제 사회의 평화 유지에 기여한다고 정확히 서술한 경우 |
|---|---|
| 하 | 외교 정책의 영향과 중요성 중 한 가지만 서술한 경우 |

## STEP 3  1등급 정복하기
203~205쪽

1 ⑤  2 ②  3 ⑤  4 ④  5 ④  6 ③

### 1 국제 문제
제시된 사례는 국제 문제 중 환경 문제에 해당한다. ⑤ 제시된 내용 중 선진국의 기업들이 최신 기술의 설비는 자국 내에 유지하는 반면 오래된 제조 설비들은 개발 도상국으로 이주한다는 내용을 통해 개별 국가가 자국의 이익을 우선시하고 있음을 알 수 있다. 오늘날 환경 문제는 점차 심화되고 있지만 개별 국가들이 지구의 환경 보호보다 자국의 이익을 우선시하는 경우가 많아 환경 문제 해결을 위한 국제 사회의 협력이 쉽지 않다.

### 2 국제 연합의 주요 기관
(가)는 국제 연합 총회의 의결 방식, (나)는 국제 연합 안전 보장 이사회의 의결 방식이다. ㄱ. 총회는 1국 1표주의를 택하고 있으므로 형식적으로 모든 국가의 권력이 평등함을 전제로 한 것이다. 따라서 주권 평등의 원칙이 적용된다. ㄹ. 주권 평등의 원칙이 적용되는 국제 연합 총회의 의결 방식은 국제 관계를 바라보는 자유주의적 관점에, 상임 이사국의 거부권을 인정하는 국제 연합 안전 보장 의사회의 의결 방식은 국제 관계를 바라보는 현실주의적 관점에 부합한다.

**바로 알기** ㄴ. 국제 연합 총회의 의결 사항은 권고적 효력만 있을 뿐 법적 구속력은 없다. 그렇지만 국제 사회의 합의된 규범으로서 존중받아야 한다는 도덕적 권위를 가진다. ㄷ. 국제 연합 안전 보장 이사회의 의결 방식은 상임 이사국의 거부권을 인정하고 있으므로 강대국이 영향력을 발휘하기에 유리한 방식이다.

완자 정리 노트   국제 연합의 주요 기관

| 총회 | • 형식상 최고 의결 기관(1국 1표로 표결)<br>• 의결은 권고적 효력 가짐. 법적 구속력 없음 |
|---|---|
| 안전 보장 이사회 | • 실질적 의사 결정 기구<br>• 실질 사항에 대해 상임 이사국 중 한 국가라도 거부권 행사 시 안건이 부결됨 |
| 국제 사법 재판소 | • 국가 간의 분쟁에 대한 재판 담당<br>• 재판에 대한 강제적 관할권이나 재판 결과 이행에 대한 제재 권한이 없음 |

### 3 국제 연합의 주요 기관
㉠은 국제 사법 재판소, ㉡은 총회, ㉢은 안전 보장 이사회이다. ⑤ 총회 또는 안전 보장 이사회는 법적 문제에 대해 국제 사법 재판소에 의견을 요청할 수 있다. 그러나 국제 사법 재판소의 의견은 권고적 의견이므로 반드시 따라야 하는 것은 아니다.

**바로 알기** ① 국제 연합의 회원국이 아니더라도 분쟁 당사국들의 합의에 따라 국제 사법 재판소에 제소할 수 있다. ② 총회는 1국 1표주의로 주권 평등의 원칙을 따른다. 강대국의 힘의 우위를 인정하는 것은 안전 보장 이사회에서 상임 이사국이 가지는 거부권에 해당한다. ③ 안전 보장 이사회는

5개의 상임 이사국과 10개의 비상임 이사국으로 구성된다. ④ 안전 보장 이사회는 국제 사법 재판소와 달리 결정에 불복하는 국가에 대해 경제·외교적 제재나 군사적 개입 등과 같이 실질적인 제재를 가할 수 있다.

## 4 국제 분쟁의 해결 방안

④ 이어도를 둘러싼 우리나라와 중국 간 영유권 분쟁에서 우리나라는 해양 경계선 확정에 대해 국제 관습법으로 확립된 중간선의 원칙에 따라 이어도가 우리나라의 영토임을 주장하고 있다. 국제 관습법은 국제법으로, 국제법은 국제 사회의 합의를 바탕으로 하여 규범력을 가진 것이기 때문에 강대국도 이를 쉽게 무시하기 어렵다. 따라서 이를 제시하며 대응하는 것이 가장 적절한 방법이다.

## 5 다양한 외교 방식

반크(VANK)가 인터넷에서 외국인에게 우리나라를 알리는 홍보 활동을 하는 것은 민간 차원의 외교 활동이다. 이것은 외국 국민과의 직접적인 소통을 통해 그들의 감정을 움직여 우리의 역사, 문화, 예술, 가치, 정책, 비전 등에 대한 공감대를 형성하는 방법으로 우리나라의 대외적 위상을 높이는 데 기여한다.

∥**바로 알기**∥ ④ 상대국과의 협상을 주요 전략으로 하는 것은 정부 차원의 공식적인 외교 활동이다.

## 6 우리나라 외교 정책의 과제

병. 국제기구의 활동에 적극적으로 참여함으로써 우리나라의 위상을 높여야 국제 사회에서 우리에게 유리한 외교적 환경이 조성된다. 정. 국제법은 국제 사회의 합의에 바탕을 둔 것이기 때문에 강대국이라도 함부로 무시할 수 없는 권위를 지닌다. 따라서 국제법을 활용하는 것은 한반도 주변 강대국들을 상대로 우리의 주장을 펼칠 때 효과적 전략이 될 수 있다.

∥**바로 알기**∥ 갑. 북한에 대한 단호한 태도가 필요하지만, 교류를 단절하기보다 대화를 시작하면서 적절한 시기에 사과를 받아내는 것이 바람직하다. 을. 무역 비중이 큰 나라에만 외교 역량을 집중할 경우 이런 나라들에 문제가 생기면 우리나라가 곤경에 빠질 수 있다. 미국이나 중국뿐만 아니라 일본, 러시아, 유럽 등 여러 나라와 폭넓은 외교적 관계를 형성해야 한다. 무. 정부의 공식적 외교뿐만 아니라 문화, 예술, 환경, 스포츠 등 다양한 분야에서 민간 외교 자원을 적극적으로 활용할 필요가 있다. 상당수의 국제 문제는 각국 정부뿐만 아니라 시민 단체, 다국적 기업, 지방 자치 단체 등이 함께 힘을 모을 때 효과적으로 풀 수 있다.

---

대단원 실력 굳히기     208~211쪽

| | | | | | | |
|---|---|---|---|---|---|---|
| 01 ② | 02 ⑤ | 03 ② | 04 ① | 05 ③ | 06 ④ | 07 ③ |
| 08 ② | 09 ⑤ | 10 ④ | 11 ② | 12 ④ | 13 ① | 14 ③ |
| 15 ④ | 16 ⑤ | | | | | |

## 01 국제 관계의 특징

② 제시된 글은 A국이 세계 식품 시장에서 많은 영향을 미치므로 다른 나라들이 A국의 눈치를 볼 수밖에 없다는 것이다. 이를 통해 국제 관계는 국가 간의 국력의 차이가 반영된다는 것을 알 수 있다.

∥**바로 알기**∥ ① 제시된 글에서 국제 비정부 기구는 등장하지 않고 있다. ③ 국제법상 중앙 정부의 기능을 하는 국가는 존재하지 않는다. ④ 제시된 글에서는 힘을 가진 국가가 국제 질서에 영향력을 행사한다고 본다.

## 02 국제 관계의 변천 과정

ㄷ. 1989년 미국과 소련의 정상이 몰타섬에서 만나 동서 협력을 내용으로 하는 몰타 선언을 하였고, 이후 독일 통일, 소련 해체 등을 겪으면서 냉전 체제가 종식되었다. ㄹ. 냉전의 완화와 종식을 거치면서 각국이 정치적 이념보다는 자국의 경제적 실리를 추구하는 경향이 뚜렷해졌다.

∥**바로 알기**∥ ㄱ. 트루먼 독트린은 1947년 소련의 공산화 위협에 직면한 그리스와 튀르키예에 대한 지원을 내용으로 하는 미국 대통령 트루먼의 연설이다. 이 사건을 계기로 미국 중심의 자유 진영과 소련 중심의 공산 진영의 대립이 심해지면서 냉전 체제가 형성되었다. 공산 진영이 다원화된 것은 1960년대 이후 상황이다. ㄴ. 닉슨 독트린은 1969년 미국 대통령 닉슨이 아시아 국가들의 문제는 아시아 스스로 해결하라며 미국의 개입 자제를 선언한 것이다. 이와 함께 미국과 중국의 정상 회담, 중국과 소련의 분쟁 등을 통해 냉전 체제가 완화되었다.

## 03 국제 관계의 변천 과정

② 베스트팔렌 조약(1648)은 종교에 대한 국가의 우위를 확립하고 주권과 영토를 가진 국가가 국제 사회의 주체로 등장하는 계기가 되었다.

∥**바로 알기**∥ ① 베스트팔렌 조약 이후 유럽 열강들이 제국주의 정책을 채택하며 식민지 경쟁을 벌이게 되었다. ③ 국제 연합(UN)은 제2차 세계 대전 이후 전쟁을 방지하고 세계 평화를 유지하기 위해 창설되었다. 제1차 세계 대전 이후에는 국제 연맹(LN)이 창설되었다. ④ 제국주의 시대에 유럽이 식민지 경쟁을 벌이며 유럽의 주권 국가 체제가 전 세계로 확산되었다. ⑤ 자유주의 진영과 공산주의 진영의 이념 대립인 냉전 체제는 제2차 세계 대전 이후에 등장하였다.

## 04 국제 관계를 바라보는 관점

(가)는 자유주의적 관점, (나)는 현실주의적 관점이다. ㄱ. 자유주의적 관점은 인간은 이성을 가진 존재이므로 이기적 욕망을 제어하고 공동의 이익을 추구할 수 있다고 보며, 국제 사회에서 국가는 국민의 복지를 추구하고 서로 협력하는 존재라고 인식한다. ㄴ. 현실주의적 관점은 인간은 기본적으로 이기적이고, 인간이 모여 만든

국가 역시 자국의 이익을 추구한다고 본다. 현실주의적 관점에 따르면 국제 사회는 무정부 상태로서 각국이 자국의 이익을 경쟁적으로 추구하는 무대에 불과하다.

┃**바로 알기**┃ ㄷ. 국제 사회의 여러 세력 간에 힘의 균형이 이루어지는 세력 균형 전략을 중시하는 것은 현실주의적 관점이다. ㄹ. 위협보다 설득과 타협을 중시하는 것은 인간과 국가를 이성적인 존재로 보며, 국제 사회에 도덕, 규범, 법률 등이 존재한다고 보는 자유주의적 관점에 해당한다.

## 05 국제 관계를 바라보는 관점

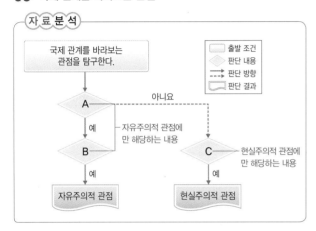

ㄴ. 국제 사회에서 국제기구의 역할을 강조하는 것은 자유주의적 관점이다. 자유주의적 관점은 국가는 이성적 판단을 할 수 있다는 전제 하에 국제법과 국제기구를 통해 협상과 절차에 따라 문제를 해결할 수 있다고 본다. ㄷ. 집단 안보 전략을 통해 국제 평화를 실현할 수 있다고 보는 것은 자유주의적 관점이다. 집단 안보 전략은 어느 한 국가가 침략했을 때 다른 국가들이 집단적으로 저항하는 방식이다.

┃**바로 알기**┃ ㄱ. 세력 균형을 통해 전쟁을 방지할 수 있다고 보는 것은 현실주의적 관점이다. ㄹ. 국가는 이성적 판단을 할 수 있음을 전제로 하는 것은 자유주의적 관점이다. 현실주의적 관점에서는 국가는 원칙적으로 이기적이라고 본다. 그래서 힘을 우위로 자국의 이익을 실현하려고 한다는 것이다.

## 06 국제 관계의 변화 양상

④ 제시된 신문 기사의 제목을 통해 난민, 무역 분쟁, 영토 분쟁, 분리 독립 등이 문제가 되고 있음을 알 수 있다. 오늘날 국제 관계에서 민주주의나 공산주의 등 정치적·이념적 갈등보다는 인권, 무역, 영토, 인종 등과 관련된 다양한 형태의 갈등이 증가하고 있음을 알 수 있다.

## 07 국제법의 법원

ㄴ. 외교 관계에 관한 빈 협약은 세계 여러 나라가 함께 맺은 조약이므로 다자 조약에 해당한다. ㄷ. 국제 사법 재판소는 이란 주재 미국 대사관 인질 사건 재판에서 외교 특권은 협약을 체결하지 않은 국가라도 지켜야 할 의무가 있다고 판결했으므로 외교 특권을

국제법의 법원인 국제 관습법으로 인정했음을 알 수 있다.

┃**바로 알기**┃ ㄱ. 국제 관습법은 국제 사회의 오랜 관행이 법적 인식을 얻은 것으로서 모든 국가에 포괄적으로 적용된다. ㄹ. 우리나라의 경우 국제 관습법은 별도의 체결 절차 없이 포괄적으로 적용된다. 우리나라에서 조약은 대통령이 체결하고, 국회는 중요한 조약 체결에 대해 동의권을 가진다.

## 08 국제법의 법원

┌─────── **자 료 분 석** ───────┐

(가) 원칙적으로 자국 외의 다른 국가에 간섭하지 않는다.─┐국제 관습법

(나) 권리와 의무의 이행은 신의에 좇아 성실하게 해야 한다.─┐법의 일반 원칙

(다) 한국과 A국 정부는 범죄인 인도 조약을 체결하고, …─┐조약

└──────────────────────────┘

(가)는 국내 문제 불간섭 원칙으로서 국제 관습법, (나)는 신의 성실의 원칙으로서 법의 일반 원칙, (다)는 한국과 A국이 체결한 범죄인 인도 조약으로서 조약에 해당한다. ① 국제 관습법은 오랜 국제 관행이 국제 사회에서 법으로 승인된 것이다. ③ 우리나라에서 조약의 체결 및 비준권은 대통령에게 있다. ④ 조약은 별도의 체결 절차가 필요하지만 국제 관습법과 법의 일반 원칙은 별도의 체결 절차 없이 효력이 인정된다. ⑤ 국제 사법 재판소에서 국제 분쟁을 해결할 때는 먼저 관련 조약을 살펴보고 조약이 없으면 국제 관습법, 국제 관습법도 없다면 법의 일반 원칙을 적용한다.

┃**바로 알기**┃ ② 법의 일반 원칙은 원칙적으로 국제 사회의 모든 국가에 대해 구속력을 가진다. 체결 당사국에만 효력이 인정되는 것은 조약이다.

## 09 국제 문제의 특징

⑤ 제시된 사례에서는 미국과 중국이 서로 보복 관세를 부과함으로써 수입품을 규제하는 방식으로 무역 분쟁이 발생하고 있다. 이 경우 당사자인 미국과 중국뿐만 아니라 한국도 수출 부진이라는 심각한 영향을 받게 된다. 이를 통해 국제 문제는 당사국뿐만 아니라 주변 국가에도 영향을 주는 전 지구적인 문제임을 알 수 있다.

## 10 국제 문제의 해결 방안

④ 「파리 기후 변화 협약」은 환경 문제 해결을 위해 국제 사회의 여러 나라가 합의하여 체결한 조약이다. 조약은 국제 관계를 규율하고 질서를 유지하기 위한 규범인 국제법에 해당한다. 제시된 사례에서는 국제법을 통하여 국가 간의 협력을 도모함으로써 환경 문제를 해결할 수 있음을 추론할 수 있다.

## 11 국제 연합의 한계

밑줄 친 '이 국제기구'는 국제 연합(UN)이다. ㄱ. 안전 보장 이사회의 5개 상임 이사국은 중요 안건에 대해 거부권을 가지고 있어 상임 이사국의 이해관계에 반하는 안건은 의결되기 어렵다. ㄷ. 국제 연합의 권고안이 현실적으로 구속력을 가지지 못하여 정작 국제적

으로 중요한 문제는 국제 연합이 배제된 채 당사국과 관련 국가들의 협상으로 해결되고 있다.

**┃바로 알기┃** ㄴ. 국제 연합은 회원국의 경제력에 따라 분담금을 차등적으로 책정하고 있다. ㄹ. 안전 보장 이사회의 상임 이사국은 미국, 영국, 프랑스, 중국, 러시아로서 바뀌지 않는다. 주요 강대국이 독점적으로 지위를 차지하고 있어 국제 문제 해결에서 강대국의 영향력이 지나치게 크다.

## 12 국제 사법 재판소

㈎는 국제 사법 재판소이다. ④ 국제 사법 재판소에서는 국제법의 법원 중 조약을 먼저 적용하고, 조약이 없을 경우에는 국제 관습법, 법의 일반 원칙 등을 재판의 준거로 활용한다.

**┃바로 알기┃** ① 국제 사법 재판소는 국제 연합(UN) 회원국뿐만 아니라 비회원국도 재판을 청구할 수 있다. ② 재판관은 국제 연합(UN) 총회 및 안전 보장 이사회에서 선출한다. ③ 국제 사법 재판소에서는 판결을 내리지만, 이 판결을 집행할 별도의 기구가 존재하지 않는다. ⑤ 국제 사법 재판소는 분쟁 당사국 모두가 공동 제소에 합의하거나 분쟁 당사국 일방이 제소하고 상대국이 이에 동의해야 재판 관할권을 가지게 된다.

## 13 우리나라의 국제 관계

① 우리나라는 칠레를 시작으로 미국, 중국을 비롯한 50여 개 국가와 자유 무역 협정을 체결하였다. 이 협정을 통해 우리나라의 무역 규모는 빠르게 증가하였지만, 이 과정에서 우리나라의 취약 산업이 타격을 받거나 양국 간 무역 수지의 불균형이 심화하는 등의 무역 갈등이 발생하고 있다.

**┃바로 알기┃** ② 미국과 중국은 한반도를 전략적 요충지로 여겨 서로를 견제하고 있다. ③ 센카쿠 열도는 러시아와 일본이 영토 분쟁 중인 지역이다. ④ 서해안 불법 어선 출몰 관련 문제는 우리나라와 중국 간의 갈등이다. ⑤ 일본이 독도 문제를 국제 사법 재판소에 제소하려고 하지만 우리나라는 독도는 역사적·지리적·국제법적으로 명백한 우리의 영토이므로 국제 분쟁의 대상이 되지 않음을 강조하며 제소를 반대하고 있다.

## 14 우리나라 외교 정책의 과제

① 유라시아 대륙의 동쪽 끝 동북아시아에 있는 한반도는 대륙과 해양이 만나는 전략적 요충지이기 때문에 오래전부터 외세의 침입이 잦았으나, 우리나라는 숱한 어려움을 극복하고 독립을 지켜 왔다. ② 우리나라는 남북이 대치하고 있는 특수한 안보 상황 속에서 주변을 둘러싼 북한, 일본, 중국, 러시아, 미국 등 여러 나라와 다자간 안보 협력 체제를 구축할 필요가 있다. ④ 우리나라는 대륙과 해양을 잇는 지리적 이점을 잘 활용하여 주변국들이 첨예하게 경쟁하는 동아시아에서 중재자 역할을 수행할 수 있다. ⑤ 한반도의 평화 정착과 통일 기반 조성을 위해 주변 국가들과 다양한 교류를 확대하고 이를 잘 활용하여 평화 분위기를 조성해야 한다.

**┃바로 알기┃** ③ 세계화 시대에 내수 경제에만 집중할 경우 국제적으로 고립될 가능성이 크다. 우리나라는 대륙과 해양을 연결하는 요충지라는 이점을 잘 활용하여 무역 확대를 통해 지속적 경제 성장을 추구하고, 선진국과 기술 교류를 통해 국가 경쟁력을 강화하기 위해 노력해야 한다.

## 15 일본의 역사 왜곡에 대한 대응

일본은 일제 강점기하의 일본군 '위안부' 문제에 대해 강제성을 부인하고 있다. 이에 대해 우리는 다른 피해국들과 연대하여 위안부 피해자를 중심으로 사실 관계를 정확하게 조사하고, 각종 역사적 자료를 찾아내어 일본 정부에 항의하며, 국제 사회에 그 내용을 적극적으로 홍보하여 국제 여론을 환기시키도록 해야 한다.

**┃바로 알기┃** ④ 일본군 '위안부' 문제는 역사적인 사실로서 가해자인 일본 정부의 인정과 적절한 사과 및 배상이 필요한 사항이지, 제3국의 중재를 통해 해결할 사안이 아니다.

## 16 바람직한 외교 정책

⑤ 서희는 외교적 협상으로써 거란의 침략군을 스스로 물러가게 하고 강동 6주까지 돌려받는 성과를 얻었다. 국가 간의 외교에서 가장 중요한 활동은 협상이다. 각국은 협상 과정에서 상대국을 설득하거나 타협하기도 하고, 때로는 정치적·군사적 압력을 행사하여 상대국을 위협하기도 하면서 자국의 외교 목적을 달성하기 위해 힘쓴다.

# 논술형 문제 풀이

## 주제 01 민주주의와 법치주의의 발전 과정

### 논술 SOLUTION

> (가)는 근대 시민 혁명의 발생 배경과 근대 민주주의의 성립에 관해 설명하고 있다.

↓

> (나)는 현대 민주 정치에서 민주주의와 법치주의의 발전 과정에 대한 내용이다.

● POINT ● 근대와 현대의 시대적 흐름에 따라 변화하는 민주주의와 법치주의의 특징을 고려하여 논술한다.

**1.** 예시 답안 근대 시민 혁명의 결과, 권력의 정당성이 시민에게서 나온다는 국민 주권에 기반을 둔 민주주의와 이러한 민주주의를 실현하기 위한 구체적인 제도로 대의제가 발달하였다. 그리고 절대 군주의 자의적인 법 집행을 의미하는 인치(人治)를 대신하여 국가 권력이 법에 따라 행사되어야 한다는 법치주의가 확립되었다.

**2.** 예시 답안 근대 시민들은 시민 혁명을 통해 군주의 자의적인 지배가 아닌 의회가 제정한 법률의 지배를 확립함으로써 국민의 자유와 권리를 안정적으로 보장받고자 하였다. 초기의 법치주의에서는 국가 권력의 행사가 합법적인 절차를 거쳐 의회가 제정한 법률의 형식에 적합하면 그 내용이나 목적을 문제 삼지 않았는데, 이를 형식적 법치주의라고 한다. 그러나 형식적 법치주의는 다수의 횡포와 합법적 독재의 수단으로 악용되었다. 이에 따라 현대 사회에서는 합법적인 절차를 거쳐 만들어진 법이라 하더라도 그 내용이 인간의 존엄성, 실질적 평등과 같은 정의 등에 합치해야 한다는 실질적 법치주의가 강조되었다.

## 주제 02 기본권의 제한과 한계

### 논술 SOLUTION

> (가)에서 집회·시위의 자유는 자유권에 해당한다.

↓

> (가)에서는 기본권의 과도한 제한은 헌법에 위배된다는 내용이며, (나)에서는 기본권의 제한이 과잉 금지의 원칙에 어긋나지 않으므로 헌법에 위배되지 않는다는 내용이다.

● POINT ● 개별 기본권들의 성격을 파악하고, 국민의 기본권을 어떤 경우에 제한할 수 있는지 기본권 제한의 요건과 한계를 고려하여 논술한다.

**1.** 예시 답안 자유권은 국민이 부당하게 국가의 침해를 받지 않고 자유롭게 생활할 수 있는 권리로, 역사적으로 볼 때 가장 오래된 기본권이다. 자유권은 국가 권력의 간섭 및 침해를 받지 않아야 실현될 수 있다는 점에서 소극적이고 방어적인 성격을 지닌다. 또한 자유권은 매우 광범위하여 헌법에 일일이 열거되지 않아도 보장된다는 점에서 포괄적 권리이다.

**2.** 예시 답안 국민의 기본권은 국가 안전 보장, 질서 유지, 공공복리를 위한 목적으로 제한할 수 있으며, 제한할 경우에는 법률을 통해 이루어져야 한다. 기본권의 제한은 과잉 금지의 원칙에 따라 목적이 정당해야 하고, 방법이 적절해야 하며, 피해는 최소한도에 그쳐야 하고, 입법으로 보호하려는 공익이 침해되는 사익보다 커야 한다. 기본권을 제한하는 경우에도 자유와 권리의 본질적인 내용은 침해할 수 없다.

## 주제 03 정부 형태의 특징

### 논술 SOLUTION

> (가)를 통해 갑국이 채택하고 있는 정부 형태가 대통령제임을 알 수 있다.

↓

> (나)를 통해 갑국이 대통령제의 단점을 해결하기 위해 의원 내각제로의 변경을 고려하고 있음을 알 수 있다.

● POINT ● 갑국 헌법을 근거로 갑국의 정부 형태를 파악하고, 갑국이 변경하려는 정부 형태를 현행 정부 형태의 단점과 관련하여 논술한다.

예시 답안 의회 의원이 내각의 각료를 겸직할 수 없는 점(제22조), 대통령이 의회를 견제하는 수단으로 법률안 거부권을 가지는 점(제33조 ②), 또한 대통령이 국민의 선거에 의해서 선출되며(제57조 ①), 선출된 대통령은 행정부 수반과 국가 원수로서의 지위(제56조 ①)를 가지는 점 등을 통해 갑국의 정부 형태가 대통령제임을 알 수 있다. 대통령제에서는 대통령에게 권한이 집중되어 있기 때문에 여대야소 정국에서 독단적 국정 운영이 나타날 우려가 있다. 또한 입법부와 행정부 간의 엄격한 권력 분립으로 운영되기 때문에 여소야대 정국에서 입법부와 행정부가 대립할 때 국정 운영이 어려울 수 있다. 이러한 단점을 해결하고자 갑국은 입법부와 행정부 간의 권력이 융합된 정부 형태인 의원 내각제로의 변경을 고려하고 있다.

SOLUTION

(가)는 진행 중인 재판에 적용된 법률 조항이 헌법에 위반된다고 판단하여 당해 법원에 위헌 법률 심판 제청 신청을 한 상황이다.

↓

(나)의 헌법 재판소의 결정문을 통해 위헌 심사형 헌법 소원 심판이 이루어졌음을 알 수 있다.

●POINT● 두 자료를 통해서 헌법 소원 심판의 유형을 파악한다. 해당 헌법 재판이 진행되는 과정을 고려하여 논술한다.

예시 답안 (가)에서 갑은 피고인으로서 재판 진행 중이었으며, 재판에 적용된 공직선거법 제□□조가 헌법에 위반된다고 판단하여 △△ 지방 법원에 위헌 법률 심판 제청 신청을 하였다. (나)에서 청구인 갑이 헌법 소원 심판을 청구하였다는 것은 (가)의 위헌 법률 심판 제청 신청이 △△ 지방 법원에서 기각 또는 각하되었다는 것을 의미한다. 재판의 당사자는 재판이 진행 중일 때 재판에 적용된 법률이나 조항이 헌법에 위반된다고 판단되면 당해 법원에 위헌 법률 심판 제청 신청을 할 수 있다. 이에 따라 갑은 재판을 받던 중 위헌 법률 심판 제청 신청을 하였으나, 신청이 받아들여지지 않았기 때문에 직접 헌법 재판소에 헌법 소원 심판을 제기할 수 있었던 것이다. 따라서 (나)의 헌법 재판 유형은 위헌 심사형 헌법 소원 심판에 해당한다.

 SOLUTION

(가)의 정당 후보자별 득표수를 통해 갑국은 소선거구제를 채택하고 있음을 알 수 있다.

↓

(나)의 정당별 의석 분포를 보면 비례 대표는 정당별 득표율에 비례하여 의석을 배분받음을 알 수 있다.

●POINT● 소선거구 제도를 채택할 경우에 나타나는 장점과 단점을 파악하고, 비례 대표제를 도입함으로써 해결할 수 있는 소선거구제의 문제점을 고려하여 논술한다.

1. 예시 답안 (가)에서 선거구당 최다 득표자 1명만 당선되므로 갑국은 소선거구제를 채택하고 있음을 알 수 있다. 소선거구제는 선거구의 지리적 범위가 비교적 좁아 선거 관리가 쉽고, 유권자들이 후보자들을 쉽게 파악할 수 있다. 그러나 사표가 많이 발생하고, 정당의 득표율과 의석률의 차이가 클 수 있다. 그리고 주요 정당에 유리하기 때문에 국민의 다양한 의견이 정치에 반영되기 어렵다.

2. 예시 답안 (나)에서 갑국의 의회는 지역구 대표와 비례 대표로 구성된다. (가)에서 지역구 대표는 소선거구제를 채택하므로 사표가 많이 발생하고 득표율과 의석률이 차이가 큰 경우가 발생할 수 있다. (나)에서는 이러한 문제점을 보완하기 위해 정당별 투표를 따로 실시하여 정당별 득표율에 비례하여 정당별로 의석을 배분하는 방식을 취하고 있다. 이러한 비례 대표제는 정당의 득표율과 의석률을 최대한 일치시킬 수 있어 유권자의 의사가 의회 의석수에 더 정확하게 반영될 수 있으며 사표를 줄일 수 있다. 또한 득표율에 따라 의석을 배분하기 때문에 소수당의 의회 진출 가능성이 높다.

 SOLUTION

(가)에서 A는 전당 대회라는 표현을 통해 정당, B는 국정 감사 모니터링이라는 표현을 통해 시민 단체임을 알 수 있다.

↓

(나)는 언론의 편파적인 보도 가능성을 우려하는 내용이다.

●POINT● 여러 가지 정치 참여 주체의 공통점과 차이점을 구분하고, 언론을 대할 때 가져야 할 시민의 태도를 고려하여 논술한다.

1. 예시 답안 (가)의 A는 정당, B는 시민 단체이다. 정당과 시민 단체는 공익을 추구하고 정부의 정책 결정 과정에 영향력을 행사하며, 국민을 정치 과정에 참여시킴으로써 정치 사회화의 기능을 수행한다는 공통점을 가진다. 그러나 정당은 정권 획득을 목표로 하고 정치적 책임을 지지만, 시민 단체는 정권 획득을 목표로 하지 않고 정치적 책임도 지지 않는다.

2. 예시 답안 언론은 사회적 쟁점에 대해 특정 여론이 형성되도록 유도하거나 여론을 조작할 수 있다. 언론은 사실을 전달하지만, 그 과정에 특정한 가치가 개입되거나 정보를 왜곡하여 편파적인 보도를 통해 잘못된 정보를 전달할 수 있기 때문이다. 따라서 시민들은 언론이 전달하는 여러 정보를 맹목적으로 신뢰해서는 안 되며, 비판적으로 평가하여 분석하는 자세를 가져야 한다.

## 주제 07 근대 민법의 기본 원리와 수정 배경

### 논술 SOLUTION

> (가)는 자기에게 고의나 과실이 있을 때만 책임을 진다는 내용이다.

> (나)는 제조물의 결함에 따른 손해에 대해 제조업자의 고의나 과실이 없더라도 제조업자가 배상 책임을 진다는 내용이다.

● **POINT** ● 고의나 과실이 없을 때의 책임 유무를 기준으로 과실 책임의 원칙과 무과실 책임의 원칙을 구분하고, 과실 책임의 원칙이 무과실 책임의 원칙으로 수정 및 보완된 배경을 논술한다.

**1.** (예시 답안) (가)에서 손해 배상 책임을 발생시키는 행위는 어떤 사람이 고의나 과실로 위법하게 타인에게 손해를 끼치는 행위, 즉 불법 행위이다. 이러한 불법 행위가 성립하기 위해서는 가해자의 가해 행위로 피해자에게 손해가 발생해야 하며, 가해 행위와 손해 간에 인과 관계가 존재해야 한다. 또한, 가해자의 행위에 고의나 과실이 있어야 하고, 그 행위가 위법해야 하며, 가해자에게 책임 능력이 있어야 한다.

**2.** (예시 답안) (가)는 과실 책임의 원칙, (나)는 무과실 책임의 원칙이 적용된 규정이다. 오늘날 현대 사회에서는 복잡한 기계 문명에 따라 가해자의 고의나 과실, 인과 관계 등을 규명하기가 어려운 경우가 많다. 그래서 가해자와 피해자가 존재하고, 인과 관계도 분명한데 피해자가 가해자의 고의나 과실을 증명하지 못해 배상을 못 받는 경우가 많아지고 있다. 이때의 가해자는 경제적 강자인 경우가 많아 과실 책임의 원칙은 경제적 강자가 책임을 회피하는 수단으로 악용되기도 했다. 이러한 이유로 권리의 공공성과 사회성을 고려하여 과실 책임의 원칙을 기본으로 하면서도 무과실 책임을 인정하는 영역이 늘어나게 되었다. 그 결과 무과실 책임이 인정되면 가해자에게 고의나 과실이 없더라도 일정한 요건이 충족되기만 하면 그 행위로 발생한 손해를 피해자에게 배상해야 하므로, 피해자가 가해자의 고의나 과실을 증명할 필요가 없어 배상을 보다 손쉽게 받을 수 있다.

## 주제 08 가족 관계를 규율하는 법

### 논술 SOLUTION

> (가)는 성년자인 갑과 을이 혼인의 실질적 요건과 형식적 요건을 모두 갖추고 있음을 보여 준다.

> (나)는 A의 사망으로 법정 상속이 시작되었으며, 1순위자인 직계 비속과 배우자가 없고 2순위자인 직계 존속만 있음을 보여 준다.

● **POINT** ● 혼인의 실질적 요건과 혼인 신고라는 형식적 요건이 모두 충족하면 혼인이 성립한다는 것을 근거로 갑과 을의 혼인에 법적 효력이 있음을 서술한다. 또한 친양자는 친생부모의 법정 상속인이 될 수 없다는 사실에 근거하여 법정 상속에 대해 논술한다.

**1.** (예시 답안) 갑과 을은 19세로 성년자이므로 부모의 동의 없이 혼인할 수 있다. 또한 갑과 을이 혼인 신고까지 마친 법률혼 부부이므로 혼인의 효력이 발생한다. 혼인을 하더라도 부부 별산제에 따라 원칙적으로 각자의 재산은 각자가 관리하지만, 혼인 중에 갑과 을이 협력하여 모은 재산은 부부 공동 재산이 된다.

**2.** (예시 답안) A가 유언 없이 사망하였으므로, 법정 상속이 개시된다. B는 병과 정의 친양자로 입양되었으므로 병과 정의 혼인 중 출생자로 간주되어 친생부모인 A와의 관계가 소멸하므로 A의 사망으로 B가 상속인이 되지 않는다. 1순위 상속자인 배우자와 직계 비속이 없으므로 A의 사망에 따른 상속인은 2순위자인 직계 존속, 즉 A의 노모만 해당된다.

## 주제 09 형사 절차에서의 인권 보장 제도

### 논술 SOLUTION

> (가)는 수사를 받는 피의자가 석방을 요구하고 있으므로, 구속 적부 심사 제도와 관련 있다.

> (나)는 재판을 받고 있는 피고인의 신분에서 석방을 요구하고 있으므로, 보석 제도와 관련 있다.

● **POINT** ● 신청인의 신분을 고려하여 구속 적부 심사 제도의 특징을 비교하고, 두 제도가 형사 절차에서 인권을 보장할 목적으로 등장하였음을 논술한다.

**1.** (예시 답안) (가)는 구속 적부 심사 제도, (나)는 보석 제도와 관련된 문서이다. 구속 적부 심사는 검사의 기소가 있기 전인 피의자 신분에서 석방을 청구하는 것이다. 반면 보석 허가 청구는 검사의 기소가 있고 난 뒤인 피고인의 신분에서 석방을 청구하는 것이다. 구속 적부 심사 제도는 구속의 불법 여부뿐만 아니라 구속이 계속

되어야 할 필요성에 관한 판단도 포함하며, 원칙적으로 보증금을 납부하지 않는다. 그러나 보석 제도는 보석금을 납부하는 조건으로 구속 기소된 피고인의 구속 집행을 정지하고 석방한다.

**2.** 예시 답안 누구든지 유죄가 확정되기 전에는 무죄로 추정되기 때문에 수사를 받는 피의자나 재판을 받는 피고인은 자신이 받는 범죄 혐의에서 억울한 점이 없도록 변호인과 협의하고 증거를 수집하는 등 방어권 확보를 위해 노력해야 한다. 그런데 구속 상태에서는 이러한 권리가 침해될 수 있으므로 구속되었더라도 재심사의 기회를 줌으로써 부당하게 침해될 수 있는 국민의 인권을 보호하려는 취지에서 구속 적부 심사 제도와 보석 제도가 마련되었다.

---

## 주제 10 부당 해고의 구제 방법

### 논술 SOLUTION

> (가)는 사용자가 노동조합의 활동을 방해하였으므로, 부당 노동 행위에 해당한다.

> (나)는 해고의 절차가 지켜지지 않았으므로, 부당 해고에 해당한다.

● POINT ● (가), (나) 사례에서 침해된 근로자의 권리를 파악하고, 침해 유형을 고려하여 권리 구제 방법을 논술한다.

**1.** 예시 답안 (가)에서 노동조합에 가입하지 않는 조건으로 근로 계약을 체결한 것은 부당 노동 행위에 해당하여 무효이다. 또한, 정당한 이유 없이 단체 교섭을 거부하고 노동조합 활동을 이유로 갑을 해고한 것은 모두 부당 노동 행위로서 「노동조합 및 노동관계 조정법」을 위반한 것이다. (나)에서 회사는 해고를 하려면 30일 전에 예고를 하고 해고의 사유를 설명하여야 하며, 해고 내용을 문서로 알려야 한다는 해고의 조건을 갖추지 못한 것은 부당 해고로서 「근로 기준법」을 위반한 것이다.

**2.** 예시 답안 갑과 을은 지방 노동 위원회에 구제 신청을 할 수 있다. 특히 갑은 노동조합 활동을 이유로 해고를 당한 것이므로 갑이 속한 노동조합도 구제 신청을 할 수 있다. 만일 지방 노동 위원회에서 기각 결정을 한다면 중앙 노동 위원회에 재심 청구를 할 수 있고, 여기서도 구제받지 못한다면 '행정 법원 → 고등 법원 → 대법원'의 소송 절차를 거칠 수 있다. 또한, 이러한 절차를 거치지 않고 바로 민사 법원에 해고 무효 확인 소송을 제기할 수도 있다.

---

## 주제 11 우리나라를 둘러싼 국제 관계

### 논술 SOLUTION

> (가)는 당사국들이 자국의 이익과 주장을 우선시하기 때문에 국제 분쟁의 해결이 어려움을 나타낸다.

↓

> (나)를 통해 한반도를 둘러싼 안보 상황이 복잡하며, 그 원인은 우리나라의 지정학적 위치의 중요성에 있음을 알 수 있다.

● POINT ● 국제 분쟁은 국내 분쟁에 비해 해결이 어렵다는 점을 파악하고, 우리나라 주변 국가들의 자국 이익 중심주의에서 우리나라가 취해야 할 외교적 전략에 대해 논술한다.

**1.** 예시 답안 국내 분쟁은 분쟁의 쟁점이 명확하고 해결 기관도 국가가 주도하고 그 결과에 승복하도록 제도화되어 있다. 그러나 국제 분쟁은 당사국들이 자국의 이익을 앞세우기 때문에 해결이 쉽지 않다.

**2.** 예시 답안 한반도는 태평양과 유라시아 대륙을 연결하는 지정학적 요충지로서 미국과 중국을 비롯한 주변국의 이해관계가 복잡하게 얽혀 있는 지역이다. 이러한 상황에서 우리나라가 한반도의 평화와 경제적 번영을 이루기 위해서는 다른 나라와의 군사적·경제적 갈등을 안정적으로 통제하고 상호 협력을 이끌어 낼 수 있는 역량을 갖추어야 한다. 이를 위해서는 다자 간 협력과 공조를 바탕으로 한반도 문제의 평화적 해결을 추구해야 한다. 특히 우방국과의 동맹에 기초한 튼튼한 안보를 바탕으로 북한과 평화적 교류와 협력을 확대하고, 한반도 평화와 통일에 대한 주변 국가의 지지와 협력을 이끌어 낼 필요가 있다.

# visang

**발행일** 2019년 3월 1일
**펴낸날** 2021년 5월 1일
**펴낸곳** (주)비상교육
**펴낸이** 양태회
**신고번호** 제2002-000048호
**출판사업총괄** 최대찬
**개발총괄** 채진희
**개발책임** 송경화
**디자인책임** 김재훈
**영업책임** 이지웅
**마케팅책임** 이은진
**품질책임** 석진안
**대표전화** 1544-0554
**주소** 서울특별시 구로구 디지털로 33길 48
　　　대륭포스트타워 7차 20층

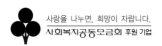